CALAMITEITENLEER
VOOR GEVORDERDEN

Marisha Pessl

CALAMITEITENLEER VOOR GEVORDERDEN

Vertaald door
Otto Biersma en
Paul Bruijn

Anthos|Amsterdam

ISBN 90 414 0990 4 / 978 90 414 0990 4
© 2006 Marisha Pessl
© 2006 Nederlandse vertaling Ambo|Anthos *uitgevers*, Amsterdam
en Otto Biersma en Paul Bruijn
Oorspronkelijke titel *Special Topics in Calamity Physics*
Oorspronkelijke uitgever Viking
Omslagontwerp Studio Jan de Boer, gebaseerd op een ontwerp van gray318
Omslagillustraties © Bettman/Corbis (bloemen),
© Historical Picture Archive/Corbis (vlinder)
Foto auteur Laura Rose

Verspreiding voor België:
Veen Bosch & Keuning uitgevers n.v., Wommelgem

Voor Anne en Nic

Syllabus

(verplichte literatuur)

DEEL 3

Inleiding

Pap zei altijd dat iemand wel een geweldig goede reden moet hebben om zijn of haar Levensverhaal op te schrijven en vervolgens te verwachten dat iemand dat nog zal lezen ook.

'Tenzij je Mozart, Matisse, Churchill, Che Guevara of Bond – Jámes Bond – bent, kun je je vrije tijd beter zoetbrengen met vingerverven of sjoelen, want niemand – behalve dan je moeder met haar kwabbige armen, stijve kapsel en aardappelpureeblik in haar ogen wanneer ze je aankijkt – wil de details van jouw betreurenswaardige bestaan horen dat ontegenzeglijk net zo zal eindigen als het begon: puffend.'

Op basis van die strikte voorwaarden ben ik er altijd van uitgegaan dat ik mijn Geweldig Goede Reden pas na mijn zeventigste zou hebben, compleet met levervlekken, reuma, een geest zo scherp als een vleesmes, een witgepleisterd kraakpand in Avignon (waar ik wel 365 verschillende kazen at), een twintig jaar jongere minnaar die op het veld werkte (ik weet niet wat erop groeit, maar in elk geval is het goudkleurig en pluizig), en met een beetje geluk een kleine prestatie op het gebied van de wetenschap of de filosofie op mijn naam. En toch kwam die beslissing – nee, de bittere noodzaak – om pen en papier te pakken en over mijn jeugd te schrijven – vooral over het jaar waarin mijn jeugd ontrafelde als een gescheurde trui – veel eerder dan ik ooit had verwacht.

Het begon gewoon met slapeloosheid. Het was bijna een jaar nadat ik Hannah dood had gevonden en ik dacht dat het me gelukt was om alle details van die nacht in mijzelf te wissen, zoals Henry Higgins met zijn eindeloze spraakoefeningen Eliza's cockney-accent had weggepoetst.

Ik had me vergist.

Ergens eind januari lag ik in het holst van de nacht weer eens wakker. Het was doodstil op de gang en donkere, puntige schaduwen kropen langs de randen van het plafond. Ik bezat niet meer dan een paar dikke, zelfingenomen studieboeken zoals *Inleiding tot de astrofysica* en de droevige, zwijgende James Dean die in zwart-wit gevangen vanaf de achterkant van onze deur op me neerstaarde. Door de grauwe duisternis staarde ik terug en zag haarscherp Hannah Schneider.

Ze hing een meter boven de grond aan een oranje elektriciteitssnoer. Haar tong – opgezwollen, cerisekleurig als een keukenspons – hing uit haar mond. Haar ogen leken op eikels, of op doffe penny's, of op twee zwarte knopen van een overjas die kinderen in het gezicht van een sneeuwpop zouden drukken, en ze zagen niets. Of eigenlijk was het probleem dat ze álles hadden gezien; J.B. Tower heeft ooit eens geschreven dat je op het moment vlak voor de dood 'alles wat ooit heeft bestaan tegelijk ziet'. Ik vroeg me wel af hoe hij dat wist, want toen hij zijn boek *Over het sterven* schreef, was hij in de kracht van zijn leven. En haar schoenveters – over die schoenveters zou een hele verhandeling kunnen worden geschreven – waren karmozijnrood, symmetrisch vastgemaakt in prachtige dubbele knopen.

Omdat ik een onverbeterlijke optimist ben (een Van Meer is volgens Pap van nature een idealist en een positieve vrijdenker), hoopte ik dat die akelige slapeloosheid een fase zou zijn waar ik snel weer uit zou komen – een soort bevlieging, zoals rokjes met poedelmotief of een lievelingssteen. Maar toen ik begin februari op een avond de *Aeneis* aan het lezen was, vertelde mijn kamergenote Soo-Jin zonder op te kijken van haar studieboek *Organische scheikunde* dat enkele eerstejaars van onze gang van plan waren om onuitgenodigd op een feest buiten de campus van een of andere doctor in de filosofie te verschijnen en dat ze mij niet hadden gevraagd omdat ze mij zo'n sombere uitstraling vonden hebben: 'Vooral 's morgens wanneer je onderweg bent naar "Inleiding in de tegencultuur van de jaren '60 en Nieuw Links". Je ziet er zo gekweld uit.'

Dat waren natuurlijk alleen Soo-Jins woorden – Soo-Jin die zowel bij Woede als bij Blijdschap dezelfde uitdrukking op haar gezicht had. Ik probeerde die opmerking weg te wuiven alsof het alleen maar een naar luchtje was dat opsteeg uit een beker of een reageerbuis, maar toen begonnen mij toch wel allerlei echt sombere dingen op te vallen. Zoals toen Bethany op een vrijdagavond allerlei mensen had uitgenodigd voor een Audrey Hepburn-marathon; toen was ik me er zeer van bewust dat aan het eind van *Breakfast at Tiffany's* de andere meisjes met tranen in hun ogen op kussens zaten en de ene sigaret na de andere opstaken, en ik als enige hoopte dat Holly Cat níét zou vinden. Nee, als ik heel eerlijk was dan wilde ik dat Cat verlaten en alleen zou blijven, eenzaam miauwend en bibberend in de splinterige kratten in die af-schuwelijke Tin Pan Alleyway die in die Hollywoodse stortregens binnen een uur onder de zeespiegel zou zijn verdwenen. (Dat camoufleerde ik natuurlijk door opgelucht te glimlachen toen George Peppard koortsachtig Audrey beetpakte, die op haar beurt koortsachtig Cat vasthield, die niet meer op een kat leek maar op een verzopen eekhoorn. Ik geloof dat ik zelfs even heel meis-jesachtig zuchtte, precies gelijk met Bethany.)

En dat was nog niet alles. Een paar dagen later zat ik bij 'Helden uit de Ame-rikaanse geschiedenis', dat werd gegeven door de assistent-in-opleiding Glenn Oakley, met zijn maïskleurige huid en zijn gewoonte om halverwege een woord even te slikken. Hij had het over het sterfbed van Gertrude Stein.

'Wat is het antwoord, Gertrude?' citeerde Glenn overdreven fluisterend, zijn linkervuist met gestrekte pink omhoog alsof hij een onzichtbare parasol vasthield. (Met zijn vage snor leek hij wel een beetje op Alice B. Toklas.) 'Maar wat is de vra-haag, Alice?'

Ik onderdrukte een gaap, keek toevallig even op mijn aantekeningen en zag tot mijn afschuw dat ik onbewust in schuinschrift met vreemde lussen een verontrustend woord had neergekrabbeld: 'Afscheid'. Op zich was dat na-tuurlijk niet zo zorgwekkend, maar ik had het als een gestoorde met liefdes-verdriet minstens veertig keer over de totale kantlijn geschreven – en ook nog een paar keer op de bladzij ervoor.

'Kan iemand vertellen wat Ger-grg-trude daarmee bedoelde? Blue? Nee? Wil je wel even bij de les blijven, alsjeblieft? En jij, Shilla?'

'Dat is nogal duidelijk. Ze had het over de ondraaglijke leegheid van het be-staan.'

'Heel goed.'

Ondanks mijn verwoede pogingen om het tegenovergestelde te bereiken (ik droeg wollige truien in de kleuren geel en roze, had mijn haar opgebonden in een volgens mij heel vrolijk staartje) was ik langzamerhand precies dat aan het worden waar ik sinds al die gebeurtenissen zo bang voor was geweest. Ik werd Apathisch en Vreemd (tussenstation naar Knettergek), iemand die op middelbare leeftijd schrikt van kinderen of expres op een grote groep duiven af stormt die rustig krummeltjes aan het oppikken zijn. Natuurlijk liepen wel de rillingen over mijn rug wanneer ik op een angstaanjagend schreeuwen-de krantenkop of advertentie stuitte: STAALMAGNAAT OP VIJFTIGJARIGE LEEFTIJD ONVERWACHTS OVERLEDEN AAN HARTSTILSTAND of LIQUIDA-TIEVERKOOP KAMPEERARTIKELEN. Dan hield ik mezelf voor dat iedereen – in elk geval iedereen die een beetje interessant was – een paar littekens had.

En littekens hoefden niet automatisch te betekenen dat je qua uiterlijk en gedrag niet meer Katharine Hepburn dan Captain Queeg kon zijn, of een beetje meer Sandra Dee dan Scrooge.

Mijn geleidelijk wegzakken in een depressie zou onverminderd zijn voortgegaan als ik op een koude middag in maart geen verrassend telefoontje had gekregen. Het was bijna een jaar na Hannahs dood.

'Voor jou,' zei Soo-Jin, terwijl ze nauwelijks opkeek van diagram 211.74 'Aminozuren en peptiden' om mij de telefoon aan te reiken.

'Hallo?'

'Dag. Ik ben het, je verleden.'

Mijn adem stokte. Ze was het onmiskenbaar – haar diepe stem die beelden opriep van seks en snelwegen, een mengeling van Marilyn en Charles Kuralt, maar toch anders. Eens was die stem zoet en knapperig geweest, nu was hij pap, gort.

'Rustig maar,' zei Jade. 'Ik zoek geen problemen.' Ze lachte, een korte ha-klank, het geluid van een voet die tegen een steentje schopte. 'Ik rook niet meer,' verkondigde ze, waar ze kennelijk behoorlijk trots op was. Daarna vertelde ze dat ze na St. Gallway niet naar de universiteit was gegaan. In plaats daarvan had ze zich vanwege haar 'problemen' vrijwillig aangemeld bij een 'Narnia-achtige instelling' waar je over je gevoelens kon praten en leerde hoe je met aquarelverf fruit kon schilderen. Jade maakte er terloops ook melding van dat er een 'echt grote popster' op haar verdieping was opgenomen, de relatief normale tweede verdieping ('niet zo suïcidaal als de derde of zo manisch als de eerste'), en dat ze bevriend waren geraakt, maar dat ze met het onthullen van zijn naam alles zou verloochenen wat ze in haar tien maanden durende 'groeiperiode' op Heathride Park had geleerd. (Jade zag zichzelf nu, besefte ik, als een soort wijnrank of klimplant.) Een van de eisen voor haar 'afstuderen', zo legde ze uit (ze gebruikte dat woord waarschijnlijk omdat het de voorkeur had boven 'ontslaan') was dat ze de Losse Eindjes afhechtte.

Ik was zo'n Los Eindje.

'Hoe gaat het met je?' vroeg ze. 'Alles goed? En met je vader?'

'Het gaat geweldig met hem.'

'En Harvard?'

'Prima.'

'Dat brengt me bij het doel van dit gesprek, namelijk een excuus, waar ik me niet aan wil onttrekken of makkelijk van af wil maken,' zei ze formeel. Daar werd ik een beetje bedroefd van, want dat klonk helemaal niet als de Echte Jade. De Jade die ik kende onttrok zich altijd aan excuses, en als het dan echt moest, dan maakte ze zich er makkelijk van af, maar dit was Jade de Klimop, de plant die niet loslaat.

'Het spijt me dat ik me zo gedragen heb. Ik weet dat het niet jouw schuld was. Ze was gewoon doorgedraaid. Dat komt vaker voor, en iedereen heeft daar zo z'n redenen voor. Wil je me alsjeblieft vergeven wat ik heb gedaan?'

Ik overwoog om haar in de rede te vallen met een spannende wending, een volte, een slag in het gezicht, met mijn kleine lettertjes: 'Nou, eigenlijk eh...' Maar dat kon ik niet. Ik had er niet alleen de moed niet voor, ik zag er ook het nut niet van in om haar de waarheid te vertellen, nu niet. Jade was tenslotte net aan het opbloeien, ze kreeg precies de goede hoeveelheid zonlicht en water, en ze leek haar maximale hoogte van vijfentwintig meter te kunnen bereiken en zou door middel van zaadjes, snoeien in de zomer en uitbotten in het voorjaar nog verder kunnen uitgroeien en uiteindelijk een hele muur in beslag nemen. Mijn woorden zouden het effect van honderd dagen droogte hebben.

De rest van het gesprek bestond uit een driftig over en weer van 'Geef me je e-mailadres' en 'We moeten een grote reünie organiseren' – flinterdunne vriendelijkheden die nauwelijks het feit verhulden dat we elkaar nooit meer zouden zien en zelden zouden spreken. Ik besefte dat zij, en de anderen misschien ook, bij tijd en wijle als een pluisje van een uitgebloeide paardenbloem langs zou waaien met nieuwtjes over romantische huwelijken, slepende scheidingen, verhuizingen naar Florida, een nieuwe baan in de makelaardij, maar ze bleven niet hangen en zweefden gewoon weer net zo achteloos weg als ze waren gekomen.

Later die dag volgde ik, alsof het zo moest zijn, een college 'Griekse en Romeinse epiek' van de emeritus hoogleraar klassieke talen, Zolo Kydd. De studenten noemden Zolo 'Rolo', omdat hij qua postuur en huidskleur een beetje leek op het chocoladesnoepje met toffeevulling waar je zo lekker op kon zuigen. Hij was klein, zongebruind en rond, droeg het hele jaar door felgekleurde geruite broeken, die meer bij Kerstmis zouden passen, en zijn dikke geelwitte haar bedekte zijn glimmende, sproeterige voorhoofd alsof er lang geleden slasaus over was uitgegoten. Gewoonlijk waren aan het eind van Zolo's colleges over Goden en Goddeloosheid of Het Begin en Het Einde de meeste studenten ingedut; in tegenstelling tot Pap had Zolo een slaapverwekkende spreektrant, wat te maken had met zijn ellenlange zinnen en zijn neiging om een bepaald woord, meestal een voorzetsel of een bijvoeglijk naamwoord, voortdurend te herhalen, op een manier die je deed denken aan een groen kikkertje dat van lelieblad naar lelieblad sprong.

Toch klopte die middag mijn hart in mijn keel. Ik hing aan zijn lippen.

'Laatst stuitte ik op een, een, een grappig artikel over Homerus,' zei Zolo, waarbij hij fronsend op zijn lessenaar keek en snoof. (Zolo snoof wanneer hij zenuwachtig was, wanneer hij het kloeke besluit had genomen om de veilige haven van zijn aantekeningen te verlaten en te gaan dwalen in een hachelijke uitweiding.) 'Het stond in een klein tijdschrift, dat ik jullie aanraad in de bibliotheek eens in te kijken, het, het, het weinig bekende *Epiek uit de Oudheid en het Moderne Amerika*. Het winternummer, geloof ik. Kennelijk wilde een jaar geleden een stelletje mesjogge geleerden Oude Talen zoals ik een experiment uitvoeren over de kracht van de epiek. Ze kregen het voor elkaar dat er exemplaren van de *Odyssee* werden uitgereikt aan, aan, aan honderd zware criminelen in een extra beveiligde gevangenis – Riverbend, als ik me niet vergis –, en geloof het of niet: twintig veroordeelden lazen het boek helemaal uit en drie van hen begonnen zelf epische verhalen te schrijven. Een wordt er volgend jaar uitgegeven bij Oxford University Press. Het artikel concludeerde dat epische poëzie een zeer geschikt middel is om de, de, de gevaarlijkste criminelen tot inkeer te brengen. Het blijkt, grappig genoeg, dat het de woede, de stress en de pijn vermindert en zelfs degenen die ver, ver, ver heen zijn hoop biedt. Het ontbreekt in deze tijd namelijk aan echt heldendom. Waar zijn de nobele helden? De grootse daden? Waar zijn de goden, de muzen, de krijgers? Waar is het oude Rome? Ze moeten toch, toch, toch ergens zijn, want de geschiedenis herhaalt zich, zoals Plutarchus heeft gezegd. Hadden we maar het lef om in onszelf op zoek te gaan, dan zou misschien...'

Ik weet niet wat er me opeens overkwam.

Misschien was het Zolo's bezwete gezicht dat het schijnsel van de overheadprojector feestelijk weerkaatste zoals een rivier de lichtjes van een kermis weerkaatst, of de manier waarop hij zich vasthield aan de lessenaar alsof er anders niet veel meer van hem over zou blijven dan een hoopje felgekleurd wasgoed – in schril contrast met Paps houding op welk podium of achter welke lessenaar dan ook. Wanneer Pap een uiteenzetting gaf over de Hervorming van de Derde Wereld (of wat hij als een uiteenzetting beschouwde; hij liet zich niet afschrikken of zenuwachtig maken door Verbale Luchtaanvallen of een Onverwachtse Uitweiding), stond hij daar altijd kaarsrecht en roerloos. ('Tijdens een college hou ik mezelf voor dat ik een Dorische zuil in het Parthenon ben,' zei hij.)

Zonder na te denken stond ik met wild bonzend hart op. Zolo stopte midden in een zin en staarde me samen met de driehonderd andere half ingedutte studenten in de collegezaal aan toen ik me met gebogen hoofd een weg

baande over rugtassen, uitgestoken benen, jassen, sportschoenen en studieboeken om het dichtstbijzijnde gangpad te bereiken. Ik strompelde naar de
klapdeuren van de uitgang.

'Daar gaat Achilles,' schimpte Zolo in de microfoon. Hier en daar klonk
een verveeld lachje.

Ik rende terug naar het studentenhuis. Ik ging achter mijn bureau zitten
en begon haastig deze Inleiding neer te pennen, die oorspronkelijk begon
met wat er met Charles was gebeurd nadat hij zijn been op drie plaatsen had
gebroken en door de Nationale Garde was gered. Waarschijnlijk zal hij zoveel
pijn hebben gehad dat hij onophoudelijk 'Jezus, help me!' riep. Charles kon
verschrikkelijk tekeergaan als hij over zijn toeren was. Ik zag voor me hoe die
woorden een eigen leven gingen leiden en als heliumballonnetjes door de ste-
riele gangen van het ziekenhuis van Burns County zweefden, helemaal naar
de verloskamer, zodat elk kind dat die ochtend ter wereld kwam zijn ge-
schreeuw hoorde.

Natuurlijk, 'Er was eens een mooi, droevig jongetje dat Charles heette'
klopte niet helemaal. Charles was de droom van St. Gallway, de *Dokter Zjivago*
van de school, de *Destry Rides Again*. Hij was het zongebruinde kind dat Fitzgerald uit de klassenfoto van het eindexamenjaar zou hebben gepikt en zou
hebben beschreven met ronkende termen als 'aristocratisch' en 'een onwan-
kelbaar zelfvertrouwen'. Charles zou hevig protesteren wanneer ik zijn verhaal zou beginnen met dat ene vernederende moment.

Ik was terug bij Af en vroeg me af hoe die zware jongens het voor elkaar
hadden gekregen om tegen de verwachting in en met zo'n gemak de Blanco
Pagina te veroveren. Net toen ik de verfrommelde pagina's in de prullenmand
onder Einstein gooide – die op de muur gegijzeld werd naast Soo-Jins impopulaire lijstje met huisregels – herinnerde ik me opeens iets wat Pap ooit in
Enid, Oklahoma, had gezegd. Hij zat te bladeren in een opmerkelijk aantrekkelijke studiegids van de Universiteit van Utah in Rockwell, waar hem net een
gastdocentschap was aangeboden.

'Niets is zo boeiend als een goed georganiseerd onderwijsprogramma,' zei
hij plotseling.

Ik zal wel met mijn ogen gedraaid hebben of een raar gezicht getrokken
hebben, want hij schudde zijn hoofd, stond op en gaf de gids – wel vijf centimeter dik – aan mij.

'Ik meen het. Wat is er magnifieker dan het vak van hoogleraar? Dan bedoel ik niet het kneden van de geest, de toekomst van de natie – een twijfelachtige bewering; je kunt weinig bijsturen wanneer ze vanaf hun geboorte

voorbestemd zijn om computerspelletjes zoals *Grand Theft Auto Vice City* te spelen. Nee. Wat ik bedoel is dat een hoogleraar de enige ter wereld is die in staat is om een lijst om het leven aan te brengen – niet helemaal eromheen, god nee, alleen een gedeelte, een partje ervan. Hij structureert het onstructureerbare. Behendig verdeelt hij het in modern en postmodern, Renaissance, Barok, pre-renaissance, imperialisme enzovoort. En splitst die weer op met behulp van Essays, Vakanties en Tentamens. Al die orde – verrukkelijk gewoon. De symmetrie van een semester. Kijk maar eens naar de woorden: werkgroep, studiebegeleiding, workshop uitsluitend toegankelijk voor laatstejaars, doctoraalassistenten en promovendi, het practicum – wat een geweldig woord: *practicum!* Je zult wel denken dat ik gek ben. Neem nou een Kandinsky. Uiterst warrig, maar lijst hem in en voilà: heel geschikt voor boven de schoorsteenmantel. Zo gaat het ook met een onderwijsprogramma. Dat heerlijke, hemelse onderricht dat uitmondt in het gevreesde wonder van het Afstuderen. Wat houdt dat Afstuderen in? Dan wordt getest hoe ver je inzicht gaat in grootse ideeën. Geen wonder dat zovele volwassenen graag zouden terugkeren naar de universiteit, naar al die deadlines – aah, die structuur! Ons enige houvast! Ook al is die arbitrair, zonder zouden we verloren zijn, totaal niet in staat om in onze treurige, verbijsterende levens onderscheid aan te brengen tussen het romantische en het victoriaanse...'

Ik zei tegen Pap dat hij gek geworden was. Hij moest lachen.

'Ooit zul je het begrijpen,' zei hij met een knipoog. 'En denk erom: zorg ervoor dat je alles wat je zegt uitstekend hebt onderbouwd en waar mogelijk voorziet van verbijsterende Afbeeldingen, want neem maar van mij aan: er zit achteraan altijd een of andere mafkees – ergens bij de radiator – die zijn dikke zwemvlieshand opsteekt en jammert: "'Nee, nee, u hebt het helemaal mis."'

Ik slikte en staarde naar de blanco pagina. Ik liet mijn vulpen een drievoudige Lutz tussen mijn vingers maken en wendde mijn blik naar buiten, waar in de tuin van Harvard ernstige studenten, met hun winterdas stevig om de hals, zich over de paden en het gras haastten. 'Ik zing over wapens en over de man die veroordeeld was tot een leven in ballingschap,' had Zolo een paar weken terug gezongen. Bij elk woord stampte hij bizar op de grond, waardoor de onderkant van zijn geruite broekspijp omhoogschoof en je geen prettig zicht kreeg op zijn tandenstokerdikke enkel in een chique witte sok. Ik haalde diep adem. Boven aan de pagina schreef ik in mijn mooiste handschrift: 'Syllabus', en daaronder: 'Verplichte Literatuur'.

Zo begon Pap altijd.

DEEL 1

Othello

Voordat ik ga vertellen over de dood van Hannah Schneider, vertel ik over die van mijn moeder.

17 september 1992, om tien over drie 's middags, twee dagen voordat ze haar nieuwe blauwe Volvo stationcar zou ophalen bij de Volvo & Infiniti-dealer Dean King, reed mijn moeder, Natasha Alicia Bridges Van Meer, met haar Plymouth Horizon (die wagen had Pap de bijnaam Wisse Dood gegeven) dwars door de vangrail langs de Mississippi State Highway 7 en knalde tegen een rij bomen.

Ze was op slag dood. Ik zou ook op slag dood zijn geweest als door een vreemde, ongrijpbare speling van het lot Pap mijn moeder niet rond lunchtijd had gebeld om te zeggen dat zij me deze keer niet hoefde op te halen van basisschool Calhoun. Pap had besloten om de studenten weg te sturen die anders altijd na zijn les 'Politicologie 440a: Conflictoplossingen' bleven hangen om slecht doordachte vragen te stellen. Hij zou me ophalen uit de kleuterklas van juffrouw Jetty en dan zouden we de rest van de dag doorbrengen in het Mississippi-natuurreservaat in Water Valley.

Terwijl Pap en ik vernamen dat Mississippi met zijn 1,75 miljoen witstaart-herten de hertenstand heel goed beheert (alleen Texas heeft er meer), probeerden reddingsteams met een spreidvijzel mijn moeders lichaam uit het wrak van de auto te bevrijden.

Pap, over Mam: 'Je moeder was een *arabesk*.'

Pap beschreef haar graag in ballettermen (andere lievelingswoorden waren *attitude*, *ciseaux* en *balancé*); niet alleen omdat ze als meisje zeven jaar op het beroemde Larson Ballet Conservatory in New York had gezeten – ze moest daar van haar ouders van af om naar de Ivy School in East 81st Street te gaan –, maar ook omdat haar leven in het teken van schoonheid en discipline had gestaan. 'Hoewel ze klassiek geschoold was, ontwikkelde Natasha al vroeg haar eigen techniek, en ze werd door familie en vrienden als behoorlijk radicaal beschouwd voor die tijd,' zei hij. Daarbij doelde hij op haar ouders George en Geneva Bridges en haar leeftijdgenoten die niet begrepen waarom ze niet in de vijf verdiepingen tellende woning van haar ouders vlak bij Madison Avenue ging wonen, maar in een eenkamerappartement in Astoria. En waarom ze niet bij American Express of Coca-Cola ging werken, maar wel bij NORM – een non-profitorganisatie voor moeders die van hun verslaving af wilden komen – en ook waarom ze op Pap viel, een man die dertien jaar ouder was dan zij.

Na drie glazen bourbon wilde Pap nog weleens vertellen over de avond dat ze elkaar hadden ontmoet in de Faraozaal van de Collectie Egyptische Kunst van Edward Stillman in East 86th Street. Hij zag haar aan de andere kant van een volle zaal met gemummificeerde ledematen van Egyptische koningen en met mensen die voor duizend dollar per couvert eend zaten te eten. De opbrengst was bestemd voor weeskinderen in de derde wereld. Door een gelukkig toeval had Pap twee kaartjes gekregen van een collega op de universiteit die verhinderd was. Mijn bestaan heb ik dus te danken aan de hoogleraar politicologie aan de Columbia-universiteit Arnold B. Levy en de suikerziekte van zijn vrouw.

In zijn herinnering veranderde Natasha's jurk nog weleens van kleur. Soms was ze 'gehuld in vredesduifwit dat haar prachtige figuur mooi deed uitkomen, waardoor ze zo aantrekkelijk werd als Lana Turner in *The Postman Always Rings Twice*'. Andere keren was ze helemaal in het rood gekleed. Pap had een vrouw meegenomen, ene Lucy Marie Miller van de Ithaca-universiteit, die pas docent was geworden bij de vakgroep Engels van Columbia. Pap kon zich nooit herinneren welke kleur zíj droeg. Hij kon zich niet eens herinneren dat Lucy er ook bij was geweest of dat hij afscheid van haar had genomen na hun korte gesprekje over de opmerkelijk goede conservering van de heup van koning Taa II, want even later ontdekte hij de lichtblonde Natasha Bridges met haar aristocratische neus. Ze stond voor de knie en de dij van Ahmosis IV afwezig te kletsen met de man die zij mee had genomen, Nelson L. Aimes, een telg van het beroemde geslacht Aimes uit San Francisco.

'Die vent had het charisma van een vloerkleedje,' vertelde Pap graag, ook al beschuldigde hij de ongelukkige meneer Aimes soms alleen van 'een slungelige houding' en 'een sullig kuifje'.

Ze kregen een stormachtige relatie die zo uit een sprookje leek te komen, compleet met de boze koningin, de klunzige koning, de beeldschone prinses, de arme prins, een betoverende liefde – die ervoor zorgde dat vogels en andere pluizige dieren zich verdrongen op de vensterbank – en een Laatste Vervloeking.

'Bij die man zul je ongelukkig sterven,' zou Geneva Bridges tijdens hun laatste telefoongesprek tegen mijn moeder hebben gezegd.

Pap had geen idee waarom George en Geneva Bridges zo weinig onder de indruk van hem waren, terwijl de rest van de wereld dat wel was. Gareth Van Meer was op 25 juli 1947 geboren in het Zwitserse Biel. Zijn ouders had hij nooit gekend, maar hij vermoedde dat zijn vader een ondergedoken Duitse soldaat was geweest. Hij groeide op in een weeshuis voor jongens in Zürich waar Liefde (*Liebe*) en Begrip (*Verständnis*) net zo vaak voorkwamen als Pesten (*Piesacken*). Louter door zijn enorme gedrevenheid om iets groots te bereiken kreeg Pap een beurs om economie te kunnen studeren aan de Universiteit van Lausanne, doceerde hij twee jaar sociologie aan de Jefferson International School in Kampala in Uganda, werkte hij als assistent van het hoofd Studiebegeleiding aan de Díaz-Gonzáles School in Managua in Nicaragua, en kwam hij in 1972 voor het eerst in Amerika. In 1978 studeerde hij af aan de Kennedy School voor Openbaar Bestuur aan de Harvard-universiteit met een hooggewaardeerde dissertatie, *De vloek van de vrijheidsstrijder: misvattingen rond guerrillaoorlogvoering en revolutie in de derde wereld*. De vier jaar daarna doceerde hij in Cali in Colombia en in Cairo, en in zijn vrije tijd verrichtte hij voor een boek over territoriale conflicten en buitenlandse hulp veldwerk in Haïti, Cuba en verscheidene Afrikaanse landen zoals Zambia, Sudan en Zuid-Afrika. Teruggekeerd in de Verenigde Staten werd hij hoogleraar politicologie aan het Harold H. Clarkson-instituut van de Brown-universiteit en in 1986 hoogleraar wereldorde aan het Ira F. Rosenblum-instituut van de Universiteit van Columbia, en publiceerde hij zijn eerste boek, *De werkelijke machthebbers* (Harvard University Press, 1987). In dat jaar kreeg hij zes onderscheidingen, waaronder de Mandela Award van het American Political Science Institute en de belangrijke McNeely Prize of International Affairs.

Toen George en Geneva Bridges van East 64th Street 16 Gareth van Meer ontmoetten, kenden ze hem geen prijs toe, hij kreeg zelfs geen Eervolle Vermelding.

'Geneva was joods en verachtte mijn Duitse accent. Dat haar familie uit Sint-Petersburg kwam en dat zij ook een accent had, deed er verder niet toe. Geneva klaagde dat ze telkens wanneer ze mij hoorde aan Dachau moest denken. Ik probeerde het te verbergen, waardoor ik nu dat keurige, beschaafde accent heb. Nou ja,' verzuchtte Pap, en hij maakte zijn wuifgebaar van 'om een lang verhaal kort te maken'. 'Ik denk dat ze me niet goed genoeg vonden. Ze wilden liever dat ze trouwde met een van die keurig gekapte mooie jongens met een indrukwekkende hoeveelheid vastgoed, iemand die niets van de wereld had gezien, of anders alleen door de ramen van een Presidentssuite van het Ritz. Ze begrepen haar niet.'

Dus mijn moeder 'gaf lijf, ziel en trouw, haar schoonheid en haar schatten/ een woningloze, vreemde zwerver prijs/ van hier en overal' en viel voor Paps verhalen over verre landen en zeeën. Ze trouwden voor de wet in Pitts, New Jersey, met twee getuigen die ze hadden opgepikt in een wegrestaurant: een vrachtwagenchauffeur en een serveerster die Peaches heette, die vier dagen niet had geslapen en tijdens de ceremonie tweeëndertig keer had gegaapt, had Pap geteld. In die tijd had Pap al een tijdje onenigheid met het conservatieve hoofd van de vakgroep politicologie van de Columbia-universiteit, en die ruzie kwam tot een enorme uitbarsting naar aanleiding van een artikel dat Pap had gepubliceerd in de *Federal Journal of Foreign Affairs* getiteld 'Stalen neuzen en naaldhakken: de grillen van de Amerikaanse ontwikkelingshulp' (jrg. 45, no. 2, 1987). Hij nam halverwege het semester ontslag. Ze verhuisden naar Oxford, Mississippi. Pap nam een baan aan als docent 'Conflictoplossingen in de derde wereld' aan Ole Miss, en mijn moeder werkte voor het Rode Kruis en begon vlinders te vangen.

Vijf maanden later werd ik geboren. Mijn moeder besloot om mij Blue te noemen, naar aanleiding van haar eerste jaar van de vlindercursus bij het Southern Belles' Vlindergenootschap dat op dinsdagavond bij elkaar kwam in de Eerste Baptistenkerk (met lezingen over habitat, bescherming, de paringsvlucht, maar ook over hoe je een vitrinekast aantrekkelijk inricht): de Cassius Blue was de enige vlinder die Natasha kon vangen (zie *Leptotes cassius, Butterfly Dictionary*, Meld, editie 2001). Ze had verschillende netten geprobeerd (linnen, katoen, gaas), lokstoffen (kamperfoelie, patchoeli), verscheidene manieren van benaderen (tegenwind, meewind, zijwind) en de vele zwaaitechnieken met het net (de Veeg, de Korte Hoek, de Lowsell-Pit-beweging). Beatrice 'Bee' Lowsell, voorzitster van het vlindergenootschap, had Natasha zelfs op zondagmiddagen nog privéles gegeven in de Methodes van de Vlinderjacht (de Zigzag, de Indirecte Achtervolging, het Snelle Hoeken Slaan, het Opnieuw Beginnen), maar ook in de Kunst van het Verbergen van je Schaduw. Niets hielp. Het Verlegen Geeltje (*Eurema messalina*), de Witte Admiraalvlinder en de Viceroy-vlinder werden door mijn moeders vlindernet afgestoten als twee gelijke magnetische polen.

'Je moeder beschouwde dat als een teken en besloot zich daarom alleen maar op de Cassius Blue toe te leggen. Telkens wanneer ze het veld in was gegaan kwam ze met een stuk of vijftig van die vlinders thuis en die vlindersoort was een specialisme van haar geworden. Sir Charles Edwin, de belangrijkste deskundige op het gebied van het behoud van vlinders en werkzaam bij het insectenmuseum van Surrey in Engeland – hij was niet één keer, maar wel vier keer verschenen in *Insecten in beeld* op de BBC –, belde je moeder op om met haar de voedingspatronen van de *Leptotes cassius* bij de bloemen van de limaboon te bespreken.'

Telkens wanneer ik mijn afkeer van mijn naam liet blijken, reageerde Pap op dezelfde manier: 'Wees blij dat ze niet steeds de Vals Getekende Dikkop of de Zilvervlekving.'

De politie van Lafayette had Pap verteld dat Natasha kennelijk op klaarlichte dag achter het stuur in slaap was gevallen. Pap moest bekennen dat Natasha de laatste vier of vijf maanden voor het ongeluk regelmatig 's nachts had doorgewerkt aan haar vlinders. Ze was op de gekste plekken in slaap gevallen: bij het fornuis tijdens het koken van Paps havermoutpap, op de onderzoekstafel terwijl dokter Moffet naar haar hart luisterde, zelfs in de lift tussen twee verdiepingen in het winkelcentrum van Ridgeland.

'Ik zei tegen haar dat ze het wat rustiger aan moest doen,' zei Pap. 'Het was tenslotte maar een hobby. Maar ze bleef nachten doorhalen met die vitrinekasten. Ze kon heel koppig zijn. Wanneer ze iets in haar hoofd had, wanneer ze ergens in geloofde, beet ze zich daarin vast. En toch was ze net zo breekbaar als haar eigen vlinders, een kunstenaar die alles heel intens voelt. Zulke gevoeligheid is prima, maar maakt het dagelijks bestaan nogal moeizaam, lijkt me. Vroeger zei ik voor de grap dat zij de pijn voelde wanneer iemand in het Braziliaanse Amazone-gebied een boom omhakte of op een mier trapte, of wanneer een mus zich tegen een glazen schuifpui te pletter vloog.'

Zonder Paps anekdotes en commentaar (zijn *pas de deux* en *attitudes*) zou ik niet veel herinneringen aan haar hebben. Ik was vijf toen ze stierf, en in tegenstelling tot de genieën die beweren zich hun eigen geboorte levendig te kunnen herinneren ('Een aardbeving onder water,' zei de bekende natuurkundige Johann Schweitzer. 'Beangstigend.'), hapert mijn geheugen als een weerbarstige motor als het om mijn leven in Mississippi gaat.

Paps lievelingsfoto van Natasha was er een in zwart-wit die genomen was voordat ze elkaar hadden ontmoet. Ze was toen eenentwintig en had zich verkleed voor een victoriaans gekostumeerd feest (afbeelding 1.0). Ik heb de originele foto's niet meer, dus waar nodig heb ik illustraties toegevoegd die ik heb getekend naar wat ik me nog kan herinneren. Ook al staat ze op de voor-

grond, ze lijkt in de rest van de kamer te verdrinken, een kamer met een overdaad aan 'burgerlijke bezittingen', zoals Pap altijd zuchtend opmerkte. Het waren overigens echte Picasso's.

Natasha kijkt recht in de camera en heeft een charmant en open gezicht, maar ik herken niets in haar wanneer ik die blondine bekijk met haar geprononceerde jukbeenderen en haar prachtige haar. Ook kan ik die verzorgde verschijning niet in verband brengen met de kalmte en de zelfverzekerdheid die ik me wél van haar herinner: het gevoel van haar pols in mijn hand, zo glad als opgewreven hout, terwijl ze me naar de klas brengt met de oranje vloerbedekking en de geur van plaksel; de manier waarop tijdens het autorijden haar zijdezachte haar bijna haar hele rechteroor bedekte, alleen de rand stak er nog een stukje uit, als de vin van een vis.

Ook de dag van haar dood is dunnetjes en ijl. Ook al denk ik me te herinneren dat Pap met zijn hoofd in zijn handen in een witte slaapkamer zat en vreemde, gesmoorde geluiden maakte, en dat overal de geur van pollen en natte bladeren hing, ik vraag me toch af of het geen Geforceerde Herinnering is, geboren uit noodzaak en heel graag willen. Ik kan me wel goed herinneren dat ik naar buiten keek, naar de plek bij het tuinschuurtje waar haar witte Plymouth altijd geparkeerd stond, en dat ik alleen maar de olievlekken zag. Ook herinner ik me dat totdat Pap zijn collegerooster had kunnen wijzigen, onze buurvrouw me een paar dagen oppikte van de kleuterschool, een aardige vrouw met rood stekeltjeshaar die een spijkerbroek droeg en naar zeep rook. Wanneer we onze oprit op waren gereden deed ze niet meteen het portier open, maar klemde het stuur vast en fluisterde hoe erg ze het allemaal vond – niet tegen mij, maar tegen de garagedeur. Daarna stak ze een sigaret op en bleef heel stil zitten, terwijl de rook om de achteruitkijkspiegel heen kronkelde.

Ik herinner me ook hoe ons huis, dat voorheen humeurig en vermoeid was als een reumatische tante, zich nu zonder de aanwezigheid van mijn moeder gespannen inhield, alsof het wachtte op haar terugkeer, en weer vrijelijk mocht brommen en kreunen; de houten vloeren weer grimassen mochten trekken onder onze haastige voeten, de hordeur telkens wanneer die openging de deurpost er 2,25 keer van langs mocht geven, de gordijnen mochten oprispen wanneer een windvlaag ongemanierd door een raam kwam waaien. Het huis weigerde gewoon om zonder haar nog sikkeneurig te zijn. Totdat Pap en ik in 1993 onze spullen bij elkaar pakten en Oxford verlieten, bleef het gevangenzitten in die beschroomde, zwijgende houding die je moest aannemen bij de saaie preken van de eerwaarde Monty Howard in de presbyteriaanse kerk waar Pap me elke zondagmorgen afzette. Daarna bleef hij wachten op het parkeerterrein van de McDonald's aan de overkant, at hij aardappelkoekjes en las hij de *New Republic*.

Zonder het je echt te herinneren kun je je wel voorstellen hoe een dag als 17 september 1992 moet blijven rondspoken in iemands hoofd wanneer een bepaalde leraar niet op de naam van diegene kan komen en haar ten slotte 'Green' noemt. Ik dacht aan de 17 september op de basisschool Poe-Richards toen ik stiekem het donkere magazijn van de bibliotheek in was gegaan om mijn lunch op te eten en *Oorlog en vrede* (Tolstoj 1865-'69) te lezen, of toen Pap en ik 's nachts over de snelweg reden en hij in zo'n absoluut stilzwijgen was verzonken dat zijn profiel wel uitgesneden leek op een totempaal. Dan staarde ik uit het raam naar het zwarte gaaswerk van langsflitsende bomen en werd ik overvallen door 'stel dat'-vragen. Stel dat Pap me niet van school had opgehaald en zij me had meegenomen, dan had ze omdat ik op de achterbank zat haar uiterste best gedaan om niet in slaap te vallen – het raampje naar beneden gedraaid zodat haar glanzende haar alle kanten op wapperde (waardoor haar hele rechteroor zichtbaar werd), meegezongen met een van haar lievelingsliedjes op de radio, 'Revolution' van de Beatles. Of stel dat ze niet in slaap was gevallen. Stel dat ze expres met een snelheid van 130 kilometer per uur naar rechts was gezwenkt, dwars door de vangrail, en frontaal op een rijtje tulpenbomen was gebotst, negen meter naast de berm van de snelweg?

Pap praatte daar liever niet over.

'Je moeder had me die ochtend net verteld dat ze zich wilde opgeven voor een avondcursus voor beginners over de nachtvlinders in Noord-Amerika, dus zet die sombere gedachten uit je hoofd. Natasha was het slachtoffer van één vlindernacht te veel.' Pap staarde naar de grond. 'Een soort nachtvlinderverdwazing,' zei hij zachtjes.

Daarna glimlachte hij en keek hij naar me. Ik stond in de deuropening. Zijn blik was vermoeid alsof het hem inspanning kostte om me aan te kijken.

'Daar laten we het bij.'

A Portrait of the Artist as a Young Man

We reisden.
Dankzij de verrassend goede verkoop van *De werkelijke machthebbers* (vergeleken met andere vlot leesvoer van de Harvard University Press, zoals *Buitenlandse valuta* (Toney, 1987) en FDR *en zijn Big Deal: een nieuwe kijk op zijn eerste 100 dagen* (Robbe, 1987), dankzij zijn onberispelijke, twaalf pagina's omvattende curriculum vitae, het frequente verschijnen van zijn essays in hooggewaardeerde, zeer gespecialiseerde (maar weinig gelezen) tijdschriften, zoals *Internationale zaken en de Amerikaanse politiek* en *Daniel Hewitts Federal Forum*, en niet in de laatste plaats dankzij zijn nominatie voor de aangekondigde Johann D. Stuart Prize voor Verdiensten voor de Amerikaanse Politieke Wetenschap), had Pap genoeg naam gemaakt om steeds weer ergens in het land gastdocent te zijn bij een vakgroep politicologie.

Let wel, Pap ambieerde niet langer een baan bij de toplaag van de universiteiten met hun gerespecteerde veelnamige leerstoelen: de Eliza Grey Peastone-Parkinson-leerstoel regeringsbeleid op Princeton, de Louisa May Holmo-Gilsendanner-leerstoel internationale politiek op MIT. Vanwege de moordende concurrentie ging ik ervan uit dat die instellingen er niet rouwig om waren dat Pap ontbrak in hun 'hechte incestueuze kringen' – de semi-intellectuele academische wereld, zoals mijn vader die noemde.

Nee, Pap hechtte er nu belang aan om zijn eruditie, zijn ervaring op het gebied van veldwerk in het buitenland en zijn internationale wetenschappelijke onderzoek aan te bieden aan de onderlaag van de universitaire wereld – de bodembemesters, noemde hij ze in een bourbonstemming –, de instituten waar niemand van had gehoord, soms zelfs de studenten niet die zich er hadden ingeschreven: de Cheswick Colleges, de Dodson-Miner Colleges, de Hattiesburg Colleges van Kunsten en Wetenschappen en de Hicksburg State Colleges, de universiteiten van Idaho, Oklahoma en Alabama in Runic, Stanley, Monterey, Flitch, Parkland, Picayune en Petal.

'Waarom zou ik mijn tijd verdoen met het lesgeven aan over het paard getilde pubers wier geest verziekt is door arrogantie en materialisme? Nee, ik ga mijn energie stoppen in het verlichten van de pretentieloze en gewone mens. Alleen in de Gewone Man schuilt de majesteit.' Wanneer collega's vroegen waarom hij geen les meer wilde geven op een topuniversiteit hield Pap ervan om poëtisch uit te weiden over de Gewone Man. Maar soms, wanneer hij thuis was, en vooral wanneer hij een afschuwelijk slecht tentamen of een volslagen mislukt onderzoeksrapport zat na te kijken, kon in Paps ogen de illustere, onbedorven Gewone Man veranderen in een onbenul, een holbewoner of monsterlijke misbruiker van de materie.

Een fragment uit Paps persoonlijke webpagina bij de Universiteit van Arkansas in Wilsonville (www.uaw.edu/polisci/vanmeer):

> Dr. Gareth van Meer (Ph.D. Harvard University, 1978) is het studiejaar 1997-1998 gastdocent politicologie. Hij is afkomstig van Ole Miss, waar hij hoofd was van de vakgroep politicologie en directeur van het Centrum voor Amerikanistiek. Hij is geïnteresseerd in de politieke en economische revitalisering, de militaire en humanitaire betrokkenheid, en de wederopbouw van derdewereldlanden na afloop van een conflict. Momenteel werkt hij aan een boek getiteld *De ijzeren greep*. Dat gaat over de etnische politiek en de burgeroorlog in Afrika en Zuid-Amerika.

Pap was altijd ergens van afkomstig, meestal van Ole Miss, ook al zijn we in de tien jaar dat we rondreisden nooit teruggegaan naar Oxford. Ook werkte hij altijd 'momenteel aan *De ijzeren greep*', maar ik wist net zo goed als hij dat hij aan de *Greep* – vijfenvijftig onleesbaar volgeschreven blocnotes (veel met waterschade), opgeborgen in een grote kartonnen doos waar met zwarte viltstift GREEP op stond – momenteel, of wanneer dan ook de voorafgaande vijftien jaar, niet had gewerkt.

'Amerika,' verzuchtte Pap wanneer hij met onze blauwe Volvo stationcar weer een staatsgrens passeerde. Welkom in Florida, *de zonnestaat*. Ik klapte de zonneklep naar beneden zodat ik niet werd verblind. 'Er gaat niets boven dit land. O nee. Dit is echt het Beloofde Land. Het land van de Vrije en Onverschrokken Burgers. Hoe zit het nu met sonnet dertig? Dat heb je niet afgemaakt. "Als ik voor 't hof van tedere gedachten/ herinnering aan vroeger tijd ontbied." ' Vooruit, ik weet dat je het kent. Zeg op. "Voel ik de pijn..." '

Vanaf groep 4 op de basisschool in Wadsworth in Kentucky tot aan mijn eindexamenjaar op de St. Gallway School in Stockton in North Carolina heb ik net zoveel tijd doorgebracht in de blauwe Volvo als in een klaslokaal. Hoewel Pap er een uitvoerige verklaring op na hield voor ons rondtrekkende bestaan (zie onder), had ik heimelijk het idee dat we door het land zwierven omdat hij op de vlucht was voor mijn moeders geest, of anders was hij ernaar op zoek in elke driekamerwoning met een knarsende schommel op de veranda, in elk wegrestaurant waar ze wafels serveerden die naar spons smaakten, in elk motel met pannenkoekkussens, versleten vloerbedekking en tv's met een kapotte contrastknop zodat nieuwslezers op Oempa Loempa's leken.

Pap over het Opvoeden van kinderen: 'Er is geen betere leerschool dan reizen. Denk aan *The Motorcycle Diaries* of aan wat Montrose St. Millet schreef in *Eeuwen van ontdekkingsreizen*: "Als je stilstaat, ben je dom. Als je dom bent, ga je dood." En dus gaan we leven. Elke troel naast je in de klas kent Maple Street waar haar doorsnee witte huis staat waarin haar doorsnee-ouders zitten te simpen. Na al jouw rondreizen ken je natuurlijk Maple Street, maar ook de wildernis en ruïnes, kermissen en de maan. Dan ken je de man die op een appelkist zit voor een benzinestation in Cheerless, Texas, die in Vietnam zijn benen is kwijtgeraakt, maar ook de vrouw achter een loket langs een tolweg even buiten Dismal, Delaware, met zes kinderen en een tandeloze man met rokerslongen. Wanneer een leraar je vraagt om *Verloren paradijs* te interpreteren zal niemand je aan je jasje kunnen trekken, schat, want jij vliegt ver, heel ver voor ze uit. Voor hen ben je niet meer dan een stipje boven de horizon. En wanneer je dus uiteindelijk in deze wereld wordt losgelaten...' Hij haalde zijn schouders op, met een glimlach zo sloom als een oude hond. 'Ik vermoed dat je geen andere keuze hebt dan geschiedenis te schrijven.'

Normaal gesproken was ons jaar in drie stukken verdeeld: van september tot en met december, van januari tot en met juni, en dan nog juli en augustus, hoewel het soms werd uitgebreid tot vijf steden in het tijdbestek van één jaar, waarna ik dreigde me op te tutten met dikke lagen eyeliner en me te hullen in slobberkleren. Dan besloot Pap om terug te vallen op het gemiddelde van drie plaatsen per jaar.

Autorijden met Pap was geen geestverruimende sensatie (zie *Onderweg*, Kerouac, 1957). Het was een geestbelastende sensatie. Het waren Sonnet-a-thons. Het was Honderd Kilometer Eenzaamheid: proberen om *Het barre land* uit je hoofd te leren. Pa kon een staat van het begin tot het eind nauwkeurig opdelen, niet in periodes van rijden en rusten, maar in een strak halfuurschema: eerst de Systeemkaartjes met woorden die elk genie zou moeten kennen, dan Analogieredeneringen ('de analogie is de Citadel van het denken: de beste manier om lastige verbanden te bepalen'), dan het Mondelinge Essay (gevolgd door een twintig minuten durende vraag-en-antwoordsessie), Oorlog der Woorden (Coleridge-Wordsworth-confrontaties), Zestig Minuten voor een Boeiende Roman met selecties uit onder andere *De grote Gatsby* (Fitzgerald, 1925), en *Het geraas en gebral* (Faulkner, 1929), en het Hoorspeluurtje van Van Meer, waarin stukken waren opgenomen zoals *Mevr. Warrens bedrijf* (Shaw, 1894), *Het belang van Ernst* (Wilde, 1895) en verschillende selecties uit het oeuvre van Shakespeare, waaronder ook de latere liefdesverhalen.

'Blue, ik hoor geen verschil tussen Gwendolyns verzorgde, beschaafde accent en Cicely's boerenmeidenaccent. Probeer er meer onderscheid in te leggen en, als ik je een Orson Welliaanse aanwijzing mag geven: je moet goed begrijpen dat ze in deze scène behoorlijk kwaad zijn. Dus niet onderuitzitten en net doen als het een theekransje betreft. Nee! Het is een ernstige zaak! Ze geloven allebei dat ze verloofd zijn met dezelfde man! Ernst!'

Staten later, wanneer onze ogen waterig en branderig en onze stemmen hees waren geworden, zette Pap in de naaldboomgroene schemering op de snelweg niet de radio aan, maar de cd-speler met A.E. Housmans *Poetry on Wenlock Edge*. Zwijgend luisterden we naar de ronkende bariton van sir Brady Heliwick van de Royal Shakespeare Company – recente rollen: Richard in *Richard III*, Titus in *Titus Andronicus* en Lear in *Koning Lear* – die 'When I was One-and-Twenty' en 'To an Athlete Dying Young' voordroeg met op de achtergrond de vloeiende klanken van een viool. Soms sprak Pap de woorden met Brady mee in een poging hem te overtreffen.

'Man and boy stood cheering by,
And how we brought you shoulder-high.'

'Ik had acteur moeten worden,' zei Pap, en hij schraapte zijn keel.

Wanneer ik de Rand-McNally-kaart van de Verenigde Staten bekijk waarop Pap en ik met een rode punaise elke stad hebben aangegeven waar we hebben gewoond, hoe kort ook – 'Napoleon gaf op een vergelijkbare manier de grenzen van zijn rijk aan,' zei Pap –, kan ik uitrekenen dat we van mijn zesde tot mijn zestiende in negenendertig steden hebben gewoond in drieëndertig staten, Oxford niet meegerekend, en dat ik dus op ongeveer vierentwintig basisscholen en middelbare scholen heb gezeten.

Pap zei vroeger altijd voor de grap dat ik in mijn slaap zo het boek *De Jacht op Godot: de zoektocht naar een behoorlijke school in Amerika* kon opdreunen, maar voor zichzelf was hij nogal spartaans. Hij gaf les op universiteiten waar het studentencentrum bestond uit een verlaten zaaltje met alleen een tafelvoetbalspel en 'een snoepautomaat met achter het glas enkele gevaarlijk vooroverhellende repen. Ik ging echter naar ruimbemeten scholen die strak in de verf zaten, met statige gangen en riante gymzalen: Scholen met Veel Teams (football, honkbal, cheerleaders, dansen) en Scholen met Veel Lijsten (absentielijsten, lijsten met goede leerlingen, lijsten met briljante leerlingen); Scholen vol Nieuwe Dingen (nieuw kunstcentrum, parkeerterrein, menu) en Scholen vol Oude Dingen (die gebruikten woorden zoals 'klassiek' en 'traditioneel' in hun informatiegids); Scholen met Snauwende, Grijnzende Mascottes, Scholen met Vluchtig Zoenende en Pralende Mascottes; Scholen met de Schitterende Bibliotheek (met boeken die roken naar lijm en schoonmaakmiddel); de School met de Waardeloze Bibliotheek (met boeken die roken naar zweet en rattenkeutels), de School met de Traanoog-Leraren, met de Loopneus-Leraren, met de Nooit Zonder Een Kop Koffie Leraren, met de Cakewalk Dansende Leraren, met Leraren Die Om Hun Leerlingen Gaven, met Leraren Die Heimelijk De Pest Hadden Aan Al Die Kleine Ettertjes.

Wanneer ik mijn intrede deed in de cultuur van zo'n relatief goed ontwikkelde gemeenschap, met vaste regels en pikordes, nam ik niet meteen de houding aan van de Aanstelster met de Onbetrouwbare Ogen of de Gehate Slimmerik met de Keurig Gestreken Hoofddoek. Ik was zelfs niet het Nieuwe Meisje, omdat die prachtige titel me altijd binnen enkele minuten na mijn aankomst werd ontstolen door een meisje met vollere lippen en een luidere lach.

Ik zou mezelf graag zien als de Jane Goodall, een onbevreesde vreemde in een vreemd land die (baanbrekend) werk deed zonder de natuurlijke hiërarchie in het universum te verstoren. Maar Pap zei, gebaseerd op zijn ervaringen bij stammen in Zambia, dat een titel alleen betekenis heeft wanneer anderen daar volledig achter staan. En ik weet zeker dat wanneer ik dat aan de Gebruinde Sporto met de Gladde Benen vroeg, zij zou zeggen dat als ik per se een Jane moest zijn dat ik dan geen Jane Goodall was, een ook geen Plain Jane, Calamity Jane, Whatever Happened to Baby Jane, en zeker geen Jane Mansfield. Ik was meer het type van de Jane Eyre Voordat Ze in Huize Rochester Kwam, die ze dan omschreef met een van de twee pseudoniemen: 'Ik Weet Niet Over Wie Je Het Hebt', of: 'O ja, die.'

Een korte beschrijving is hier misschien wel op zijn plaats (afbeelding

AFBEELDING 2.0

2.0). Het is duidelijk dat ik het halfverscholen meisje ben met het donker-bruine haar en een bril dat zich ervoor lijkt te willen verontschuldigen dat ze er zo uilachtig uitziet (zie Dwergooruil, *Encyclopedie der levende wezens*, 4e dr.). Ik word omringd door (te beginnen rechtsonder en dan met de klok mee): Lewis 'Albino' Polk, die vlak daarna zou worden geschorst omdat hij een vuurwapen meenam naar algebra; Josh Stetmeyer, wiens oudere broer Beet was gearresteerd wegens het verkopen van lsd aan tweedeklassers; Howie Easton, die meiden erdoorheen joeg zoals een hertenjager er op één dag hon-derden kogels doorheen kan jagen (sommigen beweerden dat op zijn lijst van veroveringen ook de naam van onze tekenlerares prijkte, mevrouw Apple-ton); John Saton, wiens adem naar een booreiland rook; en de vaak uitgela-chen een meter vijfentachtig lange Sara Marshall die kort nadat deze klassen-foto was genomen Clearwood Day verliet om het Duitse vrouwenbasketbal in Berlijn nieuw leven in te blazen. ('Je lijkt sprekend op je moeder,' was Paps commentaar toen hij de foto voor het eerst zag. 'Je hebt haar pit en gratie van een prima ballerina – een eigenschap waar alle doorsneemeisjes en lelijkerds een moord voor zouden doen.')

Ik heb blauwe ogen en sproeten, en ben met sokken aan ongeveer een me-ter vijfenvijftig.

Ik moet er ook bij vertellen dat ondanks de gênante cijfers die hij van vader en moeder Bridges had gekregen voor zowel zijn Korte als voor zijn Vrije Kür, hij het soort uiterlijk had dat pas op middelbare leeftijd echt knap begint te worden. Zoals je ziet zag Pap er op de Universiteit van Lausanne onzeker uit en loenste hij een beetje – zijn haar was agressief blond, zijn kin te glad, zijn lange postuur scheef en besluiteloos (afbeelding 2.1). Paps ogen zijn eigenlijk bruin, maar in die tijd hing er een grauwsluier over. In de loop der jaren ech-ter – voornamelijk door de brandend hete Afrikaanse zon – was Pap aardig verruwd tot iemand met een verweerd, enigszins gehavend uiterlijk (afbeel-ding 2.2). Daardoor was hij het doel, het baken, het lichtpeertje van veel vrou-wen verspreid over het hele land, vooral in de categorie van boven de vijfen-dertig.

Vrouwen bleven aan Pap plakken zoals draadjes aan wollen broeken blij-ven hangen. Jarenlang had ik een bijnaam voor ze, hoewel ik me wel een beet-je schuldig voel om die nu te gebruiken: Meikevers (zie Mestkever, *Gewone insecten*, deel 24).

Er was ene Mona Letrovski, de actrice uit Chicago met wijd opengesperde ogen en donker haar, die met haar rug naar hem toe regelmatig uitriep: 'Ga-reth, je bent een dwaas.' Dan moest Pap naar haar toe snellen, haar omdraaien

AFBEELDING 2.1

en haar Blik vol Bitter Verlangen zien. Alleen draaide Pap haar nooit om om dat Bittere Verlangen te zien. Hij staarde naar haar rug alsof het een abstract schilderij was. Dan ging hij naar de keuken om een glas bourbon in te schenken. Er was ene Connie Madison Parker, wier parfum in de lucht hing als een kapotgeslagen *piñata*. Er was ene Zula Pierce uit Okush in New Mexico, een zwarte vrouw die langer was dan hij, dus telkens wanneer Pap haar kuste moest zij vooroverbuigen alsof ze door een kijkgaatje loerde om te kijken wie er voor de deur stond. In het begin noemde ze mij 'lieve Blue', wat net als haar relatie met Pap al snel begon te slijten en via 'Lieblue' en 'Liebel' ten slotte 'Labiel' werd. 'Labiel had vanaf het begin al iets tegen me,' schreeuwde ze.

De duur van Paps romances zat altijd tussen de broedperiode van het ei van een vogelbekdier (19-21 dagen) en de draagtijd van een eekhoorn (24-25 dagen) in. Ik geef toe dat ik ze soms haatte, vooral degenen die je doodgooiden met Vrouwentips, Goedbedoelde Adviezen en Aanmerkingen. Connie

Madison Parker was er zo eentje. Zij wurmde zich bij mij de badkamer binnen en sprak me bestraffend toe omdat ik mijn Handelswaar verstopte (zie Weekdieren, *Encyclopedie der levende wezens*, 4e dr.).

Connie Madison Parker, zesendertig jaar, over Handelswaar: 'Je moet je spullen uitstallen, schat. Anders zullen de jongens je niet alleen negeren – ik weet waarover ik het heb: mijn zuster is net zo plat als jij, zo vlak als de grote vlakte in het oosten van Texas, zonder enig oriëntatiepunt –, maar op een dag kijk je naar beneden en zie je dat je helemaal geen handel hébt. Wat doe je dan?'

Sommige Meikevers waren niet zo verschrikkelijk. Met de aardigere, gedweeëre vrouwen, zoals de arme, treurig kijkende Tally Meyerson, had ik eigenlijk wel medelijden. Hoewel Pap geen pogingen deed om te verhullen dat ze zo tijdelijk waren als een plakbandje, waren ze blind voor zijn onverschilligheid (zie Basset, *Hondenwoordenboek*, deel 1).

Misschien begreep de Meikever dat Pap zo over al die anderen had ge-

AFBEELDING 2.2

dacht, maar gewapend met drie decennia hoofdartikelen in de *Ladies Home Journal*, de kennis opgedaan in uitgaven zoals *Hoe sleep ik hem voor het altaar* (Trask, 1990) en *Koelte maakt warmte: hoe je afstand moet bewaren (en hem steeds gretiger maakt)* (Mars, 2000), gekoppeld aan hun persoonlijke historie van verzuurde relaties, geloofden de meesten (met de koppige hardnekkigheid die je associeert met religieuze fanatici) dat wanneer Pap eenmaal in de ban was geraakt van hun gebruinde aura, hij zeker niet zo over hen zou denken. Na enkele gezellige afspraakjes wist Pap hoe smerig ze kon koken, hoe gezapig ze was in bed en of ze te pruimen viel bij het carpoolen. En daarom was het altijd een complete verrassing wanneer Pap alle lampen uitdeed, haar meedogenloos van zijn hor veegde en vervolgens zijn hele veranda onderspoot met insecticide.

Pap en ik waren net passaatwinden die door een stad waaiden. Overal waar we kwamen brachten we droog weer mee.

Soms probeerden de Meikevers ons tegen te houden, in de dwaze veronderstelling dat ze een passaat van richting konden laten veranderen en het weersysteem op aarde definitief konden beïnvloeden. Twee dagen voordat we naar Harpsberg in Connecticut zouden verhuizen vertelde Jessie Rose Rubiman uit Newton in Texas, erfgename van de tapijtwinkelketen Rubiman, aan Pap dat ze zwanger van hem was. Huilend stelde ze Pap voor de keus: of ze ging met ons mee naar Harpsberg, of Pap moest een Eenmalig Startkapitaal van honderdduizend dollar betalen plus achttien jaar lang een maandelijkse toelage van tienduizend dollar. Pap raakte niet in paniek. Bij dat soort zaken kon hij bogen op de uitstraling van een gerant in een restaurant met een extravagante wijnkaart, soufflés die vooruit besteld dienden te worden en een zeer uitgebreide kaaskaart. Kalm vroeg hij om een officiële zwangerschapstest.

Jessie bleek niet in verwachting te zijn. Ze had een zeldzame vorm van buikgriep, die ze gretig voor zwangerschapsmisselijkheid had aangezien. Terwijl we aan het inpakken waren voor onze verhuizing naar Harpsberg – een week later dan gepland –, sprak Jessie snikkend treurige monologen in op ons antwoordapparaat. Op de dag van vertrek vond Pap op de veranda een brief voor de voordeur. Hij probeerde die voor mij te verbergen. 'Onze laatste energierekening,' zei hij, omdat hij nog liever doodging dan dat hij mij 'het hormonale geraaskal van een getroebleerde vrouw' liet zien waarvan hij de aanleiding was. Toen hij zes uur later ergens in Missouri bij een benzinestation stopte om maagtabletten te kopen, stal ik de brief uit het handschoenenkastje.

Pap vond liefdesbrieven van een Meikever zo indrukwekkend als de winning van bauxiet, maar voor mij was het alsof ik op een goudader was gestuit. Nergens ter wereld bestonden er puurdere emotionele juweeltjes.

Ik heb mijn verzameling nog steeds – zeventien in totaal. Ik voeg hieronder een fragment bij van Jessies vier pagina's lange ode aan Gareth:

Je betekent alles voor me en ik zou voor jou naar de verste uithoeken van de wereld gaan als je me dat vroeg. Maar je hebt me dat niet gevraagd en dat zal ik als vriendin accepteren. Ik zal je missen. Het spijt me van dat zwangergedoe. Ik hoop dat we contact houden en dat je in de toekomst mij als een goede vriendin zult beschouwen op wie je door dik en dun kunt steunen. Wat betreft ons telefoongesprek van gisteren: het spijt me dat ik je een schoft heb genoemd. Gareth, het enige wat ik van je vraag is dat je je me niet herinnert zoals ik me de afgelopen dagen heb gedragen, maar als de gelukkige vrouw die je ontmoette op het parkeerterrein van de K-Mart.

Moge je altijd vrede bij je dragen.

Ondanks het gezoem dat af en toe op een rustige avond weerklonk, was het altijd Pap en ik, net zoals het George en Martha was, Butch en Sundance, Fred en Ginger, en Mary en Percy Bysshe.

Op een gewone vrijdagavond in Roman, New Jersey, zou je mij niet samen met de Gebruinde Sporto met de Gladde Benen aantreffen in een donkere hoek van het parkeerterrein van de Sunset-bioscoop, terwijl we American Spirits rookten en wachtten op het Verwende Heilige Boontje (in Zijn Vaders Auto) zodat we over Atlantic Avenue konden scheuren, over het gaashek rondom de allang buiten bedrijf zijnde midgetgolfbaan African Safari klommen en lauwe Budweiser dronken op het versleten kunstgras van hole 10.

Je zou me ook niet achter in de Burger King zweethandje in zweethandje aantreffen met Het Joch Wiens Beugel Hem Iets Aapachtigs Gaf, of bij een logeerpartijtje bij Het Zelfingenomen Preutse Wicht Wier Nerveuze Ouders, Ted en Sue, Haar Overgang Naar De Volwassenheid Probeerden te Voorkomen alsof Het De Bof Was, en zeker niet bij de Stoeren en de Hippen.

Je zou me vinden bij Pap. We zouden in een driekamerhuurwoning aan een onopvallende straat zitten met tuttige postbussen en eiken langs de kant van de weg. We zouden te gare spaghetti eten overdekt met geraspte Parmezaanse kaas, of een boek lezen, essays nakijken, kijken naar klassiekers zoals *North by Northwest* of *Mr. Smith Goes to Washington*, waarna, wanneer ik klaar was met de afwas en alleen wanneer Pap in een bourbonstemming was, Pap overgehaald kon worden om zijn imitatie te doen van Marlon Brando als Vito Corleone. Als hij heel erg op dreef was stak hij zelfs een papieren zakdoekje tussen zijn kiezen en zijn wang om Vito's buldoghoofd te creëren. Pap deed altijd alsof ik Michael was:

'Barzini zal het eerst iets tegen jou ondernemen. Hij regelt een ontmoeting met iemand die jij volkomen vertrouwt, waardoor je je veilig waant. Bij die ontmoeting word je vermoord... Zo gaan die dingen nu eenmaal. Mijn hele leven ben ik al op mijn hoede.'

De woorden 'op mijn hoede' klonken zwaarmoedig en Pap staarde naar zijn schoenen.

'Vrouwen en kinderen hoeven niet op hun hoede te zijn, maar mannen wel. Iedereen kan het zijn. Luister.'

Pap trok zijn wenkbrauwen op en keek me aan.

'Wie er ook naar die door Barzini geregelde ontmoeting gaat: hij is de verrader. Onthoud dat goed.'

Nu kwam mijn tekst in deze scène:

'*Grazie*, pa.'

Dan knikte Pap en sloot hij zijn ogen.

'*Prego.*'

Maar ik weet nog goed – ik was toen elf jaar en we woonden in Futtoch, Nebraska – dat ik een keer niet om Pap moest lachen toen hij Brando als Vito nadeed. We waren in de huiskamer en al pratend bewoog hij zich boven een bureaulamp met een rood lampenkapje; en plotseling kreeg zijn gezicht in het karmozijnrode licht een Halloween-gloed – spookachtige ogen, een heksenmond en verwilderde kaken zodat zijn wangen leken op een verweerde boomstronk waarin een kind ruw zijn initialen had gekerfd. Hij was mijn Pap niet meer, maar iemand anders, íéts anders – een angstaanjagende vreemde met een rood gezicht die zijn donkere, beschimmelde ziel toonde voor de versleten fluwelen leunstoel, de scheve boekenplank en de ingelijste foto van mijn moeder met haar burgerlijke bezittingen.

'Schat?'

Haar ogen leefden. Ze staarde met een bedroefde blik naar zijn rug alsof ze een oude vrouw in een verzorgingshuis was die veel nadacht en waarschijnlijk de antwoorden had op alle Grote Levensvragen, maar die door niemand serieus werd genomen in die benepen kamertjes met televisiespelletjes, huisdiertherapie en het make-up-uurtje. Pap stond vlak voor haar en keek me aan; zijn bovenlijf ging heen en weer. Hij keek onzeker, alsof ik net de kamer was binnengekomen en hij niet wist of ik had gezien dat hij iets pikte.

'Wat is er?' Hij liep naar me toe en zijn gezicht was weer gehuld in het onschuldige gele licht van de rest van de kamer.

'Ik heb buikpijn,' zei ik kortaf. Ik draaide me om, rende de trap op naar mijn kamer en trok een oude paperback van de plank: *Zielen te koop: de ontmaskering van de onbekende psychopaat* (Burne, 1991). Pap had het zelf voor me opgedoken bij een zolderopruiming van een hoogleraar psychologie die met pensioen ging. Ik had heel hoofdstuk 2 doorgebladerd, 'Karakterschets: een tekort aan binding binnen liefdesrelaties', en stukken van hoofdstuk 3: 'Twee ontbrekende puzzelstukjes: schuldbesef en geweten', voordat ik besefte hoe hysterisch en dwaas ik bezig was. Pap mocht dan 'duidelijk weinig rekening houden met de gevoelens van anderen' (blz. 24), 'kon mensen om zijn vinger winden met zijn charme' (blz. 29) en 'was niet geïnteresseerd in de morele gedragsregels van de maatschappij' (blz. 5), maar hij 'hield wel van andere dingen dan van zichzelf' (blz. 81) of van 'de geweldig intelligente man die hij telkens weer in de badkamerspiegel zag' (blz. 109): van mijn moeder en natuurlijk van mij.

Wuthering Heights

D r. Fellini Loggia, hoogleraar aan de Princeton-universiteit en een voor-aanstaand socioloog, deed in *De nabije toekomst* (1978) de ietwat som-bere uitspraak dat niets in het leven echt een verrassing is, 'zelfs niet wanneer je door de bliksem getroffen wordt' (blz. 12). 'Ons bestaan,' zo schrijft hij, 'is niet meer dan een reeks indicaties van wat er nog komt. Als ons brein in staat was om die aanwijzingen op te merken, zouden we onze toe-komst misschien kunnen veranderen.'

Als er in mijn leven een hint zat, een gefluisterde, mooi geplaatste aanwij-zing, dan moet het op mijn dertiende zijn geweest, toen Pap en ik verhuisden naar Howard in Louisiana.

Ook al mag mijn nomadenbestaan met Pap nogal ondernemend en revolu-tionair klinken, de werkelijkheid was anders. Er bestaat een schokkende (en totaal onbewezen) Wet van Beweging met betrekking tot een object dat zich over een Amerikaanse snelweg verplaatst, namelijk het gevoel dat, ondanks het feit dat je als een waanzinnige voortraast, er eigenlijk niets gebeurt. Tot je grote teleurstelling merk je bij aankomst bij punt B dat je energie en fysieke eigenschappen helemaal niet veranderd zijn. Regelmatig staarde ik voordat ik in slaap viel naar het plafond en bad dat er écht eens iets zou gebeuren, iets wat mij wezenlijk zou veranderen – en God nam altijd de persoonlijkheid aan van het plafond waarnaar ik lag te staren. Wanneer het maanlicht door het raam bladeren projecteerde op het plafond, was Hij charmant en poëtisch. Wanneer het plafond licht helde, was Hij bereid om te luisteren. Wanneer er een vage vochtplek in de hoek was, had Hij menig noodweer doorstaan en zou Hij mijn rampspoed ook aankunnen. Wanneer er in het midden bij de plafon-nière waar iets met zes of acht poten met een krant of een schoen was geplet een vieze plek zichtbaar werd, was Hij wraakzuchtig.

Toen we naar Howard verhuisden, beantwoordde God mijn gebeden. (Hij bleek uiterst vriendelijk en blank te zijn, en verder verrassend onopvallend.) Toen ik tijdens de lange, droge rit door de Andamo-woestijn in Nevada naar een gesproken boek zat te luisteren – Dame Elizabeth Gliblett las statig en gedragen *De geheime tuin* (Burnett, 1909) voor –, zei ik opeens tegen Pap dat we nog nooit een huis met een fatsoenlijke tuin hadden gehad. Dus toen we in september in Howard aankwamen, koos Pap Gildacre Street 120 uit, een tobberig, vaalblauw huis dat verdwaald was in de tropen. Terwijl de rest van Gildacre Street keurige pioenrozen of beschaafde stokrozen kweekte in vredige tuintjes die alleen hier en daar wat last hadden van een verdwaald polletje harig vingergras, bonden Pap en ik de strijd aan met het soort plantenleven dat thuishoorde in het Amazone-gebied.

Drie weken lang stonden Pap en ik 's zaterdags en 's zondags vroeg op en trokken we gewapend met alleen een snoeischaar, leren handschoenen en een insectenwerend middel diep het regenwoud in, in een heroïsche poging om de rimboe terug te dringen. Vaak al binnen twee uur, en soms al binnen twintig minuten, ontdekte Pap een vliegend hert ter grootte van zijn voet dat snel wegkroop onder de bladeren van een talipotpalm (maat 46).

Omdat hij niet van opgeven wist, probeerde Pap de troepen aan te moedigen met 'Niets kan de Van Meers verslaan!', en: 'Denk je dat, als Patton hier had gestaan, hij de handdoek in de ring had geworpen?', tot die noodlottige ochtend dat hij een raadselachtige beet opliep. 'Ahhhhh!' hoorde ik hem vanaf de veranda aan de voorkant brullen, waar ik probeerde de kronkelende lianen in te tomen. Zijn linkerarm zwol op tot het formaat football. Die avond reageerde Pap op een advertentie in de *Howard Sentinel* waarin een ervaren tuinman zijn diensten aanbood.

'Tuinwerk,' stond er. 'Wat en waar dan ook: ik doe het.'

Zijn naam was Andreo Verduga en hij was het mooiste levende wezen dat ik ooit had gezien (zie Panter, *Schitterende roofdieren in de natuur*, Goodwin, 1987). Hij was gebruind, had zwart haar, zigeunerogen en, naar wat ik vanuit mijn slaapkamerraam had kunnen zien, een lichaam zo glad als een kiezelsteen. Hij kwam uit Peru. Hij had zware aftershave op en sprak als een ouderwets telegram: HOE MAAKT U HET STOP MOOI WEER VANDAAG STOP WAAR IS TUINSLANG STOP.

Elke maandag en donderdag om vier uur legde ik mijn opstel Frans of mijn algebra opzij en bespioneerde ik hem terwijl hij aan het werk was, hoewel hij het grootste deel van de tijd niet zozeer werkte als wel lummelde, ontspande, lanterfantte, rondhing, ontspannen een sigaretje rookte op een plekje in de zon. Hij gooide de peuk altijd weg op een geheime plek, achter een bromelia of in een dicht bosje bamboe zonder dat hij keek of hij wel uit was. Eigenlijk begon Andreo pas een uur of twee, drie na aankomst te werken, namelijk wanneer Pap thuiskwam van de universiteit. Met een uitgebreid scala aan demonstratieve gebaren (hijgen, zweet van zijn voorhoofd wissen) duwde hij de grasmaaier onhandig over de bodem van de wildernis of zette hij de houten ladder aan de zijkant van het huis in een zwakke poging om het bladerdek weg te hakken. Het liefst zag ik Andreo wanneer hij in het Spaans liep te mopperen als Pap hem nadrukkelijk had gevraagd waarom de lianen nog steeds zorgden voor een broeikaseffect op de achterveranda of waarom er een nieuwe rij wurgficussen was opgekomen achter in onze tuin.

Op een middag zorgde ik ervoor dat ik in de keuken was toen Andreo naar binnen glipte om uit de vriezer een van mijn sinaasappelijsjes te pikken. Hij keek me verlegen aan en glimlachte, waarbij zijn onregelmatige gebit zichtbaar werd.

VIND JE HET NIET ERG STOP DAT IK EET STOP PIJN IN MIJN RUG STOP

Tussen de middag raadpleegde ik in de bibliotheek van Howard Spaanse leerboeken en woordenboeken en probeerde daarvan zoveel mogelijk op te steken.

Me llamo Azul.
Ik heet Blue.

El jardinero, Mellors, es una persona muy curiosa.
De jachtopziener Mellors is een merkwaardige man.

¿Quiere usted seducirme? ¿Es eso que usted quiere decirme?
Wil je dat ik je verleid? Probeer je me dat duidelijk te maken?

¡Nelly, soy Heathcliff!
Nelly, ik ben Heathcliff!

Vergeefs wachtte ik tot Pablo Neruda's *Twintig liefdesgedichten en een wanhoopszang* (1924) werd teruggebracht naar de bibliotheek. (Het Meisje dat Alleen een Strak Topje Droeg had het geleend en was het kwijtgeraakt bij het Vriendje Dat Die Smerige Haren op Zijn Kin Zou Moeten Afscheren.) Daarom moest ik wel een exemplaar uit het lokaal Spaans stelen, en ik leerde zenuwachtig XVII uit mijn hoofd. Ik vroeg me af of ik het ooit zou aandurven om de Romeo te zijn en in het openbaar die liefdeswoorden uit te spreken, ze zo hard uit te schreeuwen dat het geluid vleugels kreeg en zich verhief tot aan de balkons. Ik betwijfelde of ik zelfs wel een Cyrano zou kunnen zijn door de woorden op een kaartje te schrijven, iemand anders naam eronder te zetten en dat heimelijk door een kier van het raampje van zijn pick-up te schuiven terwijl hij luierde in de achtertuin en onder de rubberbomen ¡Hola! aan het lezen was.

Uiteindelijk deed ik Romeo noch Cyrano na.

Ik deed Hercules na.

❖

Op een frisse woensdagavond in november zat ik om ongeveer kwart over acht boven in mijn kamer te leren voor een toets Frans. Pap had een diner op de faculteit ter ere van een nieuwe decaan. Er werd aangebeld. Ik was doodsbang en zag meteen allerlei gemene bijbelverkopers en bloeddorstige psychopaten voor me (zie O'Connor, *The Complete Stories*, 1971). Ik schoot Paps kamer binnen en gluurde door het hoekraam. Tot mijn verbazing zag ik in het nachtelijk duister Andreo's rode pick-up staan, ook al had hij hem helemaal van de oprit af gereden midden in een dicht bosje varens.

Ik wist niet wat ik erger vond: die Malloot op mijn veranda of Híj. Mijn eerste opwelling was om mijn slaapkamerdeur op slot te doen en me onder mijn dekbed te verstoppen, maar hij bleef maar bellen – hij moest het licht op de slaapkamers hebben gezien. Ik sloop op mijn tenen naar beneden, stond minstens drie minuten voor de deur op mijn nagels te bijten en mijn welkomstwoord te repeteren (¡Buenas Noches! ¡Qué sorpresa!). Uiteindelijk deed ik met klamme handen en een mond die aanvoelde alsof hij vol lijm zat de deur open.

Het was Heathcliff.

En tegelijk was hij het niet. Hij stond bij het trapje, een eindje bij me vandaan, als een wild dier dat bang was om dichtbij te komen. Het weinige avondlicht dat nog door de wirwar aan takken heen drong viel op de zijkant van zijn gezicht. Dat was verwrongen alsof hij schreeuwde, maar er klonk geen geluid, alleen een lage brom, bijna onhoorbaar, zoals van elektrische leidingen in muren. Ik keek naar zijn kleren en dacht eerst nog onnozel dat hij ergens een huis aan het schilderen moest zijn geweest, maar besefte toen dat het bloed was. Het zat overal, op zijn handen, inktzwart en met een ijzergeur, zoals bij buizen onder de keukengootsteen. Hij stond er ook in – rondom zijn halfdichtgeknoopte soldatenlaarzen lagen troebele plasjes. Met knipperende ogen en open mond deed hij een stap in mijn richting. Ik had geen idee of hij me ging omhelzen of vermoorden. Hij struikelde en zakte voor mijn voeten in elkaar.

Ik rende naar de keuken en draaide het alarmnummer. De vrouw was een kruising tussen een mens en een machine, en ik moest ons adres twee keer herhalen. Ten slotte zei ze dat er een ziekenwagen onderweg was. Ik liep terug naar de veranda en knielde bij hem neer. Ik probeerde zijn jasje uit te trekken, maar hij kreunde en greep naar zijn linkerzij, waar ik een schotwond zag.

'*Yo telefoneé una ambulancia,*' zei ik. (Ik heb een ziekenwagen gebeld.)

Ik reed mee achter in de ambulance.

NEE STOP NIET GOED STOP PAPA STOP

'*Usted va a estar bien,*' zei ik. (Alles komt goed.)

In het ziekenhuis raceten de ambulancebroeders met zijn brancard door de bevlekte witte klapdeuren. De verpleegster die de leiding had op de afdeling Spoedeisende Hulp – de elegante, parmantige zuster Marvin – gaf me een stuk zeep en een wegwerppyjama, en zei dat ik de badkamer aan het eind van de gang kon gebruiken. De pijpen van mijn spijkerbroek zaten onder het bloed.

Nadat ik me had omgekleed sprak ik op het antwoordapparaat een bericht in voor Pap en ging ik rustig zitten op een pastelkleurige plastic stoel in de wachtruimte. Ik zag nogal op tegen de onvermijdelijke komst van Pap. Natuurlijk hield ik van hem, maar in tegenstelling tot de andere vaders die ik zag op Papadag op de basisschool in Walhalla – papa's die verlegen waren en zachtjes spraken – was mijn Pap een luidruchtige, vrijuit sprekende man, resoluut in zijn optreden met weinig geduld of aangeboren rust. Hij hoorde qua temperament meer thuis op het footballveld dan bij knuffelbeertjes, balletmeisjes of een kinderboerderij. Pap was een man die – misschien door zijn weinig bevoorrechte afkomst – nooit aarzelde om werkwoorden als 'pakken' en 'nemen' te gebruiken. Hij pakte altijd de koe bij de hoorns, iets grondig aan (al of niet met beide handen), fors uit, zijn tegenstanders in. Ook nam hij altijd de gelegenheid te baat, het initiatief, de volle verantwoordelijkheid, het voortouw, iets voor zijn rekening. Als het ging om zijn kijk op dingen was Pap een soort Samengestelde Microscoop, eentje die het leven bekeek via een verstelbaar oculair en daarom verwachtte dat hij alles scherp zag. Hij kon niet tegen het Vage, het Mistige, het Nevelige of het Besmeurde.

Hij stormde de afdeling Spoedeisende Hulp op en riep: 'Wat gebeurt hier verdomme allemaal? Waar is mijn dochter?' Zuster Marvin viel bijna van haar stoel van schrik.

Nadat hij zich ervan verzekerd had dat ik niet ook een schotwond had, of andere open snij- of schaafwonden waardoor ik dodelijk geïnfecteerd was door die 'schoft van een latino', denderde hij door de smerige, witte klapdeuren waar in koeienletters VERBODEN VOOR ONBEVOEGDEN op stond – Pap zag zichzelf overal als 'bevoegd' – en vroeg op hoge toon wat er was gebeurd.

Iedere andere vader zou uitgescholden zijn, eruit gezet, verwijderd of misschien wel gearresteerd, maar dit was Pap, half Pershing-raket, half lievelingsprins van het volk. Binnen enkele minuten waren verscheidene opgewonden zusters en de excentrieke coassistente met het rode haar druk in de weer op de trauma-afdeling; niet voor het slachtoffer met derdegraads brandwonden of voor de jongen die een overdosis ibuprofen had genomen en nu zachtjes huilde met zijn hoofd op zijn arm, maar voor Pap.

'Hij ligt boven op Chirurgie en zijn toestand is stabiel,' zei de excentrieke coassistente met het rode haar. Daarbij stond ze heel dicht bij Pap en glimlachte naar hem (zie Buldogmier, *Wat krioelt daar?*, Buddle, 1985).

'Zodra de chirurg beneden komt weten we meer. Laten we hopen dat het goed nieuws is!' riep een zuster uit (zie Behaarde bosmier, *Wat krioelt daar?*).

Kort daarop verscheen dr. Michael Feeds van Chirurgie, dat op de derde verdieping zat, en vertelde Pap dat Andreo een schotwond in zijn onderbuik had, maar dat hij buiten levensgevaar was.

'Weet u waar hij vanavond in verzeild is geraakt?' vroeg hij. 'Aan de wond te zien is er van dichtbij op hem geschoten, wat erop zou kunnen wijzen dat het een ongeluk was, met zijn eigen wapen misschien. Wellicht was hij de loop aan het schoonmaken en is het wapen per ongeluk afgegaan. Dat gebeurt wel vaker bij sommige semi-automatische wapens.'

Pap keek net zo lang op die arme dr. Mike Feeds neer totdat van de arts een dwarsdoorsnede was gemaakt, die op een brandschoon objectglaasje was gelegd, waarna er een dekglaasje op ging en het geheel stevig werd vastgezet onder de objectklemmen.

'Mijn dochter en ik weten niets van die man.'

'Maar ik dacht...'

'Hij maait twee keer per week het gras bij ons, en dat doet hij nog beroerd ook, dus waarom hij in vredesnaam druipend op onze veranda stond is mij een raadsel.' 'Natuurlijk,' zei Pap, en hij keek even naar mij, 'begrijpen we dat het een akelige toestand is. Mijn dochter is heel blij dat ze zijn leven heeft gered, de juiste behandeling voor hem heeft kunnen regelen of wat u dan ook doet, maar ik zeg u onomwonden, dokter...'

'Dr. Feeds,' zei dr. Feeds. 'Mike.'

'Ik zeg u, dr. Meeds, dat wij geen enkele relatie hebben met die man en ik wil niet dat mijn dochter betrokken raakt bij de gevaarlijke toestand waarin hij "verzeild is geraakt" – een bendeoorlog, gokken of welke onheilzame onderwereldactiviteit dan ook. Hier eindigt onze betrokkenheid.'

'Ik begrijp het,' zei dr. Feeds zacht.

Pap knikte kort, legde een hand op mijn schouder en duwde me door de besmeurde witte klapdeuren.

Die nacht kon ik niet slapen en stelde ik me voor hoe Andreo en ik ons klam verenigden, omringd door woestijnvijgen en calathea's. Zijn huid zou ruiken naar cacao en vanille, de mijne naar passievrucht. Ik zou niet verlamd zijn van verlegenheid, niet meer. Wanneer iemand naar je toe was gekomen met zijn/haar schotwond en je handen, sokken en spijkerbroek onder zijn/haar bloed hadden gezeten, dan ontstond er een machtige band tussen twee mensen die niemand, zelfs Pap niet, kon begrijpen.

¡No puedo vivir sin mi vida! ¡No puedo vivir sin mi alma! (Jij bent mijn leven, zonder jou kan ik niet leven! Jij bent mijn ziel, zonder jou kan ik niet leven!)

Hij streek met zijn hand door zijn dikke, glanzende, zwarte haar.

JIJ REDT MIJN LEVEN STOP OP EEN AVOND MAAK IK VOOR JOU COMIDA CRIOLLA STOP

Maar die beloning heb ik nooit mogen ontvangen.

Toen de politie de volgende ochtend langs was geweest en Pap en ik een verklaring hadden afgelegd, liet ik mij door hem naar St. Matthew's-ziekenhuis brengen. Ik had een bos roze rozen bij me ('Je neemt voor die jongen geen róde rozen mee, dat wil ik absoluut niet hebben,' bulderde Pap op de bloemenafdeling van Deal Foods, wat hem op verbijsterde blikken van twee moeders kwam te staan) en een gesmolten chocolademilkshake.

Hij was weg.

'Hij is vanmorgen rond vijf uur verdwenen uit zijn kamer,' vertelde zuster Joanna Kidd (zie Reuzenskink, *Encyclopedie der levende wezens*, 4e dr.). 'Ik heb zijn verzekering gecontroleerd. Zijn pasje was nep. De artsen denken dat hij daarom met de noorderzon is vertrokken, maar het probleem is' – zuster Kidd boog zich voorover, stak haar ronde, roze kin naar voren en sprak waarschijnlijk op dezelfde nadrukkelijke fluistertoon als wanneer ze meneer Kidd vertelde dat hij wakker moest blijven tijdens de kerkdienst – 'hij sprak geen woord Engels, dus dr. Feeds kon niet vragen hoe hij die schotwond heeft opgelopen. De politie weet het ook niet. Wat ik denk, en dat is maar een ideetje, hoor, maar ik vroeg me af of hij niet een van die illegale vreemdelingen was die naar dit land komen voor een vaste baan met een goede arbeidsongeschiktheidsregeling en eindeloos veel ziektedagen. Je ziet ze hier wel vaker. Mijn zus Cheyenne heeft ze ook gezien. Ze zag een heel stel van die gasten bij de kassa van Electronic Cosmos. Weet u hoe ze het doen? Met rubberboten. In het holst van de nacht. Soms helemaal uit Cuba, op de vlucht voor Fidel. Begrijpt u wat ik bedoel?'

'Ik heb die geruchten geloof ik wel vaker gehoord,' zei Pap.

Pap liet zuster Kidd vanaf de balie bij de verkoeverkamer de garage bellen. Toen we thuiskwamen werd Andreo's pick-up weggesleept. Een grote witte bestelbus, waarop in discrete letters PROFESSIONEEL REINIGINGSWERK BV stond, stond geparkeerd onder onze bodhiboom. Op Paps verzoek had dat bedrijf – gespecialiseerd in het reinigen van voormalige plaatsen delict – er een rit van een halfuur vanuit Baton Rouge naar het noorden op zitten om Andreo's bloedspoor in de gang, op de veranda en op enkele takjes venushaar te behandelen.

'We vergeten dit treurige incident gewoon, wolkje van me,' zei Pap, en hij kneep daarbij in mijn schouder terwijl hij zwaaide naar de grimmig kijkende schoonmaakster Susan, tussen de veertig en vijfenveertig jaar, verblindend witte oliejas en rubberen handschoenen die tot ver voorbij haar ellebogen reikten. Ze stapte onze veranda op als een astronaut die zijn eerste stap op de maan zet.

❖

Het verschijnen van een kort berichtje over Andreo in de *Howard Sentinel* ('Buitenlander neergeschoten, spoorloos') vormde het einde van het 'Verduga-incident', zoals Pap het noemde (een schandaaltje dat maar kort een smet had geworpen op een verder rimpelloze ambtsperiode).

Drie maanden later – toen de pimentbomen en cassaveplanten het gazon succesvol in quarantaine hadden geplaatst, toen de kronkelende lianen elke verandapilaar en goot hadden verstikt en aan hun moordzuchtige plannen op het dak waren begonnen, toen het zonlicht het zelfs niet om twaalf uur 's middags aandurfde om door het struikgewas heen de grond te bereiken – wisten we nog steeds niets over Andreo, en in februari verhuisden we naar Roscoe in Michigan, bij uitstek het leefgebied van de rode eekhoorn. Hoewel ik nooit zijn naam had genoemd en me hulde in een zogenaamd onverschillig stilzwijgen wanneer Pap hem ter sprake bracht ('Ik ben benieuwd wat er met die latino-schurk gebeurd is'), dacht ik voortdurend aan hem, mijn stop-zeggende jachtopziener, mijn Heathcliff, mijn Iets.

Er deed zich nog een incident voor.

Toen Pap en ik in Nestles in Missouri woonden, slenterden we meteen na de viering van mijn verjaardag in de Hashbrown Hut door de Wal-Mart om voor mij verjaarscadeautjes uit te zoeken. ('Zondagen bij Wal-Mart,' zei Pap. 'Het gepeupel geeft een middag lang een godsvermogen uit aan waanzinnige aanbiedingen, zodat de eigenaren van de Wal-Mart nog een extra château in Zuid-Frankrijk kunnen kopen.') Pap was bij de afdeling Bijouterie en ik nam de afdeling Elektronica door toen ik opeens een man zag met een woeste haardos, zo zwart als biljartbal nummer 8. Hij liep met zijn rug naar me toe langs de uitgestalde digitale camera's. Hij droeg een vale spijkerbroek, een grijs T-shirt en een honkbalpet in camouflagekleuren diep over zijn voorhoofd getrokken.

Zijn gezicht was verborgen – alleen een stukje gebruinde huid en een ongeschoren wang waren te zien – en toch begon toen hij het gangpad met de tv's in kwam mijn hart te bonzen, omdat ik meteen het overdreven zuchten herkende, die ronde rug, die langzame onderwaterbewegingen – dat Tahiti-gevoel van hem. Welk tijdstip van de dag het ook is en hoeveel werk er ook nog te wachten ligt, iemand met 'Tahiti' kan zijn ogen dichtdoen, en de werkelijkheid van roestige grasmaaiers, rafelige gazons, dreigende werkloosheid verdwijnt en hij is binnen enkele tellen op Tahiti, drinkt poedelnaakt uit een kokosnoot en hoort alleen nog het geruis van de wind en het meisjeszuchten van de oceaan. ('Tahiti' is zelden aangeboren, alhoewel Grieken, Turken en Zuid-Amerikaanse mannen er wel aanleg voor hebben. In Noord-Amerika komt het voor onder de Canadezen, vooral in de Yukon-gebieden, maar in de Verenigde Staten wordt het alleen aangetroffen bij eerste- en tweedegeneratiehippies en bij nudisten.)

Ik sloop achter hem aan om erachter te komen of hij het was of alleen maar iemand die wel op hem leek, maar een platte neus had of een wijnvlek à la Gorbatjsov. Toen ik het gangpad met de tv's bereikte, had hij – alsof hij weer eens zo'n rusteloze, dromerige bui had, precies de reden waarom hij nooit iets aan de Neptunus-orchideeën deed – het gangpad alweer verlaten, kennelijk op weg naar Muziek. Ik ging snel via de andere kant terug, langs de cd's en de kartonnen UITVERKOOP-display van *Honky-tonk Hookup* van Bo Keith Basley, maar toen ik om het ARTIEST VAN DE MAAND-bord gluurde, was hij alweer op weg naar de Fotoservice.

'Heb je al iets leuks ontdekt wat sterk afgeprijsd is?' vroeg Pap plotseling achter me.

'Eh...nee.'

'Nou, loop dan even mee naar de afdeling Tuin & Patio. Daar heb ik volgens mij een absolute topper ontdekt. Het Staande Ovatie Bubbelbad met Stereo, Rugwervelingen en Nekmassagestralen. Onderhoudsvriendelijk. Met een beetje goeie wil kunnen acht mensen tegelijk van het ding genieten. En de prijs? Enorme korting. Vlug. We hebben niet veel tijd meer.'

Het lukte me om me aan Pap te ontworstelen onder het enigszins discutabele voorwendsel dat ik nog even langs de afdeling Kleding wilde. Toen ik hem opgewekt naar de afdeling Huisdieren zag lopen, maakte ik meteen rechtsomkeert naar de Fotoservice. Daar was hij niet. Ik keek bij Drogisterij-artikelen, Cadeaus en Bloemen, Speelgoed (waar een vrouw met een rood hoofd haar kinderen sloeg); Bijouterie (waar een latino-echtpaar horloges probeerde), Brillen (waar een oude vrouw vanachter haar enorme montuur met bruin getinte glazen vastberaden de wereld in keek). Ik wurmde me door een groep chagrijnige moeders op de babyafdeling, liet pasgetrouwde stelletjes verbluft achter op Sanitair, ging via Huisdieren, waar Pap met een goudvis praatte over vrijheid ('Het leven in de nor valt niet mee, hè ouwe jongen?') naar Fournituren, waar een kale man de voor- en nadelen van roze-met-witte-chintz tegen elkaar aan het afwegen was. Ik wierp een blik in het Restaurant en bij de rijen voor de kassa, en vergat ook de Klantenservice en de Snelkassa niet, waar een dikke peuter krijsend tegen een snoepstelling stond te schoppen.

Maar ook daar was hij verdwenen. Er zou geen ongemakkelijke hereniging plaatsvinden, geen WANNEER DE LIEFDE SPREEKT STOP DOET DE STEM VAN DE GODEN MET ZIJN HARMONIE DE HEMEL DUIZELEN STOP.

Pas toen ik teleurgesteld terugging naar de Fotoservice zag ik het boodschappenkarretje. Bij de Uitgiftebalie stond het verlaten midden op het gangpad en het was leeg – net zoals het zijne, dacht ik zeker te weten – op een klein pakje na, waarop 'ShifTbush™-Camouflage-artikelen, Herfstmix' stond.

Peinzend pakte ik het op. Het zat vol met knisperende nylon blaadjes. Achterop stond: 'ShifTbush Herfstmix, een mengsel van 3-D, fotografisch uitvergrote synthetische herfstbladeren. Bevestig die met EZStik™ op uw camouflagepak en u bent op slag onzichtbaar in een bosomgeving, zelfs voor het schranderste dier. ShifTbush™ is de verwezenlijking van elke jagersdroom.'

'Je gaat me toch niet vertellen dat je aan het begin van een hertenjachtfase zit?' zei Pap achter me. Hij snoof. 'Wat is dat voor afschuwelijke geur? Een mannenluchtje, zurig sap? Ik kon je niet vinden. Ik dacht even dat je door het zwarte gat van de damestoiletten was verdwenen.'

Ik gooide het pakje terug in de kar. 'Ik dacht dat ik iemand zag.'

'O? Wat is je eerste reactie bij de volgende woorden: koloniaal, Dellahay, hout, patio, vijfdelig, zonbestendig, windbestendig, dag des oordeels-bestendig. Waanzinnige kwaliteit voor maar 299 dollar. En wat dacht je van het Dellahay-motto dat op die schattige kleine kaartjes van ze staat: "Patiomeubilair is niet zomaar meubilair. Het is een gemoedstoestand."' Pap glimlachte, sloeg een arm om me heen en duwde me zachtjes naar de tuinafdeling. 'Je krijgt tienduizend dollar van me als je mij kunt vertellen wat dat betekent.'

Pap en ik verlieten de Wal-Mart met patiomeubelen, een koffiezetapparaat en een voorwaardelijk vrijgelaten goudvis – de vrijheid was te veel voor hem: na een dag dreef al hij ondersteboven. Enkele weken later, toen het Hoogst Onwaarschijnlijk en het Onmogelijk in mijn hoofd de overhand hadden gekregen, kon ik de gedachte dat hij het was geweest, de rusteloze en norse Heathcliff, nog niet helemaal loslaten. Dag in dag uit zwierf hij door alle Wal-Marts in Amerika, in miljoenen eenzame gangpaden op zoek naar mij.

The House of the Seven Gables

Natuurlijk was het idee van een Permanent Huis (dat ik definieerde als elk onderdak waar Pap en ik langer dan negentig dagen vertoefden – de tijd die een Amerikaanse kakkerlak zonder voedsel kan) niet meer dan een luchtkasteel voor me, een utopie, de hoop op een gloednieuwe Cadillac Coupe DeVille met babyblauwe lederen bekleding voor elke sovjetburger tijdens de oersaaie winter van 1985.

Talloze keren wees ik New York of Miami aan op onze Rand-McNally-kaart. '... of Charleston. Waarom kun je Conflictstudies niet op Een Beschaafde Locatie doceren?' Met mijn gezicht platgedrukt tegen het raampje, een gordel die me afknelde, duizelig van de zich eindeloos herhalende maïsvelden, fantaseerde ik dat Pap en ik ooit ergens als stof definitief zouden neerdalen – maakte niet uit waar.

Doordat hij mijn verzoek steeds weer afwees, waarbij hij mijn sentimentaliteit belachelijk maakte ('Hoe kun je nu een hekel hebben aan reizen? Dat begrijp ik niet. Hoe kan míjn dochter nu zo dom en saai willen zijn als een met de hand gemaakte asbak, als bloemetjesbehang, als dat bord, ja daar: DE WEEK VAN HET HART? Zo zal ik je voortaan noemen: juffrouw Weekhartje'), was ik ermee opgehouden om ook tijdens onze snelwegdiscussies over de *Odyssee* (Homerus, hellenistische periode) of *De druiven der gramschap* (Steinbeck, 1939) zelfs ook maar te zinspelen op literaire thema's zoals Eigen Haard, Vaderland of Geboortegrond. En daarom onthulde Pap bij de rabarbertaart in de Qwik Stop Diner even buiten Lomaine in Kansas met veel bombarie ('Bim, bam, de heks is dood,' zong hij schertsend, waarna de serveerster ons met een argwanende frons bekeek) dat we het héle eindexamenjaar, alle zeven maanden en negentien dagen, op één enkele locatie zouden wonen: Stockton, North Carolina.

Gek genoeg kende ik die plaats. Enkele jaren daarvoor had ik in het tijdschrift *Ventures* het omslagartikel gelezen, 'De Vijftig Populairste Pensioensteden', en Stockton (53.339 inw.) – verstopt in het Appalachen-gebergte, kennelijk tevreden met zijn bijnaam 'het Florence van het zuiden' – was op de negenendertigste plaats gezet. Ook kwam het bergstadje nadrukkelijk voor in een fascinerend FBI-verslag over uitgebroken gevangenen uit Jacksonville, *Ontsnapt* (Pillars, 2004), het waargebeurde verhaal van de Duivelse Drie die ontsnapten uit de staatsgevangenis van Florida en tweeëntwintig jaar uit de handen van de politie wisten te blijven in het nationale park Great Smoky Mountain. Ze zwierven over de duizenden paden die kronkelden door de heuvels tussen North Carolina en Tennessee, en leefden van hert, konijn, stinkdier en het afval van weekendkampeerders. Ze zouden nog steeds op vrije voeten kunnen zijn ('Het park is zo groot dat je er met succes een kudde roze olifanten zou kunnen verstoppen,' schreef de auteur, FBI-agente Janet Pillars), wanneer een van hen de aandrang had onderdrukt om het plaatselijke winkelcentrum op te zoeken. Op een vrijdagmiddag in de herfst van 2002 liep 'Hellekind' Billy Pikes een winkelcentrum in West-Stockton, de Dinglebrook Arcade, binnen, kocht een paar keurige overhemden, at een *calzone* en werd herkend door een caissière bij Cinnabon. Twee van de Duivelse Drie werden opgepakt, maar de laatste, bekend onder de naam 'Sloddervos Ed', bleef voortvluchtig in de bergen.

Pap over Stockton: 'Een doodgewoon bergstadje waar ik een verbijsterend laag salaris verdien en waar jij je plaats aan Harvard voor volgend jaar kunt veiligstellen.'

'Joepie,' zei ik.

Voor onze aankomst woonden we de maand augustus in het Atlantic Waters Condotel in Portsmouth in Maine en had Pap nauw contact gehad met ene mevrouw Dianne L. Seasons, een makelaar met een zeer indrukwekkende hoeveelheid verkoopcontracten en langetermijnhuurcontracten op haar naam, werkzaam bij kantoor Sherwig in Stockton. Eens per week stuurde Dianne Pap glanzende foto's van onroerend goed dat Sherwig nieuw in de verkoop had, elke foto vergezeld van een handgeschreven commentaar op briefpapier van Sherwig dat met een paperclip in de hoek was vastgemaakt: 'Een prachtige oase in de bergen!', 'Een en al zuidelijke charme!', 'Schitterend en bijzonder, absolute topklasse, volgens mij!'

Pap hield ervan om met verkopers die dolgraag iets aan hem wilden slijten te spelen zoals leeuwen dat doen met een verzwakt wildebeest. Hij stelde voortdurend zijn definitieve beslissing uit en reageerde wanneer Dianne 's avonds weer eens opbelde ('Ik wilde even weten wat je vindt van Primrose

52!') met melancholieke besluiteloosheid en heel veel gezucht. Diannes handgeschreven memo's werden dan ook steeds uitzinniger ('Dit wordt een zomerhit!', 'Deze vliegt de deur uit!').

Ten slotte verloste Pap haar uit haar lijden toen hij een zeer exclusief object uit het aanbod uitkoos, de geheel gemeubileerde woning op Armor Street 24, nummer één uit de top-10.

Ik was geschokt. Pap had met zijn gastdocentschap op Hicksburg State College of de Universiteit van Kansas in Petal zeker geen grote bedragen opzij kunnen leggen (*Federal Forum* betaalde het belachelijke bedrag van honderdvijftig dollar per essay) en bijna alle andere huizen waar we hadden gewoond – de Wilson Streets 19 en Clover Circles 4 – waren kleine, onbeduidende woningen geweest. En toch had Pap de ZEER RUIME ZESKAMERWONING VORSTELIJK GEMEUBILEERD IN TUDORSTIJL uitgekozen die er met die twee bulten – tenminste op Diannes glanzende foto – uitzag als een gigantische rustende kameel. (Pap en ik zouden later ontdekken dat de fotograaf van Sherwig er grote moeite voor had moeten doen om te verbergen dat de rustende kameel aan het verharen was. Bijna alle dakgoten hingen los en veel van de houten balken die de buitenkant opsierden vielen tijdens het herfsttrimester spontaan naar beneden.)

Direct na onze aankomst bij Armor Street 24 veranderde Pap gewoontegetrouw in Leonard Bernstein en dirigeerde hij de mannen van verhuisbedrijf De Fluwelen Aanpak alsof Larry, Roge, Stu en Greg niet gewoon graag vroeg thuis wilden zijn en een biertje pakken, maar een orkest vormden met een Koperblazer, een Houtblazer, een Violist en een Slagwerker.

Ik glipte weg en maakte mijn eigen rondje door het huis en de tuin. De villa had niet alleen VIJF SLAAPKAMERS; EEN KEUKENPARADIJS MET GRANIET, HARDHOUT EN INGEBOUWDE KOELKAST; OUDGRENEN KASTEN, maar ook EEN HOOFDSLAAPKAMER MET MARMEREN BAD, EEN VERRUKKELIJKE VISVIJVER, EEN DROOMBIBLIOTHEEK VOOR IEDERE BOEKENWURM.

'Pap, waarvan gaan we dit huis betalen?'

'O, maak je daar maar geen zorgen om... Sorry, maar moet je nou die doos met de zijkant boven dragen? Zie je die pijl en de tekst DEZE KANT BOVEN? Juist, dat betekent dat die kant boven moet.'

'We kunnen het niet betalen.'

'Natuurlijk is het... Nogmaals, dat moet naar de woonkamer, niet hier, laat alsjeblieft niet vallen, dat zijn kostbare spullen... Ik heb het afgelopen jaar een beetje gespaard, schat... Niet dáár! Kijk, mijn dochter en ik hebben een systeem. Als je die dozen bekijkt, dan zie je dat er met een markeerstift woorden op geschreven zijn en die woorden corresponderen met een bepaalde kamer in dit huis. Heel goed! Je krijgt een eremedaille!'

Met een enorme doos in zijn armen sjokte de Violist langs ons het Keukenparadijs in.

'We moeten hier weg, Pap. We moeten Primrose 52 nemen.'

'Doe niet zo mal. Ik heb een prima prijs bedongen bij mevrouw Zomerhit... ja, dát gaat naar beneden naar mijn werkkamer, en er zitten vlinders in die doos, dus laat je hem niet over de grond slepen? Ja, voorzichtig vasthouden.'

De Koperblazer liep onhandig de trap af met de doos waarop VLINDERS BREEKBAAR stond.

'Hmm? Rustig nu maar en geniet...'

'Pap, het is te duur.'

'Ja, nou ja, ik begrijp wat je bedoelt, schat, en het is inderdaad...' Paps blik dwaalde af naar de enorme koperen lamp die aan het drie meter hoge plafond hing en ondersteboven de eruptie van de vulkaan Tambora in 1815 uitbeeldde (zie *Indonesië en de Grote Vulkaangordel*, Priest, 1978). 'Het is wat barokker dan we gewend zijn, maar wat geeft het? We blijven hier toch het hele jaar? Het is zogezegd het laatste hoofdstuk voordat je uitvliegt, de wereld verovert. Ik wil dat het een gedenkwaardig jaar wordt.'

Hij zette zijn bril goed en keek in de geopende doos waar LINNENGOED op stond zoals Jean Peters in de Trevi-fontein staarde voordat ze er een muntje in wierp en een wens deed.

Ik zuchtte. Het was duidelijk, en dat was het eigenlijk al een tijdje, dat Pap van dit jaar, mijn eindexamenjaar, *une grande affaire* wilde maken (vandaar die kameel en andere tante Mame-achtige overdaad, waar ik straks nog uitvoerig op in zal gaan). Toch vond hij het ook afschuwelijk (vandaar die sombere blik in LINNENGOED). Dat kwam ook omdat hij er niet aan moest denken dat ik aan het eind van het jaar bij hem weg zou gaan. En ik moest daar eigenlijk ook niet aan denken. Dat idee was moeilijk te bevatten. Pap verlaten was zoiets als het fileren van alle oude Amerikaanse musicals door Gilbert en Sullivan, Rogers en Hammerstein, Lerner en Lowe, Comden en Green uit elkaar te halen.

De andere reden – en misschien wel de belangrijkste – waarom Pap zich volgens mij een beetje triest voelde was dat ons geplande verblijf van een heel jaar op dezelfde plek een ontegenzeglijk zeer monotone passage zou worden in hoofdstuk 12 van *Lesgeven en reizen in Amerika* van Paps voor de rest uiterst spannende ongeschreven biografie.

'Leef je leven altijd met je biografie in je achterhoofd,' zei Pap graag. 'Die wordt natuurlijk pas gepubliceerd als daar een Geweldig Goede Reden voor is, maar dan leid je tenminste een groots leven.' Het was pijnlijk duidelijk dat Pap hoopte dat zijn postuum uitgegeven biografie niet zou lijken op *De mens Kissinger* (Jones, 1982) of zelfs niet op *Dr. Rhythm: een leven met Bing* (Grant, 1981), maar meer de status zou hebben van het Nieuwe Testament of de Koran.

Ook al heeft hij dat nooit zo gezegd, het was duidelijk dat Pap graag in beweging, op doortocht, onderweg was. Stilstand, oponthoud, afrondingen en eindpunten vond hij onverteerbaar saai. Pap zat er niet mee dat hij zelden lang genoeg op een universiteit verbleef om de namen van al zijn studenten te kennen, en hij moest ze om aan het einde van het trimester hun werk goed te kunnen nakijken allemaal een bijnaam geven, zoals Te Veel Vragen, Uilenbril, Glimlach Met Veel Tandvlees en Zit Links Van Me.

Soms was ik bang dat Pap vond dat een dochter voor hem ook een laatste halte, een eindpunt was. Wanneer hij in een bourbonstemming was, vreesde ik weleens dat hij mij en Amerika wilde dumpen en zou terugkeren naar het voormalige Zaïre, tegenwoordig de Democratische Republiek Congo ('democratisch' is in Afrika een inhoudsloos begrip dat alleen voor de show wordt gebruikt) om daar de Che annex Trotsky annex Spartacus uit te hangen bij de vrijheidsstrijd van de inheemse bevolking. Telkens wanneer Pap sprak over de vier fantastische maanden die hij in 1985 in het stroomgebied van de Congo-rivier had doorgebracht met de 'aardigste, hardstwerkende en eerlijkste mensen die hij ooit had ontmoet', zag hij er ongewoon kwetsbaar uit. Hij leek dan op een oudere acteur uit de tijd van de stomme film, gefotografeerd met soft focus-belichting en vaseline op de lens.

Ik had het idee dat hij eigenlijk terug wilde naar Afrika om een goed georganiseerde revolutie te leiden waardoor hij in zijn eentje de politieke situatie in de DRC stabiliseerde (door de aan de Hutu's gelieerde strijdkrachten te verdrijven). Daarna zou hij naar andere landen gaan die als aan spoorrails vastgeboden uitheemse maagden lagen te wachten om bevrijd te worden (Angola, Kameroen, Tsjaad). Wanneer ik dat vermoeden uitsprak, moest hij natuurlijk lachen, maar ik vond die lach net niet hard genoeg; hij klonk opvallend hol, waardoor ik me afvroeg of ik op goed geluk mijn hengel had uitgeworpen en per ongeluk de grootste vis aan de haak had geslagen, eentje die ik eigenlijk helemaal niet wilde vangen. Dat was Paps diepzeegeheim, nog nooit eerder gefotografeerd of wetenschappelijk geclassificeerd: hij wilde een held zijn, een vrijheidsicoon, in zijdezeefdruk met uitsluitend heldere kleuren afgebeeld op honderdduizend T-shirts – Pap met marxistische baret, martelaarsblik en een dun snorretje (zie *Iconografie van helden*, Gorky, 1978).

Maar hij had ook een zeker jongensachtig enthousiasme dat hij anders alleen tentoonspreidde wanneer hij weer een punaise in de Rand-McNally-kaart duwde en me informeerde over onze volgende locatie in een overdreven riedel vol weetjes, zijn versie van de gangsta-rap: 'Volgende halte: Speers, South Dakota, leefgebied van de fazant, de zwartvoetbunzing; verder: de Badlands, Black Hills, Crazy Horse Memorial, hoofdstad: Pierre, grootste stad: Sioux Falls, rivieren: Moreau, Cheyenne, White, James...'

'Jij neemt de grote slaapkamer boven aan de trap,' zei hij terwijl hij Slagwerker en Houtblazer in de gaten hield, die een zware doos door de tuin naar de aparte ingang van de ZEER RUIME HOOFDSLAAPKAMER droegen. 'Ach, neem de hele bovenvleugel maar. Dat is toch leuk, schat: een hele vleugel voor jezelf? Waarom zouden we voor de verandering niet eens leven als Kubla Kahn in zijn lustpaleis? Als je naar boven gaat, staat daar een verrassing voor je. Ik durf te wedden dat je daar heel blij mee bent. Ik heb heel wat mensen moeten omkopen: een huisvrouw, een makelaar, twee meubelverkopers, het hoofd Transport van UPS... Zeg luister, ja, ik heb het tegen jou: als je beneden nu eens je collega gaat helpen met het uitpakken van de spullen voor mijn werkkamer, dan zou dat heel handig zijn. Volgens mij is hij in een konijnenhol gevallen.'

Paps verrassingen, of ze nu groot of klein waren, hadden altijd een wetenschappelijk karakter gehad: de uit het Frans vertaalde *Encyclopedie der dingen* (Lamure-France, 1999) die niet in de Verenigde Staten te koop was ('Alle Nobelprijswinnaars hebben die,' zei Pap).

Maar toen ik boven aan de trap de slaapkamerdeur openduwde en de kamer binnenliep met zijn blauwe muren vol met pastorale olieverfschilderijen en in de verste muur reusachtige boogramen met bolstaande gordijnen, ontdekte ik niet een zeldzame, clandestien gedrukte uitgave van *Wie schafft man ein Meisterwerk*, of *Uitgebreide handleiding voor het scheppen van uw Magnum Opus* (Lint, Steggertt, Cue, 1993), maar tot mijn verbazing stond mijn oude Citizen Kane-bureau in de hoek bij het raam geschoven. Het was 'm echt: de plompe notenhouten bibliotheektafel in neorenaissancestijl die acht jaar geleden in Tellwood Street 142 in Wayne, Oklahoma, van mij was geweest.

Pap had het bureau op een veiling op het landgoed van lord en lady Hillier even buiten Tulsa gevonden, waar de eeuwig op antiekmarkten afdingende Meikever Pattie 'Dan Delen We Het Verschil' Lupine Pap op een suffige zondagmiddag heen had gesleept. Toen Pap het bureau zag (en de vijf zwoegende mannen die ervoor nodig waren om het van het veilingpodium af te krijgen), vond hij dat het echt iets voor mij was en alleen voor mij (ook al was ik pas acht en was mijn spanwijdte minder dan de helft van de lengte van het bureau). Hij betaalde er een enorm, onbekend bedrag voor en kondigde met veel zwier aan dat dit 'Blues bureau' was, een bureau 'dat mijn kleine *Eve of St. Agnes* waardig is, een bureau waaraan zij al de Grote Ideeën zal ontrafelen'. Een week later werden twee van Paps cheques geweigerd vanwege saldotekort, de ene bij de supermarkt, de andere bij de universiteitsboekhandel. Stiekem geloofde ik dat dat kwam doordat – zoals Dan Delen We Het Verschil had gezegd – Pap voor het bureau een exorbitant hoog bedrag had betaald, ook al beweerde hij dat hij met zijn administratie een beetje slordig was geweest. 'Heb me een nulletje vergist,' had hij gezegd.

Daarna bleek dat ik tot mijn teleurstelling alleen in Wayne de Grote Ideeën kon ontrafelen, omdat we het bureau niet mee konden nemen naar Sluder in Florida – dat kwam doordat het bij de verhuizers (met de misleidende slagzin WIJ VERHUIZEN ALLES) niet in de vrachtwagen paste. Ik huilde bittere tranen en schold Pap uit voor klootzak toen we het moesten achterlaten – alsof het niet om een te groot bureau ging met barokke klauwpoten en zeven laden die allemaal een eigen sleutel hadden, maar om een zwarte pony die in een schuurtje aan zijn lot werd overgelaten.

Nu rende ik de eikenhouten trap af en in de kelder vond ik Pap, die voorzichtig de VLINDERS BREEKBAAR-doos aan het openmaken was waarin mijn moeders verzameling zat – de zes glazen vlinderkasten waaraan ze had gewerkt toen ze verongelukte. Wanneer we in een nieuw huis aankwamen, was hij altijd uren bezig om ze op te hangen, altijd in zijn werkkamer, altijd aan de muur tegenover zijn bureau: tweeëndertig meisjes op een rij in een verstarde schoonheidswedstrijd. Daarom hield hij er niet van als Meikevers – of wie dan ook – rondneusden in zijn werkkamer, omdat de betoverende uitwerking van de schubvleugeligen niet schuilde in hun kleur of de onverwachts vele haartjes op de voelsprieten van de *Antherea polyphemus*, en zelfs niet in het gevoel van treurnis dat je overviel wanneer je voor iets stond wat eens driftig door de lucht had gezigzagd en nu doodstil met vreemd uitgespreide vleugels vastgespeld zat op een stuk papier in een glazen vitrinekastje. Het was de aanwezigheid van mijn moeder in die vlinders. Zoals Pap eens had gezegd: in

hen kon je haar gezicht scherper zien dan op welke foto ook (zie afbeelding 4.0). Ik had altijd gevonden dat ze een vreemde aantrekkingskracht hadden, want wanneer je ernaar keek was het moeilijk om je ervan los te rukken.

'Hoe vind je het?' vroeg hij opgewekt terwijl hij de kastjes eruit tilde en fronsend de hoekjes inspecteerde.

'Te gek,' zei ik.

'Ja toch? Een uitgelezen plek om je toelatingsessay te schrijven dat elke grijsaard op Harvard onder zijn chique colbert de rillingen over de rug zal bezorgen.'

'Maar hoeveel heeft het wel niet gekost om het terug te kopen en daarna te laten bezorgen?'

Hij keek me aan. 'Heeft niemand je ooit verteld dat het godslastering is om naar de prijs van een cadeau te vragen?'

'Hoeveel? In totaal?'

Hij staarde me aan. 'Zeshonderd dollar,' zei hij en hij zuchtte lijdzaam. Daarna deed hij het kastje weer in de doos, kneep in mijn schouder, liep langs me heen naar de trap en riep naar Koperblazer en Houtblazer dat ze hun tempo moesten verhogen.

Hij loog. Dat wist ik, niet alleen omdat zijn ogen opzij schoten toen hij 'zeshonderd' zei – de arts Fritz Rudolph Scheizer had in *Het gedrag van rationele wezens* (1998) geschreven dat het cliché dat iemand liegt wanneer zijn of haar ogen opzijschieten 'volkomen waar' is –, maar ook omdat ik toen ik de onderkant van het bureau had bekeken een klein rood prijskaartje had ontdekt dat nog vastgeknoopt zat om de achterste poot ($17.000).

Ik liep snel terug naar boven naar de hal, waar Pap een andere doos doorzocht, BOEKEN BIBLIOTHEEK. Ik was verbijsterd en ook een beetje geïrriteerd. Pap en ik hadden lang geleden een Samenlevingscontract gesloten waarin was opgenomen dat wij elkaar altijd de Waarheid zouden vertellen, 'ook al was ze een monster, beangstigend en kwalijk riekend'. In al die tijd waren er eindeloos veel gelegenheden geweest waarbij gewone vaders een ingewikkeld verhaal zouden hebben opgehangen, alleen om het Ouderlijk Bedrog in stand te houden dat ze geslachtsloos en onkreukbaar waren als Koekiemonsters – zoals die keer dat Pap vierentwintig uur verdwenen was en toen hij terugkwam de vermoeide, maar ook tevreden blik in zijn ogen had van een cowboy die succesvol een prikkelbare Palomino had gefluistertemd. Wanneer ik naar de Waarheid vroeg (soms koos ik ervoor dat niet te doen) stelde hij me nooit teleur – zelfs niet wanneer ik daardoor zijn karakter tegen het licht kon houden en kon zien hoe hij soms kon zijn: ruw, vol krassen, enkele onverwachte gaten.

Ik moest hem ermee confronteren. Anders zou de leugen mij verteren (zie 'Zure regen op gargouilles', *Condities*, Eliot, 1999, blz. 513). Ik rende naar boven, verwijderde het prijskaartje en hield het de rest van de dag in mijn zak in afwachting van het juiste moment om hem ermee om de oren te slaan.

Maar toen hij vlak voordat we gingen eten in het Outback Steakhouse in mijn kamer het bureau bekeek, zag hij er absurd vrolijk en trots op zichzelf uit ('Wat ben ik goed,' zei hij en wreef zich zo enthousiast als Dick Van Dyke in zijn handen. 'Zo kom ik wel in de hemel, hè schat?'). Onwillekeurig bekroop me het gevoel dat het onnodig en wreed zou zijn om hem vanwege deze goedbedoelde verkwisting op het matje te roepen en hem in verlegenheid te brengen – zoiets als tegen Blanche Dubois zeggen dat ze blubberarmen en te droog haar had en dat ze de polka gevaarlijk dicht in de buurt van de lamp danste.

Het was beter om niets te zeggen.

The Woman in White

Ik zag Hannah Schneider voor het eerst op de diepvriesafdeling van Fat Kat Foods, twee dagen na onze aankomst in Stockton.

Ik stond bij ons winkelwagentje te wachten tot Pap eruit was welke ijssmaak hij het lekkerst vond.

'Amerika's grootste ontdekking was niet de atoombom, niet het fundamentalisme, geen vermageringsinstituten, niet Elvis en zelfs niet de scherpzinnige constatering dat mannen meer op blond vallen, maar de hoge mate van perfectie die ijs hier heeft gekregen,' was Paps lievelingsuitspraak wanneer hij met geopende vriezerdeur uitgebreid alle smaken van Ben & Jerry's stond te bekijken. Daarbij sloeg hij totaal geen acht op de klanten die om hem heen samendrongen en wachtten tot hij wegging.

Terwijl hij de kartonnen verpakkingen op de planken aan een nauwkeurig onderzoek onderwierp als een wetenschapper die een accuraat DNA-profiel probeert te verkrijgen uit een haarwortel, merkte ik een vrouw op die aan het andere eind van het gangpad stond.

Ze had donker haar en was zo mager als een rijzweepje. Gehuld in begrafeniskledij – een zwart pakje met zwarte, jaren-tachtig-pumps (meer naald dan schoen) – viel ze in het tl-licht en de kwijnende muzak van Fat Kat Foods uit de toon. Aan de manier waarop ze de achterkant van een pak diepvriesdoperwten bestudeerde zag ik dat ze graag uit de toon viel – de verdwaalde granaatscherf in een tekening van Norman Rockwell, de struisvogel tussen een kudde buffels. Ze straalde die mengeling van tevredenheid en zelfbewustheid uit die je aantreft bij mooie vrouwen die eraan gewend zijn om bekeken te worden, waardoor ik meteen een hekel aan haar had.

Lang geleden had ik besloten om alle mensen te verachten die zichzelf beschouwden als het onderwerp van elk TOTAALSHOT, BOOMSHOT, REACTIESHOT, CLOSE-UP of CHOKERSHOT, waarschijnlijk omdat ik me niet kon voorstellen dat ik terecht zou komen op iemands storyboard, zelfs niet op dat van mezelf. Tegelijkertijd kon ik (net als de man die met open mond naar haar staarde met een diepvriesmaaltijd in zijn hand) me nauwelijks inhouden om niet 'Stilte op de set!' en 'Draaien maar!' te roepen, want zelfs op zo'n afstand was ze ongelooflijk mooi en apart. Zoals een van Paps beroemde citaten tijdens een bourbonstemming luidde: 'Schoonheid is waarheid, waarheid schoonheid, dat is al wat we op aarde weten en al wat we hoeven te weten.'

Ze legde de doperwten terug in de vriezer en liep onze kant op.

'New York Super Fudge of Phish Food?' vroeg Pap.

Haar hakken tikten op de grond. Ik wilde haar niet aangapen, dus ik deed een weinig overtuigende poging om de voedingswaarde van verscheidene ijslolly's te bestuderen.

Pap zag haar niet. 'Er is natuurlijk ook nog altijd Half Baked,' zei hij. 'O, kijk, Makin' Whoopie Pie. Die is nieuw volgens mij, maar ik weet niet of ik dat wat vind: marshmallows met chocoladecake. Dat lijkt me een beetje te veel van het goede.'

Terwijl ze langsliep, wierp ze een snelle blik op Pap die in de vriezer stond te turen. Toen ze mij aankeek, glimlachte ze.

Ze had een elegant, romantisch aandoend benig gezicht, dat het zowel in de schaduw als in het licht goed deed, zelfs in scherpe contrasten. Ze was ouder dan ik had gedacht, ergens achter in de dertig. Het bijzonderst aan haar was de chique uitstraling van een klassieke filmdiva, die ik nog nooit in het echt had gezien, alleen wanneer Pap en ik 's morgens vroeg naar *Jezebel* keken. Ja, in haar houding en haar stappen zo nauwgezet als een metronoom – ze trok zich nu terug achter de stelling met chips – zat iets van Paramount, een vleugje pure whiskey, en luchtzoenen in een Hollywoodse nachtclub. Ik had het gevoel dat wanneer ze haar mond zou opendoen, ze niet het moderne, rommelige taalgebruik zou hanteren, maar woorden zoals 'demi-monde', 'goede komaf' en 'rechtschapen' (alleen heel soms 'tjeempie'). En wanneer ze zich een mening over iemand zou vormen, hem of haar zou beoordelen, dan zou ze bijna uitgestorven begrippen als Karakter, Reputatie, Integriteit en Klasse de belangrijkste criteria vinden.

Niet dat ze niet écht was. Dat was ze wel. Haar haar piekte hier en daar, er zaten wat pluisjes op haar rok. Ik voelde gewoon dat ze ooit, ergens, het stralende middelpunt was geweest. Door de zelfverzekerde, bijna agressieve blik in haar ogen wist ik dat ze aan een comeback werkte.

'Heath Bar Crunch lijkt me wel wat. Wat vind jij? Blue?'

Als haar aanwezigheid in mijn leven beperkt was gebleven tot dat ene Hitchcock-moment, dan zou ik me haar waarschijnlijk toch herinnerd hebben. Misschien niet net zo gedetailleerd als ik me de snikhete zomeravond herinnerde waarop ik *Gejaagd door de wind* voor het eerst zag in de Lancelot Dreamsweep-drive-in toen Pap het nodig vond om voortdurend te vermelden welke sterrenbeelden er te zien waren ('Daar heb je Andromeda'), niet alleen toen Scarlett het opnam tegen Sherman en toen ze misselijk werd van die wortel, maar zelfs toen Rhett zei dat het hem geen donder kon schelen.

Door een ongrijpbare speling van het lot zag ik haar vierentwintig uur later alweer, deze keer in een sprekende rol.

De school begon over drie dagen en Pap, in overeenstemming met zijn nieuwe 'we doen het eens anders'-personage, stond erop dat we de middag zouden doorbrengen op de tienerafdeling van Stickley's in winkelcentrum Blue Crest, waar ik van hem allerlei artikelen uit de collectie van Back-2-School moest passen en hij zich verliet op de modekennis van ene mevrouw Camille Luthers (zie Curly Coated Retriever, *Hondenwoordenboek*, deel 1). Camille was cheffin van de tienerafdeling, die niet alleen al acht jaar op die afdeling werkte, maar ook dankzij Cinnamon, haar eigen zeer gewaardeerde dochter van mijn leeftijd, wist welke lijn van Stickley's dit jaar *de rigueur* was.

Mevrouw Luthers over een groene lange broek die veel leek op de broek die werd gedragen door Mao's Bevrijdingsleger, maat 2: 'Deze lijkt me echt iets voor jou.' Gretig duwde ze het hangertje tegen mijn middel en bekeek mij in de spiegel met haar hoofd schuin, alsof ze een heel hoge toon hoorde. 'Hij staat Cinnamon ook heel goed. Ik heb er net een voor haar gekocht en ze draagt hem continu.'

Mevrouw Luthers, over een truttige bloes die veel weg had van het hemd dat gedragen werd door de bolsjewieken die het Winterpaleis bestormden, maat nul: 'Dit is ook echt iets voor jou. Cinnamon heeft er van elke kleur een. Ze heeft ongeveer jouw maat, net zo tenger. Iedereen denkt dat ze anorexia heeft, maar dat is niet zo, en veel van haar leeftijdgenootjes zijn jaloers omdat die alleen op fruit en bagels leven om in maatje 42 te passen.'

Nadat Pap en ik de tienerafdeling van Stickley's met het grootste deel van Cinnamons rebellengarderobe hadden verlaten, gingen we naar Surely Shoes op Mercy Avenue in North Stockton, op aanraden van mevrouw Luthers.

'Volgens mij passen deze precies in Cinnamons straatje,' zei Pap, en hij hield een grote zwarte plateauschoen omhoog.

'Nee,' zei ik.

'Godzijdank. Volgens mij draait Chanel zich om in haar graf.'

'Humphrey Bogart droeg tijdens de opnames van *Casablanca* alleen maar plateauschoenen,' zei iemand.

Ik draaide me om in de verwachting een moeder om Pap heen te zien cirkelen als een kapgier die een stuk aas heeft ontdekt, maar dat was niet zo. Zíj was het, de vrouw uit Fat Kat Foods.

Ze was lang, droeg een strakke spijkerbroek en een eenvoudig tweedjasje, en had een grote zwarte zonnebril in haar haar geschoven. Haar donkere lokken hingen los om haar gezicht.

'Hij was dan wel geen Einstein of Truman,' zei ze, 'maar hij heeft wel invloed gehad. En dat was niet zo geweest wanneer hij naar Ingrid Bergman had moeten opkijken en zeggen: *Here's looking at you, kid.*'

Ze had een prachtige, hese stem.

'U bent niet van hier, hè?' vroeg ze aan Pap.

Pap keek haar uitdrukkingsloos aan.

De interactie tussen Pap en een vrouw had altijd iets weg van een vreemd, slordig uitgevoerd scheikundig proefje. Meestal kwam er geen reactie. En soms leken Pap en de vrouw een heftige reactie te vertonen, waarbij warmte, licht en gas vrijkwamen. Maar uiteindelijk leverde het nooit een handig product op zoals plastic of glas, alleen een smerige stank.

'Nee,' zei Pap. 'Klopt.'

'Woont u hier pas sinds kort?'

'Ja.' Hij glimlachte, ook al schoot dat als vijgenblad tekort om zijn verlangen te maskeren dat hij het gesprek wilde beëindigen.

'Hoe bevalt het u hier?'

'Fantastisch.'

Ik snapte niet waarom hij niet wat aardiger deed. Doorgaans zat Pap er niet zo mee als er Meikevers op hem af kwamen dwarrelen. En hij deinsde er ook niet voor terug om ze aan te moedigen, alle gordijnen open te trekken, alle lampen aan te doen door voor de vuist weg lezingen te houden over Gorbatsjov, Wapenbeheersing, de basisprincipes van een Burgeroorlog (waarvan de essentie langs de Meikever heen ging als een verdwaalde regendruppel) en vaak door te zinspelen op het standaardwerk dat hij aan het schrijven was, *De ijzeren greep.*

Ik vroeg me af of ze te aantrekkelijk of te lang (ze was bijna even groot als hij) voor hem was of dat haar ongevraagde opmerking over Bogey hem had geïrriteerd. Een van Paps lievelingsergernissen was om 'geïnformeerd' te worden over iets wat hij al wist, en Pap en ik waren al lang op de hoogte van haar onbenullige weetje. Onderweg tussen Little Rock en Portland had ik het verbazingwekkende boek *Schurken, dwergen, grote oren en kunstgebitten: een werkelijk profiel van Hollywoods vooraanstaande mannen* (Rivette, 1981) en ook *Andere stemmen, 32 kamers: mijn leven als dienstmeisje van L.B. Mayer* (Hart, 1961) helemaal hardop voorgelezen. Tussen San Diego en Salt Lake City had ik talloze al of niet geautoriseerde biografieën van beroemdheden voorgelezen, zoals die van Howard Hughes, Bette Davis, Frank Sinatra en Cary Grant, en het zeer gedenkwaardige *Christus, het is al vaker gedaan: Jezus op celluloid van 1912 tot 1988 – Waarom Hollywood zou moeten ophouden met de Zoon van God aan het witte doek toe te vertrouwen* (Hatcher, 1989).

'En uw dochter,' zei ze met een glimlach naar mij. 'Naar welke school gaat ze?'

Ik deed mijn mond open, maar Pap was me voor.

'St. Gallway.'

Hij keek me doordringend aan met zijn 'Ik Sta Hier Te Liften'-blik, die snel overging in 'Trek Alsjeblieft Aan Het Koordje Van De Parachute'-gezicht en daarna in 'Zou Je Zo Vriendelijk Willen Zijn Om De Nekslag Toe Te Dienen'. Normaal gesproken bewaarde hij die blikken voor momenten waarop hij werd lastiggevallen door een Meikever met een of andere lichamelijke afwijking, zoals een slecht richtinggevoel (extreme bijziendheid) of een wispelturige wang (een tic).

'Ik geef daar les,' zei ze en ze stak haar hand uit. 'Hannah Schneider.'

'Blue Van Meer.'

'Wat een prachtige naam.' Ze keek naar Pap.

'Gareth,' zei hij even later.

'Aangenaam.'

Met de brutale zelfverzekerdheid van iemand die het etiket van de Mooie Meid van zich af geworpen had en een veelzijdig en getalenteerd actrice (en een enorme publiekstrekker) bleek te zijn, vertelde Hannah Schneider dat ze de afgelopen drie jaar de inleidingscursus Filmkunde, een facultatief vak voor alle klassen, had gegeven. Ze vertelde met grote stelligheid dat St. Gallway een 'heel bijzondere school' was.

'We moeten weer verder,' zei Pap tegen mij. 'Je hebt toch pianoles?' (Dat had ik niet, en nooit gehad ook.)

Maar Hannah praatte ongegeneerd door, alsof Pap en ik verslaggevers van *Confidential* waren die er zes maanden op hadden gewacht om haar te kunnen interviewen. Toch had haar manier van doen niets arrogants of hooghartigs;

ze ging er gewoon van uit dat je bijzonder geïnteresseerd was in alles wat ze zei. En dat wás je ook. Ze vroeg waar we vandaan kwamen ('Ohio,' zei Pap ziedend), in welke klas ik zat ('Eindexamenklas,' zei Pap kokend), hoe we ons nieuwe huis vonden ('Enig,' zei Pap schuimbekkend), en ze legde uit dat ze drie jaar terug vanuit San Francisco hierheen was verhuisd ('Wat interessant,' zei Pap sissend). Hij kon er niet onderuit nu ook iets beleefds terug te zeggen.

'Misschien komen we elkaar nog weleens tegen bij een thuiswedstrijd van ons footballteam,' zei hij en hij wuifde bij wijze van groet met een gebaar dat ook 'Rot Alsjeblieft Op' kon betekenen. Hij duwde mij naar de uitgang van de winkel. (Pap had nog nooit een footballwedstrijd bijgewoond en was dat ook niet van plan. Hij beschouwde de meeste contactsporten, net als de joelende en loeiende toeschouwers, als 'gênant', 'heel erg verkeerd', 'deerniswekkende uitingen van de *Australopithecus* in ons'. 'We hebben allemaal een *Australopithecus* in ons, maar ik heb toch liever dat die van mij in zijn hol blijft om met zijn vuistbijl een mammoetkarkas tot hapklare brokken te verwerken.')

'Goddank, dat hebben we ook weer overleefd,' zei Pap terwijl hij de auto startte.

'Wat moest dat voorstellen?'

'Als je het weet, mag je het zeggen. Ik heb je al eerder uitgelegd dat die wat oudere Amerikaanse feministes, die er prat op gaan dat ze zelf de deur opendoen en zelf afrekenen, niet de boeiende, moderne vrouwen zijn die ze denken te zijn. O nee, het zijn ruimtesondes die in de Magelhaense Wolken op zoek zijn naar een man waar ze eindeloos omheen kunnen cirkelen.'

Wanneer het over de seksen ging, vergeleek Pap assertieve vrouwen graag met ruimtevaartuigen (ruimtesondes, satellieten, maanlanders) en mannen met de nietsvermoedende doelen van deze missies (planeten, manen, kometen, asteroïden). Pap zag zichzelf natuurlijk als een planeet die zo ver verwijderd was dat er nog maar één enkele landing had plaatsgevonden, de succesvolle, maar korte Natasha-expeditie.

'Ik had het over jóú,' zei ik. 'Je was onbeschoft.'

'Onbeschoft?'

'Ja. Ze was aardig. Ik vond haar leuk.'

'Iemand is niet "leuk" wanneer hij je persoonlijke levenssfeer binnendringt, wanneer hij een landing forceert en zich de vrijheid permitteert om radarsignalen uit te zenden die op jouw oppervlak stuiten, panoramische beelden van jouw landschap maakt en die onophoudelijk de ruimte in zendt.'

'En Vera Strauss dan?'

'Wie?'

'Vera P. Strauss.'

'O, de dierenarts?'

'Caissière achter de snelkassa bij Hearty Health Foods.'

'Natuurlijk. Ze wilde alleen dierenarts wórden, herinner ik me.'

'Zij viel ons lastig tijdens jouw...'

'Verjaardagsdiner bij Wilber Steak. Ja, ik weet het.'

'Wilson Steakhouse in Meade.'

'Goed, ik...'

'Je vroeg of ze erbij kwam zitten voor het dessert, en toen hebben we drie uur lang die afschuwelijke verhalen moeten aanhoren.'

'Over haar broer die al die hersenchirurgie moest ondergaan. Ja, dat weet ik nog en ik heb je mijn excuses aangeboden. Hoe kon ik nu weten dat ze zelf rijp was voor een shocktherapie, dat we dezelfde mensen hadden moeten bellen die aan het eind van *Streetcar* die vrouw meenemen?'

'Toen hoorde ik je niet klagen over háár panoramische beelden.'

'Daar heb je gelijk in. Maar ik herinner me wel heel goed dat Vera een ongebruikelijke eigenschap had. Dat die ongebruikelijke eigenschap eentje van het Sylvia Plath-type bleek te zijn, daar kon ík niets aan doen. Ze had wel iets bijzonders. Ze verschafte ons in elk geval een openhartige, ongecensureerde kijk op totale waanzin. Die vrouw van net, die... Ik weet haar naam niet eens meer.'

'Hannah Schneider.'

'O ja, die was...'

'Nou?'

'Gewoontjes.'

'Je bent getikt.'

'Ik heb jou niet zes uur lang die vocabulairekaartjes overhoord om je vervolgens het woord "getikt" te horen gebruiken.'

'Je bent getroebleerd,' zei ik. Ik deed mijn armen over elkaar en keek door het raampje naar het middagverkeer. 'En Hannah Schneider was' – ik zocht naar woorden die Pap verder de mond zouden snoeren – 'inspirerend, maar ook enigmatisch.'

'Hmm?'

'Gisteravond liep ze in de supermarkt langs ons.'

'Wie?'

'Hannah.'

Verbaasd keek hij me aan. 'Was die vrouw bij Fat Kat Foods?'

Ik knikte. 'Ze liep vlak langs ons.'

Hij zweeg even en verzuchtte: 'Hopelijk is ze niet zo'n Galileo-sonde op ramkoers. Ik zou niet nog zo'n landing kunnen verdragen. Hoe heette ze ook alweer? Die ene uit Cocorro.'

'Betina Mendejo.'

'Ja, Betina, met die lieve, astmatische kleuter.'

'Ze had een dochter van negentien die een opleiding tot diëtiste volgde.'

'O ja,' knikte Pap. 'Nu weet ik het weer.'

Brave New World

Pap zei dat hij voor het eerst van een collega-hoogleraar op het Hicksburg State College van de St. Gallway School had gehoord. Minstens een jaar lang had een exemplaar van het glanzende informatieboekje van de school – met de adembenemende titel *Beter Onderwijs, Betere Toekomst* – achter in onze Volvo meegereden in een doos (samen met vijf exemplaren van *Federal Forum*, jrg. 10, no. 5, 1998 waarin een essay van Pap stond: 'Nächtlich: Populaire mythen rondom de vrijheidsstrijd').

In het boekje vond je de spreekwoordelijke, in adjectieven gedrenkte bombast, zonnige foto's met bomen in prachtige herfsttooi, leraren met vriendelijke muizengezichten en blije kinderen die over het trottoir lopen en dikke studieboeken als een bos rozen in hun armen geklemd houden. In de verte stond een groepje trieste paarse bergen toe te kijken (en zich waarschijnlijk kapot te vervelen), onder een melancholiek blauwe lucht. 'Onze voorzieningen laten niets te wensen over,' kreunde blz. 14 en, inderdaad, er waren footballvelden zo glad als linoleum, een kantine met erkers en smeedijzeren kroonluchters, een reusachtig sportcomplex dat wel iets weg had van het Pentagon. Een petieterig kapelletje probeerde zich uit alle macht te verstoppen achter de enorme gebouwen in tudorstijl die als puddingen tussen de gazons stonden en namen hadden als Hanover Hall, Elton House, Barrow en Vauxhall, en een gevel hadden die deed denken aan de eerste presidenten van de Verenigde Staten: grijs vanboven, zware wenkbrauwen, muilezeltanden en een koppige uitstraling.

Het boekje had ook een verrukkelijk zonderlinge flaptekst over Horatio Mills Gallway, een selfmade miljonair die de school had gesticht in 1910, niet uit een altruïstisch oogmerk zoals burgerplicht of het belang van de wetenschap, maar uit een megalomaan verlangen om het woord 'Sint' voor zijn achternaam te zien; het opzetten van een particuliere school bleek de eenvoudigste manier te zijn om dat voor elkaar te krijgen.

Mijn lievelingshoofdstuk was 'Waar zijn alle Gallwaynianen gebleven?', dat werd ingeleid door een trots stukje van de rector, Bill Havermeyer (een grote, oude man die op Robert Mitchum leek) en vervolgd werd met een op- somming van de ongeëvenaarde successen van de geslaagde Gallwaynianen. Naast het stereotiepe gepoch van zelfvoldane privéscholen – hemelhoge eindexamencijfers, het hoge aantal leerlingen dat op de universiteiten van de Ivy League terechtkwam – prees St. Gallway andere, specialere successen aan: 'De afgelopen vijftig jaar hebben we van ons land het hoogste aantal leer- lingen die spraakmakende kunstenaars zijn geworden; 7,27 procent van de leerlingen die de afgelopen vijftig jaar St. Gallway heeft doorlopen is houder van een octrooi of een gedeponeerd handelsmerk; een op de tien Gallway- leerlingen wordt uitvinder; 24,3 procent van alle Gallwaynianen wordt een publicerend dichter; 10 procent gaat een grimeopleiding volgen; 1,2 procent wordt poppenspeler; 17,2 procent woont op een gegeven moment in Florida; 1,8 procent in Moskou; 0,2 procent in Taipei.' 'Eén op de 2031 Gallwaynianen komt in het *Guinness Book of World Records* te staan. Wan Young, eindexamen- klas 1982, is houder van het record van degene die Het Langst Een Operanoot Kan Aanhouden...'

Toen Pap en ik de eerste keer de hoofdweg op het terrein van St. Gallway op reden (toepasselijk Horatio Way geheten, een smalle oprijlaan die je door een bos flinterdunne pijnbomen liet kronkelen voordat hij je afzette in het cen- trum van de campus), hield ik mijn adem in en was ik om een onverklaarbare reden diep onder de indruk. Meteen links van ons lag een buitelend Renoir- groen gazon dat zo opgewonden op en neer golfde dat het net leek of het weg zou zweven als het niet met eiken vastgespijkerd zat ('De Commons,' ronkte het informatieboekje verder, 'is een gazon dat zeer deskundig wordt bijge- houden door onze briljante beheerder, Quasimodo, die volgens sommigen het prototype van de Gallwayniaan is'). Aan onze rechterhand lag schonkig en onverstoorbaar Hanover Hall, klaar om in de vrieskou de Delaware over te steken. Aan de andere kant van een vierkant binnenplein omzoomd door ber- ken lag een elegant auditorium van glas en staal, kolossaal en toch chic: het Love Auditorium.

We waren daar om puur zakelijke redenen. Pap en ik waren er niet alleen om een rondleiding over de campus te krijgen van de Inschrijvingsgoeroe Mirtha Grazeley (een oudere vrouw gekleed in fuchsiarode zijde die ons als een oude mot in een warrig zigzagpatroon over het terrein leidde: 'Eh, we hebben de kunstgalerij nog niet gezien, hè? Ach hemel, nu ben ik de kantine vergeten. En die windvaan in de vorm van een paard boven op Elton, ik weet niet of u zich die nog herinnert, heeft vorig jaar in het *Maandblad voor de architectuur in het Amerikaanse Zuiden* gestaan.'), maar ook om zoete broodjes te bakken bij degene die ervoor verantwoordelijk was om de cijfers van mijn vorige school te integreren in het St. Gallway-cijfersysteem en daarmee mijn plaats in de rangorde van mijn klas te bepalen. Pap nam deze taak op zich met de ernst van Reagan die Gorbatsjov tegemoet trad voor het INF-verdrag.

'Ik voer het woord. Jij moet er gewoon erudiet bij zitten.'

Ons doelwit, mevrouw Lacey Ronin-Smith, zat weggestopt in de Raponsje-klokkentoren van Hanover. Ze was pezig, had een hese stem en strohaar, en was achter in de zestig. Al eenendertig jaar was ze decaan op St. Gallway en, zoals af te leiden viel uit de foto's die op haar bureau stonden, ze was gek op quilten, wandeltochten met haar vriendinnen en op een schoothondje dat meer vettige zwarte haren had dan een popster op leeftijd.

'Wat u daar vasthoudt is een officiële kopie van Blues cijferlijst van haar vorige school,' zei Pap.

'Ja,' zei mevrouw Ronin-Smith. Haar dunne lippen, die er zelfs in ruste uitzagen alsof ze op een citroen zogen, vertoonden een lichte trilling in de mondhoeken, wat duidde op een vage angst.

'De school waar Blue vandaan komt – Lamego High in Lamego, Ohio – is een van de meest dynamische scholen van dit land. Ik wil graag dat de kwaliteit van haar werk hier op waarde wordt geschat.'

'Vanzelfsprekend,' zei Ronin-Smith.

'Natuurlijk zullen leerlingen zich door haar bedreigd voelen, vooral degenen die erop rekenen dat zij de eerste of tweede van de klas zullen worden. We willen niemand voor het hoofd stoten. Het is alleen niet meer dan redelijk dat ze de positie krijgt die ze had toen mijn werk ons dwong om te verhuizen. Ze was nummer één...'

Lacey keek Pap aan met een Bureaucratische Blik: verontschuldigend, met een vleugje triomf. 'Ik vind het vervelend om u te moeten teleurstellen, meneer Van Meer, maar ik moet u erop wijzen dat het beleid van St. Gallway in dat soort zaken heel duidelijk is. Een nieuwe leerling, hoe goed zijn of haar cijfers ook zijn, kan niet hoger ingedeeld worden dan...'

'Goeie god,' zei Pap opeens. Met opgetrokken wenkbrauwen en een verrukte glimlach boog hij in exact dezelfde hoek als de toren van Pisa voorover. Tot mijn afschuw zag ik dat hij zijn 'Ja Virginia De Kerstman Bestaat Echt'-gezicht had opgezet. Ik wilde me verstoppen onder mijn stoel. 'Maar dat is wel een heel indrukwekkend diploma. Mag ik vragen wat het is?'

'Eh... wat?' piepte Ronin-Smith (alsof Pap net een duizendpoot had aangewezen die achter haar over de muur kroop), en ze draaide zich om om het enorme crèmekleurige gekalligrafeerde diploma met gouden zegel te bekijken dat naast een foto van de Mötley Crüe-hond met vlinderdas en hoge hoed hing. 'O, dat is mijn erecertificaat voor Counseling en Bemiddeling.'

Pap snoof even. 'Dat klinkt alsof ze u bij de Verenigde Naties wel kunnen gebruiken.'

'Alstublieft,' zei mevrouw Ronin-Smith. Ze schudde haar hoofd en glimlachte onwennig een smal streepje onregelmatige tanden bloot. Een blos verspreidde zich tot diep in haar hals. 'Echt niet.'

Een halfuur later – nadat Pap haar helemaal had ingepakt (hij ging te werk als een meedogenloze evangelist; je had geen andere keuze dan je verlossing) – daalden we vanuit haar werkkamer de wenteltrap af.

'Nu is er nog één vervelende klier over,' fluisterde hij met onverholen blijdschap. 'Een of andere kleine tarantella die Radley Clifton heet. Dat type kennen we. Ik denk dat je in de derde week van het eerste trimester een van je onderzoeksverslagen over relativisme moet inleveren en dan gaat hij plat.'

Toen Pap me de grijze ochtend erna voor Hanover afzette, was ik belachelijk zenuwachtig. Ik had geen idee waarom. Ik was vertrouwd met de Eerste Dagen op School als Jane Goodall met haar chimpansees na vijf jaar in het Tanzaniaanse oerwoud. En toch leek mijn katoenen bloes twee maten te groot (de korte mouwen stonden in een vouw van mijn schouders af als stijf gestreken servetten), mijn rood-wit geruite rok voelde plakkerig aan en mijn haar (normaal gesproken het enige onderdeel waarbij ik er blind op kon vertrouwen dat het me niet voor schut zette) probeerde vandaag coupe paardenbloempluis uit: ik was een tafel in een bistro waar barbecuegerechten werden geserveerd.

'Ze gaat in schoonheid, als de nacht,' riep Pap door het ongeopende raampje toen ik uitstapte. "In wolkeloze stralen en besterde luchten;/ en alles wat het beste is in donker en in licht/verenigt zich in haar gelaat en ogen!" Geef ze van katoen, meid! Laat ze maar eens zien wat "intellectueel" betekent.'

Ik knikte zwakjes, sloeg het portier dicht en negeerde de vrouw met Fantahaar die op de trap stil was blijven staan en zich had omgedraaid voor de afscheidspreek van Pap alias dr. King. Ochtendmededelingen voor de hele school stond om kwart voor negen op het rooster. Dus toen ik mijn kluisje had gevonden op de tweede etage van Hanover en mijn boeken had gehaald (waarbij ik vriendelijk glimlachte naar de lerares die als een waanzinnige met fotokopieën haar klaslokaal in en uit rende – de soldaat die wakker was geworden en besefte dat ze de bestorming van die dag onvoldoende had voorbereid), liep ik buiten over het trottoir naar het Love Auditorium. Ik was uitsloverig vroeg en de zaal was leeg op een nogal klein uitgevallen leerlinge voor in de zaal na die probeerde te doen alsof ze verdiept was in wat toch duidelijk een blanco ringbandschrijfblok was.

De stoelen voor de eindexamenklas stonden achterin. Ik ging op de mij door Ronin-Smith toegewezen plaats zitten en telde de minuten totdat de oorverdovende stormloop van leerlingen begon, met al die uitwisselingen van 'Hoe is-ie?' en 'Hoe was je zomer?', de geur van shampoo, tandpasta en nieuwe leren schoenen, en die beangstigende kinetische energie die kinderen uitstralen wanneer ze in grote aantallen bijeen zijn, waardoor vloeren bonken, muren zoemen en je het idee hebt dat wanneer je die energie kunt intomen en via een stel parallelle circuits naar een elektriciteitscentrale kunt leiden, je er dan veilig en goedkoop de hele oostkust mee kunt verlichten.

Ik moet nu een oude truc verklappen: uiterste onverstoorbaarheid ligt binnen ieders bereik, niet door net te doen alsof je verdiept bent in wat overduidelijk een blanco ringbandschrijfblok is; niet door jezelf ervan proberen te overtuigen dat je een nog niet ontdekte popster, filmster, magnaat, James Bond, Bond-meisje, koningin Elizabeth, Elizabeth Bennet of Eliza Doolittle bent op het bal op de ambassade; niet door je in te beelden dat je een dood gewaand lid bent van de familie Vanderbilt, of door je kin vijftien tot vijfenveertig graden omhoog te steken en net te doen alsof je Grace Kelly bent in haar gouden jaren. Die methodes werken wel in theorie, maar in de praktijk glijden ze van je af en eindig je spiernaakt met alleen het bevlekte laken van zelfvertrouwen aan je voeten.

Respect afdwingende waardigheid kan iedereen verkrijgen en wel op twee manieren:

1   De zinnen verzetten met een boek of een toneelstuk.
2   Keats declameren.

Ik ontdekte die techniek al op jonge leeftijd, in groep vier van de basisschool in Sparta. Toen ik ongewild Eleanor Slagg hoorde vertellen over Haar Recente Exclusieve Slaapfeestje, pakte ik een boek uit mijn tas – *Mein Kampf* (Hitler, 1925), dat ik willekeurig had gepikt uit mijn vaders bibliotheek. Ik dook met mijn hoofd in het boek, en met de gedrevenheid van de Duitse kanselier zelf dwong ik mezelf om te lezen en bleef ik lezen tot de woorden op de bladzijden Eleanors woorden verdrongen, waarna die zich overgaven.

❖

'Welkom,' zei rector Havermeyer in de microfoon. Bill had het postuur van een saguarocactus die uiteindelijk te lang zonder water had gezeten, en zijn kleren – blauwe blazer, blauw overhemd, leren riem met een reusachtige zilveren gesp waarop of het beleg van Alamo, of de Slag bij Little Bighorn was afgebeeld – zagen er net zo uitgedroogd, vaal en stoffig uit als zijn gezicht. Hij liep op het podium heen en weer, langzaam, alsof hij genoot van het denkbeeldige gerammel van zijn sporen; hij hield de draadloze microfoon liefdevol vast: het was zijn stetson.

'Nu komt het,' fluisterde de hyperactieve Mozart naast me die de hele tijd op het stukje zitting tussen zijn benen *De bruiloft van Figaro* (1786) zat te tikken. Ik zat tussen Amadeus en een treurig kijkend joch dat sprekend leek op Sal Mineo (zie *Rebel Without a Cause*).

'Diegenen onder jullie die nog nooit hebben gehoord van Dixons Wijze Woorden,' ging Bill verder, 'diegenen onder jullie die hier nieuw zijn – nou, jullie boffen, want jullie krijgen die nu voor het eerst te horen. Dixon was mijn grootvader, pa Havermeyer, en hij hield van jongeren die luisterden, die leerden van de ouderen. Toen ik jong was, nam hij me vaak apart en hij zei dan: "Jongen, wees niet bang om te veranderen." Ik zou het niet beter kunnen formuleren. Wees niet bang om te veranderen. Zo is dat.'

Hij was zeker niet de eerste rector die leed aan het *Sinatra at the Sands*- syndroom. Talloze rectors, vooral de mannen onder hen, verwarden de glibberige vloeren van een slecht verlichte kantine of de bedompte akoestiek van een aula van een middelbare school met de Copa Room met zijn robijnrode muren, zagen leerlingen aan voor een enthousiast publiek dat maanden van tevoren had gereserveerd en honderd dollar voor een drankje neerlegde. Het tragische was dat hij ervan overtuigd was dat hij vals 'Strangers in the night' kon zingen, 'The best is yet to come' kon neuriën, zonder zijn reputatie als voorzitter van het schoolbestuur te schaden. Hij was 'The Voice', 'Swoonatra'.

In werkelijkheid werd hij natuurlijk belachelijk gemaakt, bespot en nagedaan.

'Hé, wat lees jij?' vroeg een jongen achter me.

Pas toen die vraag vlak bij mijn rechterschouder werd herhaald, begreep ik dat die voor mij bedoeld was. Ik keek naar het uitgekauwde toneelstuk in mijn handen, blz. 18. 'Maak je Brick gelukkig?'

'Hallo, mevrouwtje?' Hij kwam nog verder naar voren en ik voelde zijn warme adem in mijn nek. 'Spreekt u Engels?'

Een meisje naast hem giechelde.

'Parlee voe fransè? Spreggen zie Doits?'

Volgens Pap kon je in elke situatie waar vluchten niet mogelijk was altijd nog de 'Oscar Shapeley' doen: een weerzinwekkende man die merkwaardig genoeg tot de conclusie was gekomen dat hij een buitengewoon boeiende gesprekspartner was en een onweerstaanbare sekspartner.

'Parlate Italiano? Hallo?'

De dialoog in *Cat on a Hot Tin Roof* (Williams, 1955) danste voor mijn ogen. 'Een van die speknekken sloeg me met een ijsco. Die dikke koppen van ze rusten op die dikke nekken van ze zonder enig verband...' Maggie the Cat zou zo'n pesterij niet over haar kant laten gaan. Ze zou haar benen over elkaar slaan in dat niemendalletje van een onderjurk en snerpend en hartstochtelijk uithalen waardoor iedereen in de kamer – ook Big Daddy – zich zou verslikken in het ijsblokje dat hij uit zijn muntcocktail had gevist en waarop hij zat te kauwen.

'Wat moet een jongen doen om een beetje aandacht te krijgen?'

Nu moest ik me wel omdraaien.

'Hè?'

Hij glimlachte naar me. Ik had verwacht dat hij een speknek was, maar tot mijn schrik was hij een *Goodnight Moon* (Brown, 1947). Een Goodnight Moon had slaapkamerogen, donkere oogleden, opkrullende mondhoeken en een serene, lome uitdrukking op zijn gezicht die de meeste mensen alleen de paar minuten hadden vlak voordat ze in slaap vielen, maar die de Goodnight Moon de hele dag en tot ver in de avond tentoonspreidde. Een Goodnight Moon kon zowel een man als een vrouw zijn en werd door iedereen bewonderd, zelfs door leraren. Bij elke vraag die ze stelden, keken ze de Goodnight Moon aan en ook al gaf die sloom het verkeerde antwoord, toch zei de leraar dan: 'O, schitterend.' Hij verboog de woorden dan als een dun ijzerdraadje net zo lang tot ze geweldig waren.

'Sorry,' zei hij. 'Ik wilde je niet laten schrikken.'

Hij had blond haar, maar hij was niet het uitgebleekte Scandinavische type dat eruitzag alsof het er hard aan toe was om geverfd, gekleurd of ergens in ondergedompeld te worden. Hij droeg een fris, wit overhemd en een marineblauwe blazer. Zijn rood-blauw gestreepte das zat los en een beetje schuin.

'Wat ben je, een beroemde actrice? Onderweg naar Broadway?'

'Nee hoor.'

'Ik ben Charles Loren,' zei hij alsof hij een geheim verklapte.

Pap was een fervent aanhanger van Krachtig Oogcontact, maar daarbij vergat hij erop te wijzen dat het onmogelijk is om iemand van heel dichtbij diep in de ogen te kijken. Dan moest je één oog uitkiezen, rechts of links, of pendelen tussen de twee of je gewoon concentreren op een plek tussen de ogen. Maar dat had ik altijd een treurige, kwetsbare plek gevonden, weerloos zonder wenkbrauw en merkwaardig terugdeinzend, de plek waar David bij Goliath met een steen op had gemikt en hem had gedood.

'Ik weet wie jij bent,' zei hij. 'Blue en nog wat. Niet zeggen.'

'Wat is dat in vredesnaam voor kabaal daar achterin?'

Charles ging met een ruk rechtop zitten. Ik draaide me om.

Een kleine, stevige vrouw met heloranje haar – dezelfde vrouw die boos naar Pap had gekeken toen hij luidkeels Byron had geciteerd nadat hij me had afgezet – had op het podium de plaats van Havermeyer ingenomen. Ze droeg een vaalroze pak dat zich als een gewichtheffer inspande om niet uit elkaar te knappen. Ze keek naar mij met haar armen over elkaar en haar benen iets uit elkaar stevig op de grond waardoor ze leek op Tekening 11.23 'Klassieke Turkse krijger tijdens de tweede kruistocht' in een van Paps lievelingstek-sten, *Uit liefde voor God: geschiedenis van godsdiensttoorlogen en geloofsvervolgin-gen* (Murgg, 1981). En zij was niet de enige die naar me keek. Elk geluid was uit het auditorium weggezogen. Hoofden waren allemaal naar mij toe gekeerd als een troep Seltsjoek-Turken die een eenzame, argeloze christen onderweg naar Jeruzalem hadden ontdekt die meende via hun kamp een kortere weg te hebben gevonden.

'Jij bent vast nieuw hier,' zei ze in de microfoon. Haar stem klonk als het versterkte geluid van sloffende schoenen op straat. 'Ik zal je een geheimpje verklappen. Hoe heet je?'

Ik hoopte dat het een retorische vraag was, maar ze wachtte.

'Blue,' zei ik.

Ze trok een raar gezicht. 'Wat zei ze?'

'Ze zei Blue,' zei iemand.

'Blue? Nou, Blue, op deze school geven we mensen die het woord hebben het respect dat ze verdienen: we luisteren.'

Misschien hoef ik niet uit te leggen dat ik er niet aan gewend was om aan-gestaard te worden, niet door een hele school. De Jane Goodall was gewend om zelf te staren, altijd in haar eentje en altijd vanuit dicht gebladerte, waardoor haar kaki korte broek en katoenen bloes bijna onzichtbaar waren vanuit de bamboebegroeiing. Mijn hart bonkte terwijl ik terugkeek naar al die ogen. Langzaam begonnen ze van me af te glijden als eieren van een muur.

'Zoals ik al zei: er zijn ingrijpende veranderingen bij de datums waarop je opgegeven moet hebben welke vakken je laat vallen en welke je erbij neemt, en ik maak voor niemand een uitzondering. Het maakt niet uit hoeveel bonbons je voor me meeneemt – en dan heb ik het tegen jou, Maxwell. Ik wil dat jullie op tijd knopen doorhakken over jullie vakkenpakket, en dat meen ik.'

'Sorry,' fluisterde Charles achter me. 'Ik had je moeten waarschuwen. Eva Brewster – bij haar moet je je gedeisd houden. Iedereen noemt haar Evita. Ze is een beetje de dictator hier, hoewel ze eigenlijk niet meer dan de administratrice is.'

De vrouw – Eva Brewster – stuurde de leerlingen naar hun klas.

'Hoor eens, ik wil je iets vragen… Hé, wacht nou even!'

Ik schoot langs Mozart, worstelde me naar het einde van de rij, het gangpad op. Maar het lukte Charles om me bij te houden.

'Wacht even.' Hij glimlachte. 'Verdorie, jij wilt wel heel graag naar je klas –, typisch iemand die graag tienen wil halen – maar aangezien je hier helemaal nieuw bent, hoopten een paar vrienden van mij en ik…' Hij had het kennelijk tegen mij, maar zijn blik dwaalde al over de trap naar de uitgang. De blik van een Goodnight Moon was altijd met helium gevuld. Die bleef nooit lang op iemand gevestigd. 'We hoopten dat je met ons zou willen lunchen. We hebben een pasje weten te bemachtigen waarmee we de campus af mogen. Dus ga niet naar de kantine. Kom naar Scratch. Kwart over twaalf.' Hij boog zich naar mij toe, zijn gezicht enkele centimeters van het mijne. 'En kom op tijd, anders heeft dat ernstige gevolgen. Begrepen?' Hij gaf een knipoog en maakte zich uit de voeten.

Ik kon geen stap zetten en bleef even in het gangpad staan, totdat er leerlingen tegen mijn rugzak begonnen te duwen en ik de trap op werd gedrongen. Ik had geen idee hoe Charles aan mijn naam was gekomen. Ik wist echter wel precies waarom hij de rode loper had uitgerold: zijn vrienden en hij wilden graag dat ik bij hun Studiegroepje kwam. Ik had al een hele geschiedenis aan uitnodigingen voor Studiegroepjes achter de rug, afkomstig van de Amandelogige Footballheld Die In Zijn Examenjaar Een Zoon Zou Hebben tot de Rita Hayworth Die In Zondagskranten Voordeelcoupons Aanbiedt. Vroeger was ik verguld wanneer ze me vroegen voor een Studiegroepje, en wanneer ik gewapend met kaartjes, markeerstiften, rode pennen en extra leerboeken de afgesproken huiskamer binnenkwam, voelde ik me zo euforisch als een danseresje dat de doublure van de Hoofdrol mag instuderen. Zelfs Pap was opgetogen. Terwijl hij me naar Brads huis, of dat van Jeb of Sheena bracht, begon hij altijd te mompelen wat voor een geweldige kans dit voor mij was, die me de mogelijkheid bood om mijn Dorothy Parker-vleugels uit te slaan en in mijn eentje aan het hoofd te staan van een eigentijdse Algonquin Round Table.

Wanneer hij me eenmaal had afgezet, kwam ik er al snel achter dat ik niet was uitgenodigd vanwege mijn scherpe verstand. Wanneer die Ronde Tafel in Carla's huiskamer stond, was ik de kelner die door iedereen werd genegeerd tenzij ze nog een whiskey wilden of er iets mis wat met het eten. Op de een of andere manier had een van hen ontdekt dat ik een studiebol was – 'stuudje' werd ik vaak genoemd – en dan kreeg ik de opdracht om de helft van de opgave uit het werkboek te maken, en soms de hele opgave.

'Laat haar die ene ook maar doen. Dat vind je toch niet erg, Blues?'

Het keerpunt kwam bij Leroy thuis. Midden in de huiskamer, die vol stond met porseleinen miniatuurdalmatiërs, barstte ik in tranen uit – ook al wist ik niet waarom ik besloten had nu juist op dat moment te gaan huilen; ik hoefde van Leroy, Jessica en Schyler maar een kwart van de vragen te doen. Ze begonnen met hoge stemmen mierzoet 'Lieve hemel, wat is aan de hand?' te kwelen, waardoor de drie levende dalmatiërs al blaffend rondjes gingen rennen in de huiskamer en Leroys moeder met roze huishoudhandschoenen aan haar handen uit de keuken kwam en riep: 'Leroy, ik had toch gezegd dat je ze niet moest ophitsen?' Ik rende het huis uit, helemaal naar huis, zo'n kilometer of tien. Leroy heeft me nooit mijn extra leerboeken teruggegeven.

'Hoe ken jij Charles?' vroeg Sal Mineo naast me toen we bij de glazen deuren aankwamen.

'Ik ken Charles niet,' zei ik.

'Dan bof je, want iedereen wil hem kennen.'

'Waarom?'

Sal keek peinzend, haalde zijn schouders op en zei met een zachte, treurige stem: 'Blauw bloed.' Voordat ik kon vragen wat hij daarmee bedoelde, rende hij de betonnen trap af en verdween tussen de leerlingen. Een Sal Mineo sprak altijd met een weke stem en maakte opmerkingen die zo wollig waren als een angoratrui. Zijn ogen waren anders dan die van anderen en hadden grote traanklieren en extra oogzenuwen. Ik overwoog of ik hem achterna zou rennen en hem zou vertellen dat aan het einde van de film duidelijk zou worden dat hij een heel gevoelig en sensitief personage was, een archetype van alles wat zijn generatie was ontnomen en aangedaan. Jammer genoeg zou hij worden neergeschoten door schietgrage politieagenten als hij niet uitkeek, als hij zichzelf niet aanvaardde zoals hij was.

In plaats daarvan had ik blauw bloed ontdekt: Prins Charles – rugtas nonchalant over zijn schouder, vrolijk grijnzend – liep snel over het schoolplein naar een lang meisje met donker haar dat een lange bruine wollen jas droeg. Hij besloop haar en greep haar met een brul van achteren beet bij haar keel. Ze gaf een gil en toen hij voor haar sprong moest ze lachen. Het was zo'n schaterlach die dwars door de ochtend en door het vermoeide gemopper van de andere leerlingen sneed. Zij was duidelijk iemand die zich nooit geneerde of zich opgelaten voelde. Zelfs haar verdriet – als ze dat al ooit had gekend – zou geweldig zijn. Kennelijk was zij zijn oogverblindende vriendin en vormden zij zo'n gebruind Blue Lagoon-koppel met golvend haar – op elke middelbare school zat er een – dat de fundamenten van de kuise onderwijsgemeenschap alleen door de zwoele blikken die ze in de gangen uitwisselden dreigde aan te tasten.

Met verbazing keken de leerlingen naar ze alsof het snel spruitende pintobonen in een klam overdekt terrarium waren. Leraren – niet allemaal, maar sommige – lagen uit pure haat de hele nacht wakker vanwege hun vreemde volwassen jeugd, die leek op gardenia's die bloeiden in januari, vanwege hun schoonheid, imponerend en triest tegelijk als renpaarden, en vanwege hun liefde waarvan iedereen behalve zij wist dat die niet stand zou houden. Welbewust wendde ik mijn blik af – als je één Blue Lagoon-stel hebt gezien, heb je ze allemaal gezien –, maar toen ik bij Hanover was aangekomen en de zijdeur opendeed, keek ik nonchalant nog even naar ze om en besefte met een schok dat ik een enorme beoordelingsfout had gemaakt.

Charles stond nu op een eerbiedige afstand – al was de blik in zijn ogen nog steeds die van een jonge kat die naar een draadje loert –, maar zij sprak tegen hem met een lerarenfrons – een frons die een beetje leraar beheerste; Pap had er een waarbij zijn voorhoofd meteen in ribbelchips veranderde. Ze was geen leerling. Eigenlijk had ik gezien die houding geen idee hoe ik me zo had kunnen vergissen. Ze hield een hand in haar zij, haar kin omhoog alsof ze een valk zag die boven de Commons cirkelde, en droeg hoge bruine leren laarzen die veel van Italië weg hadden. Eén hak drukte ze tegen de grond om een onzichtbare sigaret uit te trappen.

Het was Hannah Schneider.

❖

Wanneer Pap in een bourbonstemming was, kon hij een vijf minuten durende toost uitbrengen op die goeie ouwe Benno Ohnesorg die in 1967 door de
Berlijnse politie was doodgeschoten op een studentenbijeenkomst. Pap, negentien jaar oud, stond naast hem: 'Hij stond op mijn veter toen hij neerviel.
En heel mijn leven – stompzinnige dingen waar ik me zinloos zorgen om had
gemaakt: mijn cijfers, mijn reputatie, mijn meisje – kwam samen toen ik zijn
uitgedoofde ogen zag.' Op dat punt zweeg Pap en zuchtte hij (het was niet zozeer een zucht als wel een herculisch uitblazen waarmee je doedelzak kunt
spelen). Ik kon de alcohol ruiken, een vreemde sterke geur, en vroeger dacht
ik dat dichters uit de Romantiek zo roken of die Zuid-Amerikaanse generaals
uit de negentiende eeuw over wie Pap zo graag sprak, die 'in en uit de rege-
ringsjunta's surften op de golven van revolutie en verzet'.

'En dat was mijn bolsjewistisch moment, zogezegd,' zei hij. 'Toen besloot
ik het Winterpaleis te bestormen. Als je geluk hebt, krijg jij ook zo'n moment.'

Zo nu en dan ging Pap na Benno door met een uiteenzetting van een van
zijn geliefdste principes, dat van het Levensverhaal, maar alleen wanneer hij
geen college hoefde voor te bereiden of niet halverwege een hoofdstuk was
van een boek over oorlog, geschreven door iemand die hij nog kende van Harvard. (Hij ontleedde het als een fanatieke patholoog-anatoom in de hoop de
schrijver op een fout te betrappen: 'Ik heb het gevonden, schat! Het bewijs dat
Lou Swann een knoeier is! Een oplichter! Moet je eens horen wat een onzin!
"Om succesvol te zijn heeft een revolutie een duidelijk zichtbaar leger nodig
om wijdverbreid paniek te zaaien; dat geweld moet een eigen dynamiek krijgen en uitlopen op een regelrechte burgeroorlog." Die sukkel heeft geen
flauw idee wat een burgeroorlog is, al zat hij ermiddenin.')

'Iedereen is verantwoordelijk voor de spanning in zijn of haar Levensverhaal,' zei Pap, terwijl hij peinzend aan zijn kaak krabde en aan de slappe boord
van zijn katoenen overhemd frunnikte. 'Zelfs als je een Geweldig Goede Reden hebt, kan het nog steeds zo saai zijn als Nebraska en dat is dan je eigen
schuld. Als het aanvoelt als eindeloze maïsvelden, ga dan op zoek naar iets
anders dan jezelf om in te geloven, bij voorkeur een zaak zonder de kwade
reuk van hypocrisie, en ga dan ten aanval. Het is niet voor niets dat ze nog
steeds Che Guevara op hun T-shirt zetten, dat er nog steeds wordt gefluisterd
over de Nachtwakers terwijl er al twintig jaar geen spoor van bewijs voor hun
bestaan is gevonden.

Maar het belangrijkste is, schat, dat je niet moet proberen de verhaallijn
van de geschiedenis van iemand anders te veranderen, ook al is de verleiding

groot wanneer je die arme drommels bekijkt die je tegenkomt op school, in je leven, en die argeloos een gevaarlijke koers zijn ingeslagen, rampzalige dwaaltochten waaruit ze naar alle waarschijnlijkheid niet tevoorschijn kunnen komen. Weersta die verleiding. Stop je energie in je eigen verhaal. Herschrijf het. Verbeter het. Vergroot de reikwijdte, diep de inhoud verder uit, voeg universele thema's toe. Het kan me niet schelen welke thema's dat zijn – het is aan jou om die te ontdekken en erachter te staan –, als er tenminste maar sprake is van moed. Lef. *Mut*, in het Duits. Je leeftijdgenoten schrijven misschien een novelle, schat, een kort verhaal vol clichés en toevalligheden, hier en daar opgeleukt met zogenaamd spitsvondige, schrijnend platvloerse of groteske kunstgrepen. Enkelen zullen misschien zelfs een Griekse tragedie schrijven – zij die geboren zijn voor ellende zijn gedoemd ook in ellende te sterven. Maar jij, mijn bruid van rust, zult een epos scheppen. Van alle verhalen zal alleen dat van jou standhouden.'

'Hoe weet je dat?' vroeg ik altijd, en mijn stem klonk dunnetjes en onzeker vergeleken bij die van Pap.

'Dat weet ik gewoon,' zei hij simpel, en dan deed hij zijn ogen dicht, wat erop duidde dat het gesprek afgelopen was.

Het enige geluid in de kamer kwam van het ijs dat smolt in zijn glas.

Les Liaisons Dangereuses

Dat Charles op vertrouwelijke voet stond met Hannah Schneider maakte het wel verleidelijk, maar uiteindelijk besloot ik om niet naar hem toe te gaan in Scratch.

Ik had geen idee wat Scratch was en ik had er ook geen tijd voor om me daar druk over te maken. De zware last van zes extra vakken rustte op mijn schouders ('Genoeg om een vliegdekschip te laten zinken,' zei Pap), en ik had maar één vrij uur. Mijn leraren bleken schrander, ordelijk en direct (niet 'helemaal achterlijk', zoals Pap mevrouw Roper van de school in Meadowbrook omschreef, die schaamteloos met een voorzetsel elke zin een *grande finale* verleende: 'Waar is jouw exemplaar van de *Aeneis* gebleven over?'). De meesten beschikten over een behoorlijke woordenschat (Mevrouw Simpson van Natuurkunde gebruikte altijd binnen een kwartier na de bel het woord *Ersatz*) en eentje, namelijk mevrouw Martine Filobeque van Frans, had een samengeknepen mondje, wat in de loop van het jaar nog weleens vervelend kon worden. 'Samengeknepen lippen, een trekje dat uitsluitend voorkomt bij de vrouwelijke onderwijzer, zijn een teken van onberekenbare academische woede,' zei Pap. 'Ik zou toch serieus een bloemetje of bonbons overwegen – als het jou in haar gedachten maar associeert met al het goede in de wereld, en niet met al het slechte.'

Ook mijn klasgenoten waren niet echt leeghoofden of sukkels ('pasta', zoals Pap elk kind op *Sage Day*-scholen noemde). Toen ik bij Engels mijn hand opstak om de vraag van mevrouw Simpson te beantwoorden over de belangrijkste thema's in *Onzichtbare man* (Ellison, 1952) (die net zo vaak op boekenlijsten voorkwam als corruptie in Kameroen), was ik tot mijn verbijstering niet snel genoeg; een andere leerling, Radley Clifton – mollig, met een terugwijkende kin –, had zijn dikke hand al opgestoken. Zijn antwoord was niet echt briljant of geïnspireerd, maar ook niet er helemaal naast of Calibanachtig. Terwijl mevrouw Simpson een negentien pagina's tellende syllabus uitdeelde die alleen over het herfsttrimester ging, begon ik te beseffen dat St. Gallway misschien toch geen Kinderspel of zo'n Eitje zou worden. Als ik echt de beste van de klas wilde worden en de afscheidsrede wilde houden aan het eind van het examenjaar (en dat was volgens mij zo, ook al vestigde Wat Pap Wilde zich soms schaamteloos in Wat Ik Wilde zonder dat hij door de douane hoefde), dan zou ik een agressieve campagne moeten voeren met de woestheid van Attila de Hun. 'Een mens komt maar één keer in zijn leven in aanmerking om de Afscheidsrede te houden,' zei Pap. 'Net zoals je maar één lichaam hebt, één leven, en daarom ook maar één kans op onsterfelijkheid.'

❖

Ik reageerde ook niet op de brief die ik de volgende dag kreeg, hoewel ik hem wel twintig keer las, zelfs tijdens de eerste les Natuurkunde van mevrouw Gershon: 'Van kanonskogels tot lichtgolven: de geschiedenis van de natuurkunde'. Paleoantropoloog Donald Johanson moet zich toen hij op de vroege mensachtige Lucy stuitte net zo hebben gevoeld als ik toen ik mijn kluisje opendeed en die crèmekleurige envelop voor mijn voeten viel.

Ik had geen idee wat ik had gevonden: een wonder (dat definitief de geschiedenis zou veranderen) of een grap.

Blue,

Wat is er in vredesnaam gebeurd?? Je hebt heerlijke broccoli met cheddar en gebakken aardappelen gemist bij Wendy. Je wil je zeker niet gauw gewonnen geven. Goed, ik speel mee. Zullen we het nog een keer proberen? Ik brand van verlangen naar jou. (Geintje.)

Zelfde plaats, zelfde tijd.

Charles

Ook negeerde ik de twee brieven die ik de dag daarop, woensdag, in mijn kluisje vond: de eerste in een crèmekleurige envelop, de tweede geschreven in een puntig schuinschrift op bleekselderiegroen papier met bovenaan door elkaar vervlochten initialen: JCW.

Blue,

Je hebt me gekwetst. Maar goed, vandaag ben ik er weer. Elke dag. Tot het einde der dagen. Dus maak het me nou niet zo moeilijk.

Charles

Lieve Blue,

Charles heeft er duidelijk een puinhoop van gemaakt, daarom bemoei ik me er nu maar even mee. Vermoedelijk denk jij dat hij een stalker is. Dat neem ik je niet kwalijk. De werkelijkheid is dat onze vriendin Hannah ons over jou heeft verteld en heeft voorgesteld om ons aan jou voor te stellen. Geen van ons heeft jou in de klas, daarom moeten we elkaar na school ontmoeten. Kom vrijdag om kwart voor vier naar de eerste verdieping van Barrow, kamer 208, en wacht daar op ons! Kom niet te laat. We willen jou dolgraag leren kennen en alles over Ohio horen!!!

Kusjes,
Jade Churchill Whitestone

Deze brieven zouden het hart van de gemiddelde Nieuwe Leerling hebben gestolen. Na een dag of twee van omstandig verzet, als een of andere malle achttiende-eeuwse maagd, zou ze op haar tenen naar Scratch zijn gelopen en zenuwachtig bijtend op haar kersrode onderlip in de donkere slagschaduw van Scratch staan wachten op Charles, de gepruikte aristocraat die haar meevoerde, waardoor zij met wapperende broekrok haar ondergang tegemoet ging.

Ik daarentegen was de onvermurwbare non. Ik bleef onaangedaan.

Goed, ik overdrijf. Ik had nog nooit een brief gekregen van iemand die ik niet kende (eigenlijk had ik alleen maar brieven gekregen van Pap), en het is altijd spannend wanneer je een geheimzinnige envelop ontvangt. Pap had eens gezegd dat de persoonlijke brief – die nu naast de Kamsalamander voorkomt op de lijst van Bedreigde Diersoorten – een van de weinige fysieke voorwerpen was die magie bevatte: 'Zelfs de Dufkop en de Domoor, wier aanwezigheid in levenden lijve nauwelijks te pruimen is, kunnen in een brief geduld worden, kunnen zelfs als enigszins amusant overkomen.'

Ik vond hun brieven iets vreemds en onoprechts hebben, een beetje te 'Ma-

dame de Merteuil aan de Vicomte de Valmont op Château de…', een beetje te
'Paris, 4 augustus 17…'

Niet dat ik nu dacht dat ik hun laatst pion was in hun verleidingsspel. Zover wilde ik niet gaan. Maar ik wist alles van mensen kennen en mensen niet kennen. Er stak onnodig ongemak en gevaar in het introduceren van een nieuwkomer in die exclusieve kring van erbij horen, *le petit salon*. Het aantal plaatsen was beperkt en daarom was het onvermijdelijk dat iemand zou moeten opschuiven (een afschuwelijk teken dat je je plek in de hofkringen kwijt begint te raken, dat je verandert in *une grande dame manquée*).

Voor alle zekerheid kon een nieuwkomer het best worden genegeerd, als haar afkomst onduidelijk genoeg was, of gemeden (gepaard gaande met insinuaties over een buitenechtelijke geboorte), tenzij er iemand was – een moeder met een titel, een invloedrijke tante (die door iedereen teder *Madame Titi* wordt genoemd) – die de tijd en de macht had om de nieuwkomer voor te stellen en haar naar binnen wist te wurmen (ook al vlogen daar heel wat pruiken bij in de rondte). Dan moesten anderen herschikken totdat ze een lekker plekje hadden gevonden, waar ze het in elk geval tot de volgende omwenteling konden volhouden.

Nog bizarrer waren de verwijzingen naar Hannah Schneider. Ze had geen enkele reden om mijn Madame Titi te zijn.

Ik vroeg me af of ik in de schoenenwinkel als buitengewoon triest en wanhopig was overgekomen. Ik dacht dat ik 'alerte intelligentie' had uitgestraald – zo had een collega van Pap, de slechthorende dr. Ordinote, mij beschreven toen hij op een avond lamskarbonade bij ons at in Archer, Missouri. Hij maakte Pap een compliment omdat hij zo'n 'opzienbarend getalenteerde en scherpzinnige' jongedame had grootgebracht.

'Als iedereen er maar één had zoals zij, Gareth,' zei hij en hij trok zijn wenkbrauwen op terwijl hij aan het knopje van zijn hoortoestel draaide, 'dan zou de wereld een beetje sneller ronddraaien.'

De mogelijkheid bestond dat Hannah Schneider tijdens haar tien minuten durende gesprek met Pap haar zinnen op hem had gezet en had besloten dat ik, de rustige dochter, de kleine, draagbare ladder zou zijn via wie ze Pap kon bereiken.

Die methode had Sheila Crane uit Pritchardsville, Georgia, toegepast. Haar ontmoeting met Pap tijdens de bonte avond op de basisschool had maar twintig seconden geduurd – ze had zijn toegangskaartje in tweeën gescheurd –, toen ze al besloten had dat hij haar Man was. Na de bonte avond had juffrouw Crane, die parttime als schoolzuster op mijn school werkte, de gewoonte om in de pauze plotseling op te duiken bij de wip. Dan riep ze mijn naam en hield een doosje chocoladekoekjes omhoog. Wanneer ik dichtbij was, hield ze me een koekje voor alsof ze probeerde een zwerfhond te lokken.

'Kun je me iets meer vertellen over je papa? Ik bedoel,' zei ze nonchalant, maar haar priemende blik leek wel een elektrische boor, 'wat voor dingen vindt-ie leuk?'

Meestal keek ik haar niet-begrijpend aan, pakte het koekje en rende weg, maar een keer had ik gezegd: 'Karl Marx.' Ze keek me met wijd opengesperde angstige ogen aan.

'Is-ie homo?'

❖

Een revolutie gloeit langzaam aan en vlamt pas op na tientallen jaren van onderdrukking en armoede, maar het precieze tijdstip van oplaaien is vaak een moment van een voorbeschikt incident.

Volgens een van Paps weinig bekende geschiedenisboeken, *Les faits perdus* (Manneurs, 1952), zou de bestorming van de Bastille nooit hebben plaatsgevonden als een van de demonstranten buiten de gevangenis, een graanboer die Pierre Fromande heette, niet had gezien dat een cipier naar hem wees en hem *un bricon* ('sukkel') noemde.

Op de ochtend van 14 juli 1789 was Pierre nogal geagiteerd. Hij had ruzie gehad met zijn wulpse vrouw, Marie-Chantal, omdat ze *sans scrupule* flirtte met een van hun knechten, Louis-Belge. Pierre hoorde de belediging en omdat de cipier hetzelfde gedrongen Roquefort-lijf had als Louis-Belge, verloor hij zijn zelfbeheersing, stormde naar voren en schreeuwde: '*C'est tout fini!*' ('Nu is het afgelopen!') De uitzinnige menigte volgde hem in de veronderstelling dat Pierre het had over het bewind van Lodewijk XVI, maar hij bedoelde het beeld van Marie-Chantal die het uitkraaide van genot in het korenveld en van Louis-Belge die over haar heen hing. Pierre had echter de goede bedoelingen van de cipier verkeerd begrepen, die alleen maar naar Pierre had gewezen en had geroepen: '*Votre bouton!*' ('Uw knoop!'); bij het aankleden die ochtend had Pierre de derde knoop op zijn hemd overgeslagen.

Volgens Manneurs hadden veel belangrijke gebeurtenissen uit de geschiedenis zich onder vergelijkbare omstandigheden afgespeeld, zoals de Amerikaanse Revolutie (de Boston Tea Party in 1777 was een studentengrap) en de Eerste Wereldoorlog (Gavrilo Princip schoot na een dag doorzakken met zijn vriendenclub, de Zwarte Hand, een paar keer in de lucht, alleen maar om stoer te doen, net toen aartshertog Frans Ferdinand langsreed met zijn koninklijke stoet) (blz. 199, blz. 243). Hiroshima was ook per ongeluk. Toen Truman tegen zijn ministers zei: 'Ik duik erin', doelde hij niet zoals werd verondersteld op een invasie in Japan, maar gaf hij alleen uiting aan het simpele verlangen om een duik in het zwembad van het Witte Huis te nemen.

Mijn revolutie berustte net zozeer op toeval.

Die vrijdag werd er na de lunch een sorbetfestijn op school gehouden om elkaar beter te leren kennen. Leerlingen en leraren stonden door elkaar op de patio bij de Harper Racey '05 Kantine en deden zich te goed aan een keur aan exclusieve Franse sorbets die werden uitgedeeld door kok Christian Gordon. Uitsloverige leerlingen (zoals Radley Clifton, wiens buik uit zijn slechte ingestopte overhemd puilde) hingen om de belangrijkste mensen van St. Gallway heen (ongetwijfeld vooral degenen die gingen over de eretaken aan het einde van het schooljaar; 'Tegenwoordig is kontlikken contraproductief,' zei Pap. 'Netwerken, gezellig kletsen, het is allemaal pijnlijk ouderwets'). Nadat ik enkele van mijn leraren beleefd had gegroet (ik glimlachte naar mevrouw Filobeque, die er een beetje verloren bij stond onder een Canadese den, maar haar enige reactie was dat samengeknepen mondje), ging ik naar Kunstgeschiedenis 408 in Elton, en wachtte in het lege klaslokaal.

Na tien minuten verscheen meneer Archer met een bekertje mangosorbet in zijn hand en een biologisch afbreekbaar tasje van de milieubeweging (zie Roodoogmaki-kikker, *De wereld van de Radinae: van kikkerprinsen tot padden*, 1998). Zijn voorhoofd was zo bezweet dat hij wel iets weg had van een glas ijsthee.

'Zou je mij willen helpen met het opstellen van de diaprojector die ik bij de les wil gebruiken?' vroeg hij. (Milieubewust gaat vaak samen met apparatenangst.)

Ik zei ja en deed net de laatste van de honderdtwaalf dia's in de slee toen de andere leerlingen binnendruppelden, de meeste met een grote sorbetgrijns op hun gezicht en een ijsbekertje in hun hand.

'Bedankt voor je hulp, Babs,' zei meneer Archer met een glimlach. Hij spreidde zijn lange, dunne vingers op zijn bureau. 'Vandaag ronden we Lascaux af en richten we ons op de rijke artistieke traditie die ontstond in het gebied dat nu Zuid-Irak is. James, doe jij het licht?'

In tegenstelling tot Pierre Fromande had ik de man uitstekend verstaan. In tegenstelling tot de leden van Trumans kabinet had ik de ware betekenis begrepen. Natuurlijk had ik weleens vaker een andere naam gekregen van een leraar, van Betsy of Barbara tot 'Jij Daar in de Hoek' of 'Rooie, nee, geintje'. Van mijn twaalfde tot mijn veertiende geloofde ik zelfs dat er een vloek op mijn naam rustte, dat onder docenten het gerucht ging dat Blue dezelfde grillige eigenschap had als een balpen op grote hoogte: als zij mijn naam uitspraken, zou er een permanente blauwe kleur, donker en meedogenloos, over hen heen kunnen lekken.

Lottie Bergoney, onderwijzeres van groep 4 in Pocus, Indiana, belde Pap zelfs op om te zeggen dat hij me beter een andere naam kon geven.

'Dit geloof je niet!' fluisterde Pap met een hand over de hoorn, en hij gebaarde dat ik via het andere toestel moest meeluisteren.

'Ik zal er geen doekjes om winden, meneer Van Meer. Die naam is niet gezond. De kinderen in de klas steken er de draak mee. Ze noemen haar Marine. Een paar slimmeriken noemen haar Kobalt. En Cordon Bleu. Misschien moet u zich toch eens bezinnen op een alternatief.'

'Hebt u misschien ideeën, juf Bergie?'

'Zeker! Ik weet niet wat u ervan vindt, maar ik heb Daphne altijd een mooie naam gevonden!'

Misschien lag het aan de naam die meneer Archer had uitgekozen, Babs, de bijnaam van een ongedurige echtgenote die geen beha draagt tijdens haar tennislessen. Of misschien was het de overtuiging waarmee hij het had gezegd, zonder een spoor van onzekerheid of aarzeling.

Opeens kreeg ik achter mijn tafeltje geen adem meer. Tegelijkertijd wilde ik uit mijn stoel opspringen en roepen: *Ik heet Blue, stelletje klootzakken!*'

In plaats daarvan stak ik mijn hand in mijn rugtas en haalde de drie brieven tevoorschijn die nog steeds in de kaft van mijn huiswerkschrift zaten weggeborgen. Ik herlas ze stuk voor stuk en toen wist ik met dezelfde helderheid die Robespierre over zich kreeg toen hij in bad lag en *liberté, egalité et fraternité* zijn hoofd binnenzeilden – drie grote koopvaardijschepen die de haven binnenliepen –, wat ik moest doen.

❖

Na school belde ik met de speciaal voor leerlingen bedoelde munttelefoon in Hanover Pap op de universiteit op. Ik sprak een boodschap in waarin ik uitlegde dat ik pas om kwart voor vijf een lift naar huis nodig had; ik had een afspraak met mevrouw Simpson, mijn lerares Engels, om met haar *Grote verwachtingen* (Dickens, 1860-1861) te bespreken voor een werkstuk. Om tien over halfvier, toen ik in het damestoilet op de begane grond in Hanover had gecontroleerd of er nergens kauwgum of chocola op mijn gezicht zat, er niks tussen mijn tanden zat en ik niet per ongeluk mijn met inkt bevlekte hand tegen mijn wang had gedrukt waardoor er een mozaïek van vingerafdrukken was achtergebleven (zoals me al eens eerder was overkomen), liep ik zo kalm mogelijk naar Barrow. Ik klopte op deur 208 en werd meteen begroet door enkele vlakke, niet verrast klinkende stemmen: 'Hij is open.'

Langzaam deed ik de deur open. Vier lijkbleke leerlingen zaten met strakke gezichten aan tafeltjes die in een kring midden in het lokaal stonden. De andere tafeltjes waren aan de kant geschoven.

'Hallo,' zei ik.

Ze staarden me nors aan.

'Ik ben Blue.'

'Je bent hier bij het Demonische Dungeons & Dragonsgilde,' zei een meisje met een piepstem alsof er een ballon langzaam leegliep. 'Daar ligt nog een extra handboek. Op dit moment zijn we onze rol voor het komende jaar aan het kiezen.'

'Ik ben de Dungeon Master,' verduidelijkte een meisje snel.

'Jade?' vroeg ik hoopvol aan een van de meisjes. Het was niet echt een gok: ze droeg een lange zwarte jurk met strakke mouwen, die op de bovenkant van haar handen eindigden in middeleeuwse V's, en ze had groen haar, dat op uitgedroogde spinazie leek.

'Lizzie,' zei ze en ze kneep haar ogen argwanend samen.

'Ken je Hannah Schneider?' vroeg ik.

'De lerares Filmkunde?'

'Waar heeft ze het over?' vroeg het andere meisje aan de Dungeon Master.

'Sorry,' zei ik. Mijn glimlach had dezelfde krampachtigheid als waarmee een fanatieke katholiek haar rozenkrans vasthoudt. Ik liep achteruit lokaal 208 uit en rende de gang door en de trap af.

Wanneer je schaamteloos bent beetgenomen of bedrogen is dat na afloop moeilijk te accepteren, vooral als je je er altijd op hebt laten voorstaan dat je iemand bent die intuïtief en vlijmscherp kan observeren. Toen ik op het bordes op Pap stond te wachten, herlas ik de brief van Jade Whitestone wel vijftien keer, er stellig van overtuigd dat ik me ergens in had vergist – de datum, de tijd, de locatie –, of misschien had zíj een fout gemaakt; misschien had ze de brief geschreven terwijl ze naar *On the Waterfront* zat te kijken en werd ze afgeleid door het ontroerende gebaar waarmee Brando met zijn vlezige hand het witte handschoentje van Eva Marie Saint oppakte; maar al gauw besefte ik natuurlijk dat het sarcasme van haar brief af droop (vooral in de laatste zin), wat me in eerste instantie was ontgaan.

Het was allemaal één grote grap geweest.

Nog nooit was een opstand zo onbenullig en teleurstellend geweest, met uitzondering misschien van het Gran Horizontes Tropicoco-oproer in Havana in 1980, dat volgens Pap was georganiseerd door werkloze bigbandmusici en danseresjes uit El Loro Bonito en niet langer dan drie minuten had geduurd. ('Minnaars van veertien doen er langer over,' had hij opgemerkt.) En hoe langer ik op het bordes zat, hoe slechter ik me voelde. Ik deed net alsof ik niet jaloers naar die vrolijke leerlingen zat te kijken die zich met hun enorme rugtassen in de auto van hun ouders lieten vallen of naar de lange jongens die met hun hemd uit hun broek hangend over de Commons renden, naar elkaar riepen, bij wie een sporttas over hun magere schouders bungelde als een paar aan elkaar geknoopte tennisschoenen over een kabel.

Om tien over vijf was ik bezig met mijn natuurkundehuiswerk en was er nog steeds geen Pap. De gazons, de daken van Barrow en Elton, zelfs de voetpaden hadden hun kleur verloren in de vage belichting van foto's uit de tijd van de crisisjaren, en op enkele leraren na die naar het parkeerterrein van de school liepen ('Mijnwerkers sjokken naar huis') was het overal treurig stil; alleen eiken wuifden zichzelf koelte toe als verveelde zuiderlingen en een trainer floot ergens ver weg op een sportveld.

'Blue?'

Tot mijn schrik was het Hannah Schneider die de trap achter mij afkwam.

'Wat doe jij hier nog?'

'O,' zei ik, zo vrolijk mogelijk glimlachend. 'Mijn vader komt wat later van zijn werk.' Het was van belang om een gelukkige en geliefde indruk te maken; na school bekeken leraren een leerling die niet door zijn ouders werd opgevangen alsof het een verdacht pakje in de hal van een luchthaven was.

'Rijd je zelf niet?' vroeg ze terwijl ze naast me bleef staan.

'Nog niet. Ik kan wel autorijden. Ik heb alleen mijn rijbewijs nog niet.' (Pap zag daar het nut niet van in: 'Om dan een jaar lang langzaam door de stad te rijden als een verpleegsterhaai die bij een rif rondhangt, wanhopig op zoek naar guppy's? Ik dacht het niet. Voor ik er erg in heb ga je gehuld in een leren motorpak. Vind je het niet prettiger om een eigen chauffeur te hebben?')

Hannah knikte. Ze droeg een lange zwarte rok en een geel vest. Terwijl het haar van de meeste leraren aan het eind van de dag leek op een verdorde kamerplant, hing dat van Hannah – donker, met een roestbruine glans in het latenamiddaglicht – uitdagend om haar schouders, als bij Lauren Bacall in een deuropening. Het was vreemd voor een leraar om er zo schuldig intrigerend uit te zien dat je je ogen niet van haar af kon houden. Ze was *Dynasty* en *As the World Turns* tegelijk; je voelde gewoon dat er elk moment iets krengerigs kon gebeuren.

'Jade moet je dan maar op komen halen,' zei ze zakelijk. 'Dat is misschien ook beter. Het huis is moeilijk te vinden. Aanstaande zondag. Een uur of twee, halfdrie. Hou je van Thais eten?' Ze wachtte mijn antwoord niet af. 'Ik kook elke zondag voor ze, en vanaf nu tot het einde van het jaar ben jij mijn eregast. Dan kun je ze leren kennen. Geleidelijk. Het zijn geweldige jongelui. Charles is aardig en sympathiek, maar de rest kan nog weleens moeilijk doen. Net als de meeste andere mensen hebben ze een hekel aan veranderingen, maar de goede dingen in het leven moet je nu eenmaal leren waarderen. Als ze het je moeilijk maken, bedenk dan dat het niet aan jou ligt, maar aan hen. Ze zullen er gewoon doorheen moeten.' Ze slaakte een huisvrouwenzucht die zo uit een tv-reclame zou kunnen komen (kind, vlek in het tapijt) en wuifde een onzichtbare vlieg weg. 'Hoe bevalt het je hier op school? Ben je al een beetje gewend?' Ze sprak snel, en om de een of andere reden bonsde mijn hart van opwinding, alsof ik de wees Annie was en zij dat prachtige personage gespeeld door Anne Reinking die volgens Pap schitterende benen had.

'Ja,' zei ik, en ik stond op.

'Geweldig.' Ze sloeg haar handen in elkaar als een modeontwerper die zijn eigen herfstcollectie staat te bewonderen. 'Ik vraag je adres wel bij de administratie op en geef dat door aan Jade.'

Op dat moment zag ik Pap in zijn Volvo die langs de kant van de weg stond geparkeerd. Waarschijnlijk zat hij naar ons te kijken, maar ik kon zijn gezicht niet zien, alleen een wazig silhouet op de plaats van de bestuurder. In de voorruit en zijramen weerspiegelden de eiken en de gelige lucht.

'Daar zul je je vader hebben,' zei Hannah, die mijn blik had gevolgd. 'Zie ik je zondag?'

Ik knikte. Met haar arm losjes over mijn schouders – ze rook naar potloodstift en zeep en, gek genoeg, naar een chique kledingzaak – liep ze met me mee naar de auto. Ze zwaaide naar Pap, waarna ze over de stoep naar het parkeerterrein liep.

'Je bent krankzinnig laat,' zei ik terwijl ik het portier dichtdeed.

'Het spijt me,' zei Pap. 'Ik wilde net mijn kamer uit lopen toen de ergste van alle studenten naar binnen stapte en me ophield met de onbenulligste vragen.'

'Nou, dit maakt geen goede indruk. Ik lijk wel zo'n harteloos opgevoed sleutelkind waar ze 's middags documentaires over uitzenden.'

'Je doet jezelf tekort. Je zou eerder voorkomen in dat programma met hoogtepunten uit de toneelgeschiedenis.' Hij startte de auto en tuurde in de achteruitkijkspiegel. 'En dat was dat opdringerige mens uit de schoenenwinkel?'

Ik knikte.

'Wat wilde ze nou weer?'

'Niks. Ze wilde alleen even gedag zeggen.'

Ik was van plan om hem de waarheid te vertellen; dat zou ook wel moeten als ik zondag op stap wilde gaan met een of andere 'troela', 'slapjanus' of 'post-puberale nitwit die denkt dat Rode Khmer make-up is en guerrillaoorlog slaat op de rivaliteit die voorkomt onder apen' –, maar toen reden we net langs sportcentrum Bartleby en langs het voetbalveld, waar een groep jongens met ontblote bovenlijven in de lucht sprong om een voetbal te koppen. Toen we om de kapel heen reden deed Hannah Schneider recht voor ons het portier van een oude rode Subaru open; één achterportier was zo gedeukt als een colablikje. Ze streek net haar haar van haar voorhoofd toen ze ons zag passeren, en ze glimlachte. Het was overduidelijk de heimelijke glimlach van een overspelige huisvrouw, een bluffende pokerspeler of een doortrapte oplichter op de politiefoto, en op dat moment besloot ik om wat ze had gezegd nog even te bewaren, het zorgvuldig verborgen te houden en het pas op het allerlaatste moment vrij te laten.

Pap, over het Hebben van een Geheim, een Goed Beraamd Plan: 'Niets kan de menselijke geest meer in vervoering brengen.'

Madame Bovary

Er was een gedicht waar Pap gek op was en dat hij ook uit zijn hoofd kende, getiteld 'Mijn lieveling' of 'Mein Liebling' van de Duitse dichter Schubert Koenig Bonhoeffer (1862-1937). Bonhoeffer was kreupel en doof, en had maar één oog, maar volgens Pap kon hij de ware aard van de wereld beter waarnemen dan de meeste mensen die over al hun zintuigen beschikten.

Om de een of andere reden, en waarschijnlijk ten onrechte, deed het gedicht me altijd aan Hannah denken:

'Waar is de ziel van mijn lieveling,' vraag ik,
Haar ziel moet toch ergens zijn,
Die huist niet in woorden of in beloften,
Omdat die zo grillig als goud zijn.

'Die huist in de ogen,' zeggen de grote dichters,
'Daar moet ergens de ziel wonen.'
Maar let op haar ogen: die glinsteren
Of er nu berichten uit hemel of hel komen.

Eens dacht ik dat haar karmozijnrode lippen
Haar ziel onthulden, als sneeuw zo zacht,
Maar toen krulden ze bij trieste, sombere verhalen;
Wat dat betekende, gaat boven mijn macht.

Toen dacht ik: haar vingers, haar slanke handen,
Die in haar schoot op ranke duiven lijken,
Ook al voelen ze soms ijskoud aan,
Daaruit moet toch haar liefde blijken.

Ach, maar soms wuift ze ten afscheid,
Ik beken dat ik mijn lieveling dan mis,
Ze is verdwenen eer ik de weg heb bereikt,
Ramen leeg, het huis dat stil en hol is.

En soms wilde ik dat ik haar gang kon lezen,
Als een zeeman dat doet met zijn zeekaart,
Of dat ik dat haar schoonheid zo begrijp
Dat die al haar wensen verklaart.

Hoe wonderbaarlijk zou zo'n verlicht leven zijn!
Ook God zou nooit twijfelen aan haar,
Maar door al de in haar schuilende schaduwen
Weet ik niet meer wat is vals en wat is waar.

Zondagavond eten bij Hannah was een gezellige traditie die al drie jaar bijna elke week in ere werd gehouden. Charles en zijn vrienden verheugden zich op de uren bij haar thuis – Willows Road 100 – zoals in New York selderiedunne erfgenames en krootrode tweederangs filmacteurs zich er in 1943 op verheugden om op bepaalde zwoele zaterdagavonden knus bij elkaar te zitten in de Stork Club (zie *Vergeet Marokko: het Xanadu van de New Yorkse elite, de Stork Club, 1929-1965*, Riser, 1981).

'Ik weet niet meer hoe het allemaal is begonnen, maar wij konden met z'n vijven gewoon geweldig goed met haar opschieten,' vertelde Jade. 'Ik bedoel, ze is een fantastisch mens – dat kan iedereen zien. In de eerste klas deden we bij haar Filmkunde en na school zaten we in haar klaslokaal nog uren na te praten over van alles en nog wat – het leven, seks, *Forrest Gump*. En toen gingen we samen eten en zo. Vervolgens nodigde ze ons uit bij haar thuis om Cubaans te eten, en we hebben tot diep in de nacht zitten gieren van het lachen. Ik weet niet meer waarom, maar het was fantastisch. Natuurlijk moesten we het stilhouden. Nog steeds. Havermeyer houdt niet zo van relaties tussen leraren en leerlingen die verdergaan dan die van studiebegeleider of sporttrainer. Hij is bang voor grijze gebieden, als je begrijpt wat ik bedoel. En dat is wat Hannah is: een grijs gebied.'

Die eerste middag wist ik daar natuurlijk nog niets van. Eigenlijk was ik er niet eens zeker van of ik mijn eigen naam nog wist toen ik in de auto zat naast Jade, dat heel bedreigende meisje dat mij nog maar twee dagen daarvoor expres op het Demonologiegilde had afgestuurd.

Eigenlijk ging ik ervan uit dat ze weer niet op kwam dagen; om halfvier was zij, of wie dan ook, nog in geen velden of wegen te bekennen. Die ochtend had ik me tegen Pap laten ontvallen dat ik 's middags misschien naar een studiegroep moest (hij had gefronst, verrast dat ik bereid was om me weer aan zo'n marteling te onderwerpen), maar uiteindelijk hoefde ik hem geen nadere uitleg te geven; hij was naar de universiteit gegaan omdat hij een boek over Ho Chi Minh op zijn kamer had laten liggen waar hij niet buiten kon. Daarna had hij me opgebeld om te zeggen dat hij zijn essay voor *Forum* daar zou afmaken – 'Pracht en praal van strenge ideologieën', of iets dergelijks –, maar dat hij met het eten thuis zou zijn. Ik zat in de keuken met een broodje kipsalade en had me neergelegd bij een middagje *Absalom, Absalom!: de gecorrigeerde tekst* (Faulkner, 1990) toen ik iemand op onze oprit langdurig hoorde toeteren.

'Ik ben afschuwelijk laat. Het spijt me vreselijk,' riep een meisje door een kiertje van het getinte raam van een protserige zwarte Mercedes die vlak bij de voordeur tot stilstand was gekomen. Ik kon haar niet zien, alleen haar turende ogen van een onbestemde kleur en wat zandblond haar. 'Ben je zover? Anders moet ik zonder jou vertrekken. Het verkeer is een gekkenhuis.'

Haastig pakte ik de huissleutels en het eerste het beste boek dat ik zag, een van Paps lievelingsboeken, *Het eindspel van een burgeroorlog* (Agner, 1955), en scheurde een bladzij achter uit het boek. Ik krabbelde er een korte mededeling op (studiegroep, *Ulysses*) en liet die voor hem achter op de ronde tafel in de hal zonder er zelfs 'Liefs, Christabel' onder te zetten. En toen zat ik in haar orka van een Mercedes, bevangen door Ongeloof, Onrust en Regelrechte Paniek terwijl ik onophoudelijk op de snelheidsmeter keek waarvan de wijzer trillend naar de 130 ging. Haar mooi gemanicuurde hand hing sloom op het stuur, haar blonde haar zat in een slordige knot en de riempjes van haar sandalen x'ten om haar benen omhoog. Haar kroonluchterachtige oorbellen botsten telkens tegen naar hals wanneer ze haar ogen van de weg afwendde om mij een blik vol 'giftige tolerantie' toe te werpen. (Zo omschreef Pap zijn humeur toen hij bij haar- en nagelstudio Hip & Hot moest wachten waar Meikever Shelby Hollow haar kunstnagels liet verzorgen, zich een creatieve halve coupe soleil liet aanmeten en haar voeten – met eksterogen, had Pap gezien – werden gepedicuurd.)

'Ja, dit...' Jade raakte even de voorkant van haar fijn afgewerkte, papegaaigroene kimono aan; kennelijk dacht ze dat ik stilletjes haar kleding zat te bewonderen. 'Dit was een cadeau voor mijn moeder toen ze in 1982 in het Ritz de steenrijke Japanse zakenman Hirofumi Kodaka aangenaam had beziggehouden, drie weerzinwekkende nachten lang. Hij had last van een jetlag en sprak geen woord Engels, dus zij was vierentwintig uur per dag zijn tolk, als je begrijpt wat ik bedoel – *Ga als de sodemieter aan de kant!*' Ze toeterde luid; we sneden een simpele grijze Oldsmobile die werd bestuurd door een onooglijk klein oud vrouwtje; Jade reikhalsde om haar een vuile blik toe te werpen en stak daarna haar middelvinger op. 'Ga toch naar het kerkhof en spring in je graf, oud wijf.'

Met een reuzevaart namen we afslag 19.

'O ja,' zei ze terwijl ze me even aankeek. 'Waarom ben je niet op komen dagen?'

'Hè?' kon ik nog net uitbrengen.

'Je was er niet. We hebben op je gewacht.'

'Nou, ik ging naar lokaal 208...'

'208?' Haar gezicht betrok. 'Het was 308.'

Mij nam ze niet in de maling. 'Je had 208 opgeschreven,' zei ik rustig.

'Geen sprake van. Ik weet het nog precies – 308. En je hebt heel wat gemist. We hadden een taart voor je, met veel lekkers erop en kaarsjes en zo,' voegde ze er ietwat afwezig aan toe – ik bereidde me voor op verhalen over ingehuurde buikdanseressen, een tochtje op een olifant en dansende derwijsjen, maar tot mijn opluchting boog ze voorover en zette ze met een 'God, ik ben gek op Dara and the Bouncing Checks' de cd veel harder, een heavy metal-band met een leadzanger die klonk alsof hij in Pamplona door stieren op de hoorns werd genomen.

De rest van de rit wisselden we geen woord. Kennelijk dacht ze dat ik vanzelf wegging, net als de pijn aan je telefoonbotje. Ze keek op haar horloge, huiverde, snoof, schold op stoplichten, verkeersborden en op iedereen voor ons die zich aan de maximumsnelheid hield, bekeek trots haar blauwe ogen in de achteruitkijkspiegel, veegde spikkeltjes mascara van haar wang, bracht glanzend roze lippenstift aan op haar lippen en daarna nog meer glanzende lippenstift, zodat die in haar mondhoeken begon uit te lopen – een detail waarop ik haar niet durfde te wijzen. Het meisje werd door die rit naar Hannahs huis duidelijk zo ongedurig en onrustig dat ik me begon af te vragen of aan het einde van die saaie opeenvolging van bossen, weiden en naamloze zandwegen, rechthoekige schuren en magere paarden die stonden te wachten bij een hek, geen huis stond maar alleen een zwarte deur met een fluwelen koord. Misschien zou er ook een man met een klembord staan die me van top tot teen bekeek en die op het moment dat hij had geconstateerd dat ik geen Frank of Errol of Sammy persoonlijk kende, of welke grootheid uit de amusementswereld dan ook, mij de toegang zou weigeren en ik dus verder mocht leven.

Maar ten slotte, aan het einde van een bochtige grindweg, lag het huis, ongemakkelijk als een verlegen maîtresse met een gemaakt stoïcijnse blik, tegen een lage heuvel aan met een stel bijgebouwen als bewijs van haar misstappen tegen haar aan geschurkt. Zodra Jade onze auto bij de andere had geparkeerd en we hadden aangebeld, zwaaide Hannah de voordeur open en kwam een golf Nina Simone, oosterse kruiden, parfum, Eau d'Ietsfrans naar buiten. Haar gezicht straalde dezelfde hartelijkheid uit als het licht in de huiskamer. Achter haar krioelde een meute van zeven of acht honden van verschillend ras en grootte zenuwachtig door elkaar.

'Dit is Blue,' zei Jade onverschillig terwijl ze naar binnen liep.

'Natuurlijk,' zei Hannah glimlachend. Ze was op blote voeten en droeg grove gouden armbanden en een oranje met gele Afrikaanse kaftan. Haar donkere haar zat in een perfecte paardenstaart. 'Het stralende middelpunt.'

Tot mijn verrassing omhelsde ze me. Het was een Epische Omhelzing, heroïsch, met een enorm budget, groots, tienduizend figuranten (niet kort, korrelig of goedkoop gemaakt). Toen ze me uiteindelijk losliet, pakte ze mijn hand en kneep erin zoals mensen op een vliegveld de hand van iemand pakken die ze in geen jaren hebben gezien en tegelijkertijd vragen hoe de vlucht was geweest. Ze trok me naast haar, sloeg haar arm om mijn middel. Ze was verrassend dun.

'Blue, mag ik je voorstellen: Fagan, Brody, die heeft drie poten maar dat weerhoudt hem er niet van om door de vuilnis te struinen, Fang, Peabody, Arthur, Stallone, de chihuahua met de halve staart, ongelukje met een autoportier, en Old Bastard. Kijk hem niet aan.' Ze had het over een broodmagere hazewindhond met de rode ogen van een middernachtelijke tolbeambte van middelbare leeftijd. De andere honden keken onzeker naar Hannah, alsof ze werden voorgesteld aan een klopgeest. 'Dan zwerven hier ook nog ergens de katten rond,' vervolgde ze. 'Lana en Turner, de Perzische katten, en in de werkkamer is onze papegaai, Lennon. Ik wil er heel graag een Ono bij hebben, maar bij het asiel komen er weinig vogels binnen. Wil je een kopje woeloengthee?'

'Graag,' zei ik.

'O, en de anderen heb je nog niet ontmoet, hè?'

Ik keek op van de zwart met bruine chihuahua, die naar me toe was geslopen om mijn schoenen te inspecteren, en zag ze. Net als Jade, die was neergeplofd in een bank die de kleur had van halfgesmolten chocola, en die een sigaret had opgestoken (die ze als een pijltje op mij richtte), keken ze me alle-maal met een starende blik aan. Ze zaten er zo onbeweeglijk bij dat ze wel die rij schilderijen leken die Pap en ik nauwkeurig hadden bekeken in de galerij met negentiende-eeuwse meesters in het Chalk House even buiten Atlanta: het magere meisje met bruin zeewierhaar dat op de pianokruk zat met haar armen om haar knieën geslagen (*Portret van een boerenmeisje*, pasteltekening op papier); een klein joch met een Ben Franklin-bril, een beetje indiaans ge-kleed, met een schurftige hond, Fang (*Landeigenaar met jachthond*, Engels, olie op doek); een grote, breedgeschouderde jongen die tegen een boeken-plank leunde, armen over elkaar, het ene been over het andere, broos zwart haar dat een beetje voor zijn voorhoofd hing (*De oude molen*, onbekende kun-stenaar). De enige die ik herkende was Charles in de leren stoel (*De vrolijke schaapherder*, vergulde lijst). Hij glimlachte bemoedigend, maar ik betwijfel-de of dat veel betekende; hij leek glimlachjes uit te delen zoals een vent in een kippenkostuum bonnen voor een gratis maaltijd verspreidt.

'Stellen jullie je even voor?' vroeg Hannah opgewekt.

Ze noemden met afgedwongen beleefdheid hun namen.

'Jade.'

'Wij kennen elkaar,' zei Charles. 'Charles.'

'Leulah,' zei het Boerenmeisje.

'Milton,' zei de Oude Molen.

'Nigel Creech, aangenaam,' zei de Landeigenaar met Jachthond, en daarna verscheen een glimlach die onmiddellijk weer verdween, als de vonk van een kapotte aansteker.

Als alle geschiedenissen ergens tussen Het Begin en Het Einde een periode hebben die bekendstaat als de Gouden Eeuw, dan waren die zondagen tijdens het herfsttrimester bij Hannah thuis dat, of om een van Paps gekoesterde ico-nen uit de filmwereld, Norma Desmond, te citeren toen ze het over de voor-bije tijd van de stomme film had: 'Wij hadden geen dialoog nodig. Wij had-den een gezicht.'

Volgens mij gold dat ook voor die tijd bij Hannah thuis (afbeelding 8.0). (Vergeef me de jammerlijke manier waarop ik Charles heb getekend, en dat geldt ook voor Jade; in het echt waren ze veel mooier.)

Charles was de knappe jongen (het tegenovergestelde knap van Andreo). Met zijn goudblonde haar en zijn vrolijkheid was hij niet alleen de atletiek-

AFBEELDING 8.0

held van St. Gallway – hij was goed in hordelopen en hoogspringen –, maar ook de Travolta van de school. Het was niet ongebruikelijk om hem tussen de lessen door schaamteloos voorbij te zien schuifelen over de hele campus, niet alleen met de bekende schoonheden van St. Gallway, maar ook met de fysiek minder bedeelden. Op de een of andere manier kon hij het ene meisje van zich af laten draaien bij de Lerarenkamer precies op het moment dat een andere rumba-dansend op hem af kwam en ze verder de pechanga dansten in de gang. (Gek genoeg werd er nooit op iemands tenen getrapt.)

Jade was de oogverblindende schoonheid (zie Steppearend, *Majestueuze roofvogels*, George, 1993). Als zij een klaslokaal binnendook, stoven de meisjes als eekhoorns uit elkaar. (De jongens, net zo bang, hielden zich dood.) Ze was ongenadig blond ('Gebleekt tot in de wortel,' hoorde ik Beth Price zeggen bij Engels), een meter zeventig lang ('spichtig'), paradeerde met een kort rokje door de gangen, had haar boeken in een zwarte leren tas ('Ze lijkt Donna Karan zelf wel, verdomme'), en had de uitdrukking op haar gezicht die ik sarcastisch en treurig vond, maar die de anderen arrogant vonden. Door Jades vestingachtige uitstraling, die haar, zoals bij elk goed gebouwd kasteel, weinig toegankelijk maakte, vonden meisjes haar bestaan niet alleen bedreigend, maar ook ronduit ongepast.

Ook al had juffrouw Sturds een advertentiecampagne opgezet voor de drie leden tellende club 'Zorg Goed Voor Lijf en Leden' (waarin onder coverfoto's van *Vogue* en *Maxim* teksten stonden als: 'Met zulke dijen kun je niet lopen', en: 'Alles is geretoucheerd'), Jade hoefde alleen maar langs te lopen, kauwend op een Snickers, om de verschrikkelijke waarheid te onthullen: met zulke dijen kon je dus wel lopen. Ze benadrukte wat weinigen wilden accepteren, namelijk dat sommigen de Trivial Pursuit-editie 'Het Goddelijke Lichaam' wonnen en dat je daar niets tegen kon doen, behalve je schikken in het feit dat jij de editie 'Gewone Genen' had gespeeld en drie fiches had weten te bemachtigen.

Nigel was de onopvallende (zie 'Negatieve ruimte', *Lessen in kunst*, Trey, 1973, blz. 29). Op het eerste gezicht (zelfs op het tweede en derde) was hij gewoon. Zijn gezicht, eigenlijk zijn hele wezen, was een knoopsgat: klein, smal, saai. Hij was hoogstens een meter vijfenzestig, had bruin haar en een rond, babyvoetjesroze, uitdrukkingsloos gezicht (daar deed het brilletje dat hij droeg weinig aan toe of af). Op school droeg hij smalle, tongvormige stropdasjes in fluorescerend oranje, een modestatement waarmee hij naar ik vermoedde door anderen opgemerkt wilde worden, zoals de alarmlichten van een auto. Maar als je hem nauwkeurig bekeek, bleek het gewone buitengewoon: hij beet zijn nagels af tot rondjes; sprak in tussensprints (kleurloze guppy's die door een aquarium schieten); in grote gezelschappen had zijn glimlach iets van een peertje dat kapotgaat (aarzelend schijnen, flikkeren en uit); en wanneer je een haar van hem (die ik een keer op mijn rok had aangetroffen nadat ik naast hem had gezeten) vlak onder een lamp hield, glinsterden daar alle kleuren van de regenboog in, ook paars.

En dan had je ook nog Milton met zijn stoere en barse uitstraling, zijn grote, gevulde lichaam dat iets weg had van iemands favoriete leunstoel die nodig opnieuw bekleed moest worden (zie Amerikaanse zwarte beer, *Vleesetende landdieren*, Richards, 1982). Hij was achttien, maar zag eruit als dertig. Zijn gezicht werd geheel in beslag genomen door zijn bruine ogen, krullende zwarte haar en dikke lippen, en had een verloren gegane schoonheid over zich, alsof het gek genoeg niet meer was wat het eens was geweest. Hij was een soort Orson Welles of Gérard Depardieu; je kon vermoeden dat er in zijn grote, iets te zware lichaam een duister genie schuilging, en na twintig minuten douchen rook hij nog steeds naar sigaretten. Het grootste deel van zijn leven had hij in het stadje Riot in Alabama gewoond en hij had een zuidelijk accent dat zo zoet en dik was dat je het met een mes kon uitsmeren op een broodje. Zoals alle Mysterieuzen had hij een achilleshiel: een reusachtige tatoeage op zijn rechterbovenarm. Hij weigerde erover te praten, deed heel veel moeite om het te verbergen – hij deed nooit zijn overhemd uit, droeg altijd lange mouwen – en als een of andere sufferd hem tijdens gym vroeg wat het was, staarde hij het joch aan alsof hij naar een herhaling van een spelletjesprogramma zat te kijken of antwoordde hij met zijn stroperige accent: 'Gaat je geen reet aan.'

En verder was er nog het delicate schepsel (zie *Juliet*, J.W. Waterhouse, 1898). Leulah Maloney had een paarlemoeren huid, dunne vogelarmpjes en lang bruin haar dat altijd in een vlecht zat, als zo'n koord waaraan in de negentiende eeuw de adel trok om personeel te ontbieden. Ze was een geheimzinnige, ouderwetse schoonheid, met een gezicht dat thuishoorde op een amulet of uitgesneden in een camee – zo romantisch wilde ik er graag uitzien wanneer Pap en ik over Gloriana aan het lezen waren in *The Faerie Queene* (Spenser, 1596) of we het hadden over Dantes liefde voor Beatrice Portinari. ('Weet je hoe moeilijk het in de wereld van vandaag is om een vrouw te vinden die op Beatrice lijkt?' vroeg Pap. 'Je loopt nog eerder met de snelheid van het licht.')

In het begin van de herfst, volkomen onverwachts, had ik gezien dat Leulah in een lange jurk (meestal wit of doorschijnend blauw) tijdens een plensbui over de Commons liep met haar archaïsche gezicht omhoog in de regen te midden van anderen die gillend langs haar heen renden met een studieboek of een uit elkaar vallende *Gallway Gazette* boven hun hoofd. Twee keer had ik haar zo gezien – een andere keer zat ze gehurkt in de bosjes bij Elton House, kennelijk gefascineerd door een stuk schors of een tulpenbol – en ik vond zulk feeëngedrag nogal berekenend en irritant. Pap had in Okush, New Mexico, een saaie, vijf dagen durende affaire gehad met een zekere Birch Peterson. Ze was geboren in een te gekke commune die Passie heette en waar de Vrije Liefde werd aangehangen. Ze smeekte Pap en mij om zorgeloos door de regen te lopen, muggen dankbaar te zijn en tofu te eten. Wanneer ze bij ons at, sprak ze voor het 'consumeren' een gebed van een kwartier uit waarin ze 'Zhod' vroeg om alle slijmzwammen en weekdieren te zegenen.

'Het woord "God" is mannelijk,' zei Birch, 'dus ik heb van zij, hij en God één woord gemaakt. Zhod staat voor de waarachtig geslachtsloze Hogere Macht.'

Ik trok de conclusie dat Leulah – of Lu zoals iedereen haar noemde – met haar ragfijne jurken, strohaar, en haar gewoonte om overal sierlijk overheen te huppelen behalve over de stoep, de tahoe-ziel en spirulina-geest van Birch moest hebben. Later kwam ik erachter dat iemand het meisje had behekst, een krachtige toverformule over haar had uitgesproken zodat haar eigenaardigheden voor altijd onopzettelijk, gedachteloos en à l'improviste waren. Daarom vroeg ze zich nooit af wat mensen van haar dachten of hoe ze eruitzag, zodat de wreedheden in het hele koninkrijk op wonderbaarlijke wijze verdwenen en nooit haar oren bereikten. ('Ze heeft iets verzuurds. Haar uiterste verkoopdatum is allang verstreken,' hoorde ik Lucille Hunter bij Engels over haar zeggen.)

Omdat ik al veel aandacht aan Hannahs Paramount-gezicht heb besteed, zal ik er niet weer over beginnen. Alleen dat ze, anders dan andere Helena's van Troje, die hun eigen geweldigheid nooit helemaal los kunnen laten en op pumps met levensgevaarlijk hoge hakken een beetje houterig voorovergebogen of hooghartig boven iedereen uitstekend rondlopen, erin slaagde om die naaldhakken dag en nacht te dragen, en zich daarbij slechts vaag bewust was van het feit dat ze schoenen aanhad. Bij haar zag je hoe vermoeiend schoonheid eigenlijk was, hoe uitgeput je je moet voelen nadat een dag lang vreemden hun nek in allerlei bochten hadden gewrongen om te zien hoe je een zoetje in je koffie deed of het bakje bosbessen uitzocht waar de minste schimmel op zat.

'Ach,' zei Hannah zonder een greintje valse bescheidenheid toen Charles op een zondag zei hoe geweldig ze eruitzag in een zwart T-shirt en een legerbroek. 'Ik ben gewoon een vermoeid oud mens.'

Verder was er nog het probleem van haar naam.

Die rolde gemakkelijk uit je mond, eleganter dan bijvoorbeeld Juan San Sebastién Orillos-Marípon (de tongbrekende naam van Paps onderwijsassistent op Dodson-Miner), maar ik vond hem toch iets crimineels hebben. Wie haar ook zo had genoemd – moeder, vader, ik wist het niet –, het moest iemand zijn geweest die ver buiten de werkelijkheid stond, want Hannah kon vroeger nooit een oerlelijke baby zijn geweest en oerlelijke baby's gaf je de naam 'Hannah'. Toegegeven, ik was bevooroordeeld. 'Godzijdank zit dat schepsel opgesloten in dat karretje, anders zou er paniek uitbreken omdat iedereen dacht dat er een echte *War of the Worlds* was uitgebroken,' zei Pap terwijl hij keek naar een vrolijke, maar stokoud ogende baby die geparkeerd stond in het gangpad van een kantoorboekhandel. Toen kwam de moeder eraan. 'Ik zie dat u al met Hannah hebt kennisgemaakt!' riep ze. Als ze dan zo nodig een gewone naam moest hebben, dan had ze Edith, Nadia of Ingrid moeten heten, of in elk geval dan toch Elizabeth of Catherine; maar de naam die haar zou passen als een glazen muiltje had in de buurt moeten komen van gravin Saskia Lepinska of Anna-Maria d'Aubergette, zelfs Agnes van Scudge of Ursula van Polen had gekund ('Lelijke namen hebben vaak een Repelsteel-achtig effect bij mooie vrouwen,' zei Pap).

'Hannah Schneider' paste haar net zo goed als een zes maten te grote stonewashed Jordache-spijkerbroek. Toen Nigel tijdens het eten een keer haar naam noemde, had ik durven zweren dat er een grappige vertraging was in haar reactie, alsof ze heel even niet wist dat hij het tegen haar had.

Ik vroeg me af of Hannah Schneider, en misschien wel alleen in haar onderbewuste, 'Hannah Schneider' ook niet mooi vond. Misschien wilde ze ook wel Angelique von Heisenstagg heten.

Veel mensen willen graag onzichtbaar zijn. Niemand kan ze zien en toch zijn ze op de hoogte van de geheimen en spannende gesprekken van een exclusieve groep mensen. En omdat ik die eerste zes, misschien wel zeven zondagmiddagen bij Hannah thuis als onzichtbaar werd behandeld, kan ik met enig gezag vertellen dat genegeerd worden snel gaat vervelen. (Je zou kunnen zeggen dat een mug nog meer aandacht kreeg dan ik, omdat er altijd wel iemand een tijdschrift oprolde en dan dat insect de hele kamer door achternazat, en dat deed niemand bij mij – tenzij je Hannahs pogingen om mij bij het gesprek te betrekken meetelt, wat ik nog gênanter vond dan genegeerd te worden door de rest.)

Natuurlijk liep die eerste zondag uit op een rampzalige vernedering, in veel opzichten nog erger dan de Studiegroep bij Leroy thuis, omdat Leroy en de anderen hadden gewild dat ik daar was (toegegeven: ze wilden mij als hun lastdier, zodat ik ze de steile helling naar groep 8 op kon trekken), maar deze jongeren – Charles, Jade en de rest – maakten het heel duidelijk dat mijn aanwezigheid in het huis een idee was van Hannah, niet van hen.

'Weet je waar ik een hekel aan heb?' vroeg Nigel vriendelijk toen ik hem hielp met afruimen.

'Nou?' vroeg ik, dankbaar dat hij een praatje wilde maken.

'Verlegen mensen,' antwoordde hij, en er bestond natuurlijk geen twijfel over welk verlegen iemand hem tot deze uitspraak had gebracht. Ik had tijdens het eten en het toetje geen woord gezegd en op het moment waarop Hannah me een vraag had gesteld ('Ben je net vanuit Ohio hierheen verhuisd?') was ik zo overdonderd dat mijn stem achter mijn tanden bleef hangen. En toen ik even later net deed alsof ik geïnteresseerd was in het paperbackkookboek dat Hannah naast de cd-speler had gepropt, *Koken met verse producten* (Chiobi, 1984), hoorde ik Milton en Jade praten in de keuken. Hij vroeg haar – in alle ernst, leek het – of ik Engels sprak.

Ze moest lachen. 'Ze is vast zo'n Russisch bruidje dat je via internet kunt uitzoeken,' zei ze. 'Maar met dat uiterlijk is Hannah toch ernstig opgelicht. Ik vraag me af of er garantie op haar zit. Hopelijk kunnen we haar onder rembours terugsturen.'

Even later bracht Jade me met een noodgang naar huis (Hannah had haar kennelijk niet meer dan het minimumloon betaald). Ik staarde naar buiten en bedacht dat het de afschuwelijkste avond van mijn leven was geweest. Het was me duidelijk dat ik nooit, maar dan ook nooit meer met die halve garen, die dwazen zou praten ('banale, geesteloze pubers,' zou Pap eraan toevoegen). En die sadiste van een Hannah Schneider zou ik verder ook straal negeren; zij had me tenslotte in die slangenkuil gelokt, had me fijntjes glimlachend door de anderen laten ranselen terwijl ze gezellig kletste over huiswerk of over welke vijfderangse universiteit dan ook waar ze zich naar binnen hoopten te worstelen. En dan ook die onvergeeflijke manier waarop ze na het eten kalm een sigaret opstak, met haar gemanicuurde hand in de lucht gestoken als een subtiele fluitketel, alsof het allemaal geweldig was op aarde.

Ik snap niet hoe het daarna precies is gegaan. De dinsdag daarop kwam ik Hannah tegen in Hanover Hall – 'Zie ik je komend weekend weer?' riep ze vrolijk te midden van al die leerlingen; ik reageerde natuurlijk als een hert dat in koplampen kijkt – en 's zondags reed Jade weer de oprit op, dit keer om kwart over twee en met het raampje helemaal naar beneden.

'Kom je?' riep ze.

Ik was zo machteloos als een maagd waaraan vampieren zich hadden gelaafd. Als een zombie vertelde ik Pap dat ik mijn Studiegroepje vergeten was, en voor hij kon protesteren kuste ik hem op de wang, verzekerde hem dat de bijeenkomst van St. Gallway uitging en ontvluchtte het huis.

Gegeneerd – en na een maand was dat overgegaan in een soort berusting – schikte ik me in de mij toegekende rol als de onzichtbare, als de nauwelijks getolereerde doofstomme, omdat ik – en dat zou ik Pap nooit kunnen bekennen – het uiteindelijk veel opwindender vond om bij Hannah thuis met de nek te worden aangekeken dan thuis voortdurend met zorgen omringd te worden.

❖

Als een duur cadeau ingepakt in haar smaragdgroene gebatikte kaftan, haar paarse-en-gouden sari of in een of ander simpel crèmekleurig jurkje dat zo uit *Peyton Place* had kunnen komen (voor deze vergelijking moest je net doen alsof je de schroeiplek van een sigaret op haar heup niet zag), ontving Hannah op zondagmiddag haar gasten in de ouderwetse, Europese betekenis van het woord. Zelfs begrijp ik nog steeds niet hoe ze die extravagante maaltijden kon bereiden in dat kleine, mosterdgele keukentje van haar – Turkse lamskarbonaden ('met muntsaus'), Thaise biefstuk ('met gember gevulde aardappelen'), noedelsoep met rundvlees ('authentieke Pho Bo'), en, bij een iets minder geslaagde gelegenheid, gans ('met veenbessengelei en gebakken worteltjes met salie').

Zij kookte. De lucht begon te sauteren met de doordringende geurencombinatie van kaarsen, wijn, hout, haar parfum en natte dieren. Wij namen nog even ons huiswerk door. De keukendeur zwaaide open en zij kwam tevoorschijn, een *Geboorte van Venus* in een rood schort besmeurd met muntsaus. Ze liep met de snelle, swingende gratie van Tracy Lord in *The Philadelphia Story*, op zachte, blote voeten – als dat tenen waren, had jij daar iets heel anders zitten (knolletjes?) – en met glimmende oorbellen. Als ze iets zei, sprak ze sommige woorden met een lichte rimpeling aan het eind uit. (Als jij dat woord uitsprak, hakkelde het.)

'Hoe gaat het hier? Alles af, hoop ik?' zei ze met haar altijd ietwat hese stem.

Ze droeg het zilveren dienblad naar het grillig gevormde salontafeltje en trapte daarbij tegen een paperback die op de grond lag en waarvan de helft van het omslag ontbrak (*De Bevr Vrou*, door Ari So): nog meer gruyère en boe-rencheddar lagen als Busby Berkley Girls uitgewaaierd op het bord, samen met nog een pot woeloengthee. Door haar binnenkomst kwamen de honden en katten tevoorschijn uit hun rustplekken in de schaduw en dromden om haar heen. Wanneer ze ruisend de keuken weer in ging (de honden mochten daar niet naar binnen als ze aan het koken was), liepen ze doelloos rond als verdwaasde cowboys die niet wisten wat ze moesten doen nu ze niet konden pokeren.

Haar huis (de Ark van Noach, noemde Charles het) vond ik fascinerend, schizofreen eigenlijk. De oorspronkelijke persoonlijkheid was ouderwets en charmant, zij het enigszins uit de mode en van hout (eind jaren veertig ge-bouwd, blokhutstructuur met twee woonlagen, een stenen haard en lage bal-kenplafonds). Toch schuilde er nog een personage in, dat onverwachts op kon duiken wanneer je een hoek omsloeg, een irritant, ordinair, soms onbe-schaamd onbehouwen type (de vierkante uitbouwtjes met aluminium be-plating die ze het jaar ervoor op de begane grond had laten bouwen).

Elke kamer stond zo vol met versleten, slecht bij elkaar passende meube-len (streep getrouwd met effen, oranje verloofd met roze, paisley dat uit de kast komt), dat iedere willekeurige polaroidfoto die je ervan maakte altijd een sterke overeenkomst zou vertonen met *Les Demoiselles d'Avignon* van Pi-casso. In plaats van de misvormde, hoekige vrouwen die de lijst vulden zag je Hannahs scheve boekenplanken (waarop bijna geen boeken stonden, maar planten, oosterse asbakken en haar verzameling eetstokjes, en: *Onderweg* (Kerouac, 1957), *Change your Brain* (Leary, 1988), *Moderne krijgers* (Chute, 1989), een songbook van Dylan en *Queenie* (1985) van Michael Korda), Hannahs sleetse leren stoel, Hannahs samowar bij de lege hoedenkapstok, het lege bij-zettafeltje.

Hannahs meubels waren niet de enige vermoeide en armoedige dingen. Tot mijn verbazing ontdekte ik dat ondanks haar vlekkeloze verschijning – waarin zelden ook maar een ooghaartje verkeerd zat, zelfs niet als je heel goed keek –, sommige van haar kleren wat muf waren, hoewel dat alleen op-viel als je naast haar zat en ze op een bepaalde manier ging verzitten. Dan hup-pelde het lamplicht over honderden kleine pluisjes die op de voorkant van haar wollen rok meedeinden. Of je rook naast al dat Palais d'Iets de onmisken-bare geur van mottenballen wanneer ze haar wijnglas oppakte en lachte als een man.

Veel van haar kleren zagen eruit alsof ze een nacht doorgehaald hadden of een nachtvlucht hadden genomen, zoals haar kanariegele-en-roomkleurige

Chanel-achtige pakje met de lusteloze zoom of haar witte kasjmieren trui met de afgetobde ellebogen en de uitgeputte taille, en een paar kledingstukken, zoals de zilverkleurige bloes waarop een kwijnende roos met een veiligheidsspeld bij de hals was vastgeprikt, leken eigenlijk op tweedeprijswinnaars van een drie dagen durende Depressie-dansmarathon (zie *They Shoot Horses, Don't They?*).

Ik hoorde de anderen talloze malen opmerkingen maken over haar 'geheime spaarpotje', maar ik ging ervan uit dat die veronderstellingen niet klopten en dat er klaarblijkelijk een hachelijke financiële situatie ten grondslag lag aan Hannahs aankopen bij uitdragerijen. Ik zag haar een keer gebogen over een lamsbout 'met theeblaadjes en een kersrode compote' staan en zag een plaatje uit een stripverhaal voor me met een man die dronken en geblinddoekt stond te wankelen op de woeste klippen van Bankroet en Ondergang. (Zelfs Pap klaagde in een bourbonstemming over de lerarensalarissen: 'En dan vragen ze zich af waarom Amerikanen Sri Lanka niet kunnen aanwijzen op de kaart! Het spijt me dat ik het moet zeggen, maar er zit geen kruipolie in het Amerikaanse onderwijssysteem! ¡No dinero! Kein Geld!')

Later bleek dat geld er niets mee te maken had. Toen Hannah op een gegeven moment buiten was met de honden, hadden Jade en Nigel enorm veel plezier om het reusachtige afbladderende karrenwiel, de nieuwste aanwinst van die dag, dat als een dikke man tegen de zijkant van de garage leunde om even een sigaretje te roken. De helft van de spaken ontbrak en Hannah had verteld dat ze er een salontafel van wilde maken.

'Ze verdient te weinig bij St. Gallway,' merkte ik op.

Jade draaide zich naar mij om. 'Wat zei je?' vroeg ze, alsof ik haar net had beledigd.

Ik slikte. 'Misschien moet ze om opslag vragen.'

Nigel onderdrukte een lach. De anderen leken er de voorkeur aan te geven me te negeren, maar toen gebeurde er iets onverwachts: Milton keek op van zijn scheikundeboek.

'O nee,' zei hij glimlachend. Mijn hart sloeg over. Bloed steeg naar mijn wangen. 'Uitdragerijen, dumpzaken – Hannah is er gek op. Al die spullen? Die heeft ze op heel treurige plekken gevonden – woonwagenkampen, parkeerterreinen. Ze staat erom bekend dat ze soms midden op de snelweg stopt – auto's beginnen wild te toeteren, er ontstaat een enorme file – alleen omdat ze een stoel uit de berm wil redden. Voor die dieren geldt hetzelfde: die heeft ze uit het asiel. Ik zat vorig jaar een keer bij haar in de auto toen ze stopte voor een of andere maffe lifter – gespierd, kaalgeschoren hoofd, een echte skinhead. Op zijn nek stond: KILL OR BE KILLED. Ik vroeg haar wat haar bezielde en ze zei dat ze hem wilde laten zien wat vriendelijkheid was. Dat hij die misschien nog nooit had ervaren. En ze had gelijk. Die kerel was net een jochie, hij straalde de hele rit. We zetten hem af bij Red Lobster. Hij riep: "Hartstikke bedankt!" Hannah had hem de dag van zijn leven bezorgd.' Hij haalde zijn schouders op en dook weer in zijn scheikundeboek. 'Zo is ze nu eenmaal.'

Ze was ook een vrouw die verrassend doortastend en handig was, zonder gezeur. Ze kon binnen enkele minuten welke verstopping, lekkage en overstroming dan ook repareren – luie toiletpotten, rammelende leidingen voor zonsopgang, een garagedeur die van slag was. Bij haar expertise als klusjesman leek Pap eerlijk gezegd op een mummelende oma. Op een zondag keek ik vol ontzag toe hoe Hannah haar kapotte deurbel repareerde met beschermende handschoenen, schroevendraaier en voltmeter – niet de makkelijkste klus als je *Elektriciteitsklusjes in en om het huis* (Thurber, 2002) mag geloven. Een andere keer verdween ze na het eten in de kelder om het temperatuurlampje van haar boiler te repareren: 'Er zit te veel lucht in de leidingen,' zei ze met een zucht.

En ze was een uitstekende bergbeklimmer. Niet dat ze daarover opschepte: 'Ik kampeer,' was het enige wat ze daarover zei. Je kon het echter afleiden uit de overvloedige hoeveelheid klimattributen: karabijnhaken en veldflessen die overal in het huis rondslingerden, padvindersmessen die in dezelfde la lagen als reclamedrukwerk en oude batterijen; en in de garage stonden stevige wandelschoenen (met sterk verweerde zolen), door de motten aangevreten slaapzakken, klimtouw, sneeuwschoenen, tentstokken, uitgedroogde zonnebrand, een EHBO-doos (leeg, op een botte schaar en verkleurd gaas na). 'Wat zijn dat?' vroeg Nigel terwijl hij gefronst keek naar twee klemmen of vallen boven op een stapel brandhout. 'Stijgijzers,' zei Hannah, en toen hij nog steeds een onbegrijpende blik in zijn ogen had: 'Dan val je niet van de berg af.'

Een keer had ze onder het eten terloops verteld dat ze als puber tijdens een kampeertocht een man had gered.

'Waar?' vroeg Jade.

Na enige aarzeling zei ze: 'Adirondacks.'

Ik geef toe dat ik bijna van mijn stoel was gesprongen om trots te roepen: 'Ik heb ook iemands leven gered! Mijn neergeschoten tuinman!', maar gelukkig beschikte ik over enige tact. Pap en ik hadden minachting voor mensen die voortdurend interessante gesprekken onderbraken met hun eigen flauwekulverhalen. (Pap noemde ze de 'Zoiets Heb Ik Ook Meegemaakt'-Mensen, en bij die omschrijving knipoogde hij langzaam, zijn teken voor Aperte Afkeer.)

'Hij was gevallen en had zijn heup bezeerd.'

Ze zei het langzaam, bedachtzaam. Alsof ze aan het scrabbelen was en zich concentreerde op het sorteren van de letters en het vormen van slimme woorden.

'We waren alleen, ver van de bewoonde wereld. Ik raakte in paniek, ik wist niet wat ik moest doen. Ik zette het op een lopen en bleef maar lopen. Gelukkig vond ik kampeerders die een radiozender bij zich hadden en om hulp konden vragen. Daarna heb ik een afspraak met mezelf gemaakt: ik zou nooit meer hulpeloos zijn.'

'Dus die man heeft het gered?' vroeg Leulah.

Hannah knikte. 'Hij moest wel geopereerd worden. Maar het is goed gekomen.'

Natuurlijk was doorvragen over dit intrigerende voorval – 'Wie was die kerel?' vroeg Charles – net zo zinloos als proberen met een tandenstoker krassen te maken in een diamant.

'Oké, oké,' zei Hannah lachend terwijl ze Leulahs bord afruimde, 'zo is het wel weer even genoeg voor vanavond, vind ik.' Ze gaf de klapdeur een knietje (een beetje agressief, leek me) en verdween in de keuken.

Meestal gingen we om halfzes aan tafel. Hannah deed de lampen en de muziek uit (Nat King Cole die vroeg of hij naar de maan gevlogen kon worden, Peggy Lee die verkondigde dat je pas iemand bent als iemand van je houdt), en stak de dunne rode kaarsen op het midden van de tafel aan.

Van de conversatie tijdens het eten zou Pap nou niet bepaald een hoge pet op hebben gehad (geen discussies over Castro, Pol Pot en de Rode Khmer, hoewel ze soms het materialisme ter sprake bracht: 'In Amerika is het moeilijk om geluk niet af te meten aan bezit'). Hannah was met haar kin rustend op haar hand en haar ogen zo donker als spelonken echter een meester in de Kunst van het Luisteren, en daarom hadden die etentjes twee, drie uur kunnen duren, en misschien nog wel langer, als ík niet om acht uur thuis moest zijn. ('Te veel Joyce is niet goed voor je,' zei Pap. 'Slecht voor de spijsvertering.')

Het is onmogelijk om die uitzonderlijke eigenschap van haar te beschrijven (volgens mij een van de meest in het oog springende aspecten van deze soms zo ongrijpbare vrouw), omdat wat ze deed weinig met woorden te maken had.

Het was gewoon die   manier van doen van haar. En die   was niet ingestudeerd, minzaam of geforceerd (zie hoofdstuk 9, 'Zorg dat je kind je als een van zijn vertrouwelingen beschouwt', *Word een vriend van je kind*, Howards, 2000). Klaarblijkelijk werd de kunst om puur   te zijn in het Westen volslagen ondergewaardeerd. Pap wees er graag op dat in Amerika alle Winnaars, behalve dan degenen die de loterij wonnen, over een schelle stem beschikten. Daarmee konden ze het gebrom van alle concurrerende stemmen overstemmen, waardoor ze een land creëerden dat waanzinnig luidruchtig was, zo luidruchtig dat er in al dat geluid meestal geen betekenis kon worden onderscheiden – alleen meer 'white noise' over het hele land. Dus wanneer je iemand tegenkwam die kon luisteren, iemand die er genoeg aan had om alleen maar te   , was het verschil zo overweldigend groot dat je het ontstellende en nogal eenzaam makende inzicht kreeg dat ieder ander die je sinds je geboorte had ontmoet eigenlijk helemaal niet naar je geluisterd had. Ze hadden heel subtiel hun spiegelbeeld bekeken in de spiegel vlak naast je hoofd en dachten aan wat ze later die avond moesten doen of besloten dat ze, zodra jij je mond hield, dat klassieke verhaal gingen vertellen over die aanval van dysenterie die ze op het strand van Bangladesh hadden opgelopen, waardoor ze lieten merken wat voor een wereldwijs en avontuurlijk (om niet te zeggen benijdenswaardig) menselijk wezen ze waren.

Uiteindelijk zei Hannah natuurlijk wel iets, maar ze ging je niet vertellen wat zij ervan vond of wat je moest doen. Ze stelde je alleen enkele relevante vragen, die vaak geestig waren in hun eenvoud (eentje die ik nog weet was: 'Nou, wat denk je zelf?'). Daarna, wanneer Charles de tafel afruimde, Lana en Turner op haar schoot sprongen en hun staart als een armband om haar pols krulden, en Jade muziek opzette (Mel Tormé die uitgebreid uitlegde hoe hij verslaafd aan je begon te raken), had je niet dat schrijnende gevoel dat je er alleen voor stond in de wereld. Hoe stom het ook klinkt: je had het gevoel dat je een antwoord had.

Het was die eigenschap, denk ik, die ervoor zorgde dat ze zo'n invloed had op de anderen. Zij was bijvoorbeeld de reden dat Jade, die weleens had gezegd dat ze de journalistiek in wilde, zich als freelancer bij de redactie van de *Gallway Gazette* had aangemeld, ook al had ze een bloedhekel aan Hillary Leech, de hoofdredacteur die elke les weer een exemplaar van de *New Yorker* tevoorschijn haalde en er dan uit ging voorlezen (soms irritant grinnikend om iets in de roddelrubriek). En Charles sleepte soms een dik handboek met zich mee, *Hoe word ik een Hitchcock?* (Lerner, 1999), waar ik een zondag stiekem in gebladerd had en de opdracht op de eerste pagina las: 'Voor mijn *master of suspense*. Liefs, Hannah.' Leulah gaf elke dinsdag na school bijles Natuur en Techniek aan zesdegroepers op basisschool Budde-Hill; Nigel las *Complete studiegids voor het examen voor de diplomatieke dienst* (editie 2001); Milton had vorig jaar zomer dramalessen gevolgd bij de UNCS, 'Inleiding tot Shakespeare: de kunst van het lichaam' – allemaal uitingen van maatschappelijk bewustzijn of zelfontplooiing die volgens mij oorspronkelijk door Hannah waren aangedragen, maar dan op haar   manier; waarschijnlijk dachten zij dat ze het zelf hadden bedacht.

Ook ik was niet immuun voor haar manier van inspireren. Begin oktober regelde Evita voor me dat ik Frans bij de oersaaie mevrouw Filobeque kon laten vallen en me met een groepje eerstejaars kon inschrijven voor de Beginnerscursus Tekenen bij de Dalí-decadente meneer Victor Moats. Hierover repte ik met geen woord tegen Pap. Moats was Hannahs favoriete leraar op Gallway.

'Ik bewonder Victor enorm,' zei ze terwijl ze op haar onderlip beet. 'Hij is geweldig. Nigel zit bij hem. Is hij niet geweldig? Ik vind hem geweldig. Echt waar.'

En Victor was geweldig. Victor droeg overhemden van kunstsuède in permanent magenta en gebrande sienna en had een kapsel dat onder de lampen van het tekenlokaal de glans vertoonde van *film noir*-straten, Humphrey Bogarts smoking, operavoetlicht en teer, en dat allemaal tegelijk.

Hannah kocht ook een schetsboek en vijf tekenpennen die ze had verpakt in ouderwets inpakpapier en naar mijn postbus op school stuurde. (Ze sprak nooit over dingen. Ze deed ze gewoon.) Op de binnenkant van het omslag had ze geschreven (in een handschrift dat perfect bij haar paste: elegant, met kleine geheimzinnige plekjes in de bochten van de n en de h): 'Voor je blauwe periode. Hannah.'

Af en toe haalde ik het tijdens de les tevoorschijn en probeerde ik stiekem iets te tekenen, zoals meneer Archers *radinae*-handen. Hoewel ik niet een El Greco in spe leek te zijn, genoot ik ervan om net te doen of ik een reumatische *artiste* was, een soort Toulouse die zich concentreerde op de vorm van een magere arm van een cancandanseresje, in plaats van de doodgewone Blue Van Meer, die wellicht de geschiedenis in zou gaan vanwege haar talent om koortsachtig elke lettergreep op te schrijven die een leraar uitsprak (inclusief de ehm's en eh's) voor het geval dat het bij een toets zou worden gevraagd.

❖

In haar boeiende memoires, *Mañana wordt het een geweldige dag* (1973), schrijft Florence 'Frivole Freddie' Frankenberg, een actrice die in de jaren veertig veel rollen had naast grote acteurs – ze werd beroemd omdat ze samen met Al Jolson op Broadway optrad in *Hou je zakdoek bij de hand* (ze was ook jarenlang bevriend met Gemini Cervenka en Oona O'Neil) – in hoofdstuk 1 dat de zaterdagavond in de Stork Club op het eerste gezicht een 'oase van exclusief plezier' was, ondanks het feit dat de Tweede Wereldoorlog aan de andere kant van de oceaan zich even akelig aandiende als een telegram met slecht nieuws. Wanneer je 'een nieuwe japon aanhad en je zat aan aan zo'n gezellig banket', dan had je het gevoel dat 'er niets naars kon gebeuren' omdat je werd beschermd door 'al dat geld en nerts' (blz. 22-23). Als je echter beter keek, onthult Frivole Freddie in hoofdstuk 2, was de chique Stork Club eigenlijk 'net zo vals als Rudolph Valentino tegen een vrouw die hem afwees' (blz. 41). Ze schrijft dat iedereen, van Gable en Grable tot Hemingway en Hayworth, zich zo druk maakte of hij door eigenaar Sherman Billingsley werd toegelaten in die exclusieve-zaal-van-de-al-absurd-exclusieven, de Cub Room, dat je 'de ruimte tussen hun nek en schouders als notenkraker kon gebruiken' (blz. 49). Verder onthult Freddie in hoofdstuk 7 dat ze meer dan eens bepaalde studiobonzen hoorde bekennen dat ze niet zouden aarzelen 'om een of ander mokkel overhoop te knallen' wanneer ze daarmee zichzelf verzekerden van die felbegeerde Tafel 25, de Koninklijke Kring, vanwaar je een ideaal uitzicht had op de bar en de deur (blz. 91).

Daarom kan ik niet onvermeld laten dat de spanningen bij Hannah thuis soms ook hoog opliepen, hoewel ik me vaak afvroeg of ik net als Frivole Freddie de enige was die dat zag. Soms was het net alsof Hannah J.J. Hunsecker was en de anderen konkelende Sidbey Falco's die met elkaar wedijverden haar lieveling te zijn, haar favoriete pyjama-playboy, haar luxe droomprins.

Ik weet nog de keren dat Charles werkte aan zijn tijdlijn van het *Dritte Reich* of aan zijn werkstuk over de ineenstorting van de Sovjet-Unie voor Europese geschiedenis. Dan gooide hij zijn pen door de kamer. 'Die kloteopdracht lukt me niet! Laat Hitler de klere krijgen! Net als Churchill, Stalin en dat verdomde Rode Leger!' Hannah liep dan snel naar boven om een geschiedenisboek te halen of een deel van de *Encyclopedia Britannica*. Wanneer ze terugkwam, zaten ze vervolgens een uur met hun hoofden dicht naast elkaar onder de bureaulamp als twee kleumerige duiven en probeerden ze erachter te komen in welke maand de Duitse invasie in Polen plaatsvond of wanneer precies de Berlijnse Muur viel (september 1939, 9 november 1989). Eén keer heb ik me ermee bemoeid en heb ik geprobeerd ze te helpen door ze te wijzen op het twaalfhonderd pagina's dikke geschiedeniswerk dat Pap altijd boven aan zijn Leeslijst zette, Hermin-Lewishons beroemde *Geschiedenis is macht* (1990), maar Charles keek door me heen en Hannah bladerde door de *Britannica* en behoorde kennelijk tot het soort mensen dat alles over de burgeroorlog tussen de sandinisten en de door de VS gesteunde contra's kon lezen zonder verder iets te horen. Het viel me altijd op dat tijdens die intermezzo's Jade, Lu, Nigel en Milton stopten met leren en hun voortdurend loerende blikken wezen erop dat ze Hannah en Charles scherp in de gaten hielden – misschien waren ze zelfs een beetje jaloers. Het was net een troep uitgehongerde leeuwen in een dierentuin waarvan er eentje apart wordt genomen om gevoerd te worden.

Eerlijk gezegd kon het me niet zoveel schelen hoe ze zich in haar bijzijn gedroegen. Tegen mij deden ze geïrriteerd en afstandelijk, maar tegen Hannah leken ze haar lyrische bewondering voor Cecil B. DeMilles camera te verwarren met een paar jupiterlampen die in hun richting werden gedraaid voor het filmen van *The Greatest Show on Earth*. Hannah hoefde Milton maar even een vraag te stellen, hem te prijzen voor zijn 8 voor Spaans, of meteen verdween zijn aarzelende lijzige Alabama-accent en speelde hij de rol van een dappere kleine Mickey Rooney (als Texaan) met alle maniertjes en het aanstellerig acteren van een zes jaar oude variétéveteraan.

'Heb de hele nacht gestudeerd, nog nooit zo hard gewerkt,' zei hij dan overdreven. Zijn ogen zochten dan naarstig haar gezicht af, zoals een spaniël wanhopig wacht op een prijzend woord wanneer hij een neergeschoten eend heeft geapporteerd. Ook Leulah en Jade veranderden in kleine Bright Eyes en Curly Tops. (Ik had vooral een hekel aan de momenten waarop Hannah een opmerking maakte over Jades schoonheid, wanneer ze veranderde in de snoezigste snoezepoes van allemaal, de Kleine Miss Broadway.)

Die manische tapdansjes stelden niets voor in vergelijking met de afschuwelijke momenten dat Hannah mij in het spotlicht zette, zoals de avond dat ze opmerkte dat ik de beste van de school was, dus de kandidaat was om na het eindexamen de afscheidsrede te houden. (Lacey Ronin-Smith had de putsch tijdens Ochtendmedelingen bekendgemaakt. Ik had Radley Clifton van de troon gestoten, die drie jaar onbetwist aan de macht was geweest. Omdat zijn broers Byron en Robert ook de afscheidsrede hadden mogen houden, verkeerde hij kennelijk in de overtuiging dat hij, de Vlijmdomme Radley, Goddelijke Rechten had op deze titel. Toen hij in Barrow langs me liep, kneep hij zijn ogen en zijn mond samen, en bad ongetwijfeld dat ik betrapt zou worden op Spieken en zou worden verbannen.)

'Wat zal je vader trots op je zijn,' zei Hannah. 'Ik in ieder geval wel. Ik zal je eens iets vertellen. Jij bent iemand die alles met zijn leven kan doen wat hij wil. Dat meen ik. Alles. Je kunt raketgeleerde worden. Omdat jij die zeldzame combinatie van eigenschappen hebt die iedereen wil hebben. De hersens, maar ook de gevoeligheid. Wees er niet bang voor. Denk eraan – ik weet niet meer wie het heeft gezegd –: "Geluk is een hond in de zon. We zijn niet op Aarde om gelukkig te worden, maar om geweldige dingen te ervaren."'

Dat was toevallig een van Paps lievelingscitaten (het was van Coleridge en Pap zou tegen haar zeggen dat ze het had verminkt; 'Als je je eigen woorden gebruikt, is het niet echt een citaat, vind je ook niet?'). Ze zei het niet met een glimlach, maar keek plechtig, alsof we het over de dood hadden (zie *Daar denk ik morgen over na*, Pepper, 2000). (Ze klonk ook als Roosevelt toen hij in 1941 in zijn historische radiotoespraak Japan de oorlog verklaarde, nummer 21 van Paps driedelige cd-box *Belangrijke toespraken, moderne tijden.*)

In het gunstigste geval was ik hun alleen tot last, dan was ik hun *bête noire*. Dus als je uitging van de Derde Wet van Newton ('Alle acties hebben een gelijke en tegengestelde reactie') en ze veranderden met z'n vijven in kleine Baby Face Nelsons en Dimples, dan moesten ze ook veranderen in *Lost Weekends* en *Dracula's*, al naar gelang hun gezichtsuitdrukking op het gegeven moment. Meestal probeerde ik zulke persoonlijke aandacht te ontwijken. Ik verlangde niet naar Tafel 25, de Koninklijke Kring. Ik was al blij dat ik als kneusje werd binnengelaten en was daarom dik tevreden dat ik de hele avond – voor mijn part tien jaar – aan de impopulaire Tafel 2 moest doorbrengen, te dicht bij het orkest en geen zicht op de deur.

Tijdens die kluchten vol zang en dans bleef Hannah onverstoorbaar. Ze was een en al diplomatieke glimlachjes en 'Fantastisch, lieverds'. Tijdens die momenten vroeg ik me af of ik me toch niet had vergist in mijn juichende analyse van haar, of ik, zoals Pap botweg kon zeggen in het zeldzame geval dat hij toegaf dat hij zich vergist had, 'een enorme stommeling' was geweest – bij dat zinnetje staarde hij dan berouwvol naar de grond.

Ze sprak ten slotte nooit over zichzelf. Pogingen om haar details van haar leven te ontfutselen, indirect of anderszins, liepen op niets uit. Je zou denken dat het onmogelijk was om niet iets van een antwoord te geven wanneer je een directe vraag werd gesteld – een onthullende ontsnappingspoging zoals diep ademhalen of heen en weer schietende ogen, die je dan kon vertalen in een Duister Geheim Over Haar Jeugd, gebruikmakend van Freuds *Psychopathologie van het dagelijks leven* (1901) en *Het ego en het id* (1923). Maar Hannah kon heel kalm zeggen: 'Ik heb in Chicago in Illinois gewoond en daarna twee jaar in San Francisco. Ik ben niet zo interessant, jongens.'

Of ze haalde haar schouders op.

'Ik... ik ben docente. Ik zou willen dat ik iets interessanters kon vertellen.'

'Maar je werkt parttime,' zei Nigel een keer. 'Wat doe je de rest van de tijd?'

'Geen idee. Wist ik maar waar de tijd bleef.'

Ze lachte en zei er verder niets meer over.

Ook was er nog de kwestie van een bepaald woord: Valerio. Het was hun mythische, ironische bijnaam voor Hannahs geheime Cyrano, haar spannende Darcy en haar eigen romantische 'Oh Captain! My Captain!'. Talloze keren had ik dat woord horen noemen, en toen ik eindelijk durfde te vragen wie of wat dat was, was het onderwerp zo spannend dat ze vergaten me te negeren. Gretig vertelden ze over een raadselachtig voorval. Twee jaar geleden, toen ze in de tweede klas zaten, had Leulah bij Hannah thuis een algebraboek laten liggen. Daarom brachten haar ouders haar de volgende dag even bij Hannah langs. Terwijl Hannah naar boven ging om het te pakken, ging Lu de keuken in voor een glas water. Bij de telefoon zag ze een geel notitieblokje liggen. Op het bovenste blaadje had Hannah een vreemd woord gekrabbeld.

'Ze had het helemaal volgeschreven met "Valerio",' zei Lu opgewonden. Ze had een grappige manier om haar neus op te trekken; dan leek die net een klein sokkenbolletje. 'Wel duizend keer. Een beetje gestoord leek het wel. Dat soort teksten treft een inspecteur bij csi ook aan wanneer hij inbreekt in het huis van een psychopathische moordenaar. Dat ene woord steeds opnieuw, alsof ze al bellend gedachteloos had zitten krabbelen. Maar goed, dat soort dingen doe ik ook, dus ik schonk er verder geen aandacht aan. Totdat ze binnenkwam. Ze pakte meteen het notitieblok op en hield het met de bovenkant tegen zich aan, zodat ik niets kon lezen. Volgens mij legde ze het pas neer toen ik weer in de auto was gestapt en wegreed. Ik had haar nog nooit zo vreemd zien doen.'

Inderdaad heel vreemd. Ik was zo vrij om het woord op te zoeken in Woorden, hun ontstaan en betekenis (1921) van de etymoloog Louis Bertman uit Cambridge. Valerio was een gewone Italiaanse familienaam, die 'dapper en sterk' betekende, afgeleid van de Romeinse naam Valerius die weer afgeleid was van het Latijnse werkwoord valere, 'gezond van geest, stoer en sterk zijn'. Het was de naam van verscheidene mindere heiligen in de vierde en vijfde eeuw.

Ik vroeg waarom ze Hannah niet gewoon vroegen wie hij was.

'Kunnen we niet doen,' zei Milton.

'Waarom niet?'

'Dat hebben we al gedaan,' zei Jade geïrriteerd terwijl ze sigarettenrook uitblies. 'Vorig jaar. Toen kreeg ze een vreemde rode kleur. Paars bijna.'

'Alsof we met een honkbalknuppel op haar hoofd hadden geslagen,' zei Nigel.

'Ja, je kon niet zien of ze nu bedroefd of kwaad was,' ging Jade verder. 'Ze stond daar alleen met haar mond open en verdween daarna in de keuken. Toen ze na een minuut of vijf weer tevoorschijn kwam, bood Nigel zijn excuses aan. Met een zogenaamd neutrale stem zei ze: "O, het is al goed. Ik vind het alleen niet leuk als jullie achter mijn rug om hier rondneuzen of over mij praten. Dat is kwetsend."'

'Gelul,' zei Nigel.

'Het was geen gelul,' zei Charles kwaad.

'Maar goed, we kunnen er niet weer over beginnen,' zei Jade. 'We willen haar niet nog een hartaanval bezorgen.'

'Misschien is hij haar Rosebud,' opperde ik na een tijdje. Natuurlijk was niemand enthousiast als ik mijn mond opendeed, maar deze keer draaide iedereen zijn hoofd naar mij om, bijna tegelijk.

'Haar wat?' vroeg Jade.

'Hebben jullie *Citizen Kane* gezien?' vroeg ik.

'Tuurlijk,' zei Nigel geïnteresseerd.

'Rosebud is degene naar wie de hoofdpersoon Kane zijn hele leven op zoek is. Daar wil hij heel graag naar terug. Een onbeantwoord, pijnlijk smachten naar een simpeler, gelukkiger leven. Het waren zijn laatste woorden voordat hij stierf.'

'Wat een kneus,' zei Jade nogal smakeloos.

Telkens wanneer Hannah even de kamer uit was, fantaseerde Jade, die, hoewel ze soms wel erg prozaïsch was, aanleg voor dramatiek had, maar wat graag allerlei opwindende verhalen bij Hannahs geheimzinnigheid. Soms was 'Hannah Schneider' een schuilnaam. Soms zat ze in een getuigenbeschermingsprogramma omdat ze had getuigd tegen misdaad-tsaar Dimitri 'Kaviaar' Molotov van de Howard Beach Molotovs, en was ze zodoende verantwoordelijk voor zijn veroordeling voor zestien gevallen van oplichterij. Een andere keer dacht ze dat Hannah een van de Bin Ladens was: 'Dat is net zo'n grote familie als de Coppola's.' Toen ze een keer *Sleeping with the Enemy* 's avonds laat op tv had gezien, vertelde ze Leulah dat Hannah zich schuilhield in Stockton om zich te verbergen voor haar ex-echtgenoot, die een psychopaat was en haar mishandelde. Hannahs haar was natuurlijk geverfd en ze had gekleurde contactlenzen.

'Daarom gaat ze bijna nooit uit en betaalt ze alles contant. Ze wil niet dat hij haar via haar creditcard kan opsporen.'

'Ze betaalt niet altijd contant,' zei Charles.

'Sóms wel.'

'Iedereen betaalt soms contant.'

Ik had wel schik in die wilde speculaties en ik bedacht zelf ook een paar interessante, maar ik geloofde ze vanzelfsprekend niet echt.

Pap over Dubbele Levens: 'Grappig genoeg zijn die net zo besmettelijk als analfabetisme, ME of welke culturele malaise dan ook die de cover van *Time* of *Newsweek* siert, maar helaas is de gewone man in de straat niet meer dan een gewone man zonder duistere geheimen, duistere praktijken en duistere vermoedens. Je zou bijna geen hoop meer hebben voor Baudelaire. Let wel, overspel reken ik niet mee. Daar is niets duisters aan, dat is nogal een cliché.'

Voor mezelf trok ik de conclusie dat ze een vergissing was. Het Lot was wat slordig geweest. (Waarschijnlijk omdat dat overwerkt was. Kismet en Karma waren te wispelturig om iets voor elkaar te krijgen, en het Noodlot was niet te vertrouwen.) Per ongeluk had het een buitengewone persoonlijkheid die ook nog eens adembenemend mooi was toegewezen aan een afgelegen bergstadje, waar grandeur leek op een iel boompje in een bos dat niemand opviel. Elders, in Parijs, of misschien in Hongkong, leefde een of andere Chase H. Niderhann met een gezicht als een gepofte aardappel en een stem die klonk als een voortdurende kuch háár leven, een leven met opera, zon en meren en weekendtripjes naar Kenia en met japonnen die ruisten over de vloer.

Ik besloot het heft in handen te nemen (zie *Emma*, 1816).

Het was oktober. Pap had iets met een zekere Kitty (die ik helaas nog niet van onze hor af had kunnen meppen), maar dat stelde niets voor. Waarom zou Pap genoegen nemen met een cyper wanneer hij een siamees kon krijgen? (Ik kon Hannahs sentimentele muzieksmaak de schuld geven van die obstinate visie – Peggy Lee met haar voortdurende gejammer over 'Crazy Moon' en Sarah Vaughn met haar gesnotter over haar 'Lover Man'.)

Met voor mij ongekende doortastendheid voerde ik die regenachtige woensdagmiddag mijn Disney-plan uit. Ik had tegen Pap gezegd dat ik met iemand mee kon rijden en vroeg toen of Hannah mij naar huis wilde brengen. Ik liet haar met een slappe smoes even wachten in de auto – 'Momentje, ik heb een geweldig boek voor je' –, waarna ik naar binnen rende om Pap los te trekken van Patrick Kleinmans laatste boek uitgegeven door Yale University Press, *Kroniek van het collectivisme* (2004), zodat hij naar buiten zou komen en met haar zou praten.

Hij ging mee.

Om kort te gaan: geen Sinatra-achtige 'World on a String', 'Tender Trap', 'Wee Small Hour of the Morning' en zeker geen 'Witchcraft'. Pap en Hannah wisselden maanloze beleefdheden uit. Volgens mij zei Pap zelfs: 'Ja, ik ben nog steeds van plan om een thuiswedstrijd van het footballteam bij te wonen. Daar komen Blue en ik je vast wel tegen', in een poging om de stilte te doorbreken.

'O ja,' zei Hannah. 'Jij hield van football.'

'Ja,' zei Pap.

'Jij wilde me toch een boek lenen?' vroeg Hannah aan mij.

Even later reed ze weg met mijn enige exemplaar van *Liefde in tijden van cholera* (García Márquez, 1985).

'Hoe geroerd ik ook ben door jouw pogingen om voor Cupido te spelen, schat, laat mijn romantiek nou maar aan mij over,' zei Pap terwijl hij naar binnen liep.

Die nacht kon ik niet slapen. Ook al had ik nooit iets tegen Hannah gezegd en zij ook nooit tegen mij, toch had de waterdichte hypothese postgevat dat de enige plausibele verklaring voor het feit dat ze mij had betrokken bij haar zondagse soirees en dat ze mij aan de anderen had opgedrongen (vastbesloten om als een waanzinnig geworden huisvrouw met een blikopener hun hechte groepje open te breken), was dat ze Pap wilde versieren. Omdat ik me niet kon hebben vergist in die schoenwinkel, toen haar blik onrustig over zijn gezicht danste als een *Lamproptera meges* boven een bloem (lid van de pagefamilie), en ze natuurlijk wel naar míj had geglimlacht bij Fat Kat Foods, maar dat ze eigenlijk probeerde Paps aandacht te trekken en hem te overrompelen.

Maar ik had me vergist.

's Nachts lag ik te woelen en te draaien, analyseerde ik elke blik die Hannah op mij geworpen had, elk woord, glimlach, hikje, kuchje en hoorbaar slikken, tot ik zo in de war was dat ik alleen nog maar op mijn linkerzij naar de blauw en witte gordijnen kon liggen staren waar de nacht zo langzaam wegsmolt dat het pijn deed. (Mendelsohn Peet schreef in *Domkoppen* (1932): 'De wankele kleine geest van de mens is er niet toe uitgerust om het grote onbekende te ontrafelen.')

Uiteindelijk viel ik in slaap.

'Erg weinig mensen beseffen dat het onzin is om op zoek te gaan naar antwoorden op de belangrijke levensvragen,' zei Pap eens in een bourbonstemming. 'Die houden er allemaal hun eigen grillige, zonderlinge agenda op na. Maar goed, als je geduld hebt, als je ze niet opjaagt, zullen ze zich op je storten wanneer ze zover zijn. En dan moet je niet gek opkijken als je na afloop sprakeloos bent en er van die cartoon-Tweety's om je hoofd heen tsjilpen.'

En zo ging het inderdaad.

Pygmalion

De legendarische conquistador Hernando Núñez de Valvida (*la serpiente negra*) schreef in zijn dagboek op 20 april 1521 (een dag waarop hij al tweehonderd Azteken zou hebben afgeslacht): '*La gloria es un millón ojos asustados*', wat zoveel betekent als: 'Glorie is een miljoen angstige ogen.'

Dat had me nooit zoveel gezegd, totdat ik met hen bevriend raakte.

Als de Azteken Hernando en zijn trawanten met angst bekeken, dan bekeken alle leerlingen van St. Gallway (en een niet-gering aantal leraren) Charles, Jade, Lu, Milton en Nigel met ontzag en regelrechte paniek.

Ze hadden een naam, zoals alle elitegroepjes: de Bluebloods.

Iedere dag, ieder uur (misschien zelfs iedere minuut) werd dat chique woord in elk klaslokaal en gang, elke practicumruimte en kleedkamer opgewonden en kribbig gefluisterd, altijd met een jaloerse ondertoon.

'De Bluebloods maakten vanmorgen hun entree in Scratch,' zei Donnamara Chase, een meisje dat bij Engels twee plaatsen bij mij vandaan zat. 'Ze stonden in de hoek en waren iedereen aan het jennen die langskwam totdat Sam Christenson... Ken je dat jongensachtige meisje uit de tweede klas? Nou, zij ging aan het begin van Scheikunde letterlijk tegen de vlakte. Ze moesten haar op een brancard naar de ziekenboeg rijden, en het enige wat ze zei was dat ze haar schoenen belachelijk hadden gemaakt. Ze droeg Aerosole-penny loafers van roze suède, maat 43. Wat nog niet eens zó erg is.'

Ook op mijn vorige middelbare scholen zat altijd een populair groepje, de vips die zich als een stoet limousines door de gangen voortbewogen en die hun eigen taal hadden uitgevonden om net als de woeste mannen van de Zaxoto-stam in Ivoorkust anderen te kunnen intimideren (op Braden Country was ik *mondo nuglo*, wat dat ook mocht betekenen). De astma opwekkende aura van de Bluebloods was echter ongeëvenaard. Dat was volgens mij deels te wijten aan hun diva-achtige, sexy uitstraling (Charles en Jade waren de Gary

Cooper en Grace Kelly van deze tijd), aan het aardse, legendarische dat ze hadden (Nigel was zo iel dat hij blits was, Milton zo reusachtig dat hij in was), aan hun huppelende zelfvertrouwen (zoals Lu over de Commons kon lopen, met haar jurk binnenstebuiten), maar nog meer omdat er zekere roddels over hen de ronde deden, over je weet wel en Hannah Schneider. Hannah bleef verrassend genoeg buiten de schijnwerpers; ze gaf alleen les aan die ene klas, inleidingscursus Filmkunde, in een plomp gebouw dat Loomis heette en bekend stond om zijn pretpakketvakken zoals Techniek en inleidingscursus Mode. Zoals Mae West wordt geciteerd in het uitverkochte *Ben je alleen blij mij te zien* (Paulson, 1962): 'Je bent pas iemand als je een seksschandaal hebt gehad.'

Veertien dagen na mijn eerste etentje bij Hannah hoorde ik twee vierdejaars dergelijke smerige praatjes verkopen tijdens mijn tweede studie-uur in de Centrale Leeszaal van de Donald E. Crush-bibliotheek, waar kruiswoordpuzzelfanaat meneer Frank Fletcher toezicht hield, een kale man die Verkeerstheorie gaf. De meisjes waren een twee-eiige tweeling, Eliaya en Georgia Hatchett. Met hun krullende kastanjebruine haar, hun gezette postuur, *fish-and-chips*-buik en pub-achtige huidskleur leken ze op twee olieverfschilderijen van koning Hendrik VIII, elk door een andere kunstenaar geschilderd (zie *De vele gezichten van tirannie*, Clare, 1922, blz. 322).

'Ik snap niet hoe ze hier op school een baan heeft kunnen krijgen,' zei Eliaya. 'Die is niet helemaal goed bij haar hoofd.'

'Over wie heb je het?' vroeg Georgia afwezig terwijl ze helemaal verdiept was in de kleurenfoto's van een tijdschrift, *VIP Weekly*; het puntje van haar tong stak uit haar mond.

'Hannah Schneider natuurlijk.' Eliaya wipte op haar stoel achterover en trommelde met haar dikke vingers op het omslag van het leerboek op haar schoot, *Een geïllustreerde geschiedenis van de film* (Jenoah, 2002). (Ik moest er wel van uitgaan dat ze ook van Hannah les had.) 'Ze had zich vandaag totaal niet voorbereid. Ze bleef een kwartier weg omdat ze de dvd niet kon vinden waar we naar zouden kijken. De bedoeling was *The Tramp*, maar ze kwam terug met dat verdomde *Apocalypse Now*, waar pa en ma een rolberoerte van zouden krijgen – die film is drie uur lang hoererij. Maar Hannah was helemaal de weg kwijt, ze had geen flauw benul. Ze stopte hem erin, dacht geen moment aan de leeftijdscategorie. Dus we keken naar de eerste twintig minuten en toen ging de bel. Dat joch Jamie Century vroeg wanneer we de rest mochten zien en ze zei: "Morgen." Dan paste ze de syllabus wel een beetje aan. Als ze zo doorgaat zitten we aan het eind jaar naar *Debbie Does Dallas* te kijken. Het was zó ordi.'

'Wat wil je nu eigenlijk zeggen?'

'Ze is gestoord. Ik zou er niet raar van opkijken als ze hier net zoiets doet als die Klebold op Columbine High.'

Georgia zuchtte. 'Zelfs mijn grootje weet dat ze al jaren met die Charles ketst.'

'Als twee op hol geslagen biljartballen. Zeker weten.'

Georgia boog zich naar haar zuster. (Ik moest me muisstil houden om te kunnen verstaan wat ze zei.) 'Denk je echt dat de Bluebloods helemaal Caligula worden in het weekend? Ik weet niet of ik Cindy Willard wel kan geloven.'

'Ja hoor,' zei Eliaya. 'Volgens ma gaat blauw bloed alleen met blauw bloed naar bed.'

'Tuurlijk,' zei Georgia, knikkend. Ze barstte in lachen uit, wat klonk alsof er een houten kruk over de grond werd gesleept. 'Zo houden ze hun genenpool vrij van vervuiling.'

Zoals Pap al zei, schuilt er helaas vaak enige waarheid in achterklap (hij geneerde zich niet om in de supermarkt een paar roddelbladen door te kijken wanneer hij in de rij stond: '"Plastisch chirurg plukt sterren kaal" – die kop heeft iets intrigerends'). Ik moet ook toegeven dat sinds ik op de eerste schooldag Hannah en Charles samen op het schoolplein had gezien, ik wel het vermoeden had dat er iets klefs tussen die twee speelde (hoewel ik na twee zondagen tot de conclusie was gekomen dat Charles smoorverliefd op Hannah was, maar dat ze zich tegen hem vriendelijk platonisch gedroeg). Hoewel ik geen idee had wat de Bluebloods in het weekend uitspookten (en dat zou tot half oktober zo blijven), wist ik wel dat ze hun uiterste best deden om de superioriteit van hun familielijn in stand te houden.

Ik was natuurlijk degene die die vervuilde.

Mijn invoegen in hun Magische Cirkel verliep net zo moeiteloos als de invasie van Normandië. Natuurlijk gingen we uiteindelijk wel met elkaar om, maar de eerste maand of zo – september, begin oktober – zag ik ze wel voortdurend over de campus paraderen en registreerde ik als een zwijgende, geschokte journalist de angst die ze opriepen ('Als ik ooit Jade gewond op straat zie liggen, dakloos, verminkt door lepra, zal ik de mensheid een plezier doen en nog even extra gas geven,' beloofde Beth Price plechtig bij Engels), maar ik had alleen contact met ze bij Hannah thuis.

Die eerste paar avonden was het scenario behoorlijk vernederend. Ik voelde me als een korte, dikke alleenstaande vrouw in een realityshow, *Liefde op staande voet*, waarin niemand haar mee uitnam om iets met haar te gaan drinken, en een etentje kon ze wel helemaal vergeten. Ik zat met een van Hannahs honden op haar versleten chaise longue en deed net alsof ik verdiept was in mijn huiswerk voor Kunstgeschiedenis terwijl zij met z'n vijven op gedempte toon bespraken hoe ze vrijdag helemaal los en dronken waren geweest op geheimzinnige plekken die ze 'Het Paars' en 'Het Blinde' noemden. Wanneer Hannah uit de keuken tevoorschijn kwam, wierpen ze me vettige vissenglimlachjes toe. Milton knipoogde dan, wreef schuchter over zijn knie en zei: 'Hoe is met je, Blue? Je bent zo stil.' 'Ze is verlegen,' merkte Nigel met een stalen gezicht op. Of Jade, die steevast was gekleed als een beroemdheid op de rode loper in Cannes: 'Wat een enig hemdje heb je aan. Zo eentje wil ik ook. Ik móét weten waar je dat vandaan hebt.' Charles glimlachte als een presentator van een praatprogramma met slechte kijkcijfers en Lu zei nooit iets. Wanneer mijn naam viel, bestudeerde ze haar voeten.

Hannah moet hebben gevoeld dat we op een patstelling afstevenden, want kort daarna lanceerde ze haar volgende aanval.

'Jade, waarom neem je Blue niet mee wanneer je naar Conscience gaat? Dat zal ze leuk vinden,' zei ze. 'Wanneer ga je weer?'

'Weet niet,' zei Jade verveeld. Ze lag in de huiskamer languit op haar buik op het rode tapijt de *Norton Anthology of Poetry* (Ferguson, Salter, Stallworthy, 1996) te lezen.

'Je zei toch dat je deze week zou gaan?' drong Hannah aan. 'Misschien is er nog een gaatje voor haar.'

'Misschien,' zei ze zonder op te kijken.

Ik was dat hele gesprek vergeten, tot die slome, grauwe vrijdagmiddag. Na mijn laatste les, Wereldgeschiedenis van meneer Carlos Sandborn (die zo veel gel gebruikte dat je altijd dacht dat hij net baantjes had getrokken in het zwembad), ging ik terug naar de twee verdieping van Hanover waar ik Jade en Leulah bij mijn kluisje aantrof: Jade in een zwarte Golightly-jurk, Leulah in een witte bloes en rok. Zoals Leulah daar stond met haar voeten en handen tegen elkaar – alsof ze stond te wachten tot de koorrepetitie zou beginnen – zag ze er wel vriendelijk uit, maar Jade leek wel een kind dat in een verzorgingshuis ongeduldig stond te wachten tot de haar toegewezen ouwe sok naar binnen gereden zou worden zodat ze hem monotoon *Waterschapsheuvel* (Adams, 1972) kon voorlezen, waarmee ze studiepunten voor Maatschappelijke Dienstverlening verdiende en alsnog op tijd eindexamen kon doen.

'We gaan ons haar, onze nagels en wenkbrauwen laten doen en jij gaat mee,' deelde ze met een hand in haar zij mee.

'O,' zei ik knikkend, en ik draaide aan het combinatieslot, hoewel ik volgens mij niet echt de combinatie invoerde, maar alleen eerst hard de ene kant op draaide en daarna de andere.

'Ben je zover?'

'Nu?' vroeg ik.

'Natuurlijk nu.'

'Ik kan niet,' zei ik. 'Ik heb iets anders te doen.'

'Iets anders? Wat dan?'

'Mijn vader komt me ophalen.' Vier tweedeklassers die langskwamen bleven als drijfhout in een rivier hangen bij het mededelingenbord van Duits. Ze luisterden schaamteloos mee.

'Goeie god,' zei Jade, 'toch niet die wonderpappie weer van je? Je moet ons toch eens vertellen hoe hij werkelijk heet en hoe hij er zonder masker en cape uitziet.' (Ik had de zondag ervoor de stomme fout begaan om Pap ter sprake te brengen. Ik gebruikte de omschrijving 'een briljante man', en ook 'een gezaghebbend analist van de huidige Amerikaanse cultuur'. Dat laatste had ik letterlijk overgenomen uit een twee pagina's tellend artikel in TAPSIM, het tijdschrift van het Amerikaanse Instituut voor Politicologie (zie 'Dr. Yes', voorjaar 1987, jrg. XXIV, no. 9). Dat was mijn antwoord op Hannahs vraag wat hij voor de kost deed, waarmee hij zich bezighield, en zo'n vraag over Pap leidde ongewild tot opscheppen, pochen, de monoloog vol bravoure.)

'Ze maakt maar een grapje,' zei Lu. 'Ga mee. Je vindt het vast heel leuk.'

Ik pakte mijn boeken bij elkaar en liep naar buiten om tegen Pap te zeggen dat mijn Studiegroepje *Ulysses* had besloten om een paar uur bij elkaar te komen, maar dat ik met het eten thuis was. Hij fronste toen hij Jade en Lu op de trap van Hanover zag staan: 'Denken die twee dellen dat ze Joyce kunnen lezen? Dan wens ik ze veel succes. Of nee: bid maar om een wonder.'

Ik zag dat hij eigenlijk 'nee' wilde zeggen, maar geen zin had in een scène.

'Goed dan,' zei hij met een zucht en een spijtige blik. Hij startte de Volvo. 'Succes dan maar.'

Onderweg naar het parkeerterrein kreeg ik zijn positieve recensies te horen.

'Tjezus,' zei Jade, en ze keek me met verbaasde bewondering aan. 'Je zei dat hij briljant was, maar ik begreep niet dat je dat op een Clooney-achtige manier bedoelde. Het is dat hij je vader is, anders zou ik je vragen of je voor mij geen afspraakje met hem kan regelen.'

'Hij lijkt op... hoe heet hij... de vader in *The Sound of Music*,' zei Lu.

Het verveelde me eerlijk gezegd weleens hoe Pap binnen een mum van tijd de hemel in geprezen kon worden. Zeker, ik was de eerste die op zou staan, hem rozen zou toewerpen en 'Bravo, bravo!' zou roepen. Maar soms vond ik Pap een operadiva die veel lof oogstte, ook al was hij te lui om de hoge noten te halen, vergat hij zijn kostuum en knipoogde hij na zijn eigen sterfscène; hij had iets waardoor iedereen hem bewonderde, hoe de voorstelling ook was geweest. Toen ik bijvoorbeeld Ronin-Smith, de decaan, tegenkwam in Hanover, leek het net alsof ze de minuten die Pap in haar kantoor had doorgebracht nog niet te boven was gekomen. Ze vroeg niet: 'Hoe gaat het op school?', maar: 'Hoe is het met je vader?' De enige vrouw die hem had ontmoet en niet *ad nauseam* naar hem vroeg was Hannah Schneider.

'Inderdaad, meneer Von Trapp,' zei Jade, en ze knikte peinzend. 'Hem vond ik altijd wel een stuk. En hoe zit het met je moeder?'

'Die is dood,' zei ik met een dramatische, matte stem. Voor het eerst ervoer ik hun verbaasde stilzwijgen.

Ze namen me mee naar Conscience: paarse muren, banken met zebrastrepen, gelegen in het centrum van Stockton. Daar gaf Jaire (uitgesproken als *dzjee-rié*) met zijn laarzen van krokodillenleer me een koperkleurige coupe soleil en knipte mijn haar zo dat het niet langer leek 'alsof ze het zelf heeft gedaan met een nagelschaartje'. Tot mijn verbazing stond Jade erop mijn opknapbeurt te betalen; haar moeder, Jefferson, had voor 'noodgevallen' haar zwarte American Express-kaart aan Jade gegeven voordat ze met haar nieuwe 'spetter', een skileraar 'die Tanner heette en voortdurend gesprongen lippen had', voor zes weken naar Aspen verdween.

'Je krijgt duizend dollar van me als je iets aan die borstelpony van haar kunt doen.'

De twee weken daarna werd er nog veel meer door Jefferson gefinancierd: een voorraad wegwerpcontactlenzen voor een halfjaar, aangeschaft bij opticien Stephen J. Henshaw, die de ogen had van een poolvos en snipverkouden was; verder nog kleren, schoenen en ondergoed, voor mij uitgezocht door Jade en Lu – níét op de tienerafdeling van Stickley's, maar bij Vanity Fair Bodiwear op Main Street, bij Boutique Rouge op Elm, bij Natalia's op Cherry, zelfs bij Frederick's of Hollywood ('Als je je nog eens kinky wilt uitdossen, dan adviseer ik je dit,' vertelde Jade, en ze stopte me iets in handen wat leek op het tuigje dat je aantrekt voordat je gaat parachutespringen, alleen dan in het

roze). De genadeslagen aan mijn vroeger saaie voorkomen waren vochtin-
brengende make-up, lippenbalsem op basis van tijm en mirte, oogschaduw
voor overdag (glanzend) en 's avonds (donker), die speciaal voor mijn teint op
de cosmetica-afdeling van Stickley's werd opgediept, gevolgd door een instructie van een kwartier door een kauwgum kauwende Millicent met haar
bepoederde voorhoofd en smetteloze laboratoriumjasje. (Kundig bracht ze
het hele kleurenspectrum van wit licht aan op mijn beide oogleden.)

'Je ziet er goddelijk uit,' zei Lu terwijl ze naar me glimlachte in de hand-
spiegel van Millicent.

'Wie had dat gedacht?' riep Jade met overslaande stem.

Ik was niet langer een schuchter, uilachtig wezentje, maar een schaamteloos lekker ding (afbeelding 9.0).

❖

AFBEELDING 9.0

Toen Pap deze gedaantewisseling zag, voelde hij zich natuurlijk net zoals Van Gogh zich waarschijnlijk zou voelen wanneer hij op een warme namiddag een souvenirwinkel in Sarasota binnenwandelde en naast de kartonnen honkbalpetjes en de vrolijke schelpenbeeldjes zijn geliefde zonnebloem afgedrukt zag op tweehonderd badhanddoeken voor slechts 9,99 dollar per stuk.

'Je haar lijkt wel te gloeien, schat. Haar hoort niet te gloeien. Vuur gloeit, net als verlichte torenklokken, vuurtorens, de hel wellicht. Maar mensenhaar niet.'

Vreemd genoeg zakte die verontwaardiging, op nog wat gezucht en gesteun na, vrij snel af. Ik nam aan dat het te maken had met het feit dat hij in beslag werd genomen door Kitty, of, zoals ze zich op het antwoordapparaat noemde, 'Kittekat'. (Ik had haar nog niet ontmoet, maar had wel de laatste nieuwsflitsen gehoord: 'Kitty zwijmelt in Italiaans restaurant bij Paps overpeinzingen over de menselijke natuur', 'Kitty smeekt om vergiffenis nadat ze White Russian op zijn mouw van Ierse tweed heeft gemorst', 'Kitty bereidt haar veertigste verjaardag voor en zinspeelt op trouwringen'.) Het was bizar, maar Pap leek het feit te hebben geaccepteerd dat zijn kunstwerk schaamteloos was vercommercialiseerd. Hij scheen zelfs geen wrok te koesteren.

'Ben je tevreden? Ben je verantwoordelijk bezig? Heb je respect voor die jongeren in dat *Ulysses*-studiegroepje die niet geheel onverwachts meer tijd besteden aan het rondhangen in het winkelcentrum en het blonderen van hun haar dan aan het volgen van de belevenissen van Stephen Dedalus?'

(Nee, ik heb Pap nooit verteld dat ik de zondagmiddagen níét bezig was met het bedwingen van deze literaire Mount Everest. Gelukkig had Pap het niet zo op Joyce – die overdaad aan woordspelingen verveelde hem, net als Latijn –, maar om ook maar de simpelste vragen te vermijden vertelde ik hem af en toe dat we dankzij het zwakke gestel van de anderen nog niet verder waren gekomen dan het basiskamp, hoofdstuk 1, 'Telemachus'.)

'Ze zijn behoorlijk bijdehand,' zei ik. 'Laatst gebruikte een van hen in een gesprek nog het woord "convertibel".'

'Je neemt me in de maling. Zijn het denkers?'

'Ja.'

'Geen lemmingen? Geen beenwarmers? Geen nietsnutten, netverslaafden, neonazi's? Geen anarchisten of antichristen? Geen normale jongeren die denken dat ze de eersten op aarde zijn die niet worden begrepen? Helaas verhouden Amerikaanse tieners zich tot een gewichtloos vacuüm als stoelkussens tot polyurethaanschuim.'

'Pap. Het is goed.'

'Weet je het zeker? Vertrouw nooit op een betoverend uiterlijk.'

'Ja.'

'Dan accepteer ik het.' Hij fronste toen ik op mijn tenen ging staan om zijn ruwe wang te kussen. Ik liep naar de voordeur. Het was zondag en Jade drukte met haar elleboog op de claxon. 'Veel plezier met het jonge spul,' zei hij, en hij zuchtte een beetje overdreven, maar ik negeerde hem. '"Anderen mogen iets graag willen, maar Ann krijgt haar zin."'

Een paar keer hadden Jade, Lu en ik enorm veel lol ergens om, zoals die ene keer dat ze me meevroegen om winkelcentra in achterstandswijken te verkennen. Een stelletje sukkels met afgezakte broek en een heel domme glimlach volgde ons in winkelcentrum Blue Crest ('Ongelooflijk, wat een lelijkerds – precies zoals ik had verwacht,' zei Jade terwijl ze ze bekeek door een rek met haarelastiekjes bij Earringz N'Thingz). Of toen Jade de geheimzinnige afmetingen besprak van Nigels kaarsenstandaard ('De lengte stelt niet veel voor, maar misschien is die daardoor des te sterker, pygmee-kwaliteit.' 'O god,' zei Lu, en ze sloeg haar hand voor haar mond), of de keer dat Jade en ik onderweg waren naar Hannah en onze middelvinger opstaken naar een ouwe zak (haar benaming voor elke lelijke man van boven de veertig) die het lef had om in een oude vw slingerend voor haar uit te sukkelen. (Haar voorbeeld volgend draaide ik het raampje naar beneden om mijn hand naar buiten te steken en mijn haar – nu bornietkleurig, Atomicnummer 29 – wapperde in de wind.)

Op zulke momenten leken ze echte vriendinnen met wie ik om drie uur 's nachts in een wegrestaurant bij een stuk rabarbertaart seksgeheimen kon uitwisselen en die elkaar over een tijd elke dag zouden bellen over seniorenwoningen en rugpijn en onze kalende echtgenoten, maar de lach gleed altijd van hun gezicht als papiertjes op een prikbord waarvan de punaise weg was. Dan keken ze me geïrriteerd aan, alsof ik ze had beetgenomen.

Ze brachten me met de auto naar huis. Op de achterbank probeerde ik vanwege de oorverdovende heavy metal-cd te liplezen wat ze zeiden (met veel moeite ontcijferde ik vage zinnetjes als 'kom straks naar ons toe', 'waanzinnige date'). Omdat ik niets adembenemends had gezegd – ik was zo cool als een bermuda –, wist ik donders goed dat ze me straks zouden laten vallen als vuile was en ervandoor zouden gaan in de ruisende nacht met zijn paarse hemel en zwarte bergen die over de spitse toppen van dennenbomen heen loerden. Op een niet-onthulde locatie zouden ze zich dan bij Charles, Nigel en Black (zo noemden ze Milton) voegen, en volgde er waarschijnlijk ergens seks op de achterbank, waarna ze weer naar beneden zouden scheuren, gehuld in jacks met opschriften als T-BIRD en PINK LADY.

'Hastalaballa,' riep Jade ongeveer mijn kant op terwijl ze in het achteruitkijkspiegeltje haar lippen rood verfde. Ik deed het portier dicht en hees mijn rugzak op mijn schouder.

Leulah zwaaide. 'Tot zondag,' zei ze poeslief.

Ik sjokte naar binnen – de veteraan die wenste dat de oorlog langer had geduurd.

'Wat vond jij in vredesnaam de moeite waard om aan te schaffen in een winkel die Bahama-Me-Bruin heet?' riep Pap vanuit de keuken toen hij terugkwam van een date met Kitty. Hij verscheen in de deuropening van de huiskamer en hield de oranje plastic boodschappentas die ik op de grond had gegooid omhoog alsof het een dode egel was.

'Bali-Me-Bruiner,' zei ik somber zonder op te kijken van het boek dat ik willekeurig uit de boekenkast had getrokken, De Zuid-Amerikaanse Joven-muiterij (González, 1989).

Pap knikte en besloot wijselijk om niet verder te wroeten.

Er kwam een keerpunt. (En ik weet zeker dat Hannah daarachter zat, ook al werd haar rol of wat ze tegen hen gezegd had – een ultimatum misschien, omkoping of een van haar   suggesties – nooit duidelijk.)

Het was op een vrijdag in de eerste week van oktober tijdens het zesde lesuur. Het was een tintelende, heldere herfstdag, glimmend als een pasgewassen auto, en meneer Moats, mijn tekenleraar, had de klas verzocht om met potlood no. 2 en een schetsboek naar buiten te gaan – 'Ga op zoek naar je smeltende klok!' had hij ons opgedragen terwijl hij de deur opendeed alsof hij mustangs vrijliet en zijn andere hand met een olé-gebaar in de lucht stak, waardoor hij een seconde of vier een flamencodanser was in een strakke cadmiumgroene broek. Langzaam en loom verspreidden de leerlingen zich met hun grote schetsblokken over de campus. Ik vond het lastig om uit te zoeken wat ik wilde tekenen en liep een kwartier rond voordat ik koos voor een verbleekt Cheetos-zakje dat verscholen lag in een bed van dennennaalden achter Elton. Ik zat op de betonnen muur de eerste onzekere lijntjes te tekenen toen ik iemand over het voetpad aan hoorde komen slenteren. In plaats van me te passeren stopte diegene.

Het was Milton. Zijn handen zaten diep in zijn zakken en zijn vlassige haar hing warrig over zijn voorhoofd.

'Hallo,' zei ik, maar hij gaf geen antwoord, glimlachte zelfs niet. Hij liep alleen naar mijn schetsboek en bekeek met zijn hoofd schuin mijn beverige potloodstrepen als een leraar die plotseling over je schouder heen hangt en ongegeneerd bekijkt wat je van je opstel hebt gemaakt.

'Moet je niet op school zijn?' vroeg ik.

'O, ik ben ziek,' zei hij glimlachend. 'Griep. Ik ga even langs de ziekenboeg en dan thuis naar bed.'

Ik moet even vermelden dat terwijl Charles duidelijk de casanova op St. Gallway was, populair bij meiden, homo's en cheerleaders, ik erachter was gekomen dat Milton de Dekhengst was voor de slimmeriken en de zonderlingen. Een meisje bij Engels, Macon Campins, die met markeerstift een soort kronkelende hennatekening op haar handpalmen aanbracht, beweerde waanzinnig verliefd op hem te zijn, en voor de bel ging, voordat mevrouw Simpson het lokaal binnen schuifelde die op steeds driftiger wordende fluistertoon mompelde – 'geen inkt, alleen maar lijntjespapier, geen nietjes, alles in deze school, nee, dit land, nee, de hele wereld, gaat naar de knoppen' –, kon je Macon met haar beste vriendin Engella Grand horen praten over Miltons geheimzinnige tatoeage: 'Volgens mij heeft hij hem zelf gezet. Bij Biologie zat ik te staren naar zijn opgerolde mouw. En ik weet zeker dat er een gigantische inkttekening op zijn arm zit. Zó sexy.'

Ook ik vond dat Milton iets raadselachtigs en sensueels had, waardoor ik me altijd ietwat suffig gedroeg wanneer ik alleen met hem was. Ik stond een keer borden af te spoelen en terwijl ik ze in Hannahs afwaswater dompelde, kwam hij binnen met zeven waterglazen in zijn enorme handen. Toen hij vooroverboog om ze op het aanrecht te zetten, kwam mijn kin per ongeluk tegen zijn schouder aan. Die was klam en broeierig als een kas, en ik dacht dat ik flauw zou vallen. 'Sorry, Blue,' zei hij toen hij opzijstapte. Steeds wanneer hij mijn naam zei, wat hij vaak deed (zo vaak dat het naar mijn gevoel ontzettend dicht bij ironie kwam), jojode hij ermee, maakte er een stuk elastiek van, BloeOEoe.

'Heb je plannen voor vanavond, Blue?' vroeg hij nu.

'Ja,' zei ik, hoewel hij mijn antwoord niet leek te horen. (Ik denk dat ze nu tot de conclusie waren gekomen dat ik, tenzij Hannah een vrijer voor me had geregeld, toch niets te doen had – wat niet zo'n vreemde veronderstelling was.)

'We zijn vanavond bij Jade, als je zin hebt om te komen. Ik vraag wel of ze je op komt halen. Het wordt echt helemaal te gek. Als je ertegen kunt.'

Hij liep langs me, verder het voetpad af.

'Ik dacht dat je griep had,' zei ik zachtjes, maar hij had me gehoord, want hij draaide zich om, liep terug, knipoogde naar me en zei: 'Ik voel me met de minuut beter worden.'

Toen begon hij te fluiten en trok zijn groen en blauwe stropdas recht alsof hij naar een sollicitatiegesprek ging, zwaaide de deuren van de achteringang van Elton open en verdween naar binnen.

❖

Jade woonde in een op Tara geïnspireerd Schots landhuis met vijfendertig kamers (dat zij de Bruidstaart noemde), dat was gebouwd boven op een heuvel in een suf stadje 'vergeven van de woonwagenkampen en mensen met een slecht gebit' dat bekendstond onder de naam Junk Spread (109 inw.).

'Wanneer je het huis voor de eerste keer ziet is het ordinair,' zei ze vrolijk, en ze duwde de kolossale voordeur open. (Vanaf het moment dat ze me had opgehaald had ze een soort *Gidget*-achtige vrolijkheid over zich, waardoor ik me afvroeg wat voor hemelse afspraak ze met Hannah had gemaakt; het moest iets met onsterfelijkheid zijn.)

'Ja,' zei ze, terwijl ze de voorkant van haar zwart-en-witte zijden sarong verschikte, zodat je haar helgele beha niet meer kon zien. 'Ik heb Jefferson voorgesteld om een paar van die kotszakjes die je ook in een vliegtuig hebt bij de hand te houden wanneer iemand voor het eerst hier binnenkomt. Ze heeft ze nog niet gekocht. En je hallucineert niet. Dat is inderdaad Cassiopeia. Kleine Beer in de eetkamer, Hercules in de keuken. Dat heeft Jefferson verzonnen: op elk plafond een sterrenbeeld van het noordelijk halfrond. Toen het huis werd ontworpen, had ze een relatie met ene Timber, astroloog en droomuitlegger. Toen Timber haar had gedumpt kreeg ze iets met ene Gibbs uit Engeland, die een bloedhekel had aan al die verdomde twinkelende lichtjes – "Hoe wil je al die rotlampjes gaan verwisselen?" Maar het was al te laat. De elektriciens hadden de Noorderkroon al af en de helft van Pegasus.'

De hal was uitgevoerd in verschillende tinten wit, met een gladde marmeren vloer waarop je waarschijnlijk met gemak een drievoudige *lutz* en een dubbele *spot* kon uitvoeren. Ik keek omhoog en zag daar inderdaad Cassiopeia twinkelen aan het vaalblauwe plafond, dat dezelfde kille uitstraling leek te hebben als de zoemende diepvriesafdeling van een supermarkt. Het was er ook ijskoud.

'Nee, je bent niet ziek aan het worden. Een lage temperatuur vertraagt het verouderingsproces en keert dat soms zelfs om, dus van Jefferson mag de thermostaat niet hoger staan dan vijf graden Celsius.' Jade wierp de autosleuteltjes op de massieve Korinthische zuil naast de deur, waarop een allegaartje lag van kleingeld, teennagelknippers en folders voor meditatiecursussen bij iets wat het 'Suwanee Centrum voor Spiritueel Leven' heette. 'Ik weet niet hoe het met jou zit, maar ik snak naar een cocktail. Er is nog niemand, ze zijn te laat, de klootzakken, dus ik zal je even het huis laten zien.'

Jade maakte een mudslinger voor ons, de eerste alcoholische drank in mijn leven; hij was zoet en tegelijkertijd verschroeide hij gek genoeg je keel. We begonnen aan de Grote Rondleiding. Het huis was barok ingericht en zo smerig als een logement. Onder pulserende sterrenbeelden (vele hadden gedoofde sterren, supernova's, witte dwergen) lag elke kamer er verward bij, ondanks de nauwkeurige naam die Jade eraan gaf (Speelkamer, Museumkamer, Tekenkamer). In de Keizerkamer stond bijvoorbeeld een rijk versierde Perzische *vahze* en hing een groot olieverfportret van een achttiende-eeuwse sir Zus-en-Zo; maar ook lag er een gevlekte zijden bloes over de armleuning van een bank, een omgekeerde sportschoen onder een kruk, en op een verguld bijzettafeltje zag ik smerige wattenbolletjes die vol medelijden bij elkaar waren gekropen omdat ze bloedrode nagellak van iemands nagels hadden verwijderd.

Ze liet me de Televisiekamer zien ('Drieduizend zenders en nog niks op tv'), de Speelgoedkamer met een levensgroot steigerend draaimolenpaard ('Dat is Sneeuwvlok') en de Shanghai-kamer, leeg, op een groot bronzen boeddhabeeld en twaalf kartonnen dozen na. 'Hannah vindt het prachtig als je je van zoveel mogelijk stoffelijk bezit ontdoet. Ik breng voortdurend spullen naar het Leger des Heils. Daar zou je ook eens over na moeten denken,' zei ze. In de kelder, onder Tweelingen, was de Jefferson-kamer ('waar mijn moeder eer bewijst aan haar hoogtijdagen'). Het was een ruimte van honderdvijftig vierkante meter met een tv-scherm dat in een drive-in-bioscoop niet zou misstaan. De vloerbedekking had de kleur van spareribs en aan de houten wanden hingen dertig reclameaffiches voor merken als 'Oh!' Parfum, Slinky Silk-Panty's, Keep Walkin'-Laarzen, Orange Bliss Lite en andere vage producten. Overal stond een vrouw op met worteloranje haar en een banaanglimlach die ergens tussen extatisch en fanatiek in zat (zie hoofdstuk 4, in Jones' *Don Juan de Mania*, Lerner, 1963).

'Dat is mijn moeder, Jefferson. Je mag Jeff zeggen.'

Jade fronste toen ze een van de advertenties voor Vita-vitaminen bekeek waarin Jeff, met blauwe badstoffen polsbandjes om, een gehoekte sprong maakte boven VITA VITAMINEN, DÉ WEG NAAR EEN BETER LEVEN.

'In 1978 was ze twee minuten heel beroemd in New York. Zie je hoe hier haar haar omkrult en dan boven haar oog eindigt? Die coupe had zij bedacht. Toen ze die presenteerde, sloeg die in als een bom. Hij kreeg de naam Karmozijn Marshmallow. Ze was ook bevriend met Andy Warhol. Ik geloof dat ze hem zonder pruik mocht zien. O, wacht.'

Ze liep naar het tafeltje onder de advertenties voor Sir Albert's Kruidige Worstjes ('Wat goed genoeg is voor koningen, is goed genoeg voor u!') en kwam terug met een ingelijste, waarschijnlijk recente foto van Jefferson.

'Hier poseert ze voor haar kerstkaart van vorig jaar.'

De vrouw was de veertig al lang gepasseerd en kon tot haar zichtbare ontzetting de terugweg niet vinden. Ze had nog steeds die banaanglimlach, ook al was die aan de uiteinden wat papperig geworden en had haar haar onvoldoende Kinetische Energie om zich weer in het Karmozijn Marshmallow te krullen, maar kroesde het stijfjes in een 'Rode Schroeikrans'. (Als Pap haar zou zien zou hij haar een 'verlepte Barbarella' noemen'. Of hij zou een opmerking maken over Overjarig Snoepgoed, die reserveerde hij voor vrouwen die een groot deel van hun tijd besteedden aan het tot stoppen dwingen van de Middelbare Leeftijd alsof de Middelbare Leeftijd een koppel weggelopen hengsten was: 'een gesmolten rode M&M', 'een uitgedroogde winegum'.)

Jade keek me doordringend aan, armen over elkaar, ogen samengeknepen.

'Ze lijkt me heel aardig,' zei ik.

'Zoiets als Hitler, ja.'

Na de rondleiding trokken we ons terug in de Paarse Kamer, 'waar Jefferson haar vriendjes beter leert kennen, als je begrijpt wat ik bedoel. Ik zou niet op de paisleybank bij de haard gaan zitten.' De anderen waren nog steeds niet gearriveerd en nadat Jade nog meer mudslingers had gemaakt en de lp van Louis Armstrong op de ouderwetse pick-up had omgedraaid, ging ze eindelijk zitten, hoewel haar blik als een kanarie door de kamer heen en weer schoot. Voor de vierde keer keek ze op haar horloge, een vijfde keer.

'Hoe lang woon je hier al?' vroeg ik, in een poging om elkaar beter te leren kennen. Wanneer de anderen aankwamen zouden wij ons lievelingsnummer opvoeren, 'Just Two Little Girls from Little Rock' – Jade, als een magerdere, bozere Marilyn, naast mijn Jane Russel met haar ontegenzeggelijk veel plattere borsten. Maar tot mijn teleurstelling waren de voortekenen niet gunstig om boezemvriendinnen te worden.

'Drie jaar,' zei ze afwezig. 'O, waar blijven ze nou? Ik vind het vreselijk wanneer mensen te laat komen, en Black had me bezworen dat hij hier om zeven uur zou zijn, de leugenaar,' klaagde ze – niet tegen mij maar tegen het plafond. 'Ik castreer hem.' (In Orion, het sterrenbeeld waar we onder zaten waren de lampjes niet vervangen, dus hij was zijn benen en zijn hoofd kwijt. Hij was niet meer dan een riem.)

Algauw kwamen de anderen vreemd uitgedost binnen (plastic kralenkettingen, kroontjes van een hamburgertent; Charles droeg een oud schermvest, Milton een blazer van marineblauw katoenfluweel.) Ze stormden de kamer in; Nigel ging languit op de leren bank liggen met zijn benen op de salontafel, Leulah groette met een kus in de lucht. Naar mij glimlachte ze alleen en daarna zweefde ze met glazige en rode ogen naar de bar. Milton liep naar een houten kistje op de schrijftafel in de hoek, maakte het open en haalde er een sigaar uit.

'Jadey, waar is het sigarenschaartje?' vroeg hij en hij snoof aan de sigaar.

Ze nam een trekje van haar sigaret en keek hem boos aan. 'Je had gezegd dat je op tijd zou zijn, en je bent te laat. Ik zal je haten tot aan mijn laatste snik. Bovenste la.'

Hij grinnikte besmuikt, alsof er een kussen in zijn gezicht werd gedrukt, en ik besefte dat ik graag wilde dat hij iets tegen mij zei - 'Fijn dat je ook gekomen bent, BloeOEoe' - maar dat deed hij niet. Hij zag me niet.

'Blue, wil je een dirty martini?' vroeg Leulah.

'Of iets anders,' zei Jade.

'Een shirley temple,' opperde Nigel grijnzend.

'Een cosmo?' vroeg Leulah.

'In de koelkast staat melk,' zei Nigel met een uitgestreken gezicht.

'Een dirty martini is wel lekker.' zei ik. 'Drie olijven, graag.' 'Drie olijven, graag': daar vroeg Eleanor Curd altijd om, de heldin met de smaragdgroene ogen die mannen deed huiveren van begeerte in *Terugkeer naar de waterval* (DeMurgh, 1990), gepikt uit Meikever Rita Cleary's goudkleurige leren tasje toen ik twaalf was. ('Waar is mijn boek?' vroeg ze dagenlang aan Pap, als een geesteszieke vrouw die uit een inrichting was weggelopen. Ze doorzocht elke bank, elke kast en keek onder elk kleed; soms kroop ze over de vloer, omdat ze dolgraag wilde weten of het iets werd tussen Eleanor en sir Damien of juist niet, omdat hij geloofde dat zij geloofde dat hij geloofde dat hij een achterbakse roddeltante met kind had geschopt.)

Zodra Leulah me mijn martini had gegeven werd ik door iedereen vergeten als het tweede lijntje door de telefoniste van het hoofdkantoor van een groot bedrijf.

'Dus Hannah had een date vanavond,' zei Nigel.

'Nee, hoor,' zei Charles glimlachend, hoewel hij nauwelijks waarneembaar iets meer rechtop ging zitten, alsof hij in het kussen een naald had voelen prikken.

'Wel waar,' zei Nigel. 'Ik heb haar na school gezien. Ze had iets roods aan.'

'O hemel,' zei Jade terwijl ze sigarettenrook uitblies.

Ze praatten maar door over Hannah; Jade zei nog iets over het Leger des Heils en 'bourgeoisschoften'. Van dat laatste woord schrok ik op; de laatste keer dat ik het gehoord had was toen Pap en ik door Illinois reden en Angus Hubbards *Lsd-trips: de waanideeën van de tegencultuur in de jaren zestig* lazen. Ik wist niet over wie of wat ze het had omdat ik me niet op het gesprek kon concentreren; het leek op die gemene, wazige onderste regel bij een ogentest. En ik voelde me vreemd. Ik was een werveling Interstellaire Materie, een nevel Donkere Materie, een bewijs van de Algemene Relativiteitstheorie.

Ik stond op en probeerde naar de deur te lopen, maar mijn benen voelden aan alsof ze gevraagd was om het heelal te meten.

'Jezus,' zei Jade ergens. 'Wat is er met háár aan de hand?'

De vloer zond straling uit in een breed spectrum aan golflengtes.

'Wat heb je haar te drinken gegeven?' vroeg Milton.

'Niks bijzonders. Een mudslinger.'

'Ik had toch gezegd dat je haar melk moest geven?' zei Nigel.

'Van mij heeft ze een martini gekregen,' zei Leulah.

Plotseling lag ik op de grond naar de sterren te kijken.

'Gaat ze dood?' vroeg Jade.

'We moeten haar naar het ziekenhuis brengen,' zei Charles.

'Of Hannah bellen,' zei Lu.

'Het komt wel goed.' Milton boog zich over me heen. Zijn sliertige zwarte haar leek op een inktvis. 'Laat haar maar haar roes uitslapen.'

Een vloedgolf van misselijkheid kwam vanuit mijn maag omhoog en ik kon die met geen mogelijkheid tegenhouden. Het was alsof het zwarte zeewater een karmozijnrode passagiershut op de Titanic binnendrong, zoals wordt naverteld in een van Paps lievelingsautobiografieën, het adembenemende ooggetuigeverslag *Waas voor mijn ogen, knikkende knieën* (1943) van Herbert J.D. Lascowitz. Die had uiteindelijk op zijn zevenennegentigste zijn machiavelliaans gedrag aan boord van de legendarische oceaanstomer bekend en toegegeven dat hij een onbekende vrouw had gewurgd, haar had uitgekleed, haar kleren had aangetrokken en net had gedaan alsof hij een zwangere vrouw was. Zo had hij zich verzekerd van een plek in een van de twee overgebleven reddingsboten. Ik probeerde me om te draaien en op te staan, maar de vloerbedekking en de bank wentelden omhoog en toen, alsof de bliksem vlak voor mijn voeten insloeg, gaf ik over: als in een tekenfilm spuugde ik over de tafel, de vloerbedekking, de paisleybank bij de haard en Jades zwartleren Dior-sandalen, zelfs op het koffietafelboek, *Goddank is er de telelens: sterrenfotograferen in de achtertuin* (Miller, 2002). Er zaten ook kleine, maar duidelijk zichtbare spetters op de omslagen van Nigels broekspijpen.

Ze staarden me aan.

Tot mijn schande moet ik bekennen dat hier mijn herinnering plotseling ophoudt (zie figuur 12, 'klif', *Oceaangebieden*, Boss, 1977). Ik kan me nog maar een paar zinnetjes herinneren ('En als haar familie nu een aanklacht indient?'), en dat ze op mij neerkeken alsof ik in een put gevallen was.

Toch heb ik die herinnering niet echt nodig, omdat ze de zondag erna bij Hannah thuis, toen ze me voortdurend Braak, Kots, Kokhalsje en Olijfje noemden, allemaal in geuren en kleuren hun ooggetuigeverslag gaven van wat er was gebeurd. Volgens Leulah viel ik op het gazon in slaap. Jade beweerde dat ik een zinnetje in het Spaans had gemompeld, zoiets als '*El perro que no camina, no encuentra hueso*', oftewel: 'De hond die niet loopt, vindt geen bot.' Daarna draaiden mijn ogen weg en dacht ze dat ik doodging. Milton zei dat ik me had uitgekleed. Volgens Nigel 'ging ik tekeer als Tommy Lee tijdens zijn tournee Theater of Pain'. Charles keek verbijsterd toen hij deze versies hoorde, deze 'grove verminkingen van de werkelijkheid'. Hij zei dat ik naar Jade toe was gelopen en dat zij en ik feilloos een vrijpartij hadden nagespeeld uit zijn lievelingsfilm, het cult-meesterwerk van de Franse fetisjistische regisseur Luc-Shallot de la Nuit: *Les salopes vampires et lesbiennes de Cherbourg* (Petit oiseau Prod., 1971).

'Mannen koesteren hun leven lang de wens om zoiets te kunnen zien, dus dankjewel, Kots. Dankjewel.'

'Het klinkt alsof jullie je nogal hebben vermaakt,' zei Hannah glimlachend, en haar ogen glinsterden toen ze van haar wijn nipte. 'Vertel maar niet verder. Dat is niet geschikt voor lerarenoren.'

Ik heb nooit kunnen beslissen welke versie ik moest geloven.

Nadat ik een bijnaam had gekregen, veranderde alles.

Pap zei dat mijn moeder – 'Wanneer ze een kamer binnenkwam hield iedereen vol ontzag de adem in' – zich altijd op dezelfde manier gedroeg, ongeacht met wie ze sprak of waar ze was. Wanneer ze de telefoon opnam wist Pap soms niet of ze nu praatte met 'haar beste vriendin van vroeger uit New York of met een telefonische verkoper, omdat ze het van allebei enig vond om ze aan de lijn te hebben'. '"Geloof me, ik zou het heerlijk vinden om een afspraak te maken voor een schoonmaakbeurt van de vloerbedekking – uw product is werkelijk geweldig –, maar eerlijk gezegd hebben we hier in huis geen tapijt." Daarna kon ze zich nog urenlang blijven verontschuldigen,' zei Pap.

Als haar dochter kon ik dat niet waarmaken, want ik moet toegeven dat ik me wel anders gedroeg nu ik met ze bevriend was, nu Milton direct na de Ochtendmededelingen 'Kots!' had geroepen en alle leerlingen op het schoolplein hadden gekeken alsof het brandalarm was afgegaan. Niet dat ik van de ene dag op de andere was gemuteerd in een tirannieke, vuilbekkende meid die was begonnen in het achtergrondkoortje en zich met haar ellebogen omhoog had gewerkt tot leadzangeres; maar het was een onvergeeflijk paparazzi-moment om tussen het derde en vierde lesuur met Jade Whitestone door Hanover te kuieren ('Ik ben bekaf,' verzuchtte Jade, en ze haakte haar arm om mijn nek zoals Gene Kelly doet bij een lantaarnpaal in 'Singin' in the Rain'). Ik dacht dat ik precies begreep wat Hammond Brown – de acteur uit *Vrolijke straten*, in 1928 een kassucces op Broadway, die in de rumoerige jaren twintig de bijnaam 'De Kin' had – bedoelde toen hij zei dat 'de ogen van het publiek je zijdezacht strelen'(*Applaus*, 1952, blz. 269).

Als Pap me aan het eind van de schooldag ophaalde en we ergens ruzie over kregen, zoals over mijn 'engelenhaar' of over een nieuw, iets scherper opstel dat ik had geschreven (*Tupac: portret van een modern romantisch dichter*) waarvoor ik een belachelijke 8 had gekregen ('Je eindexamenjaar is niet het moment om opeens alternatief, hip en cool te worden'), dan voelde het daarna anders. Wanneer ik me voor mijn vriendschap met de Bluebloods na een ruzie met Pap terugtrok in mijn kamer voelde ik me altijd een soort vlek; ik kon niet zien waar ik begon en waar ik ophield. Maar nu voelde het alsof ik mezelf nog steeds kon zien, mijn silhouet – een dunne, zwarte lijn, maar wel degelijk een lijn.

Mevrouw Gershon van Natuurkunde merkte ook de verandering op, zij het alleen onderbewust. Wanneer ik bijvoorbeeld in het begin van het jaar tijdens de les mijn hand opstak om een vraag te stellen, duurde het altijd een tijd voor ze me zag. Ik ging moeiteloos op in de practicumtafels, ramen en de poster van James Joule. Nu hoefde ik mijn hand maar drie, hooguit vier tellen in de lucht te houden voordat ze mij in de gaten kreeg: 'Ja, Blue?' Bij meneer Archer was dat ook zo – alle misvattingen omtrent mijn naam waren verdwenen. 'Blue' zei hij nu, zonder enige hapering of aarzeling, maar in de volste overtuiging (gelijk aan de toon die hij gebruikte voor Da Vinci). En wanneer meneer Moats naar mijn ezel liep om mijn Modeltekening te bekijken, schoot zijn blik meteen weg van mijn tekening naar mijn gezicht, alsof ik meer de moeite waard was om nauwkeurig te bekijken dan een paar beverige lijntjes op een vel papier.

Ook Sal Mineo viel het verschil op, en wanneer het hém opviel dan moest het ook Ontzettend Waar zijn.

'Ik zou maar uitkijken,' zei hij tijdens de Ochtendmededelingen tegen me. Ik keek naar zijn ingewikkelde smeedijzeren profiel, zijn vochtige ogen.

'Ik vind het fijn voor je,' zei hij, waarbij hij niet naar mij keek, maar naar het podium, waar Havermeyer, Eva Brewster en Hillary Leech de nieuwe opmaak van de *Gallway Gazette* onthulden: 'Een voorpagina in kleur, advertenties,' zei Eva. Sal slikte en zijn adamsappel, die tegen zijn hals duwde als een springveer in een oude bank, trilde, ging omhoog en zakte weer. 'Maar ze zijn er alleen maar op uit om mensen te kwetsen.'

'Waar heb je het over?' vroeg ik, geïrriteerd door zijn vaagheid, maar hij gaf geen antwoord. Toen Evita de leerlingen naar hun klas liet gaan, vloog hij het gangpad uit, zo snel als een winterkoninkje van een lantaarnpaal.

De tweeling in mijn tweede studie-uur, de Grote Sociale Criticasters van deze Eeuw (Nigel en Jade noemden Eliaya en Georgia Hatchett respectievelijk 'Dee' voor Tweedledee en 'Dum' voor Tweedledum), spuiden natuurlijk allerlei vuil over mijn omgang met de Bluebloods. Eerst hadden ze altijd smerige roddels verspreid over Jade en de anderen – met hun slurpende stemmen sproeiden ze elkaar en alle anderen helemaal onder –, maar nu zaten ze achterin, naast het gootsteentje en Hambones Aanbevolen Literatuur, te stoken met krakend-chipsgefluister.

Ik negeerde ze meestal, zelfs wanneer ik de woorden 'Blue' en 'Ssst, anders hoort ze je' hoorde sissen als een stelletje Gabon-adders. Maar als ik klaar was met mijn huiswerk vroeg ik meneer Fletcher of ik naar het toilet mocht en dook dan snel rij 500 in en daarna naar het volste gedeelte van rij 900, Biografieën, waar ik enkele grotere boeken van rij 600 verplaatste naar de gaten tussen de planken om te voorkomen dat ik zou worden ontdekt. (Bibliothecaresse Hambone, als u dit leest, dan bied ik hierbij mijn excuses aan voor het om de week verplaatsen van H. Gibbons' lijvige werk *Wilde dieren in Afrika* (1989) van zijn plek in 650 naar vlak boven *Mommie Dearest* (Crawford, 1978) en *Mijn opmerkelijke tijd met Cary Grant* (Drake, 1989). U werd niet gek.)

'Wil je nou wel of niet alles horen, de toeters, de bellen, de catastrofe, het Kroonjuweel, de Jewel après orthodontie, de buikspieren van Madonna après hatha-yoga' – ze haalde snel adem, slikte – 'de Ted Danson après haarstukje, de J-Lo avant Gigli, de Ben Affleck avant J-Lo maar après therapie tegen gokverslaving, de Matt après...'

'Denk je soms dat je een blinde bard bent of zo?' vroeg Dum terwijl ze opkeek van haar broddelblad. 'Ik dacht het niet.'

'Oké, Elena Topolos dus.

'Elena Topolos?'

'Mediterrane eerstejaars die nodig haar snor moet waxen. Ze vertelde me dat die Blue-meid een of andere maffe autistische geleerde is, maar ook dat we een man aan haar kwijt zijn.'

'Wat?'

'Krachtlijf. Hij is helemaal gek van haar. Het heeft al mythische vormen aangenomen. Iedereen in het voetbalelftal noemt hem Aphrodite, maar dat kan hem niet schelen. Bij één vak zit hij bij die Blue in de klas en iemand heeft gezien dat hij uit de prullenmand een papiertje opviste alleen maar omdat zij het had aangeraakt.'

'Dat meen je niet.'

'Hij gaat haar vragen voor het kerstgala.'

'Wat?!' gilde Dee.

Meneer Fletcher keek op van *De ware uitdaging voor de kruiswoordpuzzelfanaat*, (Albo, 2002) en wierp een afkeurende blik op Dee en Dum. Dat maakte niet veel indruk.

'Het gala is over drie maanden,' zei Dee huiverend. 'Dat is een heilige oorlog op een middelbare school. Mensen worden zwanger, worden betrapt met marihuana of slecht geknipt door de kapper, waardoor ze erachter komen dat hun kapsel hun enige sterke punt was en dat ze afschuwelijke oren hebben. Het is véél te vroeg om haar nu al te vragen. Is hij gek geworden?'

Dee knikte. 'Zo bezeten is hij van haar. Zijn ex Lonny is razend. Ze heeft gezworen dat ze een ware jihad tegen haar zal ontketenen.'

'Ai.'

Pap mocht graag opmerken 'dat soms zelfs een dwaas gelijk heeft', maar toen ik de volgende dag mijn boeken uit mijn kluisje pakte, was ik toch verbaasd dat een jongen uit mijn Natuurkundeklas niet één keer langsliep, maar wel drie keer. Hij was zogenaamd helemaal verdiept in een enorm groot boek, dat ik de tweede keer dat hij langskwam herkende als ons leerboek *Grondslagen*

van de natuurkunde (Rarreh & Cherish, 2004). Ik nam aan dat hij wachtte op Allison Vaugh, de ernstige, maar redelijk populaire laatstejaars met een kluisje vlak bij het mijne die rondliep met een fletse glimlach en een keurig kapsel. Toen ik mijn kluisje dichtdeed, stond hij echter achter me.

'Hallo,' zei hij. 'Ik ben Zach.'

'Blue.' Ik slikte krampachtig.

Hij was een lange, gebruinde, bijzonder Amerikaans uitziende jongen: vierkante kin, grote rechte tanden, absurd jacuzzi-blauwe ogen. Van roddels tijdens de practica wist ik vaag dat hij verlegen was, een beetje grappig (mijn practicumpartner Krista vergat ons hele proefje wanneer ze moest giechelen om iets wat hij had gezegd) en aanvoerder van het voetbalelftal. Zijn partner bij practicum was zijn vermeende ex-vriendin, Lonny, medeaanvoerster van Gallway Spirit. Ze had saai, platinablond haar, een nepbruine huid en een uitgesproken aanleg om instrumenten kapot te maken. Geen nevelkamer, potentiemeter, wrijfstaaf of krokodillenklem was veilig voor haar. Wanneer op maandag iedereen in onze klas zijn resultaten op het bord had geschreven, wiste onze leraar mevrouw Gershon altijd meteen de uitkomsten van Lonny en Zach uit omdat die recht tegen de opvattingen van de huidige wetenschap ingingen – ze trokken de Constante van Planck in twijfel, ondermijnden de Wet van Boyle of veranderden de zwaartekrachttheorie van E=mc² in E=mc⁵. Volgens Dee en Dum hadden Lonny en Zach al vanaf groep acht verkering en hadden ze de afgelopen jaren elke zaterdagavond gedaan aan zogenoemde 'leeuwenseks' in de 'bruidssuite' – kamer 222 in het Dynasty Motel aan Pike Avenue.

Hij was knap, zeker, maar zoals Pap eens had gezegd: er zijn mensen die hun eigen decennium volkomen hebben gemist, die zijn in de verkeerde tijd geboren; niet zozeer in intellectuele zin als wel vanwege een bepaalde uitdrukking op hun gezicht die beter past bij de victoriaanse tijd dan bij het Ik-tijdperk. Nou, dat joch was twintig jaar te laat geboren. Hij was de jongen met dik bruin haar dat als een vliegende schotel boven één oog hing, de jongen die meisjes ertoe bracht om zelf hun jurk voor het schoolbal te naaien, de jongen van de golfclub. En misschien had hij stiekem een diamanten oorbel, of handschoenen met lovertjes, of kon hij uiteindelijk met wat hulp van een keyboard best goed zingen, maar niemand zou dat te weten komen, want als je niet in je goede decennium bent geboren kom je nooit toe aan het 'uiteindelijk'. Dan blijf je halverwege dobberen, besluiteloos, door iedereen vergeten, verward en mislukt. (Een typisch geval van jammer maar helaas.)

'Ik hoopte eigenlijk dat je me ergens mee zou willen helpen,' zei hij terwijl hij aandachtig zijn schoenen bekeek. 'Ik zit met een ernstig probleem.'

Ik voelde een irrationele angst opkomen. 'Hoezo?'

'Er is een meisje...' Hij zuchtte, haakte zijn duimen in de lussen van zijn riem. 'Ik vind haar aardig. Ja. Echt aardig.' Hij trok een beschaamd gezicht, kin naar beneden, zijn ogen op mij gericht. 'Ik heb nog nooit met haar gepraat. Nog nooit een woord met haar gewisseld. Normaal gesproken zou ik daar niet zo... Normaal gesproken zou ik recht op haar af stappen, en vragen of ze meeging een pizza eten... naar de film... ja. Maar zíj. Zij brengt me helemaal in de war.'

Hij streek met zijn rechterhand door zijn haar, waar om een mysterieuze reden geen enkele klit in zat, alsof het een shampooreclamespotje was. Zijn linkerhand wiegde nog steeds het natuurkundeboek en hij hield het om de een of andere bizarre reden open bij bladzij 123, waarop een vrij grote tekening stond van een magentarode plasmabal. In de holte van zijn elleboog kon ik nog net ondersteboven lezen: 'Plasma is de vierde aggregatietoestand.'

'Dus zeg ik tegen mezelf: oké,' zei hij schouderophalend, 'het mag kennelijk niet zo zijn. Want als je je niet op je gemak voelt om met iemand te praten, hoe moet je dan... Je moet die ander vertrouwen, toch, want wat heeft het anders voor zin. Maar...' Hij kijkt fronsend naar de uitgang aan het andere eind van de gang. 'Telkens wanneer ik haar zie, voel ik me... voel ik me...'

Ik had niet verwacht dat hij zijn zin zou afmaken, maar toen verscheen er een brede glimlach op zijn gezicht. '... echt te gek.'

De glimlach zat op zijn gezicht vastgespeld, broos als een schoolbalcorsage.

Nu was het mijn beurt om iets te zeggen. De woorden waren er wel – advies, therapie, iets kernachtigs uit een klucht –, maar ze bleven steken in mijn keel en verdwenen daarna zo snel als selderie in een afvalvergruizer.

'Ik...' begon ik.

Ik voelde zijn pepermuntadem op mijn voorhoofd en hij keek me aan met zijn ogen die de kleur hadden van een pierenbad (blauw, groen en enkele verdachte vleugjes geel). Hij keek me onderzoekend aan alsof hij me hield voor een stoffig meesterwerk op iemands zolder en hij mijn knappe gebruik van kleur en schaduw en ook mijn penseelvoering nauwkeurig bekeek om erachter te komen wie mijn schilder was.

'Kots?'

Ik draaide me om. Nigel kwam langzaam op ons af, zichtbaar geamuseerd.

'Ik kan je echt niet helpen, dus als je me zou willen excuseren,' flapte ik er snel uit, en ik schoot er daarna langs zijn schouder en natuurkundeboek snel vandoor. Ik keek niet om, zelfs niet toen Nigel en ik bij het mededelingenbord Duits waren en ook niet bij de uitgang. Ik ging ervan uit dat hij me in de gang met open mond stond na te staren als een nieuwslezer bij wie de autocue uitvalt.

'Wat wilde die Chippendale?' vroeg Nigel terwijl we de trap afliepen.

Ik haalde mijn schouders op. 'Geen flauw idee. Ik kon zijn logica niet helemaal volgen.'

'O, je bent vreselijk.' Nigel lachte een snel wegstervend lachje en stak zijn arm door de mijne. We waren Dorothy en de Laffe Leeuw.

Nog maar een paar maanden geleden zou ik verbijsterd zijn geweest, misschien zelfs als aan de grond genageld hebben gestaan wanneer El Dorado op me af was gekomen en lang aan het woord was geweest over Een Meisje. ('De hele geschiedenis draait altijd wel om een meisje,' zei Pap met iets van spijt in zijn stem wanneer we naar *De prins der duisternis* keken, de bekroonde documentaire over Hitlers jeugd.) In het verleden had ik allerlei momenten van Verborgen Begeerte gehad wanneer ik keek naar de El Dorado's die door de stilgevallen gangen galoppeerden, de lege footballvelden van een eenzame school – zoals Howie Easton op Clearwood Day met dat kuiltje in zijn kin en die spleet tussen zijn tanden waardoor hij zo mooi kon fluiten dat hij Wagners hele *Ring des Nibelungen* (1848-1874) had kunnen fluiten als hij dat had gewild (dat wilde hij niet) – en het was mijn stille wens dat ik voor één keer met ze mee mocht rijden de wildernis in, dat ik, en niet Kaytee Jones met haar Hawaïaanse ogen, of Priscilla Pastor Owensby met haar eindeloos lange benen, hun favoriete Allapoosla zou zijn.

Maar nu lag alles anders. Nu had ik koperkleurig haar en plakkerige mirtelippen, en zoals Jade die zondag tijdens het etentje bij Hannah zei: 'De Zach Soderbergs van deze wereld zijn knap, zeker, maar ze zijn zo saai als een droog toastje. Goed, je hoopt dat het als je je tanden erin zet Luke Wilson blijkt te zijn. Zelfs met Johnny Depp die zich zo belachelijk fout kleedt bij belangrijke prijsuitreikingen zou je gelukkig zijn. Maar geloof mij nou maar: het is en blijft een droog toastje.'

'Over wie gaat het?' vroeg Hannah.

'Een jongen bij Natuurkunde,' zei ik.

'Hij is een behoorlijk populaire laatstejaars.'

'Je zou zijn haar eens moeten zien,' zei Nigel. 'Volgens mij heeft hij een transplantatie laten doen.'

'Nou, hij is aan het verkeerde adres,' zei Jade. 'Kots is al smoor op iemand anders.'

Ze keek triomfantelijk naar Milton, maar tot mijn opluchting sneed hij net een stuk af van zijn Deense gegrilde kip met zonnebloempitjes en zoete aardappelpuree.

'Dus Blue gaat harten breken,' zei Hannah, en ze knipoogde naar me. 'Dat werd tijd.'

❖

Ik had wel mijn twijfels over Hannah.

Daar voelde ik me schuldig over, want de anderen vertrouwden haar op dezelfde ongecompliceerde manier waarop een oud paard een ruiter accepteert en een kind een uitgestoken hand pakt om de straat over te steken.

Vlak na mijn poging om haar te koppelen aan Pap deed ik bij haar thuis soms niet mee aan het tafelgesprek. Dan keek ik de kamer rond alsof ik een vreemde was die met zijn neus tegen het raam gedrukt naar binnen stond te gluren. Ik vroeg me af waarom ze zich zo interesseerde voor mijn leven, mijn geluk, mijn kapsel ('Enig,' zei zij. 'Je ziet eruit als een berooide lichtekooi,' zei Pap); waarom ze zich überhaupt voor ieder van ons interesseerde. Ik vroeg me af of ze wel volwassen vrienden had, waarom ze niet was getrouwd of een van die dingen had gedaan die Pap 'huiselijke flauwekul' noemde (suv's, kinderen), 'waar de mensen wier leven zo uit een tv-comedy lijkt te komen zich krampachtig aan vastklampen in de hoop dat ze nog enige betekenis geven aan hun leven vol ingeblikt gelach'.

In haar huis waren geen foto's. Op school zag ik haar nooit praten met een andere leraar, behalve met Eva Brewster, en dat ook maar één keer. Hoezeer ik haar ook adoreerde – vooral op de momenten dat ze zich liet gaan en lekker gek deed, wanneer er een lievelingsliedje van haar werd gespeeld en zij met een wijnglas in haar hand op blote voeten midden in de kamer een grappig dansje deed en de honden naar haar opkeken zoals fans naar Janis Joplin opkeken die 'Bobby McGee' zong ('Ik heb ooit in een bandje gezeten,' zei Hannah verlegen terwijl ze op haar lip beet. 'Leadzangeres. Ik had mijn haar rood geverfd') –, toch moest ik denken aan een boek van de vooraanstaande neurofysicus en criminoloog Donald McMather, *Sociaal gedrag en onweerswolken* (1998).

'Een volwassene met een overdreven belangstelling voor hen die aanzienlijker jonger zijn dan hij of zij kunnen niet helemaal oprecht of zelfs rationeel zijn,' schrijft hij op blz. 424, hoofdstuk 22, 'De aantrekkingskracht van kinderen'. 'Zo'n obsessie verhult vaak iets heel duisters.'

The Mysterious Affair at Styles

Ik was zo'n week of drie, vier dikke maatjes met de Bluebloods toen Jade als een Sherman-tank mijn niet-bestaande seksleven binnenviel.

Niet dat ik haar aanval al te serieus nam. Wanneer het echt zover kwam, zou ik er waarschijnlijk spoorslags vandoor gaan, zoals Hannibals olifanten tijden de Slag bij Zama Regia in 202 v.Chr. (Ik was twaalf toen Pap mij zonder enig verder commentaar verscheidene boekwerken gaf om te lezen en over na te denken, waaronder *De schaamcultuur en het Schaduwenrijk* (1993) en *De middenweg tussen Puriteinen en Brazilië: hoe krijg ik een gezonde seksualiteit* (Mier, 1990) van C. Allen, en het afschrikwekkende *Wat u niet wist over witte slavernij* (Paul, Russell, 1996).

'Je hebt nog nooit geneukt, hè Kots?' wierp Jade me op een avond voor de voeten. Ze tikte opzettelijk de as van haar sigaret af in een gebarsten blauwe *vahze* naast haar, als een of andere psychiater in een film die met haar messcherpe nagels en samengeknepen ogen hoopte dat ik een geweldsmisdrijf zou bekennen.

De vraag hing in de lucht als de nationale vlag bij windstil weer. Het was duidelijk dat de Bluebloods, ook Nigel en Lu, seks benaderden alsof het om leuke stadjes ging waar ze doorheen moesten zoeven om lekker te kunnen opschieten op hun reis naar Ergens (en ik was er niet zo zeker van of ze wel wisten wat hun reisdoel was). Onmiddellijk flitste Andreo Verduga door mijn hoofd (met ontbloot bovenlijf struiken aan het snoeien) en ik vroeg me af of ik snel een broeierige situatie kon verzinnen in het bed van zijn pick-up (leunend tegen een hoop muls, rollend door de tulpenbollen, met mijn haar klem in de grasmaaier), maar was zo wijs om dat niet te doen. 'Maagden spreiden hun verbijsterende gebrek aan kennis en ervaring tentoon met de subtiliteit en bluf van bijbelverkopers,' schreef de Britse komiek Brinkly Starnes in *Een Harlequin-romance* (1989).

Na mijn stilzwijgen knikte Jade veelbetekenend. 'Daar zullen we dan iets aan moeten doen,' zei ze zuchtend.

Op de vrijdagavonden na deze pijnlijke onthulling, nadat ik van Pap toestemming had gekregen om de avond bij Jade thuis door te brengen ('Die Jade, zit die ook bij je Joyce-fanclubje?'), tooiden we ons in een schoolbaljapon van Jefferson's Studio 54 en reden in een uur naar een café langs de kant van de weg in Redville, net over de grens met South Carolina.

Het heette café Het Blinde Paard (of LIN PA, zoals het uithangbord in uitdovende roze neonletters fluisterde), een chagrijnige tent waarvan Jade beweerde dat zij er met z'n vijven al 'jaren' kwamen en die er vanbuiten uitzag als een verbrande cake (rechthoekig, zwart, geen ramen) die was neergezet op een terrein dat was bestraat met oudbakken koek. Gewapend met lachwekkende nep-identiteitsbewijzen (ik was Roxanne Kaye Loomis, bruine ogen, tweeëntwintig, 1 meter 65, Maagd, orgaandonor; ik zat op Clemson en studeerde Chemische Technologie; 'Altijd zeggen dat je veel interesse hebt in technologie,' legde Jade uit. 'Niemand weet wat het precies inhoudt en ze vragen er verder ook niet naar want het klinkt oersaai') wrongen we ons langs de uitsmijter, een grote, zwarte man die ons aanstaarde alsof we bij Disney on Ice schaatsten en vergeten waren andere kleren aan te trekken. Binnen klonk luide countrymuziek en zaten voornamelijk mannen van middelbare leeftijd met houthakkershemden die hun bierpul vasthielden alsof het een leuning was. De meesten keken met open mond naar vier televisies die aan het plafond hingen en waarop een honkbalwedstrijd of het plaatselijke nieuws te zien was. Vrouwen stonden in kleine kringetjes bij elkaar en al pratend frummelden ze aan hun haar alsof ze een laatste hand legden aan een inzakkend boeket. Ze wierpen voortdurend boze blikken naar ons, vooral naar Jade (zie 'Grommende jachthonden', *Hoe leeft men in de Appalachen?*, Hester, 1974, blz. 32).

'Nu gaan we op zoek naar Blues bofkont,' kondigde Jade aan. Haar blik kroop de hele ruimte door, over de spelende jukebox achterin, de barman die merkwaardig energiek drankjes inschonk alsof hij een soldaat was die net in Saigon was aangekomen, en de houten bankjes tegen de verste muur waar meisjes zaten die zo'n verhit en vettig voorhoofd hadden dat je er een eitje op kon bakken.

'Ik zie er niks lekkers tussen zitten,' zei ik.

'Misschien moet je wachten op de ware Jakob,' zei Leulah. 'Of op Milton.'

Jade en Lu maakten er voortdurend grappen over dat ik 'het zwaar te pakken had van Milton', dat ik niets liever wilde dan dat het 'Black en Blue' zou worden, dat hij mijn 'Black & Decker' werd, enzovoort – aantijgingen die ik ontkende (hoe waar ze ook waren).

'Kennen jullie de uitdrukking "niet schijten waar je eet" niet?' vroeg Jade. 'Kijk, daar. Dat lekkerdje aan het einde van de bar, die met die malariamug zit te praten. Hij draagt een hoornen bril. Weet je wat een hoornen bril betekent?'

'Nee,' zei ik.

'Sta toch niet de hele tijd je jurk naar beneden te trekken, je lijkt wel een kind van vijf. Dat betekent dat het een intellectueel is. Je bent niet te ver van de beschaafde wereld wanneer er iemand met een hoornen bril aan de bar zit. Hij is geknipt voor jou. Ik verga van de dorst.'

'Ik ook,' zei ik.

'We zijn niet helemaal naar deze uithoek gereden om onze eigen drankjes te betalen,' zei Jade. 'Blue? Mag ik mijn sigaretten?'

Ik pakte ze uit mijn tasje en gaf ze aan haar.

Jades pakje Marlboro Light was het instrument (*boleadoras*) waarmee ze nietsvermoedende mannen (*cimarrón*) in een hinderlaag lokte. (Jades beste vak – het enige vak waarin ze uitblonk – was Spaans.) Ze begon door het café te lopen (*estancias*) en koos een aantrekkelijke, gespierde kerel uit die een beetje apart stond van de rest (*vaca perdida*, of afgedwaalde koe). Ze liep langzaam en volstrekt in balans naar hem toe en tikte hem zachtjes op de schouder.

'Heb je een vuurtje voor me, *hombre*?'

Deze openingszin riep onvermijdelijk twee mogelijke scenario's op:

1 Hij ging gretig op haar verzoek in.
2 Als hij geen vuurtje had, ging hij er driftig naar op zoek.

'Steve, heb jij vuur? Arnie, jij? Henshaw. Een aansteker. Lucifers zijn ook goed. McMundy, jij? Cig – weet jij of Marcie een vuurtje heeft? Ga maar vragen, prima. En Jeff? Nee? Dan vraag ik het wel aan de barman.'

Als nummer twee het resultaat was, dan stond tegen de tijd dat de cimarrón terugkwam Jade jammer genoeg al uit te kijken naar ander afgedwaald vee. Dan bleef hij doodstil achter haar staan, soms wel vijf of tien minuten, en deed niets anders dan op zijn onderlip bijten en recht vooruit staren, en af en toe loeide hij treurig 'Sorry?' tegen haar rug of schouder.

Uiteindelijk hoorde ze hem.

'Hmm? O, *gracias, chiquito*.'

Wanneer ze hem er rijp voor achtte, vuurde ze twee vragen op hem af:

1 Waar zie je jezelf over, laten we zeggen, twintig jaar, *cabrón*?
2 Wat is je lievelingsstandje?

Meestal was hij niet in staat om meteen op een van die twee vragen antwoord te geven, maar zelfs wanneer hij zonder aarzelen nummer twee beantwoordde, of wanneer hij zei 'sous-chef afdeling Verkoop bij Axel Corp' moest Jade hem toch slachten en hem direct boven een open vuur roosteren (de *asado*).

'Dan zijn we helaas wel zo'n beetje uitgepraat, wegwezen, *muchacho*.'

Meestal reageerde hij niet en staarde hij haar alleen maar met onnozele, rode ogen aan.

'*Vamos!*' riep ze. Leulah en ik beten op onze lip om niet in lachen uit te barsten en renden achter haar aan, baanden ons een weg door het café (*pampas*), waar het vol zat met ellebogen, schouders, veel haar en bierpullen, naar de DAMES. Jade werkte zich met haar ellebogen langs de tien *muchachas* die in de rij stonden te wachten en legde uit dat ik zwanger was en moest overgeven.

'Gelul!'

'Als ze zwanger is, waarom is ze dan zo mager?'

'Waarom drinkt ze dan? Dan wordt je baby toch te vroeg geboren?'

'Pijnig je grote hersenen niet zo, *putas*,' zei Jade.

Om de beurt piesten we gierend van de lach op het invalidentoilet.

Soms, wanneer Jades sigaret met snelle precisie was aangestoken, begon ze een echt gesprek, ook als dat voornamelijk bestond uit nog meer vragen die Jade luid op hem afvuurde en waar de man alleen maar 'huh' op kon loeien alsof hij gevangenzat in een toneelstuk van Beckett.

Soms had de man een vriend die Leulah doordringend aanstaarde, en één keer staarde een man, die kennelijk kleurenblind was en meer haar had dan een bobtail, naar mij. Jade knikte enthousiast en trok aan haar oorlel (haar teken voor 'Dit is hem'), maar toen de man zijn hoofd met al dat haar naar mij toe boog om te vragen of ik weleens in Leisure City was geweest en wat ik ervan vond, kon ik om de een of andere reden geen antwoord verzinnen. ('"Prima" is dodelijk. Zeg nooit "prima", Kots. En dan nog iets: je pa is een enorme bink, maar als je hem nog één keer in een gesprek opvoert, snijd ik je tong eruit.') Na een veel te lange stilte zei ik: 'Niet zo bijzonder.'

Eerlijk gezegd vond ik het wel een beetje eng zo opdringerig als hij zich naar mij vooroverboog, met zijn bieradem en zijn kin die onder al dat haar de vorm van een ijshoorntje leek te hebben, hoe hij naar mijn bovenlijf keek alsof hij niets liever zou willen dan mijn motorkap omhoog doen en mijn carburateur inspecteren. 'Niet zo bijzonder' was niet het antwoord waar hij op hoopte, want hij glimlachte flauwtjes en probeerde daarna de motorkap van Leulah open te krijgen.

Het kwam ook weleens voor dat Jade ineens weg was wanneer ik naar de plek bij de deur keek waar ze even daarvoor nog haar Angus-stier had staan keuren om te zien of hij een aanwinst was voor haar kudde. Ze was nergens – niet bij de jukebox, niet bij het meisje dat een ander meisje haar gouden kettinkje liet zien. 'Dat heeft hij voor mij gekocht. Lief, hè?' (Het zag eruit als een vergulde duimnagel.) Ze was ook niet in de vochtig warme gang met de banken en de flipperkasten, niet bij de man die aan de bar gebiologeerd teletekstondertitels op tv stond te lezen ('Bij een roofoverval in Burns County zijn drie doden gevallen. Cherry Jeffries is voor ons ter plaatse'). De eerste keer dat dat gebeurde was ik doodsbang (ik had *Het verdwenen meisje* (Eileen Crown, 1982) gelezen toen ik daar eigenlijk nog te jong voor was en dat had een onuitwisbare indruk op me gemaakt) en ik waarschuwde meteen Leulah (die, hoewel ze er keurig en ouderwets uitzag, heel uitdagend kon zijn met haar mierzoete lachje en de manier waarop ze haar dikke vlecht om haar hand wond, en die een kleinemeisjesstemmetje kon opzetten waardoor mannen als strandparasols over haar heen hingen).

'Waar is Jade?' vroeg ik. 'Ik zie haar niet.'

'Ergens,' zei ze luchtig, terwijl ze haar blik niet van Luke afwendde, een man met een wit T-shirt dat wel van huishoudfolie gemaakt leek en met armen als rioolbuizen. In woorden niet langer dan twee lettergrepen vertelde hij haar het fascinerende verhaal over hoe hij wegens treiteren van West Point was getrapt.

'Maar ik zie haar nergens,' zei ik zenuwachtig terwijl mijn blik door de ruimte dwaalde.

'Ze is op de wc.'

'Is alles goed met haar?'

'Tuurlijk.' Leulahs ogen hadden zich vastgezogen aan Lukes gezicht – of hij verdomme Dickens was of Mark Twain.

Ik wrong me tussen de mensen door naar de dames-wc.

'Jade?'

Het was er broeierig, troebel als een niet schoongemaakt aquarium. Meisjes in topjes en strakke broeken verdrongen zich voor de spiegel, stiftten hun lippen, streken met hun nagels door hun haar dat zo stijf was als limonaderietjes. Flarden wc-papier kronkelden over de vloer en de handendroger gierde, hoewel niemand zijn handen droogde.

'Jade? Jade? Ben je daar?'

Ik bukte en zag haar metallic-groene sandalen in de invaliden-wc.

'Jade? Alles goed?'

'Godallemachtig, wat is er nou?'

Ze deed de deur open. Die bonkte tegen de muur. Ze stapte naar buiten. Achter haar, ingeklemd tussen de wc-pot en de closetrolhouder, zat een man van een jaar of vijfenveertig met een volle bruine baard die zijn gezicht verdeelde in het soort grillige vormen die derdegroepers bij Knutselen op de ramen plakten. Hij droeg een spijkerjasje met te korte mouwen en zag eruit alsof hij allerlei geschreeuwde commando's zou opvolgen, zoals 'Hier komen!', en: 'Pak ze!' Zijn riem was los en hing als een ratelslang naar beneden.

'O, ik, ik...' stotterde ik. 'Ik...'

'Ben je stervende?' Haar gezicht was vaalgroen in het licht, glanzend als een zeehond. Dunne gouden haren zaten als vraagtekens en uitroeptekens tegen haar slapen gekleefd.

'Nee,' zei ik.

'Ben je van plan om binnenkort dood te gaan?'

'Nee...'

'Waarom val je me dan lastig? Ik ben verdomme je moeder niet.'

Ze maakte rechtsomkeert, sloeg de deur dicht en deed hem op slot.

'Wat een kreng,' zei een latino-vrouw die bij de wasbak vloeibare eyeliner aanbracht; haar bovenlip zat strak om haar voortanden heen, als huishoudfolie om een kliekje. 'Een vriendin van je?'

Ik knikte beduusd.

'Ik zou die slet verrot slaan.'

Tot mijn diepe afgrijzen kwam het ook voor dat Leulah vijftien, soms twintig minuten in de DAMES verdween (er was sinds Beatrice in zevenhonderd jaar veel veranderd; trouwens, ook sinds Annabelle Lee). Na afloop straalden Jade en zij; ze hadden zelfs een arrogante blik in hun ogen alsof ze dachten dat ze op het invalidentoilet geheel zelfstandig van pi het laatste cijfer achter de komma hadden uitgerekend, hadden ontdekt wie Kennedy had vermoord, de Missing Link hadden gevonden.

'Blue zou het ook eens moeten proberen,' zei Leulah een keer toen we naar huis reden.

'Geen sprake van,' zei Jade. 'Je moet ervaren zijn.'

Natuurlijk wilde ik ze vragen waar ze in vredesnaam mee bezig waren,

148

maar ik had het gevoel dat het ze niet interesseerde wat Robard Nevberovitsj, de Rus die als vrijwilliger in 234 Amerikaanse opvanghuizen voor van huis weggelopen kinderen had gewerkt, had beschreven in *Maak me dood* (1999) of in het vervolg, een verslag van zijn reis naar Thailand om onderzoek te doen naar de wereld van de kinderporno, *Ik wil het allemaal, en tegelijk* (2003). Het was duidelijk dat Jade en Leulah nergens last van hadden, dank je wel, en zeker geen behoefte hadden aan commentaar van een meisje dat 'zich doofstom hield wanneer een kerel haar een hurricane aanbood', die 'zelfs met een geïllustreerd handboek en een interactieve cd-rom erbij niet wist wat ze met een man moest doen'. Maar hoe bang ik ook telkens was als een van hen verdween, wanneer we na afloop terugreden in de Mercedes, wanneer ze gierden van de lach om de een of andere schoft die ze samen naar de dames-wc hadden meegenomen, die helemaal van de kaart uit het invalidentoilet tevoorschijn was gekomen, hen achternaging wanneer wij naar buiten liepen en 'Cammie! Ashley!' riep (de namen op hun valse identiteitsbewijs) totdat de uitsmijter hem als een zak aardappelen neerkwakte, wanneer Jade met een noodgang, tussen vrachtwagens door laverend terugreed, en Leulah zonder enige aanleiding gilde – haar hoofd achterover, haar haar uitwaaierend over de hoofdsteun, haar armen uit het schuifdak omhoog alsof ze naar de sterretjes greep die tegen de lucht geplakt waren en ze als pluisjes wegpakte –, dan zag ik dat ze iets wonderbaarlijks over zich hadden, iets onverschrokkens, waarover naar mijn beste weten nog nooit iemand had geschreven – niet echt.

Ik betwijfelde of ík er wél over kon schrijven omdat ik 'de lekke band in elk café of elke disco' was, nog los van het feit dat ze in een geheel andere wereld leken te leven dan ik – een wereld die vrolijk was, zonder kater of ronddraaiende neonlampen of plakkerigheid of schuurplekken na het vrijen, een wereld waarin zij de baas waren.

Eén avond was anders dan de andere.

'Nu is het zover, Kots,' zei Jade. 'Na deze avond wordt alles anders voor jou.'

Het was de eerste vrijdag van november en Jade had zich heel veel moeite getroost om mijn kleding uit te zoeken: twee maten te kleine, boosaardige muiltjes en een jurk van goudlamé die als een shar-pei over mijn hele lijf rimpelde (zie 'Traditioneel ingebonden vrouwenvoeten', *Geschiedenis van China*, Ming, 1961, blz. 214, en 'Darcel', *Herinneringen aan de Solid Golddansers*, LaVitte, 1989, blz. 29).

Het was een van die zeldzame momenten dat iemand in Het Blinde Paard op mij af stapte – een man van een jaar of dertig die Larry heette en de omvang van een biervat had. Hij had de aantrekkelijkheid van een nog lang niet voltooid beeld van Michelangelo. Er zaten opmerkelijke details in zijn ranke neus, volle lippen, zelfs in zijn grote, welgevormde handen, maar de rest – schouders, bovenlijf, benen – was nog niet bevrijd uit het ruwe blok marmer en dat zou binnen afzienbare tijd ook niet gebeuren. Hij bood me een Amstel Light aan en stond dicht bij me terwijl hij vertelde over stoppen met roken. Het was het moeilijkste wat hij ooit in zijn leven had gedaan. 'De pleister is het beste wat de medische wetenschap heeft voortgebracht. Die technologie zouden ze overal op moeten toepassen. Ik weet niet hoe het met jou zit, maar ik heb er geen moeite mee om te eten en te drinken via zo'n pleister. Vooral op dagen dat je het druk hebt. In plaats van een hamburger plak je gewoon zo'n pleister op. Na een halfuur zit je vol. Seks zou ook via zo'n pleister kunnen. Dat zou iedereen een hoop tijd en energie besparen. Hoe heet je?'

'Roxanne Kaye Loomis.'

'Wat doe je, Roxy?'

'Ik studeer technologie op de Clemson-universiteit. Ik kom uit Dukers, North Carolina. Ik ben ook orgaandonor.' Larry knikte en dronk langdurig van zijn bier, waarbij hij zijn zware lijf mijn richting op schoof zodat zijn dikke been tegen het mijne aan drukte. Ik deed een klein stapje in de enig mogelijke richting en botste daarbij tegen de rug van een meisje met blond stekeltjeshaar.

'Kijk een beetje uit, ja?' zei ze.

Ik probeerde een stap terug te doen, maar daar stond marmeren Larry. Ik voelde me een hard snoepje dat in een keel was blijven steken.

'Waar zie je jezelf over, laten we zeggen, twintig jaar?' vroeg ik.

Hij gaf geen antwoord. Eigenlijk zag hij eruit alsof hij geen Engels meer sprak. Hij begon hoogte te verliezen, en snel ook. Het deed me denken aan die middag dat Pap en ik de Volvo een klein stukje van het eind van een landingsbaan van het vliegveld in Luton, Texas, hadden geparkeerd en een uur lang op de motorkap hadden gezeten, terwijl we boterhammen met peperkaas aten en naar landende vliegtuigen keken. Als je naar die vliegtuigen keek voelde je je alsof je vanuit de diepten van de oceaan zag hoe boven je een vijfendertig meter lange blauwe vinvis langskwam, maar anders dan bij privévliegtuigen, airbussen en de 747's stortte Larry neer. Zijn lippen raakten mijn tanden en zijn tong schoot in mijn mond als een pad die uit een pot ontsnapte. Hij kletste met een hand tegen mijn boezem en kneep in mijn rechterborst alsof het een citroen boven een gebakken tongetje was.

'Blue?'

Ik rukte me los. Leulah en Jade stonden naast me.

'We smeren 'm,' zei Jade.

Larry riep een opvallend weinig enthousiast 'Wacht even, Roxy!', maar ik draaide me niet om. Ik liep met ze mee naar de auto.

'Waar gaan we heen?'

'Naar Hannah,' zei Jade kortaf. 'Hoe zit het trouwens met je smaak op het gebied van mannen, Kots? Die vent was foeilelijk.'

Lu staarde haar ongerust aan. Haar groene Bellmondo-jurk zakte bij de hals open in een constante geeuw. 'Ik vind het geen goed idee.'

Jades gezicht betrok. 'Waarom niet?'

'Ik wil niet dat ze ons ziet,' zei Lu.

Jade trok aan haar veiligheidsgordel. 'We nemen de auto van Jeffersons vriendje. Die afschuwelijke Toyota van hem staat op onze oprit.'

'Wat is er aan de hand?' vroeg ik.

Ze negeerde mijn vraag, keek even naar Lu en zei: 'We zullen Charles wel tegenkomen.' Ze stak de sleutel in het contact en startte de motor. 'Met zijn camouflagekleren en zijn nachtkijker.'

Lu schudde haar hoofd. 'Hij heeft samen met Black een dubbeldate. Een stel tweedejaars.'

Jade draaide zich om om te kijken of ik dat had gehoord (een triomfantelijk meelevende blik in haar ogen), reed daarna het parkeerterrein af, voegde in op de snelweg en zette koers naar Stockton. Het was een koude avond, met dunne wolken die langs de hemel glibberden. Ik trok het goudlamé strak over mijn knieën, keek naar de passerende auto's en Lu's chic golvende profiel dat opgloeide in het licht van achterlichten. Niemand zei een woord. Hun stilte was zo'n vermoeide volwassen stilte van een echtpaar dat na een etentje naar huis rijdt en geen zin heeft om te praten over de echtgenoot van iemand die dronken werd, of ze zwijgen omdat ze eigenlijk niet met elkaar naar huis wilden maar met iemand anders, iemand wiens sproeten ze nog niet kennen.

Drie kwartier later was Jade haar huis binnengegaan om de autosleuteltjes te pakken – 'Ben zo terug' – en toen ze weer naar buiten kwam, nog steeds met haar wiebelige sandalen en oranjerode jurk (ze zag eruit alsof ze bij een rijkeluiskinderfeestje de prullenbak overhoop had gehaald, de bizarste stukken inpakpapier ertussenuit had gevist en die op zichzelf had geplakt), had ze zes blikjes Heineken bij zich, twee enorme zakken chips en een pak dropveters

waarvan een sliert uit haar mond hing. Om haar nek hing een enorme verrekijker.

'Gaan we naar Hannahs huis?' vroeg ik, nog steeds in de war, maar Jade negeerde me weer en legde de snacks op de achterbank van de gebutste witte
Toyota die bij de garage geparkeerd stond. Leulah keek heel kwaad (haar lippen strak op elkaar als de sluiting van een portemonneetje), maar zonder iets
te zeggen liep ze over de oprit, stapte voorin en sloeg het portier dicht.

'Kut.' Jade keek met samengeknepen ogen op haar horloge. 'We hebben
niet veel tijd.'

Even later voegde onze Toyota weer in op de snelweg, dit keer naar het
noorden, terwijl Hannahs huis de andere kant op was. Ik wist dat het zinloos
was om te vragen waar we heen gingen; ze waren allebei weer in een loop-
graafzwijgen afgedaald, een zwijgen dat zo diep was dat het niet meeviel om
daar zelf uit te klimmen. Leulah staarde naar de weg, de sputterende witte
strepen, de zwevende rode lovertjes van auto's. Jade was min of meer zichzelf,
hoewel ze al dropveters kauwend (die meid was aan het ketting-drop-eten;
'Geef me er nog een,' had ze me al drie keer gevraagd voordat ik het doosje tussen de handrem en de passagiersstoel in had geklemd) voortdurend aan de
radio zat te rommelen.

Na een halfuur namen we afslag 42 – COTTONWOOD, stond er op het bord
– en scheurden we dwars over de verlaten tweebaansweg naar een chauffeurscafé. Links was er een benzinestation, voor ons lagen tientonners als dode
walvissen op het parkeerterrein, een in de vorm van een A gebouwd houten
restaurant lag mistroostig op een kale heuvel. Boven de ingang stond in gele
neonletters STUCKY'S. Jade stelde de Toyota verdekt op tussen de vrachtwagens.

'Zie je haar auto?' vroeg ze.

Leulah schudde haar hoofd. 'Het is al halfdrie. Misschien komt ze niet.'

'Ze komt wel.'

We reden rondjes over het parkeerterrein totdat Leulah met haar nagel op
het raampje tikte.

'Daar.' Ze wees naar Hannahs rode Subaru; die stond tussen een witte pick-
up en een bestelauto.

Jade parkeerde de auto even verderop bij een wal van dennennaalden langs
de weg. Leulah rukte haar gordel los, deed haar armen over elkaar en Jade
pakte opgewekt nog een zwarte veter; ze kauwde op het ene eind en wikkelde
het andere snel om haar knokkels, als een bokser voordat hij zijn handschoenen aantrekt. Hannahs Subaru stond voor ons, twee rijen auto's verder. Aan

de andere kant van het parkeerterrein stond het restaurant op de heuvel er ingezakt bij, blind (de drie ramen aan de achterkant waren dichtgespijkerd) en behoorlijk kalend (stukken dak ontbraken). Er viel niet veel te zien in de verduisterde ramen – enkele tinten van een matte kleur, een rij groene hanglampen die op beschimmelde douchekoppen leken –, maar je hoefde niet naar binnen te gaan om te weten dat de menukaarten vettig waren, de tafels gekruid met deegkruimels, de serveerster chagrijnig, de clientèle dik. Je moest het zoutvaatje natuurlijk eerst wezenloos meppen – binnenin madeachtige rijstkorrels – om er een enkel korreltje uit te krijgen. ('Als ze het zout al verzieken, dan vraag ik me af hoe ze op het idee zijn gekomen dat ze kip *alla cacciatore* kunnen klaarmaken,' zou Pap van zo'n tent zeggen terwijl hij de menukaart op een veilige afstand van zijn gezicht hield voor het geval dat die plotseling tot leven kwam.)

Ik boog voorover en schraapte mijn keel, een signaal voor Jade of Lu om nu eindelijk eens uit te leggen wat we in 's hemelsnaam bij deze chauffeurskroeg uitspookten (een tent die Pap koste wat kost zou mijden; het was voor ons niet ongebruikelijk om een omweg van dertig kilometer te maken om te vermijden dat we brood moesten breken met 'mannen en vrouwen die, als je door je wimpers naar ze keek, op een stapel autobanden leken'). Toen ze nog steeds niets zeiden (Lu propte nu ook dropveters in haar mond, waar ze geitachtig op kauwde) besefte ik dat dit een van die dingen was die ze niet onder woorden konden brengen. Als ze dat zouden doen, werd het werkelijkheid en zouden ze misschien schuldig aan iets zijn.

Tien minuten lang hoorde je alleen af en toe een portier dichtslaan – een fors uitgedijde vrachtwagenchauffeur die aankwam, wegging, verging van de honger, helemaal volgepropt zat – en het boze gesis van de snelweg. Tussen de donkere bomen door die aan de rand van het parkeerterrein stonden, was een brug zichtbaar met daarop een eindeloos spervuur van auto's, rode en witte vonken die door de nacht schoten.

'Wie zou het zijn?' vroeg Jade poeslief en ze keek door de verrekijker.

Lu haalde haar schouders op en pruimde haar drop. 'Geen idee.'

'Dik of mager?'

'Mager.'

'Volgens mij is het varkensvlees dit keer.'

'Ze houdt niet van varkensvlees.'

'Wel waar. Dat is haar kaviaar, voor speciale gelegenheden. O, krijg nou wat. Verdomme.'

'Wat is er? Is het een kind?'

Jades mond hing open. Haar lippen bewogen, maar er kwamen geen woorden uit. Daarna ademde ze zwaar uit: 'Heb je *Breakfast at Tiffany's* weleens gezien?'

'Nee,' zei Lu sarcastisch, en ze legde haar handen op het dashboard en boog voorover om de twee mensen te bekijken die net uit het restaurant waren gekomen.

'Nou...' – terwijl ze door de verrekijker bleef loeren dook haar rechterhand in de zak chips en propte ze haar mond vol – 'het is die afschuwelijke Doc... Alleen veel ouder. Normaal gesproken zou ik tenminste zeggen dat het niet Rusty Trawler is, maar in dit geval ben ik daar niet zo zeker van.' Ze leunde achterover, slikte en gaf met een ontmoedigde blik de verrekijker aan Lu. 'Rusty heeft tanden.'

Nadat ze even had gekeken (er gleed een opstandige uitdrukking over haar gezicht), gaf Lu de verrekijker aan mij. Ik slikte en drukte hem tegen mijn ogen: Hannah Schneider had net het restaurant verlaten. Ze liep daar samen met een man.

'Ik heb altijd een bloedhekel aan Doc gehad,' zei Lu zachtjes.

Hannah was opgedirkt zoals ik haar nog nooit had gezien ('beschilderd' zouden ze op Coventry Academy zeggen). Ze droeg een zwarte bontjas – konijn, dacht ik, vanwege de tienermeisjesuitstraling (de rits was opgesierd met een pompon) –, gouden ringen, donkere houtskoollippen. Haar haar golfde over haar schouder en spitse, hoge hakken staken uit de pijpen van haar huishoudfolie-strakke spijkerbroek. Toen ik de verrekijker opzij bewoog om haar metgezel te bekijken, voelde ik me meteen misselijk worden, want vergeleken bij Hannah was hij volkomen verdord. Rimpels stonden in zijn gezicht geëtst. Hij was achter in de zestig, misschien wel begin zeventig, kleiner dan zij en zo mager als een putrand. Zijn bovenlijf en schouders waren enkel botten, alsof er een plaid om een schilderijlijst geklemd zat. Zijn haar was nog aardig dik en hij had geen wijkende haargrens (het enige van zijn uiterlijk dat in de verte nog iets aantrekkelijks had); het nam de kleur aan van het licht dat erop scheen, groen toen ze onder de schijnwerpers door liepen, daarna een geoxideerd fietsspakengrijs. Toen hij achter haar aan de trap af liep – Hannah liep snel, ritste een bizar roze bonten tasje open, waarschijnlijk om haar autosleutels te zoeken –, schokten zijn stakige benen naar buiten als een uitschuifbaar droogrek.

'Kots, laat je de anderen ook nog eens kijken of hoe zit dat?'

Ik gaf Jade de verrekijker. Ze tuurde erdoor en beet op haar lip.

'Hopelijk heeft hij Viagra bij zich,' mompelde ze.

Lu zakte als een pudding op haar stoel in elkaar en verstijfde toen ze in Hannahs auto stapten.

'Goeie god, sukkel, ze kan ons echt niet zien,' zei Jade geïrriteerd, hoewel zij ook roerloos zat te wachten tot de Subaru van zijn parkeerplek wegreed en achter een van de vrachtwagens verdwenen was voordat ze de motor startte.

'Waar gaan ze heen?' vroeg ik, hoewel ik niet zeker wist of ik dat wel wilde weten.

'Een of ander groezelig motel,' zei Jade. 'Dan neukt ze een halfuur tot drie kwartier met die kerel en gooit hem eruit. Het verbaast me altijd dat ze niet als een bidsprinkhaan zijn hoofd eraf bijt.'

We volgden de Subaru (op beleefde afstand) vijf, misschien zes kilometer en reden algauw een plaats binnen waarvan ik aannam dat het Cottonwood was. Het was zo'n broodmagere plaats waar Pap en ik talloze keren doorheen waren gereden, een lusteloos en ondervoed stadje; op de een of andere manier had het zich in leven kunnen houden met alleen maar benzinestations, motels en McDonald's. Grote schurftige parkeerterreinen lagen als littekens aan weerszijden van de weg.

Na een kwartiertje zette Hannah haar richtingaanwijzer aan en sloeg ze linksaf naar een motel, de Country Style Motor Lodge, een wit, plat, in een boog gevormd gebouw dat midden op het terrein stond als een verloren kunstgebit. Een paar esdoorns stonden dicht bij de weg te mokken, andere stonden er voor het inschrijvingskantoortje demonstratief uitgezakt bij, alsof ze de clientèle imiteerden. Wij reden zo'n halve minuut na haar het terrein op, maar draaiden meteen naar rechts en stopten naast een grijze sedan, terwijl Hannah haar auto bij het kantoor parkeerde en naar binnen verdween. Toen ze twee of drie minuten later weer tevoorschijn kwam, spatte goor lamplicht uit de carport op haar gezicht uiteen en ik schrok van de blik in haar ogen. Die zag ik maar heel even (en zo dichtbij was ze niet), maar ze deed me denken aan het scherm van een tv die uit is – geen hijgerige soap of rechtbankserie, zelfs geen herhaling van een of andere slome cowboyfilm, alleen maar leegte. Ze stapte weer in de Subaru, startte de motor en reed langzaam langs ons.

'Shit,' piepte Lu en ze liet zich op haar stoel naar beneden glijden.

'Alsjeblieft,' zei Jade. 'Jij zou een waardeloze huurmoordenaar zijn.'

De auto stopte voor een van de kamers in het meest linkse gedeelte. Doc stapte uit met zijn handen in zijn zakken, Hannah met een miniem grijnsje. Ze opende de deuren en ze verdwenen naar binnen.

'Kamer 22,' meldde Jade vanachter de verrekijker. Hannah moest meteen de gordijnen hebben dichtgedaan, want toen er een lamp aanging, waren ze helemaal gesloten en liet de cheddar-oranje stof geen streepje licht door.

'Kent ze hem?' vroeg ik. Het was meer een vage hoop dan een echte vraag.

Jade schudde haar hoofd. 'Nee.' Ze draaide zich om op haar stoel en keek me aan. 'Charles en Milton hebben dit vorig jaar ontdekt. Op een avond waren ze uit en besloten bij haar langs te gaan, maar toen kwam haar auto voorbij. Ze zijn haar helemaal tot hier gevolgd. Ze begint om kwart voor twee bij Stuckey's. Eet wat. Zoekt er een uit. De eerste vrijdag van iedere maand. Het is de enige afspraak waar ze zich aan houdt.'

'Hoe bedoel je?'

'Dat weet je toch wel? Ze is behoorlijk chaotisch. Nou, hiermee niet.'

'En ze weet niet... dat jullie het weten?'

'Absoluut niet.' Ze keek me met een priemende blik aan. 'En waag het niet om het haar te vertellen.'

'Nee hoor,' zei ik, en ik keek tersluiks naar Lu, maar die leek niet te luisteren. Ze zat daar alsof ze vastgebonden was op een elektrische stoel.

'En hoe gaat het nu verder?' vroeg ik.

'Er stopt een taxi. Hij komt half gekleed de kamer uit, soms houdt hij zijn hemd verfrommeld in zijn hand of heeft hij geen sokken aan. En als hij de taxi in gestrompeld is rijdt hij weg. Waarschijnlijk terug naar Stuckey's, waar hij dan in zijn vrachtwagen stapt en god weet waarnaartoe rijdt. Hannah vertrekt 's morgens.'

'Hoe weet je dat?'

'Charles blijft meestal wachten tot het einde.'

Ik voelde niet de behoefte om nog meer vragen te stellen, dus we vervielen met z'n drieën weer in stilzwijgen. Die stilte werd ook niet verbroken toen Jade de auto dichterbij had geparkeerd, zodat we kamer 22 goed konden zien, het safari-bladmotief van de dichte gordijnen en de deuk in Hannahs auto. Het was vreemd, die oorlogssfeer op dat parkeerterrein. We waren ergens gelegerd, oceanen ver van huis, bang voor het onbekende. Leulah had een shellshock, haar rug zo recht als een vlaggenmast, haar blik geobsedeerd op de deur gericht. Jade was de leidinggevende officier, prikkelbaar, uitgeput en zich er volledig van bewust dat zij ons toch niet gerust kon stellen, dus zette ze haar stoel achterover, deed de radio aan en schoof chips in haar mond. Ook ik vietnamiseerde. Ik was de laffe soldaat met heimwee die uiteindelijk een weinig heldhaftige dood stierf door een wond die hij zichzelf had toegebracht, waaruit bloed spoot als uit een pak tomatensap. Ik zou mijn linkerhand ervoor over hebben gehad om daar weg te zijn. Het liefst wilde ik weer bij Pap zijn en in mijn flanellen wolkenpyjama werkstukken van studenten nakijken, zelfs die rampproducten van de lijntrekker die een enorm groot lettertype gebruikte om aan het door Pap als minimum vereiste aantal van twintig à vijfentwintig pagina's te komen.

Ik herinnerde me de Horrorkermis in Choke, Indiana, waar ik met Pap was geweest toen ik zeven was, en wat hij had gezegd toen ik uit het Spookhuis kwam, waar ik zo bang was geweest dat ik alleen maar met mijn handen voor mijn ogen had gezeten en zelfs niet één keer stiekem had gegluurd. Toen ik met veel moeite mijn handen had weggehaald, gaf Pap me geen uitbrander voor mijn lafheid, maar keek hij me bedachtzaam knikkend aan, alsof ik hem net op verbijsterend nieuwe ideeën had gebracht over een Totaal Nieuw Zorgstelsel. 'Ja,' had hij gezegd. 'Soms vereist het meer moed om jezelf niet te laten kijken. Soms is "weten" negatief – niet zozeer verlichtend als wel verzwarend. Als iemand dat verschil erkent en zich daarop voorbereidt, dan is dat buitengewoon dapper. Want van bepaalde menselijke ellende zouden eigenlijk alleen de straatstenen en misschien de bomen getuige moeten zijn.'

'Beloof me dat ik dat nooit zal doen,' zei Lu met een muizig stemmetje.

'Wat?' vroeg Jade koeltjes, maar haar ogen spuwden vuur.

'Wanneer ik oud ben.' Haar stem was flinterdun, doorschijnend. 'Beloof me dat ik dan getrouwd ben en kinderen heb. Of beroemd. Dat...'

Ze maakte haar zin niet af. Hij bleef gewoon steken, als een granaat die wel was gegooid maar niet was afgegaan.

Niemand van ons zei nog iets en om drie minuten over vier deed iemand in kamer 22 het licht uit. We zagen de man naar buiten komen, geheel gekleed (hoewel zijn hielen nog niet helemaal in zijn schoenen zaten) en hij vertrok in de roestige Blue Bird Taxi (1-800-BLU-BIRD) die snorrend had staan wachten voor het Inschrijvingskantoor.

Het was precies zoals Pap had gezegd (als hij in de auto had gezeten, zou hij zijn kin iets vooruit hebben gestoken, een wenkbrauw hebben opgetrokken, zijn gebaar voor zowel Twijfel Nooit Aan Me als Ik Zei Het Toch) omdat de enige getuigen de knipperende neonletters KAMERS VRIJ hadden mogen zijn, de dunne astmatische bomen die verleidelijk met hun takken het dak streelden, en de lucht, een blauwe plek die boven ons hoofd te langzaam wegtrok.

We reden naar huis.

DEEL 2

Moby Dick

Twee weken nadat we Hannah hadden bespioneerd ('Geobserveerd,' verduidelijkte hoofdinspecteur Ranulph Curry in *De hoogmoed van de eenhoorn* (Lavelle, 1901), vond Nigel een uitnodiging in de prullenmand in haar werkkamer, een klein kamertje naast de huiskamer vol met wereldatlassen en halfdode hangplanten die nauwelijks haar versie van florabeheer overleefden (vierentwintig uur per dag daglichtlampen aan, extra plantenvoeding).

Het was smaakvol, in reliëf gedrukt op een dik, crèmekleurig kaartje:

Dierenasiel Burns County
nodigt u van harte uit
voor ons jaarlijkse sponsorfeest
ten behoeve van alle dieren in nood
op Willows Road 100,
zaterdag 22 november,
om acht uur 's avonds.

Toegangsprijs: $40 per persoon
RSVP
Kostuum verplicht, Masker gewenst

'Ik vind dat we moeten gaan,' verklaarde Nigel die vrijdag bij Jade thuis.

'Ik ook,' zei Leulah.

'Dat kan niet,' zei Charles. 'Ze heeft jullie niet uitgenodigd.'

'Een onbelangrijk detail,' zei Nigel.

Ondanks Charles' waarschuwende woorden haalde Nigel de zondag erna halverwege het diner de uitnodiging uit zijn achterzak en legde die zonder een woord te zeggen brutaalweg naast de schaal met kalfskarbonaden.

Op dat moment werd de sfeer in de eetkamer nagelbijtend ondraaglijk (zie *Een middagduel in Sioux Falls: een cowboyverhaal van Mohave Dan*, Lone Star Publishers, Bendley, 1992). De etentjes waren al ietwat ondraaglijk geworden sinds ik in Cottonwood was geweest. Ik kon onmogelijk Hannah aankijken, vrolijk glimlachen, kletsen over huiswerk, scripties, of over de voorliefde van meneer Moats voor geweven hemden zonder Doc voor me te zien met zijn accordeonbenen, zijn gegroefde gelaat alsof het door termieten aangevreten hout was, om nog maar te zwijgen van de gruwel van hun Hollywood-kus, die weliswaar buiten beeld had plaatsgevonden, maar toch beangstigend was. (Het was alsof twee films ruw door elkaar waren gemonteerd, *Gilda* en *Cocoon!*)

Natuurlijk, als ik aan Jade, Lu en het invalidentoilet dacht, voelde ik me ook misselijk worden; maar bij Hannah was het erger. Zoals Pap zei, hangt het verschil tussen een dynamische en een vergeefse opstand af van het punt waar die plaatsvindt op de historische tijdlijn van een land (zie Van Meer, 'De illusie van industrialisatie', *Federal Forum*, jrg. 23, no. 9). Jade en Lu waren nog ontwikkelingslanden. Dus het was niet echt geweldig, maar ook geen ramp om een achtergebleven infrastructuur en een slechte ontwikkelingsindex te hebben. Maar Hannah was al veel verder. Zij zou al een krachtige economie, een vreedzame samenleving en vrije handel moeten hebben ontwikkeld – en omdat deze dingen eerlijk gezegd nog niet tot stand waren gekomen, zag het er niet zo goed uit voor haar democratie. Het zou best kunnen dat ze altijd zou worstelen met 'corruptie en schandalen die voortdurend [haar] geloofwaardigheid als zelfstandige staat ondermijnen'.

Milton had een raam opengezet. Als een jonge hond dartelde een windvlaag rond de eettafel, waardoor mijn papieren servet van mijn schoot vloog en de vlammen op de kaarsen wild begonnen te dansen, als bezeten ballerina's. Ik kon niet geloven wat Nigel had gedaan; hij gedroeg zich als een jaloerse echtgenoot die zijn vrouw confronteert met een verdachte manchetknoop.

En toch reageerde Hannah niet.

Ze leek de uitnodiging niet eens te zien, maar concentreerde zich op haar kalfskarbonade en sneed die met een charmante glimlach in even grote stukjes. Haar bloes, satijn en zeegroen (een van haar weinige kledingstukken die zich niet als vluchteling gedroegen), kleefde aan haar als een lome, iriserende huid, bewoog wanneer zij bewoog, ademde wanneer zij ademde.

De onaangename sfeer bleef hangen, naar mijn gevoel wel een uur. Ik speelde met het idee om over mijn kalfskarbonade heen te reiken naar de gesauteerde spinazie, dat ding te pakken en het stiekem onder mijn been te stoppen, maar eerlijk gezegd had ik niet de morele doortastendheid van een Thomas More of een Jeanne d'Arc om zoiets uit te voeren. Nigel zat vanuit zijn stoel naar Hannah te staren en door de manier waarop zijn ogen verscholen gingen achter de brillenglazen waarin de kaarsen weerspiegeld werden – totdat hij zijn hoofd draaide en ze even tevoorschijn kwamen, als kevers in zand –, door de manier waarop hij zo rechtop zat, zo klein en toch zo sterk, leek hij op Napoleon, vooral op dat onaantrekkelijke olieverfschilderij van de kleine Franse keizer op het omslag van het studieboek dat Pap gebruikte bij zijn colleges *De mensheid de baas* (Howards & Path, 1994). Napoleon zag eruit alsof hij al slapend een staatsgreep kon plegen en er geen moeite mee had om met alle Europese grootmachten in oorlog te zijn.

'Ik heb het jullie niet verteld,' zei Hannah plotseling, 'omdat als ik dat wel zou doen, jullie zouden willen komen. En dat kan niet. Ik heb Eva Brewster uitgenodigd, wat jullie aanwezigheid onmogelijk maakt als ik mijn baan wil houden.'

Haar reactie was niet alleen verrassend (ook een beetje een afknapper; ik had het gevoel dat ik op de tribune zat, Anís del Toro dronk en wachtte op de matador), maar ook was de manier waarop ze de uitnodiging wel had gezien maar net deed of ze die niet had gezien heel gewiekst.

'Waarom heb je Evita Brewster uitgenodigd?' vroeg Leulah.

'Ze had gehoord dat ik de sponsoravond aan het organiseren was en vroeg of ze ook mocht komen. Daar kon ik geen nee op zeggen. Nigel, ik vind het niet prettig dat je in mijn spullen zit te snuffelen. Wees alsjeblieft zo vriendelijk om me mijn privacy te gunnen.'

Niemand zei iets. Dat was het moment waarop Nigel iets moest uitleggen, zoiets als een excuus moest aanbieden, een flauwe grap maken over zijn lange vingers of verwijzen naar hoofdstuk 21 van *Cool ouderschap*, 'Tieners en de kick van kleptomanie' en een van de verrassende statistische feiten aanhalen, namelijk dat het zeer algemeen voorkomt bij tieners dat ze een periode van 'zich toe-eigenen' en 'verdonkeremanen' doormaken (Mill, 2000). In 60 procent van de gevallen was het iets waar 'de betrokkene uiteindelijk overheen groeide, net als gothic oogmake-up en skateboarden' (blz. 183).

Maar Nigel deed of zijn neus bloedde. Ongegeneerd pakte hij de laatste kalfskarbonade.

Algauw was het eten koud geworden. We ruimden de tafel af, pakten onze boeken bij elkaar en zeiden zwakjes 'Tot ziens' in de beschaamde avondlucht. Hannah leunde tegen de deurpost en zei wat ze altijd zei: 'Rijd voorzichtig!' maar in haar stem ontbrak iets, een bepaald kampvuurtimbre. Toen Jade en ik de oprit af reden, keek ik achterom en zag haar op de veranda naar ons staan kijken; haar groene bloes rimpelde als een zwembad in het gouden licht.

'Ik voel me beroerd,' zei ik.

Jade knikte. 'Uiterst onaangenaam.'

'Ik vraag me af of ze het hem zal vergeven.'

'Natuurlijk wel. Ze kent hem als haar broekzak. Nigel is geboren zonder het gevoelsgen. Andere mensen hebben geen blindedarm of te weinig witte bloedlichaampjes. Hij heeft te weinig gevoel. Volgens mij hebben ze een scan van zijn hersenen gemaakt toen hij klein was en waar bij andere mensen de emoties zitten heeft hij een vacuüm holte, het arme joch. En nog homo ook. Tuurlijk, iedereen is ruimdenkend en tolerant, maar toch zal het niet makkelijk zijn op de middelbare school.'

'Is hij homo?' vroeg ik verbaasd.

'Aarde voor Kots? Hallo?' Ze keek me aan alsof ik een boomstronk in een maillot was. 'Soms vraag ik me weleens af of jij ze wel allemaal op een rijtje hebt. Heb jij een dokter weleens laten kijken of je bovenkamer wel helemaal gemeubileerd is? Want ik heb daar zo mijn twijfels over, Kots. Echt waar.'

Dingen als leed, ellende, onheil, schuld, gevoelens van afschuw, en uiterste onaangenaamheden – dagelijkse kost voor Russen in voorbije tijden – hebben helaas weinig uithoudingsvermogen in deze moderne tijden van haast-je-repje.

Je hoeft alleen maar de editie uit 2002 van R. Stanbury's *Verhelderende statistieken en vergelijkingen door de eeuwen heen* open te slaan bij 'Rouw' om te zien dat de idee van je Ontroostbaar, Ellendig, Ongelukkig en Wanhopig voelen iets is uit het verleden, en al snel net zo onbekend zou worden als archaïsche dingen als de T-Ford, de Jitterbug en Jamsessies. De Amerikaanse weduwnaar wachtte in 1802 gemiddeld 18,9 jaar voordat hij hertrouwde, terwijl hij het in 2001 gemiddeld 8,24 maanden volhield. (Uit het overzicht 'Per Staat' blijkt dat hij het in Californië 3,6 afschuwelijke maanden uithoudt.)

Natuurlijk zag Pap het als zijn taak om te fulmineren tegen 'culturele anesthesie', 'dit gladstrijken van elk menselijk gevoel, zodat er alleen een plat, kreukloos vacuüm overblijft', en daarom had hij me doelbewust opgevoed tot een begrijpend, sensitief iemand, tot een bewust levend mens, zelfs bij de saaiste kwesties van goed, kwaad en het schemergebied daartussen. Hij zorgde ervoor dat ik tussen Muders, Ohio en Paducah, Washington, de tijd nam om niet een of twee, maar alle *Songs of Innocence and Experience* van Blake uit mijn hoofd te leren, en daarom kon ik niet naar een vlieg kijken die om een hamburger heen zoemde zonder te piekeren: 'Ben ik niet/ een vlieg als gij?/ Of zijt gij niet/ een mens als ik?'

Maar toen ik met de Bluebloods omging, was het makkelijk om net te doen alsof ik niets anders uit mijn hoofd had geleerd dan de tekst van duizend mierzoete R&B-songs, alsof ik nooit van ene Blake had gehoord behalve dan die eerstejaars die altijd zijn handen in zijn zakken had en eruitzag alsof hij iemand een klap wilde geven, alsof ik gewoon naar een vlieg kon kijken en niets anders dacht dan een meisjesachtig 'jakkes'. Als Pap zou weten dat ik me zo gedroeg, dan zou hij het 'walgelijk conformisme' hebben genoemd, misschien zelfs 'een schande voor de Van Meers'. (Vaak vergat hij dat hij een wees was.) Toch vond ik het spannend, romantisch, zoals ik me door de stroom liet meevoeren langs 'met wilgen begroeide heuvels en velden' of waar die ook heen ging, ongeacht de consequenties (zie 'The Lady of Shalott', Tennyson, 1842).

Daarom protesteerde ik de volgende zaterdagse dellenavond, 22 november, niet toen Jade de Paarse Kamer binnenkwam met een zwarte pruik en een weelderig broekpak. Enorme schoudervullingen staken opzij als de krijtrotsen bij Dover en ze had kathedraalhoge wenkbrauwen getekend met een gebrande sienna kleurkrijt.

'Raad eens wie ik ben?'

Charles draaide om haar heen om haar te bekijken. 'Dame Edna.'

'"Ik ga alleen uit als ik eruitzie als Joan Crawford de filmster. Heb je liever iemand die je buurmeisje had kunnen zijn? Ga dan naar de buren."' Ze gooide haar haar in haar nek en lachte vals, liet zich op de leren bank vallen en hield haar voeten met grote zwarte pumps, model modderschuit, omhoog. 'Raad eens waar ik naartoe ga?'

'De verdommenis,' zei Charles.

'Dierenasiel Burns County nodigt u van harte uit voor ons jaarlijkse...'

'Dat had je gedroomd.'

'... sponsorfeest...'

'Dat mag niet.'

'... R S V P.'

'Geen sprake van.'

'Ruige Seks Voor Poen.'

'Nee.'

'Ik ga mee,' zei Leulah.

Uiteindelijk konden we het niet eens worden over een groepskostuum, dus Charles was Jack the Ripper (voor het bloed hadden Leulah en ik hem besprenkeld met ketchup); Leulah was een Frans dienstmeisje (ze maakte daarvoor gebuik van de collectie zijden Hermès-sjaaltjes met allerlei ruitermotieven, die in keurig opgevouwen vierkanten in Jeffersons bureaula lagen); Milton, die zich weigerde om te kleden, ging als 'Plan B' (dat was de vage humor die bij hem opborrelde wanneer hij wiet had gerookt); Nigel was Antonio Banderas als Zorro (hij gebruikte Jeffs nagelschaartje om de uit glitters bestaande zzzzz's van haar zwarte slaapmasker te knippen); Jade was Anita Ekberg uit *La Dolce Vita*, compleet met knuffelpoesjes (die ze met plakband had vastgemaakt aan een haarband). Ik was een weinig overtuigende Pussy Galore met een heesterachtige rode pruik en een slobberende nylon bodystocking (zie 'Martiaan 14', *Groene mannetjes in beeld: schetsen van buitenaardse wezens aan de hand van ooggetuigenverslagen*, Diller, 1989, blz. 115).

We waren dronken. Buiten was de lucht zo soepel en warm als een nachtclubdanseres na haar openingsnummer. Op het nachtelijk gazon renden we dronken heen en weer, lachend om niets.

Jade, in haar reuzenschelpjurk, die knisperde van de crinoline, ruches en linten, wierp zich met een gil op het gras en rolde de helling af.

'Waar ga je heen?' riep Charles. 'Het begon om acht uur! Het is nu halftien!'

'Kom mee, Kots!' riep Jade.

Ik kruiste mijn armen voor mijn borst en zette mezelf af.

'Waar ben je?'

Ik rolde omlaag. Het gras prikte en mijn pruik werd afgerukt. Sterren schoten voorbij tussen de donkere graspauzes en onderaan was het opeens doodstil. Jade lag een meter van me vandaan; ze had een ernstige en tegelijk trieste blik. Van staren naar de sterren ga je natuurlijk ernstig en triest kijken, en Pap had een verscheidenheid aan theorieën om dat verschijnsel te verkla-

166

ren, waarvan de meeste gebaseerd waren op de onzekerheid van de mens en het ontnuchterende besef van je eigen nietigheid wanneer je je afmeet tegen zulke onpeilbare grootheden als Spiraalstelsels, Balkspiraalstelsels, Elliptische Stelsels en Onregelmatige Stelsels.

Maar op dat moment kon ik me geen enkele theorie van Pap herinneren. De zwarte hemel, met zijn oplichtende speldenknopjes, was tegen wil en dank net zo'n uitslover als Mozart op zijn vijfde. Stemmen schraapten door de lucht met onvaste en weifelende woorden. Algauw denderde Milton door de duisternis naar beneden en raceten Nigels gympen langs mijn hoofd en viel Leulah met een gesmoorde kreet vlak naast me neer. Het zijden sjaaltje ontsnapte aan haar haar en vlijde zich over mijn hals en kin. Wanneer ik ademde, borrelde het als een vijver waarin iemand aan het verdrinken is.

'Stelletje sukkels!' riep Charles. 'Tegen de tijd dat we daar aankomen, is het afgelopen! We moeten nu echt weg!'

'Hou je kop, nazi,' zei Jade.

'Zou Hannah boos worden, denk je?' vroeg Leulah.

'Waarschijnlijk wel.'

'Ze vermoordt ons,' zei Milton. Hij lag vlak bij me. Wanneer hij ademde, rook ik zijn drakenadem.

'Hannah de panna,' zei Jade.

We slaagden er wonderwel in om ons van de grond los te rukken en de heuvel op te lopen naar de Mercedes, waar Charles chagrijnig op ons zat te wachten. Hij had Jades doorzichtige plastic regenjas aan die ze in de tweede klas had gedragen, zodat de bestuurdersstoel niet onder de ketchup kwam te zitten. Ik was het kleinst, dus ik fungeerde als menselijke veiligheidsgordel dwars over Nigel, Jade en Leulah, die met een vuist afdrukken van babyvoetjes maakte op het beslagen raam. Ik concentreerde me op de autolichten, mijn witte hoge hakken die tegen de portiergreep aan kwamen en de rookwolk die om het hoofd van Milton hing die voorin een van zijn lippenstiftdikke joints zat te roken.

'Het wordt heibel,' zei hij, 'wanneer we daar onaangekondigd verschijnen. Het is nog niet te laat om onze plannen te wijzigen, vrienden.'

'Niet saai gaan doen, hoor,' zei Jade en ze plukte de joint tussen zijn vingers vandaan. 'Als we Evita zien, dan verstoppen we ons. Doen we ons voor als vloerkleedjes. Dat wordt lachen.'

'Perón is er niet,' zei Nigel.

'Waarom niet?'

'Hannah heeft haar niet echt uitgenodigd. Dat loog ze. Ze zei het alleen maar om een goede reden te hebben waarom we niet mochten komen.'

'Je bent paranoïde.'

Nigel haalde zijn schouders op. 'Ze vertoonde alle klassieke kenmerken van liegen. Ik durf te wedden dat Eva Brewster niet op het feest is. En als je haar er maandag naar vraagt, heeft ze geen idee waar je het over hebt.'

'Jij bent een duivelskind,' oordeelde Jade, en ze stootte per ongeluk met haar hoofd tegen het raam. 'Au.'

'Jij ook?' vroeg Leulah terwijl ze me de joint aanreikte.

'Graag,' zei ik.

Om geen spelbreker gevonden te worden was ik aardig bekend geraakt met de krachtige nukken van plafonds en vloeren onder invloed van een borrel, een neut, jajem, wiet, cocktails of welk brouwsel dan ook (de Beverd, de Plotselinge Tackle, het Schijnbaar Zinkende Schip, de Bedrieglijke Aardbeving). Wanneer ik bij ze was deed ik meestal alleen maar alsof ik al die enorme slokken echt doorslikte uit Miltons zilverkleurige flacon gevuld met zijn vloeibare lievelingsarsenicum, Wild Turkey-whiskey, wanneer die als een vredespijp bij indianen de Paarse Kamer rondging.

Niemand wist dat ik er halverwege een willekeurige avond niet zoveel als de rest achterover had geslagen, ook al wekte ik wel die indruk. 'Kijk, Kots is diep in gedachten,' merkte Nigel een keer op toen ik op de bank omhoog lag te staren. Ik was niet diep in gedachten, ik probeerde een stiekeme manier te vinden om me te ontdoen van Leulahs laatste brouwsel, iets wat ze kortweg Klauw noemde, een bedrieglijk helder drankje dat je slokdarm en hele spijsverteringskanaal verschroeide. Een van mijn lievelingsscenario's was om in mijn eentje naar buiten te lopen 'om een luchtje te scheppen' en met de verandaverlichting uit stiekem het spul in een opengesperde bek van een van Jeffs bronzen leeuwen te gieten, die ze in januari 1987 nog van Andy Warhol had gekregen, een maand voor hij overleed aan de complicaties van een galblaasoperatie. Ik had het natuurlijk in het gras kunnen lozen, maar ik schiep er een beneveld genoegen in om het de leeuwen te voeren, die gehoorzaam hun gigantische muilen openhielden en me aanstaarden alsof ze hoopten dat ik ze met dat laatste mengsel zou afmaken. Ik bad alleen dat Jeff nooit zou besluiten dat de kolossale dieren bij de voordeur beter tot hun recht zouden komen. Wanneer ze die zou verplaatsen, verdronken die in een vloedgolf van een borrel, een neut, jajem, wiet, cocktails of welk brouwsel dan ook.

Bijna een uur later reden we Hannahs oprit op. Charles chauffeerde de Mercedes kundig door het pad tussen de lege auto's die langs de weg stonden geparkeerd. Eerlijk gezegd was ik verbaasd dat hij nog zo goed kon rijden, gezien zijn staat van dronkenschap (zie Onbekende Vloeistoffen, hfst. 4, 'Het verhelpen van motorstoringen', *Autotechniek*, Pont, 1997).

'Maak geen deuken,' zei Jade. 'Anders krijg ik problemen.'

'Ze kent meer mensen dan we dachten,' zei Leulah.

'Verdomme,' zei Milton.

'Dat is prachtig,' zei Jade, en ze klapte in haar handen. 'Echt ideaal. Nu kunnen we gewoon opgaan in de menigte. Alleen hoop ik dat Hannah ons niet ziet.'

'Maak je je daar zorgen over?' riep Charles. 'Dan moeten we teruggaan, want ik zal jullie eens iets vertellen, lieverds! Ze ziet ons heus wel!'

'Let liever op de weg. Het komt allemaal goed.' Jade snoof. 'Het is maar...'

'Wat is het?' Charles zette zijn voet met kracht op het rempedaal. We schoten allemaal naar voren en naar achteren als kinderen in een bus.

'Het is maar een feest. En Hannah vindt het vast niet erg. We doen toch niets vreselijks of zo? Toch?'

Angst, Twijfel en Onzekerheid waren onverwachts in Jades stem geslopen en nu slalomden ze daartussendoor, waardoor het Grote Genieten toch een stevig zenuwachtig tintje kreeg.

'Ik denk het niet,' zei Leulah.

'Nee,' zei Nigel.

'Het kan allebei,' zei Milton.

'Kan iemand nou eens een beslissing nemen, verdomme?!' riep Charles.

'Laat Kots maar beslissen,' zei Jade. 'Zij is de verstandigste.'

Tot op de dag van vandaag weet ik niet hoe en waarom ik zei wat ik zei. Misschien was het een van die geheimzinnige gevallen waarin niet zozeer jíj spreekt als wel het Noodlot, dat steeds ingrijpt om te voorkomen dat je de makkelijkste weg uitkiest, pas bestraat, met duidelijke straatnaambordjes en esdoorns en er met de wreedheid van sergeant-instructeurs, dictators en ambtenaren voor zorgt dat je op het donkere, doornige pad blijft dat ze al voor jou heeft aangelegd.

'We gaan naar binnen,' zei ik.

❖

Hannah was een Kleine Zilverreiger, en wanneer je hoorde dat ze een feest organiseerde, verwachtte je dan ook een Zilverreigerfeest: fluitglazen champagne, sigarettenpijpjes en een strijkkwartet, mensen die elkaar ten dans vroegen waarbij de wang zachtjes rustte op een schouder, en erg weinig klamme handen, overspelige toestanden achter laurierheggen en grootbloemige rozen – het type elegante, fluisterzachte avondjes dat de Larrabees met hun ogen dicht konden organiseren, die Sabrina dan vanuit haar boom bekeek.

Toen we echter dichter bij het huis kwamen en de vreemde menigte dierlijke, plantaardige en minerale uitdossingen door de voortuin over de oprit zagen kabbelen, stelde Milton voor dat we het bos in zouden duiken om het huis van de andere kant te benaderen en misschien stiekem naar binnen te gaan door de deur naar de patio, waar een niervormig zwembad was dat Hannah nooit gebruikte.

'We kunnen nog steeds weggaan als we dat willen,' zei Jade.

We parkeerden de auto achter een bestelwagen en keken in het donker bij een rij dennenbomen naar zo'n vijftig à zestig mensen die in het vage schijnsel van veertien tiki-toortsen op Hannahs patio bijeen waren. Ze droegen allemaal verrassend ingewikkelde kostuums (demonen, alligators, duivels, de hele bemanning van de USS Enterprise). Degenen met een masker dronken met een rietje uit blauw-rode plastic bekertjes; de anderen aten zoutjes en toastjes en probeerden zich verstaanbaar te maken boven de door merg en been gaande muziek uit.

'Wie zijn al die mensen?' vroeg Charles fronsend.

'Ik herken ze niet,' zei Jade.

'Dat zullen wel vrienden van Hannah zijn,' zei Leulah.

'Heb je haar al gezien?'

'Nee.'

'Zelfs als ze er was,' zei Milton, 'dan zou het onmogelijk zijn om te zeggen wie het was. Iedereen draagt een masker.'

'Ik heb het hartstikke koud,' zei Jade.

'We moeten maskers hebben,' zei Milton. 'Dat stond op de uitnodiging.'

'Waar halen we nu in godsnaam maskers vandaan?' vroeg Charles.

'Daar heb je Perón,' zei Lu.

'Waar?'

'Die vrouw met de fonkelende aureool.'

'Dat is haar niet.'

'Zonder gekheid,' vroeg Jade ongerust, 'wat doen we hier nu eigenlijk?'

'Jullie mogen van mij hier de hele avond blijven zitten,' zei Nigel, 'maar ik ga er een leuke avond van maken.' Hij droeg zijn Zorro-masker én zijn bril. Hij zag eruit als een intellectuele wasbeer. 'Wie wil er ook een beetje plezier maken?'

Om de een of andere reden keek hij naar mij.

'Wat vind je ervan, wijfie? Zullen we gaan dansen?'

Ik zette mijn pruik goed.

We lieten de anderen achter, renden de tuin door – een hoogbegaafde wasbeer en een omgekeerde wortel – naar Hannahs patio.

Het was mudvol. Vier mannen verkleed als ratten en een bloedmooie zeemeermin speelden luid lachend volleybal in het zwembad. We besloten om naar binnen te gaan (zie 'Stroomopwaarts lopen in de Zambezi-rivier tijdens hoogwater', *Zoektochten*, 1992, blz. 212). We wrongen ons naar een plekje tussen de geruite bank en een piraat die in gesprek was met een duivel die zich niet bewust was van de gevolgen wanneer hij met zijn kolossale bezwete rug zonder waarschuwing een stap naar achteren deed tegen twee veel kleinere mensen aan.

Een kwartier deden we niets anders dan wodka nippen uit een rood plastic bekertje en naar de mensen kijken – we herkenden niemand – die in de kamer door elkaar krioelden, schuifelden en waggelden in kostuums die varieerden van piepklein tot verpletterend.

'Vlinder, adem in!' riep Nigel.

Ik schudde mijn hoofd en hij herhaalde wat hij had gezegd.

'Kinderlijke waanzin!'

Ik knikte. Hannah, Eva Brewster en de dieren waren nergens te bekennen, alleen maar logge vogels, pafferige sumoworstelaars, alligators bij wie overal het klittenband losliet, een Koningin die haar kroon had afgezet en er afwezig op stond te kauwen terwijl ze de kamer afspeurde, waarschijnlijk naar een Koning of een Aas voor een *Royal Flush*.

Als Pap erbij was geweest, had hij ongetwijfeld opgemerkt dat de meeste volwassenen 'gevaarlijk dicht bij het verlies van hun waardigheid' waren, en dat dat treurig en verontrustend was, omdat 'ze allemaal op zoek waren naar iets wat ze nooit zouden herkennen, ook al hadden ze het gevonden'. Pap was opvallend streng in zijn kritiek op het gedrag van andere mensen. Toen ik een Wonder Woman van in de veertig achteruit zag struikelen over Hannahs keurige stapel met *Traveler*-tijdschriften, begon ik me af te vragen of dat hele Volwassen Worden niet een fabeltje was – de bus die de stad uit ging waar je zo fanatiek op stond te wachten dat het niet opviel dat die nooit langskwam.

'Wat voor taal spreken zij?' tetterde Nigel in mijn oor.

Ik volgde zijn blik naar de astronaut die een metertje van ons vandaan stond. Hij hield zijn ruimtevaarthelm vast, een gedrongen man met opzij een in een sigma (Σ) geschoren haargrens, die in gesprek was met een gorilla.

'Volgens mij is het Grieks,' zei ik verrast. ('De taal van de Titanen, de Orakels, η γλῶσσα των ηρώων,' zei Pap. (Dat laatste stuk betekende 'de taal der helden'.) Pap pronkte graag met zijn bizarre talenknobbel (hij beweerde twaalf talen vloeiend te spreken, waarbij 'vloeiend' vaak 'ja' en 'nee' betekende, plus enkele indrukwekkende zinnen, en hij citeerde vaak een aforisme over Amerikanen en hun gebrekkige talenkennis: 'Amerikanen moeten zich eerst hun eigen taal eigen maken, voordat ze tweetalig kunnen worden.')

'Ik ben benieuwd wie dat is,' zei ik tegen Nigel. De gorilla zette zijn kop af en er kwam een kleine Chinese vrouw tevoorschijn. Ze knikte, maar antwoordde in een keelklanktaal waarop je tong moest breakdancen. Ik betwijfelde of ik eerst wel Grieks had gehoord. Ik boog me voorover.

Nigel kneep in mijn arm en zei: 'Jippie, savanne.'

'Hè?' schreeuwde ik.

'Ik zie Hannah.'

Hij pakte mijn hand en sleurde me tussen twee Elvissen door.

'Waar kom je vandaan?' vroeg *Elvis: Aloha from Hawaii*. 'Reno,' zei een ernstig bezwete *Elvis on Tour* die dronk uit een blauw plastic bekertje.

'Ze is naar boven gegaan,' zei Nigel in mijn oor, hij en probeerde ons langs Sodom en Gomorra, Leopold en Loeb, Tarzan en Jane te loodsen, welke laatste twee elkaar net in dit oerwoud hadden weten te vinden en nu met een hoop gefrunnik aan elkaars kleren in gesprek waren geraakt. Ik wist niet waarom Nigel Hannah zo nodig wilde vinden, maar halverwege de trap zag ik alleen een zes ton zware Tyrannosaurus Ex die zijn pak open had geritst en op zijn rubberen hoofd was gaan zitten.

'Verdomme.'

'Waarom wil je haar gaan zoeken?' schreeuwde ik. 'Ik dacht dat...' En net toen ik me omdraaide om de deinende pruiken en maskers te bekijken, zag ik haar.

Haar gezicht werd verduisterd door de rand van een hoge hoed (alleen een witte sikkel van kin en rode mond was zichtbaar), maar ik wist dat zij het was vanwege de afstotingsverschijnselen die ze vertoonde bij elke achtergrond, sfeer en gegeven omstandigheden. De jonge, oude, mooie en alledaagse types vormden samen de standaardkamer met pratende mensen, maar Hannah was voortdurend een op zichzelf staand individu alsof er altijd een onmiskenbare smalle zwarte streep om haar heen getrokken was, of een U BENT HIER-pijl die discreet met haar meezweefde en waarop stond: ZIJ IS HIER. Of misschien trok haar gezicht vanwege haar specifieke gloeifactor 50 procent van al het licht in de kamer naar zich toe.

Ze was gekleed in een smoking en leidde een man de trap op, onze kant op.

Ze hield zijn linkerhand vast alsof die heel duur was, iets wat ze niet mocht verliezen.

Nigel zag haar ook. 'Als wie ze is verkleed?'

'Marlene Dietrich, *Morocco*, 1930. We moeten ons verstoppen.'

Maar Nigel schudde zijn hoofd en hield me bij mijn pols vast. Omdat we ingesloten waren tussen een sjeik die voor het toilet stond te wachten tot er iemand tevoorschijn kwam en een groepje als toeristen uitgedoste mannen (polaroidcamera's, hawaïhemden) kon ik niets anders doen dan me voor te bereiden op wat komen zou.

Toen ik die man zag, was ik echter enigszins gerustgesteld. Was ze drie weken geleden nog met Doc, nu was ze er wel op vooruitgegaan. Ze liep arm in arm met Big Daddy (zie *De aartsvaderen van het Amerikaanse toneel: 1821-1990*, Park, 1992). Ook al had hij grijs haar en had hij overgewicht à la Montgomery, Alabama (wanneer de buik eruitziet als een grote, zware zak met buit en de rest van het lichaam dat grove, lompe deel negeert en er volkomen fit en slank bij loopt), toch nam hij je voor zich in, maakte hij indruk. Gehuld in een tenue van het Rode Leger (waarschijnlijk als Mao Zedong) had hij het postuur van een bondskanselier, en zijn gezicht was misschien niet echt knap maar toch in elk geval imposant: vol, glanzend en blozend, als een pekelham op een staatsdiner. Kennelijk was hij ook een beetje verliefd op haar. Volgens Pap had verliefdheid niets te maken met woorden, gedrag of het hart ('het meest overschatte van alle organen'), maar met de ogen ('Alle essentiële zaken hebben met onze ogen te maken') en de blik van deze man dwaalde onophoudelijk over alle rondingen in haar gezicht.

Ik vroeg me af wat ze in vredesnaam tegen hem zei, met haar peinzende gezicht tussen zijn kaak en schouder. Misschien imponeerde ze hem door pi tot vijfenzestig cijfers achter de komma te kunnen opzeggen, wat ik stiekem nogal een kick zou vinden als een jongen dat opgewonden in mijn oor zou fluisteren ('3,14159265...'). Of misschien declameerde ze een sonnet van Shakespeare, nummer 116, Paps lievelingssonnet ('Wanneer er authentieke woorden van liefde bestaan in onze Engelse taal, zijn dat de woorden die mensen die echt affectie voelen zouden moeten zeggen, in plaats van dat afgezaagde "Ik hou van jou", wat door elke lamlendige Tom, Dick of Moe kan worden uitgesproken'): 'Voor de echt van twee gelijkgezinde zielen erken ik geen hindernissen...'

Hoe dan ook, de man was gebiologeerd. Hij zag eruit alsof hij niets liever wilde dan dat ze hem garneerde met verse laurierbladeren, hem in plakken sneed en overgoot met jus.

Ze waren nu drie treden van ons verwijderd, passeerden de cheerleader, de vrouw die verkleed was als Liza Minnelli die tegen de muur leunde en wier make-up haar ogen deed dichtklonteren als verrotte bladeren in een oude dakgoot.

En toen zag ze ons.

Er was een trilling in haar ogen, een vaag vermoeden van een glimlach, een kleine hapering, een zachte trui die even aan een tak blijft hangen. Nigel en ik konden alleen maar blijven staan met een povere glimlach op ons gezicht gespeld als naambordjes op kleding van congresgangers. Pas toen ze naast ons stond, zei ze iets.

'Schaam je,' zei ze.

'Hallo,' zei Nigel opgewekt, alsof hij dacht dat zij had gezegd: 'Wat fijn dat jullie zijn gekomen.' Tot mijn afgrijzen stak hij zijn hand uit naar de man die zijn grote, klamme gezicht nieuwsgierig onze kant op draaide. 'Ik ben Nigel Creech.'

De man trok een wenkbrauw op, hield zijn hoofd schuin en glimlachte welwillend. 'Smoke,' zei hij. Zijn ogen waren fris blauwig en – tot mijn verbazing – schrander. Volgens Pap kun je zien hoe scherpzinnig iemand is aan het tempo waarmee zijn/haar ogen over je gezicht dansen wanneer je aan elkaar wordt voorgesteld. Als die niet veel verder kwamen dan de box step of het muurbloempje ergens tussen je wenkbrauwen, had die persoon 'het IQ van een kariboe', maar wanneer ze walsten van je ogen tot je schoenen, niet zenuwachtig, maar met een ontspannen, ongecompliceerde nieuwsgierigheid, dan had die persoon 'een goed verstand'. Nou, Smokes ogen dansten een macumba van Nigel naar mij en terug naar Nigel, en ik had het gevoel dat hij in die ene beweging alle moeilijkheden in ons leven doorgrond had. Ik moest hem wel aardig vinden. Lachrimpels zetten zijn mond tussen haakjes.

'U bent een weekendje op bezoek?' vroeg Nigel.

Smoke keek even naar Hannah voordat hij antwoord gaf. 'Ja. Hannah is zo aardig om mij het huis te laten zien.'

'Waar komt u vandaan?'

Nigels aanhoudende nieuwsgierigheid was wel aan Smoke besteed. 'West Virginia,' zei hij.

Tegelijk was het angstaanjagend, want Hannah zei geen woord. Ik zag dat ze kwaad was: het bloed was naar haar wangen en haar voorhoofd gestegen. Ze glimlachte, een beetje verlegen, en daarna (dat kon ik zien omdat ik een tree hoger stond dan Nigel en haar helemaal kon bekijken – haar te lange mouwen, het rietje in haar hand) kneep ze stevig in Smokes bovenarm. Dit bleek een of ander signaal te zijn, want hij glimlachte weer en zei met een warme stem: 'Leuk jullie ontmoet te hebben. Tot ziens.'

Ze gingen verder, liepen langs de sjeik en de toeristen ('Weinig mensen beseffen dat de elektrische stoel geen slechte manier is om dood te gaan,' riep er een) en Tina Turner die stond te dansen in haar minuscule zilverkleurige jurkje en witte discolaarzen.

Boven aan de trap liepen ze de gang in en verdwenen uit het zicht.

'Shit,' zei Nigel met een grijns.

'Wat mankeert jou?' vroeg ik. Ik kon die glimlach wel van zijn gezicht meppen.

'Hoe bedoel je?'

'Hoe kon je dat nou doen?'

Hij haalde zijn schouders op. 'Ik wilde graag weten wie haar vriend was. Het had Valerio kunnen zijn.'

Doc kwam met zijn rug naar me toe mijn gedachten binnen. 'Ik weet niet of Valerio wel bestaat.'

'Nou, popje, jij mag misschien een atheïst zijn, maar ik ben een gelovige. Kom mee, dan gaan we een luchtje scheppen,' zei hij, en hij stapte om Tarzan en Jane heen (Jane stond tegen de muur aan en Tarzan hing half over haar heen) en liep naar buiten de patio op.

Jade en de anderen hadden zich nu ook onder de gasten gemengd, die nog steeds in groten getale aanwezig waren en zoemden als een wespennest op de veranda waar een huisvrouw met een bezem tegen had gepord. Leulah en Jade zaten samen op een ligstoel te praten met twee mannen die hun gezwollen, vlezige maskers droegen als een hoedje. (Ze stelden Ronald Reagan, Donald Trump of Clark Gable voor, of welke man van boven de vijftig met enorme oren dan ook.) Milton zag ik niet (Black kon komen en gaan als een windvlaag), maar Charles stond bij de barbecue te flirten met een vrouw in een leeuwenpak die haar manen om haar nek had gewikkeld, die ze terloops streelde telkens wanneer Charles iets zei. Abraham Lincoln stortte zich op een haas en dreunde daarbij tegen de picknicktafel, zodat een schotel verlepte sla als vuurwerk de lucht in ging. Popmuziek schetterde uit speakers die aan de hangplanten waren bevestigd. De elektrische gitaar, het gebrul van de zanger, al dat gegil en gelach, de maansikkel die rechts door de dennenbomen piepte – het vormde allemaal een vreemd, verstikkend, agressief geheel. Misschien kwam het doordat ik een beetje dronken was en mijn gedachten zo traag bewogen als luchtbellen in een lavalamp, maar ik had het gevoel dat de gasten elk moment konden aanvallen, plunderen en verkrachten, en een gewelddadige opstand konden veroorzaken 'die explodeerde als een bom en een dag later zou eindigen met het geruis van een zijden sjaaltje dat van de kwabbige hals van een oude vrouw werd getrokken – zoals het alle rebellen vergaat die alleen maar uit emotie en onbezonnen in opstand komen' (zie 'Een vleugje nostalgie: een onderzoek naar de opstand in Novgorod, Rusland, augustus 1965', Van Meer, *SINE Review*, voorjaar 1985).

In het felle licht van de tiki-toortsen verhardde de uitdrukking van de maskers en veranderden zelfs de liefste kostuums – schattige zwarte katten en tutu-engeltjes – in demonen met diepliggende ogen en een vooruitstekende kin.

En toen sloeg mijn hart over.

Op de stenen muur stond een man de gasten te bekijken. Hij droeg een zwarte cape met capuchon en een gouden masker met een haviksneus. Er was geen stukje mens te zien. Het was dat afschuwelijke Brighella-masker dat wordt gedragen tijdens het carnaval in Venetië en Mardi Gras in New Orleans – Brighella, de geile schurk uit de commedia dell'arte –, maar het lugubere ervan, het angstige, dat mij de rest van alle beesten op het feest deed vergeten, was niet dat het masker demonisch was, dat het kogelgaten in plaats van ogen had, maar het feit dat het Paps kostuum was. In Erie, Louisiana, had Meikever Karen Sawyer hem zo ver gekregen dat hij meedeed aan haar amateurmodeshow voor Halloween en had ze het pak uit New Orleans voor hem meegenomen. ('Ligt het aan mij of zie ik er echt volslagen belachelijk uit?' had Pap gevraagd toen hij voor het eerst de fluwelen mantel had gepast.) En de gedaante tegenover me – aan de andere kant van de patio, net zo lang als Pap, dus hij stak als een kruisbeeld boven de gasten uit – had precies hetzelfde aan, tot aan de bronskleur van het masker, de pokdalige neus, de satijnen rand om de capuchon en de als visoogjes zo kleine knoopjes aan de voorkant aan toe. De man bewoog niet. Het was net alsof hij naar me keek. Ik zag sigarettenvonkjes in zijn ogen.

'Kots?'

'Ik zie... mijn vader...' wist ik uit te brengen. Mijn hart bonsde in mijn borstkas, ik baande me een weg tussen de Flintstones en een rood aangelopen Repelsteeltje door, wrong me langs schouders en glitterruggen, en ellebogen en opgevulde staarten die in mijn buik priemden. De engelvleugel van ijzerdraad sneed in mijn wang. 'Het spijt me.' Ik duwde een vlinder opzij. 'Krijg nou de klere!' riep die, met haar bloeddoorlopen en door glitters geïrriteerde ogen. Ik kreeg een harde duw, viel op de stenen vloer en raakte verstrikt in gympen, netkousen en plastic bekertjes.

Even later hurkte Nigel naast me neer. 'Wat een kutwijf. Ik zou graag "cat-fight" roepen, maar volgens mij is dat niks voor jou.'

'Die man,' zei ik.

'Mm-mm?'

'Op de muur. Een lange man. Staat hij daar nog?'

'Wie?'

'Hij draagt een masker met een haviksneus.'

Nigel keek me onzeker aan, maar ging staan en ik zag zijn rode Adidas-gympen ronddraaien. Hij bukte weer. 'Ik zie niemand.'

Ik had het gevoel dat mijn hoofd werd losgetornd van mijn nek. Ik kneep mijn ogen samen en hij hielp me overeind. 'Kom op, meid. Rustig aan.' Ik steunde op zijn schouder en strekte mijn nek om te proberen langs de oranje pruik, de aureool, nog een glimp op te vangen van dat gezicht, om zeker te weten dat ik met mijn dronken hoofd alleen maar onmogelijke, dramatische dingen had gezien, maar er stonden uitsluitend Cleopatra's op de stenen muur, met bezwete, veelkleurige gezichten – olieplassen op een parkeerterrein. 'Haaaarveeeeey!' riep er een schril, en ze wees naar iemand in het publiek.

'We moeten als de sodemieter hiervandaan, anders worden we vertrapt,' zei Nigel. Hij verstrakte zijn greep om mijn pols. Ik ging ervan uit dat hij me mee zou nemen naar de tuin, maar hij trok me terug naar binnen.

'Ik heb een idee,' zei hij glimlachend.

❖

Gewoonlijk bleef de deur van Hannahs slaapkamer altijd dicht.

Charles had me weleens verteld dat ze daar echt een punt van maakte – ze had er een hekel aan wanneer mensen haar 'privédomein' betraden – en gek genoeg was er in de drie jaar dat ze haar kenden niemand die er binnen geweest was of het had gezien, op een enkele snelle blik in het langslopen na.

Ik zou er in geen duizend Ming-dynastieën zijn binnengedrongen als ik niet aangeschoten was geweest en lichtelijk schizofreen nadat ik Pap als Brighella tevoorschijn had getoverd, of als Nigel er niet was geweest die me langs de hippies en de holbewoners de trap op had gehesen en drie keer op de dichte deur aan het einde van de gang had geklopt. Hoewel ik echt wel wist dat het verkeerd was om mijn toevlucht te zoeken in haar slaapkamer, had ik ook het gevoel toen ik mijn schoenen uittrok – 'Liever geen duidelijke voetafdrukken in het tapijt,' zei Nigel toen hij de deur achter ons dichtduwde en op slot deed – dat Hannah het misschien niet zo erg zou vinden, als het maar om één keer ging. Daarbij kwam nog dat het haar schuld was dat iedereen zo nieuwsgierig was, zo gefascineerd. Als zij niet haar eigen *aire de mystère* had gecreëerd, voortdurend had geweigerd om de simpelste vragen te beantwoorden, zouden we misschien haar slaapkamer niet zijn binnengegaan – misschien zouden we zijn teruggegaan naar de auto, of zelfs naar huis. (Volgens Pap proberen alle misdadigers op een ingewikkelde manier hun afwijkende gedrag te verklaren. Die verwrongen redenering was mijn manier.)

'Ik help je er zo weer bovenop,' zei Nigel. Hij zette me op het bed en deed het bedlampje aan. Daarna verdween hij in de badkamer en kwam terug met een glas water. Nu ik bij de muziek en het rumoer van de gasten uit de buurt was, merkte ik tot mijn verbazing dat ik helderder was dan ik had gedacht. Al na een paar slokjes water, een paar keer diep ademhalen en wat rondkijken in Hannahs sober ingerichte kamer begon ik bij te komen, voelde ik iets kriebelen, namelijk wat in paleontologische kringen bekendstaat als *Graafkoorts*, een blind, onvermoeibaar enthousiasme om de geschiedenis van het leven bloot te leggen. (Naar men zegt voelde zowel Mary als Louis Leaky dat toen ze voor het eerst rond de Oldupai-kloof wandelden in het oosten van de Serengeti-vlakte in Tanzania, een plek die later de meest onthullende archeologische vondsten ter wereld zou opleveren.)

De muren van haar slaapkamer waren beige, zonder een enkele foto of schilderij. Het kleed onder het bed was deftig groen. In vergelijking met de rest van het huis – overal dieren, kattenharen, oosterse wandtapijten, krakkemikkige meubels, alle afleveringen van de *National Geographic* vanaf 1982 – was de inrichting hier bizar sober en een duidelijk signaal van iets, naar mijn gevoel ('Iemands slaapkamer geeft een direct inzicht in zijn of haar karakter,' schreef sir Montgomery Finkle in zijn in 1953 uitgegeven *Bloederige details*). De paar simpele meubels – ladekast, houten Quaker-stoel, kaptafel – waren verbannen naar de hoeken van de kamer alsof ze straf hadden. Het queensize bed was keurig opgemaakt (alleen waar ik zat liepen er plooien) en de sprei was eerder een soort prikkerige deken in de kleur van zilvervliesrijst. Op het nachtkastje stond een lamp en onderin stond één stukgelezen boek, de *I Tjing, of het boek der veranderingen*. ('Er is niets zo irritant als Amerikanen die hopen hun innerlijke tao te vinden,' zei Pap.) Toen ik ging staan viel me op dat er een vage maar onmiskenbare geur in de lucht hing, als een poenige gast die weigerde om naar huis te gaan: muskusgeur voor mannen, de doordringend geurende siroop die een bink uit Miami op zijn gespierde nek uitgoot.

Nigel onderwierp de kamer ook aan een grondig onderzoek. Hij had zijn

Zorro-masker in zijn broekzak gepropt en hij had nu een ingetogen, bijna eerbiedige uitdrukking op zijn gezicht, alsof we een klooster binnengeslopen waren en hij de nonnen niet in hun gebed wilde storen. Hij kroop naar Hannahs klerenkast en schoof heel langzaam de deur open.

Ik wilde net naar hem toe gaan – de kast puilde uit van de kleren en toen hij aan het koord trok om het licht aan te doen viel er een witte pump van een plank bomvol schoenendozen en boodschappentassen –, maar toen viel mijn oog op iets wat ik nog nooit in dat huis had gezien; drie ingelijste foto's naast elkaar op de ladekast. Ze keken allemaal recht vooruit zoals verdachten in een Oslo-confrontatie. Op mijn tenen liep ik erheen, maar ik besefte meteen dat ze niet het bewijs van een uitgestorven soort (ex-vriendje) of juratijdperk (een heftige gothic-fase) hoefden te zijn dat ik gehoopt had te zullen vinden.

Nee, op allemaal stond (een in zwart-wit, de andere in ouderwetse jaren-zeventig-kleuren, het bruin van *Brady Bunch*, het kastanjebruin van $M^*A^*S^*H^*$) een meisje dat vermoedelijk Hannah was in de leeftijd tussen, zeg, negen maanden en zes jaar. En toch leken de baby met haar dat als een dun laagje glazuur op haar kale muffinhoofdje lag en de peuter die alleen een luier aanhad, helemaal niet op haar, niet in de verste verte. Dat kind zag er dik en rood aangelopen uit als een alcoholistische oom; als je tussen je wimpers door keek, leek het wel alsof ze stomdronken in haar wiegje in slaap was gevallen. Zelfs de ogen leken niet. Die van Hannah waren amandelvormig en deze hadden dezelfde kleur, zwartbruin, maar waren rond. Ik was geneigd te geloven dat het niet Hannah was op die foto's, maar een dierbare zus – en toch, als je beter keek, vooral naar de foto waarop ze vier was en op een vurige ruigharige pony zat, kwam de gelijkenis boven: de volmaakte mond, waarvan de bovenlip en de onderlip als twee puzzelstukjes precies op elkaar pasten, en hoe ze strak naar de teugels keek die ze in haar vuistjes geklemd hield, die intense maar geheimzinnige blik.

Nigel was nog in Hannahs inloopkast – kennelijk was hij schoenen aan het passen –, dus glipte ik de aangrenzende badkamer in en deed het licht aan. De inrichting was hetzelfde als in de slaapkamer, sober, zo kaal als een gevangeniscel: een witbetegelde vloer, keurige witte handdoeken, de wasbak en de spiegel blinkend schoon, zonder een enkel spatje of vlekje. Woorden uit een bepaald boek schoten me te binnen, de pocket die Meikever Amy Steinman in ons huis had laten liggen, *Klem in het duister*, van P.C. Mailey (1979). Het boek beschrijft in bombastisch, zwaar aangezet proza uitvoerig 'de onmiskenbare symptomen van depressiviteit bij alleenstaande vrouwen'. Een daarvan was 'een zeer sober ingerichte woonruimte als een vorm van zelfkwelling' (blz. 87). 'De slaapkamer van een ernstig depressieve vrouw is of totaal verwaarloosd of strak en minimalistisch ingericht – zonder dingen die haar kunnen herinneren aan haar eigen smaak of persoonlijkheid. In de andere kamers kan ze echter wel "spulletjes" hebben om op haar vriendinnen normaal en gelukkig over te komen' (blz. 88).

Ik werd er een beetje mismoedig van. Maar toen ik neerknielde en het kastje onder de wasbak openmaakte, was ik echt overdonderd, en dat was volgens mij niet hetzelfde vreugdevolle ongeloof dat Mary Leakey in 1959 voelde toen ze op *Zinjanthropus* of 'Zinj' stuitte.

In dat kastje zat in een roze plastic mandje een verzameling medicijnflesjes waarbij vergeleken alles wat Judy Garland in haar leven had geslikt niet meer was dan een paar kokertjes Smarties. Ik telde negentien oranje flesjes (barbituraten, amfetaminen, neuriede ik in mezelf, Seconal, Fenobarbital, Dexedrine; Marilyn en Elvis zouden de tijd van hun leven hebben gehad), maar tot mijn grote frustratie kon ik er niet achter komen wat het was; nergens zat een etiket op, niets wees erop dat ze er überhaupt op hadden gezeten. Op elke INDRUKKEN DAN DRAAIEN-knop zat een stukje gekleurd plakband, blauw, rood, groen of geel.

Ik pakte een van de grotere flesjes en schudde de kleine blauwe pilletjes waarop heel klein '50' stond. Ik kwam in de verleiding om ze te pikken en dan thuis proberen na te gaan wat het was door internet te raadplegen of Paps tien kilo zware *Encyclopedie der Geneeskunst* (Baker & Ash, 2000), maar stel nu dat Hannah had verzwegen dat ze een terminale ziekte had en dat ze met deze geneesmiddelen in leven bleef? Stel nu dat ik een van de onmisbare geneesmiddelen meenam en dat ze morgen haar noodzakelijke dosering niet kon innemen en in coma raakte zoals Sunny von Bulow, en ik zodoende de onbetrouwbare Claus werd? Stel dat ik Claus' advocaat Alan Dershowitz moest inhuren die voortdurend over mij sprak met zijn kliek irritante studenten die zich volpropten met spaghetti en garnalen met gember, terwijl ze poëtisch begonnen te praten over de verschillende Gradaties van Onschuld en Schuld en met mijn leven speelden alsof ik een slordig met naaigaren in elkaar gezette marionet was?

Ik zette het flesje terug.

'Blue! Kom eens!'

Nigel zat in de kast begraven achter een paar kledingzakken. Hij was zo'n gedreven, maar chaotische opgraver die schaamteloos de locatie helemaal overhoophaalde; hij had minstens tien schoenendozen van de bovenste plank gepakt en ze achteloos ergens op de grond gezet. Verschoten katoenen truien lagen verspreid tussen proppen vloeipapier, plastic zakken, een riem afgezet met nepdiamantjes, een sieradenkistje, een van zweet doortrokken bordeauxrode schoen. Hij droeg een snoer van valse parels om zijn hals.

'Ik ben Hannah Schneider en ik ben mysterieus,' zei hij met een zwoele stem, en hij slingerde de lus van de halsketting over zijn schouder alsof hij Isadora Duncan was, de Moeder van de Moderne Dans (zie *Zo rood als mijn sjaal*, Hillson, 1965).

'Wat doe jij nou?' vroeg ik giechelend.

'Etalages kijken.'

'Je moet die spullen terugleggen, hoor. Anders weet ze dat we hier zijn geweest. Stel dat ze terugkomt?'

'O, moet je dit zien,' zei hij enthousiast, en hij reikte mij een zwaar, kunstig bewerkt houten kistje aan. Bijtend op zijn onderlip deed hij het deksel open. In de kist fonkelde een zilverkleurige machete van ongeveer vijftig centimeter lang, zo'n afschuwelijk wapen waarmee in Sierra Leone rebellen de armen van kinderen afhakten ('Keiharde avonturiers', Van Meer, *Buitenlandse berichten*, juni, 2001). Ik was met stomheid geslagen. 'Daar boven ligt een hele messenverzameling,' zei hij. 'Ze zal wel aan SM doen. O, en ik heb een foto gevonden.'

Vrolijk nam hij het kapmes weer van me over (alsof hij de enthousiaste manager van een bank van lening was), gooide het op de grond, en na wat gerommel in een schoenendoos gaf hij me een verkleurde vierkante foto.

'Ze leek een beetje op Liz Taylor toen ze jong was,' zei hij dromerig. 'Precies zoals in *National Velvet*.'

De foto was van Hannah toen ze elf of twaalf was. Alleen haar bovenlijf stond erop, dus je kon niet zien of hij binnen of buiten genomen was, maar ze lachte breeduit (eerlijk gezegd had ik haar nog nooit zo vrolijk gezien). Haar arm lag als een nertsstola om de nek van een ander meisje, dat waarschijnlijk ook behoorlijk knap was, maar zij had zich verlegen glimlachend van de camera weggedraaid. Ze had net haar ogen dicht toen de foto werd genomen zodat je alleen de entree van haar gezicht zag (wang, hoog voorhoofd, een vermoeden van wimpers) en misschien een stukje van de salon (neus als een ideale skihelling). Ze droegen hetzelfde schooluniform (witte bloes, marineblauw jasje – op dat van Hannah zat een gouden leeuwenembleem op het borstzakje). Het was zo'n kiekje dat niet alleen een moment had vastgelegd, maar ook een hele korrelige scène uit een leven – hun paardenstaarten straalden levenslust uit, plukjes haar vormden spinnenwebben in de wind. Je kon ze bijna samen horen lachen.

En toch hadden ze iets griezeligs over zich. Ik moest denken aan Holloway Barnes en Eleanor Tilden, die in 1964 in Honolulu hun ouders hadden vermoord, wat door Arthur Lewis is beschreven in zijn afgrijzenwekkende non-fictieverslag, *Kleine meisjes* (1988). Holloway vermoorde Eleanors ouders met een houweel terwijl ze lagen te slapen en Eleanor doodde die van Holloway met een geweer, waarbij ze hen in hun gezicht schoot alsof het een spelletje was waarmee je een knuffelpanda kon winnen. Midden in het boek stond een aantal foto's afgedrukt en daarbij zat een foto van de meisjes die veel leek op deze: alle twee in een meisjesuniform van een katholieke school, hun armen in elkaar gevlochten, en hun glimlach doorpriemde hun gezicht als een vishaak.

'Ik ben benieuwd wie die ander is,' zei Nigel. Hij zuchtte weemoedig. 'Twee mensen die zo mooi zijn moeten dood. Meteen.'

'Heeft Hannah een zuster?' vroeg ik.

Hij haalde zijn schouders op. 'Geen idee.'

Ik liep terug naar de drie ingelijste foto's op de ladekast.

'Hoezo?' vroeg hij terwijl hij me achternakwam.

Ter vergelijking hield ik de foto omhoog. 'Het is niet dezelfde persoon.'

'Hè?'

'Deze foto's. Die zijn niet van Hannah.'

'Op die foto's was ze toch veel jonger?'

'Maar het is niet hetzelfde gezicht.'

Hij kwam met zijn hoofd dichterbij en knikte. 'Misschien is het een dik nichtje van haar.'

Ik draaide de foto van Hannah met het blonde meisje om. In de hoek stond er met blauwe inkt een jaartal op geschreven: 1973.

'Wacht eens,' fluisterde Nigel opeens met een hand tegen zijn parelsnoer gedrukt, zijn ogen wijd opengesperd. 'O shit, hoor je dat?'

Beneden was de muziek die voortdurend had gedreund met de regelmaat van een gezond hart gestopt en er was nu alleen nog een absolute stilte.

Ik liep naar de deur, deed hem open en keek de gang in.

Die was verlaten.

'Kom mee, we moeten hier weg.'

Nigel piepte even en was in de kast fanatiek bezig om de truien weer op te vouwen en de juiste deksels bij de schoenendozen te zoeken. Ik overwoog om de foto van Hannah en het andere meisje achterover te drukken, maar Howard Carter eigende zich toch ook niet zonder blikken of blozen de schatten in de tombe van Toetanchamon toe? Stak Donald Johanson stiekem een stuk van Lucy in zijn zak, de 3,18 miljoen jaar oude mensachtige? Met tegenzin gaf ik de foto terug aan Nigel, die hem weer in de Evan-Picone-schoenendoos stopte en op zijn tenen moest staan om die terug te zetten op de plank. We deden alle lampen uit, pakten onze schoenen, keken nog een keer goed of we niet iets hadden laten vallen ('Alle dieven laten een visitekaartje achter, want het menselijk ego snakt naar erkenning zoals een junk snakt naar heroïne,' zei inspecteur Clark Green in *Vingerafdrukken* (Stipple, 1979). We deden Hannahs slaapkamerdeur achter ons dicht en liepen snel door de gang.

De trap was leeg en beneden in de mêlee van gasten stond een bezwete vogel met een verfomfaaide hoofdtooi hysterisch te krijsen, wat door het rumoer heen sneed als een zwaard tijdens een heftige vechtscène. Charlie Chaplin probeerde haar te kalmeren. 'Diep ademhalen! Godverdomme, haal nou even adem, Amy!' Nigel en ik keken elkaar onthutst aan, liepen de trap af en kwamen terecht in een vloedgolf van voeten, plastic maskers, staarten, toverstokjes en pruiken, die allemaal probeerden de achterdeur te bereiken om naar de patio te gaan.

'Niet duwen!' riep iemand. 'Hou nou op met duwen, klootzak!'

'Ik heb het gezien,' zei een pinguïn.

'Hoe zit het met de politie?' jammerde een fee. 'Ik bedoel, waarom zijn ze er nog niet? Heeft iemand het alarmnummer gebeld?'

'Hé,' zei Nigel, terwijl hij de meerman die voor hem stond te dringen bij de schouder pakte. 'Wat is er aan de hand?'

'Er is iemand dood,' zei hij.

A Moveable Feast

Op zijn zevende was Pap bijna verdronken in de Brienzer See. Hij beweerde dat dat de op een na verrijkendste ervaring van zijn leven was en qua belangrijkheid alleen overtroffen werd door de dag waarop hij Benno Ohnesborg dood zag gaan.

In zijn gebruikelijke ijverzucht bond Pap de strijd aan met ene Hendrik Salzmann, een jongen van twaalf die ook in het *Weisenhaus* in Zürich zat. Hoewel Pap liet zien dat hij 'over een uitstekende conditie en een uitstekend atletisch vermogen beschikte' toen hij de vermoeide Hendrik voorbijzwom, raakte hij zo'n dertig à veertig meter voorbij het zwemgedeelte te uitgeput om nog verder te kunnen.

De heldergroene oever dobberde ver achter hem. 'Het leek wel of die me uitzwaaide,' zei Pap. Toen hij wegzakte in de borrelende duisternis, armen en benen zo zwaar als zakken met stenen, kreeg Pap naar zijn zeggen na de aanvankelijke paniek – die 'eigenlijk neerkwam op de verbazing dat dit het nu was, dat het nu afgelopen was' –, wat vaak beschreven wordt als het Socrates-syndroom, een gevoel van een heel diepe kalmte in die laatste momenten voor de dood. Pap deed zijn ogen dicht en zag geen tunnel, geen verblindend licht, geen diavoorstelling van zijn eigen korte, dickensiaanse leven, zelfs geen Glimlachende Man met een Witte Baard in een Lang Gewaad, maar snoepgoed.

'Karameltruffels, marmelade,' zei Pap, 'koekjes, marsepein. Ik rook ze zelfs. Ik was er echt van overtuigd dat ik niet in mijn watergraf terechtkwam, maar in een *Konditorei*.'

Pap bezwoer me ook dat hij ergens in de diepte de Vijfde van Beethoven had gehoord, die een geliefde non, Fräulein Uta (de eerste Meikever in de geschreven geschiedenis, *die erste Maikäfer in der Geschichte*), op zaterdagavond altijd op haar kamer draaide. Toen hij uit deze suikereuforie werd weggerukt en naar de kant werd getrokken door niemand minder dan Hendrik Salzmann (die een heroïsche tweede adem had), was volgens Pap zijn eerste bewuste gedachte dat hij terug wilde gaan, terug de donkere diepte in voor het toetje en het Allegro Presto.

Pap over de Dood: 'Wanneer het je tijd is – en natuurlijk weet niemand wanneer hij wordt opgeroepen –, heeft het geen zin om te snotteren. Alsjeblieft. Je moet weggaan als een krijger, zelfs als de revolutie waar je je leven voor had gewaagd biologie of neurologie is, de oorsprong van de zon, insecten, het Rode Kruis, je moeder aardig vinden. Mag ik je helpen herinneren aan de manier waarop Che Guevara stierf? Hij was een gebroken man – zijn pro-Chinese, pro-communistische standpunten waren kortzichtig, naïef in het gunstigste geval. Maar goed...' Pap ging rechtop zitten in zijn stoel en boog zich voorover, achter zijn brillenglazen waren zijn roodbruine ogen wijd opengesperd, zijn stem ging de hoogte in en daalde daarna totdat die uit zijn buik leek te komen. 'Het gebeurde op 9 oktober 1967, nadat een verrader CIA-agenten had verteld waar de geheime locatie van Guevara's kamp was, nadat hij zo ernstig gewond was geraakt dat hij het niet langer volhield en hij zich had overgegeven aan het Boliviaanse leger en René Barrientos zijn executie had gelast, nadat een laffe officier het kortste strootje had getrokken en zo ernstig trillend dat verscheidene getuigen dachten dat hij een toeval kreeg het raamloze schoolgebouw was binnengegaan om een kogel door Guevara's hoofd te schieten. Hij zou eens en voor altijd een einde maken aan het leven van de man die zich in de strijd wierp voor de mensen in wie hij geloofde, de man die zonder een spoor van sarcasme woorden als "vrijheid" en "gerechtigheid" in de mond nam, die Guevara, die wist wat hem te wachten stond, die draaide zich om naar de officier.' Op dat punt draaide Pap zich naar links, naar een denkbeeldige officier. 'Ze zeggen dat hij niet bang was, lieverd, geen druppeltje zweet, geen enkele trilling in zijn stem. Hij zei: "Schiet dan, lafaard. Je hoeft alleen maar een mens te vermoorden."'

Pap staarde me aan.

'Mogen jij en ik zo'n zelfverzekerdheid nastreven.'

Nadat Hannah ons over Smoke Harvey had verteld, met een hese stem en een zekere grauwheid die uit haar ogen leek te sijpelen (alsof ze inwendig overliep), waarbij elk detail over hem een roze steen in de reconstructie van het grote, luidruchtige bouwwerk van zijn leven was, vroeg ik me af hoe het met Smokes zelfverzekerdheid had gezeten. Ik probeerde me voor te stellen wat tijdens het verdrinken naar zijn gunsten had gedongen. Dat waren niet de minnaressen uit Paps jeugd – snoep en Beethoven –, maar misschien Cubaanse sigaren, of de poppenhandjes van zijn eerste vrouw ('Ze was zo klein dat ze haar armen niet helemaal om hem heen kon slaan,' zei Hannah), of een glas Johnnie Walker met ijs (Blue Label waarschijnlijk, want volgens Hannah hield hij van 'de goede dingen van het leven') – alles wat hem zachtjes kon wegduwen van het feit dat het hoogtepunt van zijn leven, dat hij achtenzestig jaar krachtig en energiek had geleefd ('animo' en 'pit' had Hannah gezegd) in haar zwembad zou plaatsvinden, beneveld en gekleed als Mao Zedong, twee-enhalve meter onder water zwevend boven een betonnen vloer, en niemand die het zag.

Zijn volledige naam was Smoke Wyannoch Harvey, achtenzestig jaar oud. Niet veel mensen wisten wie hij was, tenzij ze in Findley, West Virginia, woonden of gebruik van hem hadden gemaakt als *Portfolio Manager* toen hij bij DBA LLC werkte of het boek dat hij had geschreven in de ramsjbak hadden gevonden, *Het Doloroso-verraad* (1999), of de twee artikelen over zijn dood hadden gelezen in de *Stockton Observer* van 24 en 28 november (zie 'Man uit West Virginia verdrinkt in zwembad', 'Verdrinking afgelopen weekend was ongeluk').

Hij was natuurlijk de gedistingeerde man met het grijze haar die Nigel en ik bij Hannah op de trap hadden ontmoet, de man die ik aardig vond (afbeelding 12.0).

Toen we hadden gehoord dat er iemand dood was, drongen Nigel en ik door de drukte naar een van de ramen die uitkeken op de patio. We konden alleen de ruggen van mensen zien die allemaal naar iets voor hen staarden alsof ze naar een geïnspireerde uitvoering van *Koning Lear* keken. De meesten waren half van hun kostuums ontdaan, zodat het leek of ze tussen twee diersoorten in zaten, en de grond was bezaaid met pijpenragervoelsprieten en pruiken die op aangespoelde kwallen leken.

De gillende sirene van een ambulance sneed door het nachtelijk duister. Rood licht werd over het gazon geslingerd. Iedereen op de patio werd de huiskamer in gedreven.

'Het gaat allemaal veel sneller als iedereen zich rustig houdt,' zei de blonde agent vanuit de deuropening. Hij kauwde op kauwgum. Aan de manier waarop hij tegen de deurpost leunde, één voet op Hannahs paraplubak had gezet en seconden te lang wachtte met knipperen, kon je aflezen dat zijn lichaam aanwezig was, maar dat hij met zijn gedachten bij een roodvilten pooltafel

was waar hij een makkelijke trekbal had gemist, of anders bij zijn vrouw in hun bultige bed.

Met open mond stond ik me verbijsterd af te vragen wie het was en ik wilde me ervan vergewissen dat het niet Milton of Jade of een van de anderen was ('Als het iemand moet zijn, laat het dan die geschifte vlinder zijn'), maar Nigel gedroeg zich als een hopman. Hij pakte mijn hand en trok me mee naar de andere kant van de kamer. We struikelden half over hippies die elkaar op de grond troostmassages gaven. Hij gooide een misselijke Jane uit de badkamer (ze was Tarzan kwijt), deed de deur op slot en gebood me water te drinken.

'We willen niet dat een of andere smeris ons een ademtest gaat afnemen,' zei hij geërgerd. Ik schrok van de heftigheid van zijn optreden. Volgens Pap brachten noodsituaties een elementaire verandering bij iedereen teweeg. Terwijl de meeste mensen onmiddellijk zouden smelten, veranderde Nigel in een compactere, ietwat vervaarlijkere versie van zichzelf. 'Ik ga op zoek naar de anderen,' zei hij met de felheid van een karatetrap. 'We moeten een goed verhaal hebben over onze aanwezigheid hier. Ze gaan de hele avond in kaart brengen, namen en adressen noteren,' zei hij toen hij de deur opendeed. 'Het zal me toch niet gebeuren dat ik van school word getrapt vanwege een of andere sukkel die niet tegen drank kan en nooit heeft leren zwemmen.'

❖

Sommige mensen hebben de aanleg om de hoofdrolspeler van elke detective, pornofilm, romantische film of spaghettiwestern te worden, of op z'n minst een dragende bijrol te krijgen, of te verschijnen in een onvergetelijke cameo waarvoor ze veel positieve kritieken en aardig wat aandacht krijgen.

Het was ook geen verrassing dat Jade de rol van de Nietsvermoedende Getuige had gekregen. Ze stond buiten te praten met Ronald Reagan, die in een dronken aandrang om te patsen het verwarmde zwembad in dook en ging rugzwemmen, waarbij hij de vier ratten ontweek die tikkertje aan het spelen waren. Terwijl Jade naar hem keek, riep hij namen in een poging te raden als wie ze was verkleed ('Pam Anderson! Ginger Lynn!'). Toen trapte hij met zijn voet tegen het donkere lichaam onder water.

'Wat...' zei de Grote Communicator.

'Er is iemand bewusteloos! Bel het alarmnummer! Wie kan er reanimeren? Waarschuw een arts, verdomme!' beweerde Jade dat ze had geroepen. Milton, die net terug was op de patio nadat hij in het bos de rest van zijn joint had opgerookt, zei dat ze helemaal niets had gedaan of gezegd tot Ronnie en een van de ratten het grote walvislichaam uit het water haalden. Op dat moment zat ze in de ligstoel en keek ze alleen maar toe, beet op haar nagels terwijl mensen 'O, goeie god' begonnen te mompelen. Een man in een zebrapak probeerde hem te reanimeren.

Jade zat nog op de patio samen met Reagan en de andere hoofdrolspelers te wachten om door de politie te worden gehoord, maar Nigel kwam wel met Charles, Milton en Lu terug naar de badkamer. Charles en Lu zagen eruit alsof ze ternauwernood de Oorlog van 1812 hadden overleefd, maar Milton zag eruit zoals altijd: relaxed en log, een vage glimlach op zijn gezicht.

'Wie is er dood?' vroeg ik.

'Een heel grote man,' zei Leulah, en ze ging zitten op de rand van het bad met een starende blik in haar ogen. 'En hij is echt dood. Er ligt een dood lichaam op de patio van Hannah. Hij is drijfnat. En dan die afschuwelijke modderkleur.' Ze legde een hand op haar buik. 'Ik geloof dat ik moet overgeven.'

'Leven, dood,' verzuchtte Nigel. 'Het is allemaal zo Hollywood.'

'Heeft iemand Hannah gezien?' vroeg Charles rustig.

Het was een akelige gedachte. Ook al was het een ongeluk, het is nooit leuk om onverwacht bij iemand thuis dood te gaan terwijl die iemand een feest geeft, om 'uit dit waanzinnige bestaan te stappen' (zoals Pap graag zei), op het erf van een ander, in het niervormige zwembad van een ander. Niemand van ons zei iets. Achter de dichte deur wurmden zich enkele woorden als padden uit het rumoer ('O', 'Sheila!', 'Ken je hem?', 'Hé, wat is er aan de hand?'), en door het open raam bij het bad klonk het gekwetter op de politieradio, onophoudelijk en onverstaanbaar.

'Het liefst zou ik 'm nu smeren,' zei Nigel, en hij glipte achter het douchegordijn en keek in elkaar gedoken uit het raam alsof er elk moment op hem geschoten kon worden. 'Ik vraag me af of er wel een politiewagen aan het eind van de oprit staat. Maar we kunnen Jade niet achterlaten, dus we moeten het er maar op wagen en de politie zijn werk laten doen.'

'Natuurlijk kunnen we niet vluchten van de plaats delict,' zei Charles geïrriteerd. 'Ben je gek geworden?' Zijn gezicht liep rood aan. Hij maakte zich kennelijk zorgen om Hannah. Wanneer Jade of Nigel in de Paarse Kamer een beetje zat te gissen naar wat Hannah in het weekend deed (als ze alleen maar 'Cottonwood' fluisterden), werd hij zo opvliegend als een Zuid-Amerikaanse dictator. Binnen een paar tellen kon zijn hele lichaam – zijn gezicht, en ook zijn handen – zo roze worden als Tropical Punch.

Zoals gebruikelijk zei Milton niets, maar giechelde hij alleen maar, leunend tegen de bordeauxrode handdoeken.

'Het zou niet moeilijk moeten zijn,' zei Nigel. 'Een verdrinking is altijd makkelijk te analyseren. Aan de huid kunnen ze zien of het een ongeluk is of dat er van opzet sprake is. Bij veel verdrinkingen is er alcohol in het spel. Een stomdronken man valt in het water. Hij raakt bewusteloos, gaat dood. Wat kun je doen? Hij heeft het zichzelf aangedaan. En dat gebeurt aan de lopende band. De kustwacht stuit voortdurend op zatte klootzakken die in de oceaan dobberen na te veel rum en cola.'

'Hoe weet je dat?' vroeg ik, hoewel ik ook iets dergelijks had gelezen in *Moord in Le Havre* (Monalie, 1992).

'Mijn moeder verslindt misdaadromans,' zei hij trots. 'Diana zou haar eigen autopsie kunnen verrichten.'

❖

Toen we tot de conclusie waren gekomen dat we niet zichtbaar dronken waren (de Dood had de uitwerking van zes koppen koffie en een duik in de Beringstraat), keerden we terug naar de huiskamer. Een andere agent had de leiding overgenomen, agent Donnie Lee, met een bol en zonderling uiterlijk dat deed denken aan een mislukte vaas op een pottenbakkerswiel. Hij probeerde iedereen – 'Rustig en beschaafd, mensen' – op een rij te zetten met het manische geduld waarmee een Activiteitenbegeleider op een cruiseschip een excursie op de wal organiseert. Langzaam vormden de gasten een kring in de kamer.

'Laat mij maar eerst gaan,' zei Nigel. 'En zeg zelf niets. Ik zal jullie het advies geven dat mijn moeder mij heeft gegeven. Wat er ook gebeurt, kijk alsof je net het Licht hebt gezien.'

Agent Donnie Lee had zich gedrenkt in een mierzoet luchtje (het ging hem ver vooruit en waarschuwde iedereen dat hij eraan kwam), dus tegen de tijd dat hij bij Nigel kwam, zijn naam en telefoonnummer opschreef en vroeg hoe oud hij was, was Nigel voorbereid op het dreigende bloedbad.

'Zeventien, meneer.'

'Mm-mm.'

'Ik kan u verzekeren dat mevrouw Schneider niet wist dat wij vanavond zouden langskomen. Mijn vrienden en ik dachten dat het leuk zou zijn om onuitgenodigd op een feest voor volwassenen te verschijnen. Om te kijken hoe zoiets eruitzag. Niet, voeg ik daaraan toe, om verboden middelen te gebruiken. Ik ben mijn hele leven al baptist en ben nu al twee jaar voorzitter van mijn eigen bidkring, en mijn geloof verbiedt het om alcohol te drinken. Geheelonthouding bevalt me uitstekend, meneer.'

Ik vond zijn toneelstukje nogal theatraal en overdreven, maar tot mijn verbazing was hij kennelijk net zo overtuigend als Vanessa Redgrave in *Mary, Queen of Scots*. Agent Donnie – diepe rimpels vormden zich in zijn kleiachtige voorhoofd, alsof onzichtbare handen begonnen van hem een vaas of asbak te maken – tikte alleen maar met zijn afgekloven Bic-pen tegen de zijkant van zijn opschrijfboekje.

'Gedraag je voortaan, jongelui. Ik wil jullie niet meer op dit soort plaatsen tegenkomen. Is dat duidelijk?'

Zonder ook maar ons 'Ja, meneer. Hartstikke duidelijk' af te wachten liep hij door om de gegevens op te nemen van de zeurderige Marilyn die naast ons stond te rillen in haar minuscule *Seven Year Itch*-jurkje met een afschuwelijke bruine vlek voorop.

'Hoe lang gaat dit duren? Ik heb een oppas.'

'Mevrouw, als u nu een beetje geduld hebt...'

Nigel grijnsde. 'Met stroop vang je meer vliegen dan met azijn,' fluisterde hij.

Agent Lee liet iedereen pas om vijf uur 's morgens gaan. Toen we eindelijk naar buiten mochten, zagen we een blauwige, tuberculeuze ochtend: de hemel flets, het gras bezweet, een koud briesje pufte tussen de bomen door. Paarse veren zwierven over het gazon, zaten elkaar onder het afzetlint van de politie achterna en waren een Hulk-masker aan het pesten dat zich dood hield.

We volgden de vermoeide stoet van geparkeerde auto's en passeerden de gasten die wilden blijven om te kijken of er nog iets te zien viel (een fee, een gorilla, een door de bliksem getroffen blonde golfspeler), de twee politieauto's, de lege ambulance en de chauffeur met donkere, diepliggende ogen die een sigaret stond te roken. De vergulde Nefertiti voor ons babbelde maar door terwijl ze wiebelend op haar als ijspriemen zo dunne hoge hakken de oprit af liep: 'Een zwembad is een hele verantwoordelijkheid,' zei ze. 'Vanaf het moment dat ik opstond had ik al een naar voorgevoel, echt waar.'

Gehuld in een verlamd zwijgen stapten we in de auto en wachtten een kwartier totdat Jade eraan kwam.

'Ik heb een verklaring afgelegd,' zei ze trots toen ze op de achterbank ging zitten en mij fijnperste toen ze het portier dichtdeed. 'Het was precies als op tv, alleen was de agent niet knap of gebruind.'

'Hoe was hij dan?' vroeg Nigel.

Jade wachtte tot onze blikken haar bijna verslonden.

'Inspecteur Arnold Trask was een botterik.'

'Heb je de man gezien die overleden is?' vroeg Milton vanaf de voorbank.

'Ik heb alles gezien,' zei ze. 'Wat willen jullie weten? Wat ik in elk geval echt maf vond, was dat hij blauw was. Echt waar. En zijn armen en benen ploften op de grond, begrijp je wat ik bedoel? Hij was opgeblazen als een rubbervlot. Op de een of andere manier was hij gevuld...'

'Hou op, anders moet ik kotsen,' zei Leulah.

'Wat nou?'

'Heb je Hannah gezien?' vroeg Charles terwijl hij de motor startte.

Jade knikte. 'Nou en of,' zei ze. 'Dat was het ergste van alles. Ze namen haar mee naar buiten en ze begon te schreeuwen als een psychiatrische patiënt. Een van de agenten moest haar afvoeren. Het was alsof ik naar zo'n documentaire zat te kijken over een moeder wie de voogdij over haar kinderen wordt ontnomen. Daarna heb ik haar niet meer gezien. Iemand zei dat de man van de ambulance haar iets kalmerends had gegeven en dat ze even was gaan liggen.'

In de vaalblauwe ochtend stonden honderden kale bomen langs de vangrail naar ons te knikken en ons te condoleren. Ik zag dat Charles zijn kaken op elkaar klemde toen hij de snelweg op reed richting Jades huis. Zijn wang stond strak naar binnen alsof iemand er een stuk uit gesneden had. Ik dacht aan die vreselijke momenten dat Pap weer in zo'n bourbonstemming was met *De Grote Blanke Leugen* (1969) of E.B. Carlsons *Stilte* (1987) opengeslagen over zijn knie. Dan begon hij te vertellen over iets waar hij het zelden over had: over hoe mijn moeder gestorven was. 'Het was mijn schuld,' zei hij dan, niet tegen mij, maar tegen mijn schouder of mijn been. 'Eerlijk, lieverd. Ik schaam me diep. Ik had daar moeten zijn.' (Zelfs Pap die zich erop liet voorstaan dat hij nooit iets uit de weg ging, sprak net als zovelen liever tegen een lichaamsdeel wanneer hij dronken en emotioneel was.)

Ik vond dat vreselijke momenten, want in stilte was ik er diep van overtuigd dat Paps gezicht sterk en onveranderlijk was, duurzaam als de beelden van vulkanisch gesteente op Paaseiland (als er iemand na negenhonderd jaar nog overeind zou staan, dan was het Pap wel). Maar soms, in de keuken of in een vaaldonker hoekje van zijn werkkamer, zag hij er heel even breekbaar en kleiner uit, menselijk, maar ongelukkig, zo broos als de bladzijden van een motelbijbel in dundruk.

Natuurlijk herstelde hij zich altijd schitterend. Dan bespotte hij zijn zelfmedelijden en haalde een citaat aan over het feit dat de mens zelf de grootste vijand van de mens is. Maar wanneer hij weer de oude Pap was, het centrum van mijn bestaan, mijn *Man Who Would Be King*, bleek dat zijn bui aanstekelijk was geweest, want ik was daarna nog urenlang somber. Dat effect had een dood door een ongeval op mensen; die schudde je zeebodem op, waardoor waterstromen op elkaar botsten, opstegen en bij jou aan de oppervlakte kleine, maar grillige wielingen veroorzaakten. (In ernstigere gevallen veroorzaakte het een sterke draaikolk waarin ook de beste zwemmer verdronk.)

Die zondag was er geen etentje bij Hannah.

Ik bracht het weekend door in een zompige stemming: verstikkende middagen met huiswerk, waarbij de Dood en Hannah zich als bloedzuigers aan mijn gedachten vastzogen. Ik had er een hekel aan wanneer mensen deelnamen aan wat Pap smartlaprouw noemde ('Iedereen wil dolgraag rouwen zolang het niet zíjn kind is dat werd onthoofd bij dat auto-ongeluk, niet zíjn echtgenoot die werd neergestoken door een straatjunk die wanhopig op zoek was naar crack'). Toen ik in de *Stockton Observer* het korte bericht over Smoke Harvey las en naar de begeleidende foto zat te staren (een vreselijke kerstfoto: smoking, grijns, voorhoofd dat glom als chroom), kreeg ik misschien geen gevoel van Verlies of Verdriet, maar toch van een Gemist Gesprek, dat je ook voelt op de snelweg wanneer je een interessant iemand achter een wazige schaapjeswolk op de ruit ziet slapen in de passagiersstoel van een voorbijrijdende bestelwagen.

'Nou, vertel eens,' vroeg Pap op licht spottende toon, terwijl hij een hoek van de *Wall Street Journal* omvouwde om mij aan te kunnen kijken. 'Hoe was het bij de Joyce-vandalen? Daar heb je niks over verteld toen je thuiskwam. Zijn jullie al bij Calypso?'

Ik lag bij het raam opgerold op de bank en probeerde het gekostumeerde feest te vergeten met de Engelse chick-lit-klassieker *Minnaar voor één nacht* (Miller, 2002), dat ik om Pap te plezieren had verstopt in het grotere, ingebonden *Aldus sprak Zarathustra* (Nietzsche, 1883-1884).

'Goed, hoor,' zei ik, en ik probeerde blasé te klinken. 'Hoe was het met Kitty?'

Pap had met haar afgesproken, en uit het feit dat hun vuile wijnglazen nog in de gootsteen stonden toen ik thuiskwam (op het aanrecht een lege fles cabernet sauvignon) kon ik opmaken dat welke dronken zinsbegoocheling ik ook had ervaren over Paps aanwezigheid op Hannahs feest gehuld in het kostuum waarin hij er volgens zichzelf uitzag 'als de liefdesbaby van Marie Antoinette en Liberace', het in elk geval een zinsbegoocheling was geweest. (Kitty gebruikte koperkleurige lippenstift en uit de stijve haar die ik op de rugleuning van de bank in de werkkamer geplakt had gevonden, trok ik de conclusie dat ze haar haar ruw mishandelde met waterstofperoxide. Hij had de kleur van de *Gouden Gids*.)

Pap leek verrast door mijn vraag. 'Wat zal ik daarop zeggen? Nou, ze was even energiek als altijd.'

Als ik me al zompig voelde, dan kon ik me geen voorstelling maken van het Grote Moeras waar Hannah doorheen moest waden wanneer ze 's nachts wakker werd in haar vreemde lege slaapkamer en aan Smoke Harvey dacht, de man die ze op de trap als een dwaze puber had geknepen en die nu dood was.

's Maandags werd ik echter gedeeltelijk gerustgesteld toen ik na school Milton bij mijn kluisje tegenkwam. Hij zei dat Charles zondag naar haar toe was geweest.

'Hoe gaat het met haar?' vroeg ik.

'Niet slecht. Volgens Charles was ze nog wel verdwaasd, maar verder alles puik.'

Hij schraapte zijn keel en stak met de landerigheid van een os in de zon zijn handen in zijn zakken. Ik vermoedde dat Jade hem onlangs op de hoogte had gebracht van mijn gevoelens – 'Kots is stapel op je' kon ik haar zo horen zeggen, 'hoteldebotel, geobsedeerd gewoon' – omdat er de laatste tijd een sjofele glimlach op zijn gezicht verscheen wanneer hij me aankeek. Zijn ogen cirkelden om me heen als twee oude vliegen. Ik koesterde geen enkele hoop, geen enkele fantasie dat hij net zulke gevoelens voor mij had als ik voor hem, die geen lust of liefde waren ('Julia en Romeo kunnen de boom in; je kunt pas van iemand houden als je minstens driehonderd keer naast die ander je tanden hebt geflost,' zei Pap), maar pure elektriciteit. Wanneer ik hem over de Commons zag sjokken, kreeg ik een schok. Wanneer ik hem in Scratch zag en hij 'Ha, die Kots' zei, dan was ik een peertje in een serieschakeling. Wanneer hij in Elton op weg naar de schoolzuster langs mijn geschiedenislokaal zou slenteren, zou het me niets verbazen wanneer mijn nekharen recht overeind gingen staan.

'Ze wil ons vanavond mee uit eten nemen,' zei hij. 'Ze wil praten over wat er is gebeurd. Vijf uur, red je dat?'

Ik knikte. 'Dan moet ik wel met een goed verhaal komen voor mijn vader.'

Hij kneep zijn ogen half dicht. 'Bij welk hoofdstuk zijn we?'

'Proteus.'

Hij draaide zich om en moest lachen. Zijn lach was net een grote luchtbel die uit een moeras opsteeg: het borrelde even en weg was hij.

Charles had gelijk: Hannah zag er inderdaad puik uit.

Tenminste in het begin zag ze er prima uit, toen Jade, Leulah en ik door de gerant naar de eetzaal werden begeleid en we zagen hoe ze in haar eentje aan de ronde tafel op ons zat te wachten.

Ze had de anderen weleens eerder meegenomen naar restaurant Hyacinth Terrace. Daar nam ze hen mee naartoe bij Speciale Gelegenheden – verjaardagen, vakantie, een hoog cijfer bij een toets. Het restaurant probeerde met de inzet van een toegewijde trauma-arts victoriaans Engeland weer tot leven te wekken 'met een onstuimige culinaire reis die op kunstzinnige wijze het Oude combineert met het Nieuwe' (zie www.hyacinthterracewnc.net). Het authentiek groen-en-roze victoriaanse pand lag op de helling van de berg Marengo en leek op een treurige geelschouder-amazonepapegaai die niets liever zou willen dan terugkeren naar zijn natuurlijke habitat. Wanneer je binnen was had je vanuit de enorme waaiervormige ramen geen weids uitzicht over Stockton; je zag alleen maar de beruchte plaatselijke mist die opwalmde uit de vettige schoorstenen van Horatio Mills, Gallway's vroegere papierfabriek veertig kilometer oostwaarts (nu zit daar de Parcel Supply Corp.), een nevel die graag meeliftte op de westenwind en Stocktons vallei verstikte als een sentimentele minnaar bij een kleffe omhelzing.

Het was vroeg, ongeveer kwart over vijf 's middags, en Hannah was de enige aanwezige in de eetzaal op een ouder echtpaar bij het raam na. Een goudkleurige vijfarmige kroonluchter midden in de ruimte zag eruit als een hertogin die op haar kop hing en schaamteloos het betalende publiek haar enkellaarsjes en ruisende petticoat liet zien.

'Hallo,' zei Hannah terwijl we naar haar tafel liepen.

Jade ging zitten en zei: 'De jongens komen over tien minuten. Ze moesten wachten tot Charles klaar was met trainen.'

Ze knikte. Ze droeg een zwarte coltrui en een grijze wollen rok, en had het gespannen gezicht van een verkiezingskandidaat vlak voordat hij of zij op tv verschijnt voor een debat. Ze maakte een reeks zenuwachtige gebaren (snuiven, tong langs de tanden laten glijden, rok gladstrijken) en deed een zwakke poging om een gesprek te beginnen ('Hoe was het op school?') zonder een vervolg ('Mooi zo'). Je kon zien dat ze van plan was om op deze Speciale Gelegenheid iets heel bijzonders te zeggen en ik begon me ongerust te maken toen ik zag dat ze haar lippen op elkaar kneep en glimlachte naar haar wijnglas, alsof ze in gedachten de hartelijke-maar-dreigende begroeting van haar tegenkandidaat nog eens doornam.

Ik wist niet wat ik moest doen. Ik deed net alsof ik verrukt was van de reusachtige menukaart waarop de gerechten in luchtige letters over de pagina zweefden: *Pastinaakpuree, Perensoep met Zwarte Truffel en Fijne Groenten*.

Mijn vermoedens werden bevestigd toen Charles en de anderen arriveerden, hoewel ze wachtte met haar toespraak tot de magere ober onze bestelling had opgenomen en er daarna haastig vandoor was gegaan als een hert dat geweerschoten hoorde.

'Onze vriendschap kan alleen blijven bestaan,' zei ze stijfjes – ze zat te rechtop en zwierde haar haar achter haar schouders – 'en er waren gisteren momenten dat ik dacht dat dat niet mogelijk was, als jullie luisteren wanneer ik zeg dat je iets niet moet doen.'

Stuk voor stuk keek ze ons aan terwijl ze die woorden over de tafel liet marcheren, tussen de kolibrieborden, houten servetringen en de fles pinot noir door, om de glazen vaas heen waarin rozen hun dunne nekken en gele koppies over de rand uitstaken als pas uitgebroede kuikens die gevoerd wilden worden.

'Is dat duidelijk?'

Ik knikte.

'Ja,' zei Leulah.

'Mm-mm,' zei Nigel.

'Wat jullie zaterdag hebben gedaan was onvergeeflijk. Het heeft me gekwetst. Heel diep. Los van alle andere afschuwelijke gebeurtenissen kan ik nog steeds niet bevatten wat jullie me hebben aangedaan. Dat jullie me zo in gevaar hebben gebracht, zo'n gebrek aan respect hebben getoond – want mijn enige mazzel die avond was dat Eva Brewster uiteindelijk niet kwam opdagen omdat haar terriër ziek was. Dus als die kutterriër er niet was geweest, was ik nu ontslagen. Begrijpen jullie dat? Dan zouden we allemaal op straat staan, want als ze wél was gekomen en ze had een van jullie gezien, dan zouden jullie van school zijn gestuurd. Dat geef ik jullie op een briefje. Jullie dronken vast geen vruchtensap en ik had jullie niet kunnen redden. Nee. Alles waar jullie voor hebben gewerkt, de universiteit, dat zouden jullie allemaal kwijt zijn. En waarvoor? Voor een grap waarvan jullie dachten dat die leuk was. Nou, dat was hij dus niet. Het was een misselijke streek.'

Ze praatte te hard. Ook het gebruik van het woord 'kut' was niets voor haar, want ze gebruikte dat soort woorden nooit. Toch waren er in Hyacinth Terrace geen starende blikken, geen kelner die een wenkbrauw optrok. Het restaurant meanderde gewoon door als een neuriënde grootmoeder die weigerde te aanvaarden dat de melk sinds Haar Tijd zes keer zo duur was geworden. De kelners bogen en deden alsof ze helemaal opgingen in het tafeldekken. Aan de andere kant van de eetzaal liep een jongeman met raapstelenhaar in een slobberige smoking naar de piano, ging zitten en begon Cole Porter te spelen.

Ze haalde diep adem. 'Zolang als ik jullie ken, heb ik jullie als volwassenen behandeld. Als mijn gelijken en mijn vrienden. Dat jullie zo'n flagrante minachting hebben voor onze vriendschap, vind ik echt verbijsterend.'

'Het spijt ons,' zei Charles met een iel stemmetje dat ik niet van hem kende.

Ze draaide zich om naar hem en vouwde haar lange, goedverzorgde handen in elkaar.

'Ik weet dat het je spijt, Charles. Daar gaat het niet om. Wanneer je volwassen bent – en zoals het er nu naar uitziet duurt dat nog even –, weet je dat de toestand niet weer normaal wordt alleen omdat iedereen er spijt van heeft. Spijt is belachelijk. Een goede vriend van me is dood. En, en ik ben er kapot van...'

Hannahs ontmoedigende monoloog duurde het hele Voorgerecht en een groot deel van het Hoofdgerecht. Tegen de tijd dat onze bedienende antilope door de eetzaal dartelde om de Dessertkaart voor onze neus te zetten, leken we op een groep politiek dissidenten in de Sovjet-Unie van de jaren dertig na een jaar dwangarbeid in Siberië en andere barre Poolgebieden. Leulah zat er ingezakt bij, alsof ze elk moment kon instorten. Jade staarde alleen maar naar haar kolibriebord. Charles zag er pafferig en ellendig uit. Een ontgoochelde houding had Milton getorpedeerd en was bezig zijn gehele logge lijf onder tafel te laten zinken. Hoewel Nigel geen duidelijke tekenen van verdriet of spijt vertoonde, was het me wel opgevallen dat hij maar de helft van zijn Zuiglamsbout had opgegeten en dat zijn Aardappelen in een Jasje van Prei onaangeroerd waren gebleven.

Ik luisterde natuurlijk naar elk woord dat ze zei en ik voelde telkens weer het verdriet opkomen wanneer ze me aankeek en geen enkele moeite deed om haar Bittere Teleurstelling en Ontgoocheling te verbergen. Haar Bittere Teleurstelling en Ontgoocheling leken minder ernstig wanneer ze naar de anderen keek en ik wist zeker dat mijn waarneming geen voorbeeld was van Paps Arrogantietheorie: dat iedereen altijd aanneemt dat hij of zij de rol van de Begeerlijkste of Verachtelijkste speelt in het Broadway-stuk van een ander.

Soms was ze kennelijk zo in de war dat de woordenstroom tot stilstand kwam en ze in een stilzwijgen verviel dat zich zo ver het oog reikte kaal en eindeloos uitstrekte. Het restaurant met al zijn pracht en praal, zijn tot waaier gevouwen servetten en glimmende vorken (waarin je microscopisch kleine dingetjes tussen je tanden kon onderscheiden), zijn hangende hertogin die dolgraag naar beneden gelaten wilde worden om een quadrille te dansen met een begerenswaardige man uit de betere kringen – het leek allemaal onverschillig en verdoemd, hopeloos als een kort verhaal van Hemingway waarin het wemelt van de kwaadaardige gesprekken, vervlogen hoop in hun vlijmscherpe woorden, ijzige stemmen. Misschien kwam het doordat op mijn persoonlijke tijdlijn er alleen tussen 1987 en 1992 een rood rechthoekje stond met de bescheiden tekst NATASHA ALICIA BRIDGES VAN MEER, MOEDER, maar ik was me er meer dan ooit van bewust dat er tussen alle mensen een moment was waarop je elkaar voor het eerst zag en ook een waarop je elkaar voor het laatst zag. Dit was echt zo'n Laatste Moment. We gingen afscheid van elkaar nemen en deze chique tent zou als ons eindstation fungeren.

Het enige wat me ervan weerhield om boven de menukaart op te lossen in het niets was de slaapkamer van Hannah. De voorwerpen in die kamer annoteerden haar meedogenloos, boden mij wat ik voelde als stiekeme kijkjes in al haar woorden en blikken, in elke rimpeling in haar stem. Ik wist dat het afschuwelijk schoolmeesterachtig was om te doen – Hannah maakte in haar eentje een hele fles wijn soldaat, wat aantoonde hoe bedroefd ze was; zelfs haar haar was uitgeput zoals het over haar schouders heen en weer slingerde en ophield met bewegen –, maar ik kon er niets aan doen: ik was Paps dochter en dus geneigd tot een bibliografische aanpak. Hannahs oogkassen zagen er grauw uit, alsof ze licht ingekleurd waren met een van meneer Moats' tekenpotloden.[1] Ze zat rechtop in een dorpsschoolhouding.[2] Wanneer ze ons er niet van langs gaf, zuchtte ze, wreef met duim en wijsvinger over de steel van haar wijnglas op de manier waarop huisvrouwen in reclamespotjes stof opsporen.[3] Ik voelde dat er ergens binnen de context van die afzonderlijke details, binnen haar messenverzameling, lege muren, schoenendozen en ruwe sprei Hannahs Plot te vinden was, haar Hoofdpersonen – en als belangrijkste van alles: haar Centrale Thema's. Misschien was zij een soort van Faulkner: ze moest heel nauwkeurig gelezen worden, heel moeizaam woord voor woord (nooit vluchtig doorbladeren, maar af en toe even stoppen om kritische aantekeningen in de kantlijn te maken), en daar hoorden ook haar bizarre uitweidingen (het gekostumeerde feest) en onwaarschijnlijkheden (Cotton-

---

1 Een bleke gelaatskleur die duidde op acute slapeloosheid, melancholie of de onbekende ziekte die haar noodzaakte om er in haar badkamerkastje een kleine apotheek op na te houden.

2 Een houding die de steile quaker-stoel in de hoek van haar slaapkamer imiteerde.

3 De vermoeide en peinzende uitdrukking op Hannahs gezicht gaf haar een vreemde, lege uitstraling, zodat ik me afvroeg of mijn aanvankelijke vermoedens niet juist waren, dat ze inderdaad dat meisje met de ronde ogen was op de drie ingelijste foto's op dat kastje. En toch, waarom zou ze dan juist díé foto's etaleren? De afwezigheid van haar vader en moeder op de foto's leek erop te wijzen dat de verhoudingen niet zo geweldig waren. Maar volgens Pap was het een te simpele veronderstelling om ervan uit te gaan dat tentoongestelde gelukkige foto's getuigden van een diep en warm gevoel; als iemand zo onzeker was dat hij/zij voortdurend overtuigd moest worden van 'die goeie, ouwe tijd', dan 'waren die gevoelens kennelijk toch niet zo sterk'. Voor de goede orde: in ons huis waren er geen ingelijste foto's van mij, en de enige schoolfoto van mij die Pap ooit had besteld was er een van de basisschool in Sparta waarop ik met aan elkaar gekleefde knietjes voor een achtergrond van een soort berglandschap zit, met mijn roze overall en mijn luie oog. 'Dit is klassiek,' zei Pap. 'Schaamteloos sturen ze me een bestelformulier zodat ik 69,95 dollar kan betalen voor grote en kleine afdrukken van een foto waarop mijn dochter eruitziet alsof ze net een klap voor haar hoofd heeft gehad. Zo zie je maar weer dat we allemaal vastgebonden zitten op een lopende band die door dit land heen beweegt. We worden verondersteld te betalen en onze mond te houden, want anders smijten ze je in de afvalbak.'

wood) bij. Uiteindelijk zou ik bij haar laatste pagina aankomen en ontdekken waar het bij haar om ging. Misschien zou ik er een Boekbespreking over kunnen schrijven.

'Kun je ons iets vertellen over de man die overleden is?' vroeg Leulah plotseling, zonder Hannah rechtstreeks aan te kijken. 'Ik wil niet nieuwsgierig zijn, en begrijp het wanneer je er niet over wil praten. Maar ik denk dat ik beter slaap wanneer ik iets van hem weet. Wat voor iemand hij was.'

In plaats van met een sombere stem te antwoorden dat het haar in het licht van ons botte verraad niets aanging, dronk Hannah na een bedachtzame blik op de Dessertkaart (haar ogen staarden naar de plek tussen de Sorbet met Passievrucht en de Petitfours) de rest van haar wijn op en begon een verrassend en nogal fascinerend exposé over *Leven en werken van Smoke Wyannoch Harvey.*

'Ik heb hem leren kennen in Chicago,' zei ze, en ze schraapte haar keel terwijl de kelner tevoorschijn was gesprongen om haar glas bij te schenken met het laatste restje dat er nog in de wijnfles zat. 'De Walhalla-chocoladetaart met...'

'Wit chocoadeijs en een romige karamelsaus?' tsjilpte hij.

'Voor iedereen. En mag ik uw cognackaart zien?'

'Natuurlijk, mevrouw.' Hij boog en keerde terug in zijn perzikkleurige weide met ronde tafels en gouden stoelen.

'Goeie god, dat is al zo lang geleden,' zei Hannah. Ze pakte haar dessertlepel op en liet die tussen haar vingers kopjeduikelen. 'Maar goed. Hij was een bijzondere man. Verschrikkelijk geestig. Overdreven vrijgevig. Hij kon prachtig verhalen vertellen. Iedereen hing aan zijn lippen. Wanneer Smoke – *Dubs,* bedoel ik, iedereen die belangrijk voor hem was noemde hem Dubs –, wanneer Smoke een mop vertelde moest je zo hard lachen dat je er buikpijn van kreeg. Je dacht dat je erin bleef.'

'Ik vind het geweldig wanneer iemand mooi verhalen kan vertellen,' zei Leulah, die gretig rechtop op haar stoel zat.

'Zijn huis alleen al kwam zo uit *Gejaagd door de wind.* Gigantisch. Witte zuilen, weet je wel, en een lang wit hek en grote magnoliastruiken. Het staat in het zuiden van West Virginia, even buiten Findley. Hij noemde het "Moeraspoort". Ik weet niet meer waarom.'

'Ben je in Moeraspoort geweest?' vroeg Leulah gespannen.

Hannah knikte. 'Honderden keren. Het was een tabaksplantage geweest, wel zestienhonderd hectare groot, maar Smoke had er maar vijftig. Het spookt er. Er bestaat een afschuwelijk verhaal over dat huis – ik weet het niet precies meer. Het had iets met slavernij te maken.'

Ze probeerde het zich te herinneren en haar gezicht kreeg een ondoorgrondelijke uitdrukking. Wij zaten voorovergebogen te luisteren als derdegroepers tijdens het voorleesuurtje.

'Het was vlak voor de Burgeroorlog. Dubs had me het hele verhaal verteld. Volgens mij ging het om de dochter des huizes, mooi, de *belle* van de streek. Ze werd verliefd op een slaaf en raakte zwanger van hem. Toen het kind geboren was, liet haar vader het door de bedienden naar de kelder brengen en het in de oven gooien. Af en toe, tijdens onweersbuien of op zomeravonden, wanneer er krekels in de keuken waren – Smoke vermeldde heel nadrukkelijk die krekels –, kon je in de kelder een baby horen huilen. Dat geluid kwam uit de muren. Er stond ook een wilg in de voortuin, die vermoedelijk gebruikt was bij lijfstraffen. Op de stam kon je nog vaag de initialen van dat verliefde meisje en die slaaf zien die erin waren gekerfd. Dorothy Ellen, zijn eerste vrouw, had een hekel aan die boom; ze dacht dat er kwaad in schuilde. Ze was heel gelovig. Maar Smoke weigerde om hem om te hakken. Volgens hem kon je niet net doen alsof er geen nare dingen gebeuren in het leven. Die kun je niet uit de weg ruimen. Alle troep en littekens blijven. Daar leer je van. Zo boek je vooruitgang.'

'Het is maar één oude wilg,' zei Nigel.

'Smoke had gevoel voor geschiedenis. Begrijp je wat ik bedoel?'

Op dat moment keek ze me doordringend aan, dus automatisch knikte ik. Maar eerlijk gezegd wist ik ook wat ze bedoelde. Als je de biografieën van Da Vinci, Martin Luther King Jr., Djenghis Khan, Abraham Lincoln of Bette Davis leest, dan wordt je duidelijk dat, zelfs wanneer zij nog maar één maand oud zijn en liggen te brabbelen in een gammele wieg ver van de bewoonde wereld, ze al iets historisch over zich hebben. Zoals de andere kinderen honkbal hadden, staartdelingen, stoere fietsen en hoelahoepels, hadden die kinderen Geschiedenis en daarom hadden ze meer last van verkoudheden en impopulariteit, en waren ze soms behept met lichamelijke afwijkingen (de klompvoet van Lord Byron en het ernstige gestotter van Maugham, bijvoorbeeld), die hen deden vluchten in hun gedachten. Daar begonnen ze te fantaseren over de menselijke anatomie, burgerrechten, de verovering van Azië, een verloren gegane redevoering, en om (binnen een tijdsbestek van maar vier jaar) de rollen van een slet, een getekende vrouw, een genadeloze vrouw en een oude vrijster te spelen.

'Het is een dromer, lijkt me,' zei Jade.

'Was,' zei Nigel zachtjes.

'Waren jullie tweeën...?' vroeg Charles. Hij liet de zin de eenrichtings-straat inslaan naar dat beruchte motel met schuurpapieren lakens en het spreekwoordelijk piepende bed.

'We waren vrienden,' zei Hannah. 'Ik was te groot voor hem. Hij hield van poppetjes, kleine, porseleinen kindvrouwtjes. Al zijn vrouwen waren zo – Dorothy Ellen, Clarisse, die arme Janice. Ze waren allemaal kleiner dan een meter vijftig.' Ze giechelde meisjesachtig – een zeer welkom geluid –, zuchtte en liet haar hoofd rusten in haar hand, de pose van een onbekende vrouw die je tegenkwam in een tweedehandse biografie, op een zwart-witfoto met als onderschrift: 'Op een feest in Cuernavaca, eind jaren zeventig.' (Het was niet háár biografie, maar die van de gezette Nobelprijswinnaar die naast haar zat; maar die donkere ogen, dat glanzende haar, die strenge blik, die waren zo fas-cinerend dat je je afvroeg wie zij was en ophield met lezen wanneer ze verder niet werd genoemd.)

Ze praatte maar door over Smoke Harvey, tijdens de Warme Walhalla-cho-coladetaart, tijdens het Plateau met Engelse Boerenkazen, twee piano-uit-voeringen van 'I Could Have Danced All Night'. Ze leek op de Griekse Urn van Keats die onder een lopende kraan was gezet en overliep: ze kon zichzelf niet stopzetten.

De kelner kwam terug met haar creditcard en zij praatte maar door. Eerlijk gezegd raakte ik op dat moment een beetje geïrriteerd. Zoals Paps beroemde uitspraak luidde na zijn eerste afspraakje met Meikever Betina Mendejo in Cocorro, Californië (Betina was erin geslaagd om in Tortilla Mexicana al haar Vuile Was buiten te hangen en te vertellen dat haar ex-man Jake alles van haar had gestolen, inclusief haar Trots en Ego): 'Gek genoeg blijkt het onderwerp waar je liever niet te lang over wilt praten nu juist het onderwerp te zijn waar je heel lang over praat, vaak zonder enige aansporing.'

'Wil iemand nog wat van de Engelse Boerenkaas?' vroeg Nigel en binnen een seconde had hij de laatste stukjes kaas al op zijn bord gelegd.

'Het was mijn schuld,' zei Hannah.

'Niet waar,' zei Charles.

Ze hoorde hem niet. Een klamme blos was over haar gezicht gekropen. 'Ik had hem uitgenodigd,' zei ze. 'We hadden elkaar jaren niet gezien, wel af en toe gebeld natuurlijk, maar hij had het druk. Ik wilde graag dat hij op het feest kwam. Richard, met wie ik samenwerk bij het asiel, had vrienden uit alle uit-hoeken van de wereld uitgenodigd – hij heeft dertien jaar bij het Amerikaan-se Vredeskorps gezeten en hij heeft nog steeds contact met een hoop mensen met wie hij heeft samengewerkt. Een internationaal gezelschap. Het had leuk moeten worden. Ik had het idee dat Smoke er even tussenuit moest. Een van zijn dochters, Ada, was net gescheiden. Shirley, een andere dochter van hem, had weer een kind gekregen en het Chrysant genoemd. Kun je je dat voorstellen: iemand die Chrysant heet? Hij had me er woedend over opgebeld. Het was het laatste waar we het over hebben gehad.'

'Wat deed hij voor de kost?' vroeg Jade zachtjes.

'Hij was bankier,' zei Nigel, 'maar hij had ook een thriller geschreven, toch? *Het duivelse verraad* of zoiets.'

Hannah leek hem weer niet te horen. 'Het laatste waar we over gesproken hebben zijn chrysanten,' zei ze tegen het tafelkleed.

Het donker in het waaiervormige raam had de ruimte tot rust gebracht. De goudkleurige stoelen, het leliebehang, zelfs de hertogelijke kroonluchter ontspanden een beetje, als een gezin dat eindelijk verlost was van een chique gast, zodat iedereen nu onderuit kon zitten op de bank, met zijn handen kon eten en zijn stugge, ongemakkelijke schoenen kon uittrekken. De jongeman achter de piano speelde 'Waarom zijn vrouwen niet net als de man?' uit *My Fair Lady*, toevallig een van Paps lievelingsnummers.

'Sommige mensen zijn zo breekbaar als... als vlinders, en gevoelig, en het is jullie verantwoordelijkheid om ze niet te beschadigen,' ging ze door. 'Alleen maar omdat je dat kunt.'

Ze staarde weer naar mij. Minieme lichtjes dansten in haar ogen, en ik probeerde geruststellend te glimlachen, maar dat was moeilijk, omdat ik zag hoe dronken ze was. Haar oogleden hingen neer als luie rolgordijnen en ze deed te veel haar best om haar woorden bijeen te drijven, waardoor die tegen elkaar op botsten, over elkaar struikelden en elkaar vertrapten.

'Als je in dit land opgroeit,' zei ze, 'in een bevoorrecht huis vol luxe, vind je jezelf altijd beter dan andere mensen. Je denkt dat als je tot die bovenklasse behoort, je andere mensen kunt schofferen in je streven om nog meer bezit te verwerven.' Nu staarde ze naar Jade, en ze had het woord 'bezit' uitgesproken alsof ze het van een reep af beet. 'Het kost jaren om die conditionering te doorbreken. Ik probeer het al mijn hele leven en nog steeds buit ik mensen uit. Ik ben een schoft. Vertel me wat iemand haat en ik vertel je hoe hij is. Ik weet niet meer wie dat heeft gezegd...'

Haar stem stierf weg. Haar betraande ogen zwommen naar het midden van de tafel en dobberden rondom de vaas met rozen. Wij loerden onrustig naar elkaar en hielden uit wederzijdse walging onze adem in – wat mensen in een restaurant doen wanneer er een vervuild, dronken iemand binnenkomt en tussen zijn tandenstompjes door begint te schreeuwen over hoe het was om voor Bruce Springsteen te werken. Het was alsof Hannah lek was gestoten en haar karakter, anders altijd zo kies en ingehouden, nu de hele tent blank zette. Ik had haar nog nooit zo horen praten of zien doen, en naar ik aannam de anderen ook niet; ze keken vol afschuw, maar toch ook gefascineerd naar haar, alsof ze krokodillen zagen paren op een Natuurzender.

Haar tanden bleven hangen op haar onderlip; tussen haar wenkbrauwen zat een klein fronsje. Ik was als de dood dat ze ging verklaren dat ze haar leven zou voortzetten in een kibboets, zou verhuizen naar Vietnam, waar ze een hasjrokende beatnik zou worden ('Hanoi Hannah' zouden we haar dan noemen) of anders dat ze ons de mantel zou uitvegen, ons voor de voeten zou werpen dat wij net zo waren als onze ouders: weerzinwekkend en kleinburgerlijk. Nog beangstigender was de mogelijkheid dat ze in huilen zou uitbarsten. Haar ogen waren vochtige, donkere getijdenpoeltjes waar onzichtbaar van alles leefde en gloeide. Ik kon niet tegen huilende volwassenen – niet de neptraan in een tv-spotje over internationaal telefoneren, niet de waardige snik bij een begrafenis, maar een huilbui languit op de badkamervloer, op kantoor, in de dubbele garage waar iemand met zijn vingers zijn oogleden dichtdrukt alsof er ergens een esc-toets is, een return.

Maar Hannah huilde niet. Ze tilde haar hoofd op, keek de eetzaal rond met de verwarde blik van iemand die net wakker was geworden met de afdrukken van de naden en de manchetknoop van een mouw nog op haar voorhoofd. Ze snifte.

'Kom, we moesten deze kuttent maar eens verlaten.'

De rest van de week, en zelfs nog even daarna, viel me op dat Smoke Wyannoch Harvey, achtenzestig jaar oud, nog steeds een beetje in leven was.

Hannah had hem door haar overvloed aan details weer tot leven gewekt zoals Frankenstein met zijn monster had gedaan zodat in onze hoofden (zelfs dat van de pijnlijk pragmatische Nigel) Smoke niet echt dood leek, maar even van het toneel was verdwenen, ontvoerd.

Jade, Leulah, Charles en Milton waren op de patio toen Smoke zijn dood tegemoet slingerde (Nigel en ik hadden de anderen alleen verteld dat we 'ons binnen hadden vermaakt', wat formeel ook zo was). Zij werden geplaagd door 'had-ik-maars'.

'Had ik maar gewoon opgelet,' zei Lu.

'Had ik maar de rest van die joint niet opgerookt,' zei Milton.

'Had ik maar niet geprobeerd Lacey Laurels uit Spartanburg te versieren die net afgestudeerd was in Modemarketing,' zei Charles.

'O, alsjeblieft, zeg,' zei Jade overdreven en ze keek naar de eerste- en tweedeklassers die in de rij stonden om voor twee dollar een beker warme chocola te kopen. Ze leken bang te zijn voor haar blik, zoals bepaalde piepkleine zoogdiertjes zullen beven bij de gedachte aan een steenarend.

'Ík ben degene die erbij was. Hoe moeilijk is het om te zien dat er een groene man op zijn buik dobbert in een zwembad? Ik had erin kunnen duiken en die man kunnen redden, een van die goede daden kunnen verrichten die min of meer garanderen dat je de Paarlen Poorten mag binnengaan. Maar nee, nu heb ik last van Posttraumatische Stress. Ik bedoel, de mogelijkheid bestaat dat ik daar nooit overheen kom. Dat ik daar jarenlang last van heb. Op mijn dertigste zal ik worden opgenomen in een gesticht met alleen maar groene wanden en dool ik daar rond in een onflatteuze nachtpon met haar op mijn benen omdat scheermesjes verboden zijn, voor het geval je de aandrang zou voelen om op je tenen een gemeenschappelijke doucheruimte binnen te sluipen en je polsen door te snijden.'

De zondag daarna zag ik tot mijn opluchting dat Hannah weer de oude was en in een rood-witte bloemetjesjurk door het huis fladderde.

'Blue!' riep ze enthousiast toen Jade en ik door de voordeur binnenkwamen. 'Wat fijn dat jullie er zijn! Hoe gaat het?'

Hannah sprak met geen woord over – en excuseerde zich ook niet voor – haar aangeschoten gedrag in restaurant Hyacinth Terrace; gelukkig maar, want ik was er niet zo zeker van dat ze haar excuses daar wel voor moest aanbie-den. Volgens Pap hadden sommige mensen het voor hun geestelijke gezondheid, voor hun innerlijke balans nodig om eens in de zoveel tijd de boel overhoop te gooien, wat hij omschreef als 'tsjechoviaans worden'. Sommige mensen moesten nu eenmaal af en toe er Een Te Veel nemen, op verhitte toon en met dubbele tong spreken, rondzwemmen in hun eigen verdriet alsof het een warme bron was. 'Naar men zegt moest Einstein één keer per jaar stoom afblazen door zo beneveld te raken van *Hefeweizen* dat hij 's nachts om drie uur ging naaktzwemmen in het Carnegie-meer,' zei Pap. 'Daar heb ik alle begrip voor. Je voelt de last van de hele wereld op je schouders, in dit geval het ruimte-tijdcontinuüm – je kunt je voorstellen dat je daar doodmoe van wordt.'

Smoke Harveys dood – de dood van wie dan ook – was een volkomen legitieme reden om woorden uit je mond te laten waggelen en om je ogen zoveel tijd te geven bij het knipperen als een oude man met een stok nodig heeft om een trap af te komen – vooral als je er daarna zo heroïsch goed verzorgd uitziet als bij Hannah het geval was. Ze dekte samen met Milton de tafel, snelde naar de keuken om een fluitende ketel van het vuur te halen, zwierde terug naar de eetkamer, en terwijl ze de servetten opvouwde tot geishawaaiers, bleven haar mondhoeken triomfantelijk naar de hemel wijzen als glazen waarmee uitgebreid op het bruidspaar wordt getoost.

Toch moet ik krampachtig hebben gewild dat het met Hannah weer tiptop in orde was, dat onze etentjes terug zouden keren naar de onbezorgdheid van vóór Cottonwood en vóór het gekostumeerde feest. Of misschien was het wel andersom. Misschien probeerde Hannah te nadrukkelijk om alles er chic en vrolijk uit te laten zien en leek het op het gezellig inrichten van je cel; wat voor gordijnen je ook ophing of wat voor kleedje je ook neerlegde bij je brits, het bleef een gevangenis.

In de *Stockton Observer* stond die dag het tweede en laatste artikel over Smoke Harvey, waarin beschreven werd wat wij al hadden vermoed, namelijk dat zijn dood een ongeluk was geweest. Er waren 'geen sporen van geweld op het lichaam' aangetroffen en zijn alcoholpromillage was 2,3, wat bijna drie keer de in North Carolina toegestane hoeveelheid was. Kennelijk was hij in het zwembad gevallen, was hij te dronken geweest om te zwemmen of om hulp te roepen en was hij binnen tien minuten verdronken. Hannah had in Hyacinth Terrace zoveel over Smoke verteld en was nu in zo'n goed humeur dat Nigel zich volgens mij wel twee keer had moeten bedenken voordat hij weer over hem begon.

'Weet je hoeveel glazen Smoke achterover moeten hebben geslagen om zo'n hoog promillage te krijgen?' vroeg Nigel ons terwijl hij met het uiteinde van zijn pen tegen zijn kin tikte. 'Ik bedoel, we hebben het over een man van honderdtwintig kilo. Dat komt toch neer op tien glazen binnen een uur.'

'Misschien zat hij aan de whiskey,' zei Jade.

'Ik wou dat er in dat artikel meer over de autopsie stond.'

Hannah draaide zich om van de salontafel, waar ze net het dienblad met de woeloengthee op had gezet.

'Verdomme nog aan toe! Hou daarmee op!'

Er volgde een lange stilte.

Het is moeilijk om precies te beschrijven hoe vreemd en verontrustend haar stem op dat moment was. Die klonk niet echt kwaad (hoewel kwaadheid er zeker ook in zat), niet geïrriteerd, niet vermoeid of verveeld, maar *vreemd* (met een lange *ee* die eindigt met een *j*).

Zonder verder iets te zeggen verdween ze in de keuken, haar hoofd gebogen, waardoor haar haar voor haar wangen viel als een haastig dichtgetrokken gordijn wanneer een goocheltruc was mislukt.

We staarden elkaar aan.

Nigel schudde verbijsterd zijn hoofd. 'Eerst wordt ze teut in Hyacinth Terrace en nu snauwt ze ons af?'

'Je bent een klootzak,' siste Charles tussen zijn tanden door.

'Niet zo hard,' zei Milton.

'Wacht eens,' ging Nigel opgewonden door. 'Toen ik haar iets vroeg over Valerio, reageerde ze precies zo. Weten jullie nog?'

'Het is Rosebud weer,' zei Jade. 'Ook Smoke Harvey was een Rosebud. Hannah heeft twee Rosebuds.'

'Draaf nu niet door,' zei Nigel.

'Hou je kop,' zei Charles boos. 'Jullie allemaal. Ik...'

De deur bonkte en Hannah kwam uit de keuken met een schaal lendenbiefstukken.

'Het spijt me, Hannah,' zei Nigel. 'Dat had ik niet moeten zeggen. Soms laat ik me meeslepen door een situatie en denk ik er niet bij na hoe dat overkomt. Hoe pijnlijk dat voor iemand kan zijn. Vergeef me.' Ik vond zijn stem een beetje hol en emotieloos klinken, maar hij kreeg lovende kritieken.

'Het geeft niet,' zei Hannah. Toen verscheen er een glimlach op haar gezicht waar we ons allemaal aan konden vastklampen. (Niemand zou raar hebben opgekeken als ze als een Ava Gardner had gezegd: 'Wanneer ik mijn geduld verlies, schat, is dat ook echt onvindbaar', of: 'Nergens wordt zoveel gekust als in de filmwereld', waarbij één hand in de lucht zweefde alsof die een onzichtbare martini vasthield.) Ze streek Nigels haar van zijn voorhoofd. 'Je moet nodig naar de kapper.'

Nooit hebben we het in haar aanwezigheid meer over Smoke Wyannoch Harvey, achtenzestig jaar, gehad. Dat was het einde van zijn Lazarus-achtige herrijzenis, aangewakkerd door haar dronken monoloog in Hyacinth Terrace, onze 'had-ik-maars'. Uit medelijden met Hannah (die, zoals Jade zei, 'zich moet voelen als iemand die een dodelijk auto-ongeluk heeft veroorzaakt') stuurden we de Grote Man – een eigentijdse Griekse held, zo stelde ik me graag voor, een Achilles of een Ajax voordat die gek werd ('Dubs leefde honderd levens tegelijk,' had Hannah gezegd terwijl haar dessertlepeltje tussen haar vingers door twirlde zoals Katharine Hepburn in de draaideurscène in *Bringing Up Baby*) – naar die onbekende plek waar mensen heen gaan wanneer ze sterven, naar de Grote Stilte en het Hiernamaals, terwijl het woord EINDE in beeld verschijnt tegen een achtergrond van zwart-witte straten en je de intens gelukkige gezichten van hem en haar tegen elkaar gedrukt ziet, begeleid door jankende violen.

Of eigenlijk stuurden we hem daar voorlopig heen.

Women in Love

G raag wil ik Leo Tolstojs vaak geciteerde eerste zin van *Anna Karenina* een beetje aanpassen ('Alle gelukkige gezinnen lijken op elkaar, elk ongelukkig gezin is ongelukkig op zijn eigen wijze'): *In de kerstvakantie kan een gelukkig gezin abrupt ongelukkig worden en ongelukkige gezinnen kunnen tot hun grote schrik gelukkig zijn.*

De kerstvakantie was zonder uitzondering een bijzondere tijd voor de Van Meers.

Vanaf mijn vroegste jeugd moest ik van Pap bij elk kerstdiner – door onszelf bereide, overheerlijke spaghetti met vleessaus – J. Chase Lambertons *Politieke passie* (1980) en L.L. MacCaulays zevenhonderdvijftig pagina's tellende *Intelligentsia* (1991) schoven ook vaak aan – uitgebreid vertellen hoe mijn nieuwste school in de kerststemming was gekomen. Je had meneer Pike met zijn Beroemde Kerstvuur in Brimmsdale, Texas, en de Geheime Werkplaats van de Kerstman in de Kantine met zijn Gedraaide Regenboogkaarsen en Onbewerkte Juwelenkistjes in Sluder, Florida, de achtenveertig uur durende Herschepping van het Dorp van de Speelgoedmakers dat op afschuwelijke wijze werd gesloopt door rancuneuze achtstegroepers in Lamego, Ohio, en een vreselijk slechte voorstelling in Boatley, Illinois: 'De Jeugdjaren van Jezus: een musical van juffrouw Harding.' Om de een of andere reden was ik met dat onderwerp net zo hilarisch als Stan Laurel in een korte lachfilm voor Metro uit 1918. Binnen enkele minuten lag Pap in een deuk.

'Al sla je me dood,' zei hij tussen twee gierbuien door, 'ik snap niet waarom geen enkele producent zich heeft gerealiseerd hoeveel mooi materiaal voor een horrorfilm daarin schuilt, *Amerikaanse Kerstnachtmerrie* en dergelijke. Er valt veel commercieel succes te behalen met vervolgfilms en tv-series naar de film. *De Wederopstanding van de Kerstman, deel 6: Het laatste geboortefeest.* Of misschien *Rudolph gaat naar de hel* met een dreigende aanbeveling op de

affiches: "Zorg dat je met de kerst niet thuis bent."'
'Pap, het is een tijd van hoop en vreugde.'
'Waardoor ik in de stemming kom om de Amerikaanse economie vol
vreugde een injectie toe te dienen door de aankoop van dingen die ik niet nodig heb en me ook niet kan veroorloven – de meeste hebben grappige plastic
onderdeeltjes die plotseling afbreken, zodat het binnen enkele weken al definitief kapot is –, waarvoor ik me in torenhoge schulden heb gestoken die me
de hevigste angsten en slapeloze nachten bezorgen. Maar belangrijker is dat
er een periode van opwindende economische groei aanbreekt, waardoor
kwijnende rentepercentages omhoog worden gejaagd, banen worden ge-
schapen waarvan de meeste onbelangrijk zijn en sneller, goedkoper en nauw-
keuriger kunnen worden gedaan door een in Taiwan gefabriceerde CPU. Ja,
Christabel. Ik weet wat voor tijd het is.'
Scrooge had weinig kritiek en helemaal geen commentaar op 'de plaag van
het Amerikaanse consumentisme', 'de graaicultuur binnen grote bedrijven
met hun Botswana-grote bonussen' (zelfs geen terloopse verwijzing naar een
van zijn favoriete sociale theorieën, die van de Schijnheilige Amerikaanse
Kerstdroom) toen ik uitgebreid vertelde hoe overdadig St. Gallway Kerstmis
vierde. Elke trapleuning (zelfs die in Loomis, Hannahs afzijdig staande gebouw) was gewikkeld in dennentakken, dik en borstelig als een houthakkers-
snor. Enorme kransen waren in lutheriaanse stijl op de grote deuren van Elton, Barrow en Vauxhall gespijkerd. Er was een reusachtige kerstboom en
witte lichtjes knipperden als bezeten vuurvliegjes rondjes over de ijzeren
hekken van Horatio Way. Een ranke, ongenaakbare koperen menora flakker-
de aan het eind van de eerste verdieping van Barrow en deed stoer zijn uiterste best om Gallways christelijke neigingen op afstand te houden (de leraar
Wereldgeschiedenis, meneer Carlos Sandborn, was verantwoordelijk voor
deze dappere defensielinie). Arrenbellen ter grootte van golfballen hingen
aan de krukken van de belangrijkste deuren van Hanover en telkens wanneer
een leerling die te laat was zich door die deur haastte, klingelden ze vermoeid.
Volgens mij zorgden de festiviteiten op school ervoor dat ik de ellende van
de voorafgaande weken een beetje kon vergeten, net kon doen alsof die er niet
was, als een grote stapel ongeopende post (die, wanneer ik die eindelijk veel
te laat openmaakte, erop neerkwam dat ik me failliet moest laten verklaren).
Trouwens, als ik Pap moest geloven, was de Amerikaanse kersttijd hoe dan
ook een 'comateuze periode van ontkenning', een geval van 'net doen alsof de
armoede onder arbeiders, de wijdverbreide hongersnood, de werkloosheid,
de aids-crisis alleen maar exotische zuursmakende vruchtjes waren waar het

nu het seizoen niet voor was'. Zodoende was ik er niet geheel verantwoordelijk voor dat Cottonwood, het gekostumeerde feest, Smoke en het merkwaardige gedrag van Hannah naar de achtergrond werden verdrongen door de Toetsenweek, Peróns Gebruikte Kleding Beurs (de leerling die de meeste vuilniszakken met kleding binnenbracht won een Gouden Brewster-bonus: tien punten extra voor een toets naar keuze; 'Afsluitbare Vuilniszakken,' galmde ze tijdens Ochtendmededelingen, 'van honderdvijftig liter!') en het lievelingsproject van de voorzitter van de leerlingenraad, Maxwell Stuart, het kerstgala, dat hij had omgedoopt tot Maxwells Kerstshow.

En de liefde had er ook iets mee te maken.

Helaas niet echt van mijn kant.

Tijdens een Studie-uur in de eerste week van december kwam een eersteklasser de bibliotheek binnen en liep naar het bureau achterin, waaraan meneer Fletcher met een kruiswoordpuzzel bezig was.

'Rector Havermeyer wil u ogenblikkelijk spreken,' zei de jongen. 'Het is dringend.'

Meneer Fletcher was zichtbaar geïrriteerd dat hij werd losgerukt uit *X-woordpuzzels voor X-perts: de ultieme uitdaging* (Pullen, 2003) en uit de bibliotheek werd meegenomen, de heuvel op naar Hanover.

'Ik weet het!' krijste Dee. 'Fletchers vrouw Linda heeft eindelijk geprobeerd zelfmoord te plegen omdat Frank puzzels belangrijker vindt dan seks. Het is haar noodkreet!'

'Tuurlijk,' kirde Dum.

Even later kwamen Floss Cameron-Crisp, Mario Gariazzo, Derek Pleats en een derdeklasser van wie ik de naam niet wist (maar met zijn waakzame blik en weke mond zag hij eruit als een Pavlovreactie) de bibliotheek binnen met een cd-speler, een microfoon met versterker en standaard, een bos rode rozen en een trompetkoffer. Ze stelden alles op voor een repetitie of zo, sloten de cd-speler en microfoon aan, schoven de voorste tafeltjes opzij naar de muur bij Hambones Bestseller-Verlanglijst. Dat betekende dat ook Sibley 'Neusje' Hemmings ergens anders moest gaan zitten.

'Misschien wil ik hier wel helemaal niet weg,' zei Sibley terwijl ze haar verwaande symmetrische neusje optrok dat volgens Dee en Dum speciaal voor haar gezicht met de hand vervaardigd was door een plastisch chirurg in Atlanta die een heleboel andere gezichtskenmerken van hoge kwaliteit had gemaakt voor CNN-presentatoren en een actrice in de soap *Guiding Light*. 'Misschien moet jij weggaan. Wie denk je wel dat je bent? Hé, afblijven!'

Floss en Mario tilden zonder verdere plichtplegingen Sibleys tafeltje op, waarop enkele persoonlijke bezittingen van haar lagen – haar suède tasje, een exemplaar van *Trots en vooroordeel* (Austen, 1813) (ongelezen), twee modetijdschriften (gelezen) – en droegen het naar de muur. Derek Pleats, lid van de Jelly Roll Jazzband, die met Natuurkunde bij mij in de klas zat, stond een beetje opzij met zijn trompet en speelde op- en aflopende toonladders. Floss begon het smerige mosterdkleurige tapijt terug te rollen en Mario stond gebukt over de cd-speler de geluidsniveaus te regelen.

Dee stond op, liep naar Floss, sloeg haar armen over elkaar en zei: 'Zeg, waar zijn jullie eigenlijk mee bezig? Is dit een anarchistische poging om de leiding van de school over te nemen?'

'Want dan kunnen we je wel meteen vertellen,' zei Dum terwijl ze op Floss af stapte en naast Dee haar armen over elkaar deed, 'dat dat niet gaat lukken. Als je een beweging wilt beginnen moet je dat beter voorbereiden, want Hambone zit in haar kamer en zij zal ogenblikkelijk de autoriteiten waarschuwen.'

'Als je zo nodig een persoonlijke verklaring wilt afleggen, zou ik die bewaren voor de Ochtendmededelingen. Dan heb je de hele school bij elkaar en kun je ons allemaal gijzelen.'

'Ja, dan kun je vertellen wat je eisenpakket is.'

'En de leiding weet dan dat er met jullie niet te spotten valt.'

'Dat ze niet om jullie heen kunnen.'

Floss en Marion sloegen geen acht op het eisenpakket van Dee en Dum, maar zetten een paar stoelen neer die moesten voorkomen dat het het tapijt uitrolde. Derek Pleats poetste voorzichtig zijn trompet op met een zachte paarse doek en de Pavlovreactie ging met zijn tong naar buiten helemaal op in het testen van de microfoon en de versterker: 'Test, test, een, twee, drie.' Hij gebaarde naar de anderen dat hij tevreden was en ze gingen met z'n vieren bij elkaar staan, fluisterden, knikten opgewonden. Derek Pleats deed met zijn vingers snelle rekoefeningen. Uiteindelijk draaide Floss zich om, pakte de bos bloemen en gaf die zonder een woord te zeggen aan mij.

'O, lieve help,' zei Dee.

Verbouwereerd hield ik de bloemen vast terwijl Floss zich op zijn hakken omdraaide, snel wegliep en achter de bibliotheekdeuren uit het zicht verdween.

'Ga je het kaartje niet lezen?' vroeg Dee.

Ik scheurde het crèmekleurige envelopje open en haalde er een briefje uit. De tekst was in een vrouwenhandschrift geschreven:

Let's groove

'Wat staat er?' vroeg Dum, die over me heen hing.
'Een soort bedreiging,' zei Sibley.
Intussen stonden alle leerlingen van dit Studie-uur – Dee, Dum, Neusje, Jason Pledge met zijn paardenhoofd, Mickey 'Duizel' Gibson, Point Richardson – om mijn tafeltje heen. Snuivend pakte Neusje het kaartje en las het met een meelijdende blik alsof de jury mij Schuldig had bevonden. Ze gaf het door aan Duizel, die naar mij glimlachte en het aan Jason Pledge gaf, die het weer doorgaf aan Dee en Dum die zich erover bogen alsof het een geheime boodschap uit de Tweede Wereldoorlog was die met de Duitse codeermachine Enigma was opgesteld.
'Geschift,' zei Dee.
'Volkomen...'
Opeens hielden ze hun mond. Ik keek op en zag dat Zach Sodenberg over me heen gebogen stond als een rododendron in de wind; zijn haar viel gevaarlijk steil over zijn voorhoofd. Ik had het gevoel alsof ik hem jaren niet had gezien, waarschijnlijk omdat ik hem sinds hij me aangesproken had over Een Meisje had ontweken door steeds te doen alsof ik helemaal verdiept was in Natuurkunde. Ook had ik Laura Elms zover gekregen om tot het eind van het jaar mijn practicumpartner te zijn door aan te bieden dat ik zowel haar als mijn practicumverslag zou schrijven, waarbij ik geen alinea, maar ook geen zinswending hetzelfde zou laten, want dan zou ik wegens fraude van school gestuurd worden. Ik zou bij het schrijven van het verslag getrouw Laura's beperkte woordenschat, onlogische gedachtegang en rommelige handschrift overnemen. Zach, die niet langer met Lony wilde samenwerken, moest nu een duo vormen met mijn vroegere partner Krista Jibsen, die nooit haar huiswerk maakte omdat ze aan het sparen was voor een borstverkleining. Krista had drie baantjes – een bij Lucy's Winkel in Zijde en Andere Fijne Stoffen, een bij Bagel World en een bij de Tuinafdeling van Sears; de onderbetaalde eentonigheid daarvan deed haar denken aan de Studie in Energie en Materie. Zodoende waren we allemaal op de hoogte wanneer een collega van haar nieuw was, ziek, lui of wanneer die stal, of zich afrukte in het magazijn, en ook wanneer een van haar chefs (als ik me niet vergis was dat een arme ploegbaas bij Sears) verliefd op haar was en weg wilde bij zijn vrouw.

Floss drukte op de PLAY-knop van de cd-speler. Robotachtige discostemmen uit de jaren zeventig knalden uit de speakers. Tot mijn ontzetting begon Zach twee passen vooruit en twee passen achteruit te doen, met ritmische kniebewegingen, en de jongens deden hem na. Daarbij keek hij mij strak aan alsof hij in mijn gezicht zijn weerspiegeling zag en zo zijn tempo en de hoogte van zijn kicks kon controleren.

'*Let this groove. Get you to move. It's alright. Alright,*' zongen Zach en de anderen met een kopstem met Earth, Wind & Fire mee. '*Let this groove. Set in your shoes. So stand up, alright! Alright!*'

Ze zongen 'Let's Groove'. Floss en de jongens schokten met hun schouders, knipten met hun vingers en voerden hun danspassen zo geconcentreerd uit dat je de bewegingen door hun brein zag schuiven als tickertape op tv-schermen op de beurs (KICK LINKS VOOR, VOET LINKS ACHTER, KICK LINKS, STAP LINKS, KICK RECHTS VOOR, KNIE RECHTS). *'I'll be there, after a while, if you want my looove. We can boogie on down! On down! Boogie on down!'* Derek blies op zijn trompet een rudimentaire melodie. Zach zong solo met af en toe een stap opzij en een schouderschok. Zijn stem klonk enthousiast, maar afschuwelijk. Hij maakte een pirouette. Dee piepte als een stuk babyspeelgoed.

Een aanzienlijke groep tweede- en derdeklassers verzamelde zich voor de bibliotheekdeuren en keek met open mond naar de boyband. Meneer Fletcher keerde terug met Havermeyer, en mevrouw Jessica Hambone, de bibliothecaresse die al vier keer getrouwd was geweest en op een wat oudere Joan Collins leek, was uit haar kamer tevoorschijn gekomen en stond nu bij Hambones Reserveringstafel. Kennelijk was ze van plan geweest om de onrust de kop in te drukken, want behalve voor een Brandoefening of de Lunch kwam ze alleen daarvoor haar kantoortje uit. Naar men zei deed ze daar de hele dag niets anders dan voor Pasen bij www.QVC.com Verzamelobjecten in Beperkte Oplage en Glamoursieraden voor Godinnen kopen. Maar ze kwam niet naar binnen met haar armen in de lucht en haar favoriete tekst: 'Dit is een bibliotheek, mensen, geen sportschool', wat zo snel als een Neon Tetra uit haar mond schoot, met metallic groene oogschaduw (die mooi stond bij haar Betoverende Leverback Schemer-oorbellen, haar Melkweg Droomwereld-armband) die reageerde in het licht van de tl-buizen en haar dat karakteristieke Leguanenuiterlijk verschafte. Nee, mevrouw Hambone was sprakeloos. Ze hield haar hand tegen haar borst gedrukt en haar wijd geopende mond – de contouren van haar lippen tekenden zich net zo scherp af als een krijttekening van het lijk op een plaats delict – krulde in een zoetige feeënglimlach.

De jongens waren toegewijd aan het Lindy-Hoppen achter Zach, die weer een pirouette draaide. Mevrouw Hambone trilde even.

Uiteindelijk hield de muziek op en bleven ze staan.

Even was het stil en toen barstte iedereen – de leerlingen bij de deur, mevrouw Hambone, elke leerling in de bibliotheek (behalve Neusje) – los in een stormachtig applaus.

'Goeie god,' zei Dee.

'Dit geloof je niet,' zei Dum.

Ik klapte en straalde terwijl iedereen me met grote ogen verbaasd aankeek alsof ik een Graancirkel was. Ik keek stralend naar mevrouw Hambone, die haar ogen bette met de kanten manchet van haar Rococo-bloes. Ik keek stralend naar meneer Fletcher, die zo vrolijk keek dat je zou denken dat hij net een buitengewoon lastige kruiswoordpuzzel had opgelost, zoals die van vorige week, 'De Slag bij Bunker Hill' en 'Pompen of verzuipen'. Ik keek zelfs stralend naar Dee en Dum, die me ongelovig maar doodsbang aanstaarden (zie Rosemary aan het eind van *Rosemary's Baby* wanneer de oude mensen roepen: 'Heil, Satan!').

'Blue Van Meer,' zei Zach. Hij schraapte zijn keel en liep naar mijn tafeltje. De tl-verlichting veroorzaakte een verbitterde aureool om zijn haar, zodat hij eruitzag als een met de hand geschilderde Jezus van het soort dat vaak hangt aan klamme muren van kerken die naar gruyère ruiken. 'Wil je met mij naar het kerstgala?'

Ik knikte en Zach zag niet mijn intense weerzin en afschuw. Een Cadillacgrote glimlach gleed over zijn gezicht alsof ik ermee akkoord was gegaan om hem 'handje contantje' te betalen, zoals Pap zou zeggen, voor een Sedona Beige Metallic Pontiac Grand Prix – met volle tank, tweeduizend boven de vraagprijs – en er meteen het parkeerterrein mee af te rijden. Hij zag ook niet – niemand zag dat – dat ik me ernstig verloren voelde (zie *Our Town* (Wilder, 1938)), en dat werd alleen maar erger toen Zach de bibliotheek samen met zijn Temptations met een buitengewoon voldane uitdrukking op zijn gezicht verliet (Pap had een keer beschreven dat hij een dergelijke gezichtsuitdrukking had waargenomen bij mannen van de Zwambee-stam in Kameroen nadat ze hun tiende bruid hadden bezwangerd).

'Denk je dat ze met elkaar naar bed zijn geweest?' vroeg Dum met samengeknepen ogen. Ze zat met haar zuster een meter achter me.

'Als dat zo was, denk je dat hij dan nog zo hoteldebotel van haar was? Iedereen weet dat je een nanoseconde nadat je met een jongen gevreeën hebt, van de voorpagina verdwijnt en een mededeling op de pagina met overlijdensadvertenties wordt. We waren gewoon getuige van een Timberlake-act.'

'Ze moet een beest in bed zijn, zijn beste vriend.'

'Pas met zes Vegas-strippers en een hondenriem kun je de beste vriend van een man worden.'

'Misschien werkt haar moeder in de Crazy Horse.' Ze begonnen allebei schril te lachen en bonden ook niet in toen ik me met een boze blik omdraaide.

Pap en ik hadden *Our Town* gezien tijdens een stortbui op de Universiteit van Oklahoma in het Flitch-theater (een van zijn studenten maakte toen zijn debuut als toneelmeester). Hoewel er aan het stuk wel het een en ander mankeerde (er was kennelijk nogal wat verwarring over het adres, omdat 'Voor het oog van God' voorafging aan 'New Hampshire') en Pap het *carpe diem*-uitgangspunt veel te zoetig vond ('Maak me maar wakker als er iemand wordt neergeschoten,' zei hij vlak voordat hij indutte), was ik toch behoorlijk ontroerd toen Emily Webb, die gespeeld werd door een klein meisje met haar dat de kleur had van de vonken die van spoorrails afschieten, besefte dat niemand haar kon zien toen ze wist dat ze afscheid moest nemen van Grover's Corners. In mijn geval lag het iets anders. Ik voelde me onzichtbaar terwijl iedereen me had gezien, en als Zach Soderberg met zijn schoorsteenmantelkapsel Grover's Corners was, dan zou ik niets anders kunnen bedenken dan zo snel mogelijk de stad te verlaten.

Dat nare gevoel bereikte een recordhoogte toen ik diezelfde dag onderweg naar Analyse in Hanover Milton tegenkwam die hand in hand liep met Joalie Stuart, een tweedeklasser, zo'n fijngebouwd meisje dat makkelijk in een handkoffertje paste en op een Shetlandpony zat alsof ze er thuishoorde. Ze had een lach als een rammelaar: een irritant geluid, zelfs als je een lichtjaar verderop met andere dingen bezig was. Jade had me al verteld dat Joalie en Milton een prachtig paar vormden in de traditie van Newman en Woodward. 'Niets kan hen uit elkaar drijven,' verzuchtte ze.

'Hallo, Kots,' zei Milton toen hij langsliep.

Hij glimlachte en Joalie glimlachte. Joalie droeg een glazuurblauwe trui en een dikke fluwelen haarband die eruitzag alsof er een enorm dikke wurm achter haar oren aan het rondsnuffelen was.

Ik had nog nooit veel over relaties nagedacht (Pap vond verkering voor mijn eenentwintigste belachelijk en daarna beschouwde hij het als Kleinigheden, Details, zoiets als vervoer of pinautomaten in een nieuwe stad; 'Dat zoeken we wel uit als we er zijn,' zei hij met een nonchalant handgebaar). En toch, toen ik op dat moment langs Milton en Joalie liep, die beiden zelfverzekerd glimlachten ondanks het feit dat ze vanaf een afstand verder dan vijf meter leken op een gorilla die een Yorkshire-puppy uitliet, was ik verbijsterd hoe klein de kans was dat iemand die jij leuk vond jou even leuk zou vinden. Dat wiskundige raadsel zette met een noodgang in mijn hoofd een staartdeling in werking, zodat ik tegen de tijd dat ik op de eerste rij zat bij Analyse en mevrouw Thermopolis op het bord probeerde een lastige functie uit ons huiswerk tot op het bot te fileren, op een verontrustend klein getal was uitgekomen.

Dat was kennelijk de reden waarom sommige mensen na jarenlang op winnaars ingezet te hebben nu hun armzalige fiches verzilverden voor Zach Soderberg, de jongen die leek op een kantine, zo rechthoekig en helder verlicht dat er nergens een pikant donker hoekje of spannend geheim was (zelfs niet onder de plastic stoelen of achter de automaten). Het enige onverkwikkelijke dat je in hem kon aantreffen was een beetje schimmel op een oranje puddinkje. De jongen was een en al spinazie à la crème en saaie hotdogs.

Je kreeg geen enge schaduw op zijn muur tevoorschijn getoverd, hoe hard je dat ook probeerde.

Het was kennelijk zo'n verveelde decembermiddag toen Liefde en haar opgefokte nichten – Lust, Smoor, Stapel en Vlinders (die allemaal leden aan ADHD of het Hyperkinetisch Syndroom) – hitsig aan de zwier waren en de buurt terroriseerden. Later op die dag, nadat Pap me thuis had afgezet en naar de universiteit terug was gegaan voor een faculteitsvergadering, zat ik nog maar vijf minuten aan mijn huiswerk toen de telefoon ging. Ik nam hem op, maar niemand zei iets. Een halfuur later ging de telefoon weer en schakelde ik het antwoordapparaat in.

'Gareth, met mij. Kitty. Hoor eens, ik moet je spreken.' *Klik.*

Binnen drie kwartier belde ze weer. Haar stem klonk zo doods en dor als de maan, precies zoals die van Shelby Hollow had geklonken, en die van Jessie Rose Rubiman voor haar, en die van Berkley Sternberg, die goeie Berkley die *De kunst van schuldloos leven* (Drew, 1999) en *Word uw leven de baas* (Nozzer, 2004) gebruikte als onderzetters voor haar potten met Kaapse viooltjes.

'I-ik weet dat je liever niet hebt dat ik bel, maar ik moet je echt spreken, Gareth. Ik heb het gevoel dat je thuis bent en niet wilt opnemen. Neem op.'

Ze wachtte.

Terwijl ze wachtten, stelde ik me altijd voor hoe ze aan de andere kant van de lijn in hun vergeelde keuken het telefoonsnoer om hun wijsvinger stonden te draaien zodat die rood werd. Ik vroeg me af waarom het geen moment bij ze opkwam dat ík luisterde en niet Pap. Als een van hen mijn naam had genoemd, zou ik waarschijnlijk wel hebben opgenomen en hebben geprobeerd om ze te troosten door uit te leggen dat Pap zo'n theorie was waar je nooit helemaal zeker van was, eentje die je nooit sluitend kon bewijzen. Ook al bestond de kans dat je de goddelijke ingeving kreeg hoe je de man kon ontrafelen, dan nog was die zo onverdraaglijk klein dat wanneer je het toch probeerde, je je alleen maar nietig en onbeduidend voelde (zie hoofdstuk 53, 'Supersnaren en de M-theorie, Mysterie-theorie, de Moeder van alle theorieën', *Incongruenties*, V. Close, 1998).

'Goed dan. Bel me zo snel mogelijk. Ik ben thuis. Maar ik ben op mijn mobiel bereikbaar als ik het huis uit ga. Ik ga er misschien even uit. Ik moet eieren kopen. Aan de andere kant, misschien blijf ik wel thuis en maak ik taco's. Goed. Vergeet dit bericht. Ik spreek je gauw.'

Een ogenschijnlijk scherpzinnige uitspraak van Socrates luidde: 'De heetste liefde eindigt het koudst.' Aan de hand van deze woorden, van deze definitie – want ik weet zeker dat hij nooit tegen ze heeft gelogen, nooit heeft gesuggereerd dat zijn affectie meer was dan 'lauw' – zouden alle relaties van Pap zonovergoten en luchtig zijn geëindigd, als een polowedstrijd of een picknick.

Volgens mij begreep Pap het zelf ook niet helemaal, gezien de manier waarop hij met dat gesnotter omging, met een mengeling van gêne en spijt. Toen hij die avond thuiskwam, deed hij wat hij altijd deed. Hij draaide het bandje af (zette het geluid zachter toen hij hoorde wie het was) en wiste het.

'Heb je al gegeten, Christabel?' vroeg hij.

Hij wist dat ik haar berichten had gehoord, maar net zoals keizer Claudius nadat hij bij geruchte had vernomen dat zijn dierbare vrouw Agrippina van plan was om hem te vergiftigen met een paddenstoelschotel die hem zou worden aangeboden door zijn lievelingseunuch, besloot ook Pap om onbekende redenen deze voortekenen van rampspoed te negeren (zie *Keizers van Rome*, Suetonius, 121 n.Chr.).

Hij leerde het ook nooit.

❖

Twee weken later, de zaterdagavond van Maxwells Kerstshow, werd ik wederrechtelijk vastgehouden in het huis van Zach Soderberg. Ik droeg de oude cocktailjurk van Jefferson Whitestone, die Valentino volgens Jade speciaal voor haar had ontworpen. Toen ze ruzieden om 'ene Gibb, een barkeeper van Studio 54 die geen overhemd droeg', had ze woedend het etiket eruit gerukt, waardoor de jurk aan geheugenverlies leed. ('Zo vallen keizerrijken,' had Jade met een theatrale zucht gezegd terwijl ze samen met Leulah de armsgaten en taille afspeldde, zodat het kledingstuk niet meer als een zwemvest om me heen hing. 'Baar kinderen van een Nimrod en daar gaat je beschaving. Maar je kon er natuurlijk niets aan doen. Ik bedoel, hij vroeg je ten overstaan van de hele school. Wat kon je anders zeggen dan dat je graag zijn borrelzoutje wilde zijn? Ik heb medelijden met je. Je moet de hele avond doorbrengen met de Voordeelbon.' Zo noemden ze Zach: de Voordeelbon, en dat paste precies bij hem. Hij was een en al streepjescode, Reuzekoopje, vijf dollar korting op vertoon van aankoopbon.)

'Neem wat bonbons,' zei Zachs vader Roger die me een schaal bepoederde chocolaatjes voorhield.

'Dring haar niets op,' zei Zachs moeder Patsy die zijn hand wegduwde.

'Hou je van chocola? Tuurlijk wel. Iedereen houdt van chocola.'

'Roger,' protesteerde Patsy. 'Meisjes eten niet voor een feestje wanneer ze zenuwachtig zijn! Straks krijgt ze wel trek. Zach, zorg ervoor dat ze dan iets eet.'

'Oké,' zei Roger, en hij bloosde als een non. Hij trok zijn wenkbrauwen op en glimlachte gegeneerd naar me toen Patsy op één knie op het sneeuwkleurige tapijt in de huiskamer hurkte en door de zoeker van de Nikon naar ons loerde.

Zonder dat Patsy het had gezien was Roge links van mij gaan staan en hield mij weer de aardewerken schaal voor.

'Neem maar,' mimede hij met een knipoog. Roge, met zijn gele katoenen trui en kaki broek – de vouw in beide pijpen was zo strak als de datumgrens – zou een zeer overtuigende groothandelaar in Smack, Crack, Zwarte Afghaan, Speed en Pretpoeder kunnen zijn.

Ik moest er wel een nemen. De chocola begon te smelten in mijn hand.

'Roger!' zei Patsy. 'Tsss', en er verschenen kuiltjes in haar wangen. Ze nam nu de zestiende foto van ons, waarbij Zach en ik op de bloemetjesbank zaten, met onze knieën haaks tegen elkaar,

Patsy noemde zichzelf een 'fotogek', en op alle harde en gladde oppervlakken om ons heen, als duizenden natte, in een tuinhuisje gewaaide bladeren, prijkten ingelijste foto's van een scheef glimlachende Zach, Bethany Louise met de urn-oren, een paar van Roge toen hij bakkebaarden had en van Patsy toen haar haar roder bruin was en als een amaretto-tulband boven op haar hoofd zat, met afdruipende linten. Op het enige harde, vlakke oppervlak in de huiskamer zonder foto's – de salontafel voor ons – stond een afgebroken spelletje parcheesi.

'Hopelijk heeft Zach je met zijn voorstelling niet al te erg in verlegenheid gebracht,' zei Patsy.

'Nee hoor,' zei ik.

'Hij heeft de hele tijd geoefend. Hij was zo zenuwachtig! Bethany Louise heeft een avond lang de pasjes met hem doorgenomen.'

'Mam,' zei Zach.

'Hij wist dat het een gok was,' zei Roge. 'Maar ik zei dat hij gewoon in het diepe moest springen.'

Patsy knikte naar Roge en zei: 'Dat zit in de familie. Je had hem eens moeten zien toen hij mij ten huwelijk vroeg.'

'Soms kun je gewoon niet anders.'

'De hemel zij dank!'

'Mam, we moeten nu echt gaan,' zei Zach.

'Goed! Goed! Nog eentje bij het raam.'

'Mam.'

'Eentje maar. Daar heb je zulk schitterend licht. Eentje. Echt waar.'

Ik was nog nooit in een gezin met zoveel !!! geweest. Ik was me er niet eens van bewust dat zulke nesten van hartelijkheid, warme baden van liefkozingen en knuffels echt bestonden, behalve dan in je eigen hoofd wanneer je je eigen ongeregeld ouderlijk huis vergeleek met het schijnbaar zo gelukkige gezin aan de overkant van de straat.

Een uur geleden, toen Zach en ik de oprit op reden en ik zijn houten huis zag – rechttoe, rechtaan als een belegde boterham die op dunne houten palen aan de hemel werd opgediend – kwam Patsy nog voordat Zach de auto had geparkeerd in haar kevergroene bloes de veranda af hollen om ons te begroeten. ('Je zei dat ze mooi was, niet dat ze beeldschoon was! Zach vertelt ons nooit iets!' riep ze uit. Zo klonk haar stem, ook wanneer ze niet iemand op de oprit begroette: als een uitroep.)

Patsy was mooi (ook al was ze zo'n kilo of twaalf zwaarder dan in haar tulbanddagen), met een vrolijk, rond gezicht dat deed denken aan verse vanilletaart met een kersje bovenop die stond te pronken in de etalage van een banketbakker. Roge was knap, maar dan tegenovergesteld aan Pap. Roge ('Zit er genoeg benzine in, Zachary?' 'Ik heb net getankt.' 'Goed zo, jongen.') had de uitstraling van een fonkelnieuwe witbetegelde badkamer. Hij had stralend blauwe ogen en zo'n glanzende huid dat je bijna verwachtte je eigen weerspiegeling te zien schitteren in zijn gezicht.

Nadat foto nummer tweeëntwintig was genomen – Patsy sprak dat woord op haar eigen manier uit: *fotoow* – kregen Zach en ik eindelijk toestemming om te vertrekken. Toen we vanuit de huiskamer de keurige, beige hal in liepen, stopte Roge me stiekem een linnen servet toe gevuld met bonbons die ik van hem kennelijk mee naar buiten moest nemen.

'O, wacht,' zei Zach. 'Ik wilde Blue nog de Turner laten zien. Die zal ze vast mooi vinden.'

'Natuurlijk!' zei Patsy en ze klapte in haar handen.

'Even maar,' zei Zach tegen mij.

Met tegenzin volgde ik hem de trap op.

Overigens had Zach zich tijdens de ontmoeting met Pap goed gehouden toen hij me kwam ophalen met de Toyota. Hij had Pap een hand gegeven (zo te zien was het geen 'nat washandje', waar Pap zo'n hekel aan had), zei 'meneer' tegen hem, begon plompverloren te vertellen wat voor een geweldige avond het zou worden en vroeg toen wat voor werk Pap deed. Pap keek hem vernietigend aan en gaf zo grimmig antwoord dat Mussolini er zelfs van geschrokken zou zijn. 'O ja?', en: 'Ik geef les in Burgeroorlog.' Andere vaders zouden medelijden hebben gehad met Zach, omdat ze aan hun eigen onzekere puberteit moesten denken, en zouden hebben geprobeerd de jongen op zijn gemak te stellen. Helaas besloot Pap om ervoor te zorgen dat het joch zich heel klein en nietig voelde, alleen omdat Zach niet automatisch wist wat voor werk hij deed. Ook al wist Pap dat het lezerspubliek van *Federal Forum* uit minder dan 0,3 procent van de inwoners van de vs bestond en dat daarom maar enkele mensen zijn essays hadden gespeld of zijn romantische (Meikevers zouden zeggen 'ruige' of 'stoere') zwart-wit*fotoow* hadden gezien bij 'Belangrijke Medewerkers', vond Pap het toch niet leuk wanneer hij eraan werd herinnerd dat hij en zijn educatieve prestaties niet zo bekend waren als, bijvoorbeeld, Sylvester Stallone en *Rocky*.

Zach spreidde een cartoonachtig optimisme tentoon.

'Twaalf uur,' verordonneerde Pap toen we naar buiten liepen. 'Geen minuut later.'

'Dat beloof ik, meneer Van Meer!'

Daarop deed Pap geen moeite om zijn 'Neem Je Grootje In De Maling'-gezicht te verbergen, wat ik maar negeerde, hoewel het snel overging in een blik van 'Dit wordt een lange, hete herfst' en daarna in 'Schiet mij maar dood, maar laat de vlag heel', de blik van de strijdvaardige vakbondsman en daarna van de dappere bejaarde patriot.

'Je vader is aardig,' zei Zach toen hij de auto startte. (Pap was een heleboel dingen, maar het kleffe, romantische Aardig was het enige wat Pap nou juist niet was.)

Nu liep ik achter hem aan in de bedompte gang waar tapijt op de vloer lag. Die overloop deelde hij kennelijk met zijn zuster gezien zijn/haar spullen op de vloer en de botsende geuren (sportsokken intimideerden perzikluchtjes, parfum dat probeerde op te boksen tegen de geuren die van een gestruikelde trui af kwamen en dreigden het tegen mama te zeggen). We liepen langs wat waarschijnlijk de kamer van Bethany Louise was, kauwgumroze geschilderd en een stapel kleren op de grond (zie 'Mount McKinley', *Almanak van hoogtepunten in het landschap*, 2000). Daarna passeerden we nog een slaapkamerdeur en door de kier van de net niet helemaal gesloten deur zag ik blauwe muren, trofeeën en een poster van een overdreven gebruinde blondine in bikini. (Er was niet veel fantasie voor nodig om te bedenken dat er onder zijn matras een bezoedelde *Victoria's Secret*-catalogus lag waarvan de meeste pagina's vastgeplakt zaten.)

Aan het einde van de gang bleef Zach staan. Voor hem hing een schilderijtje, niet groter dan een patrijspoort, dat werd verlicht door een krakkemikkig goudkleurig lampje.

'Mijn vader is predikant in de Eerste Baptistengemeente. En bij een van zijn preken, "De veertien verlangens", die hij vorig jaar hield, was een man uit Washington aanwezig, een zekere Cecil Roloff. Die man was zo geïnspireerd geraakt dat hij na afloop tegen mijn vader zei dat hij een ander mens was.' Zach wees naar het schilderij. 'Een week later werd dit bezorgd. En het is echt. Ken je de kunstenaar Turner?'

Ik kende de 'koning van het licht', ook wel bekend als J.M.W. Turner (1775-1851), van Alejandro Penzances achthonderd pagina's dikke, erotisch getinte biografie die alleen in Europa is uitgegeven, *Verpauperd en verloederd in Engeland geboren mannelijk artiest* (1974).

'Het heet *Vissers op zee*,' zei Zach.

Handig stapte ik om de groene nylon sportbroek heen die uitgeblust op de vloer lag en boog voorover om het te bestuderen. Waarschijnlijk was het wel echt, maar het was niet een van die 'feesten van licht' waarmee de kunstenaar 'schijt had aan de traditie en het schilderen bij de testikels greep', zoals Penzance Turners wazige, bijna volkomen abstracte werk beschreef (blz. VIII, Inleiding). Het was een donker olieverfschilderij waarop een bootje afgebeeld stond dat speelbal leek te zijn van een zeestorm, geschilderd in wazige tinten grijs, bruin en groen. Je zag gulzige golven, een houten boot zo solide als een lucifersdoosje; een bleek maantje leek hoogtevrees te hebben zoals het kribbig door de wolken tuurde.

'Waarom hangt het hier?' vroeg ik.

Hij lachte verlegen. 'O, mijn moeder wil dat het dicht bij mijn zusje en mij hangt. Volgens haar is het gezond om dicht bij kunst te slapen.'

'Een heel interessant gebruik van kleur,' zei ik. 'Doet me vaag denken aan *De brand in het Hogerhuis en Lagerhuis*. Vooral de lucht. Maar een duidelijk ander palet.'

'Ik vind de wolken het mooist.' Zach slikte alsof er een soeplepel in zijn keel was blijven steken. 'Weet je?'

'Nou?'

'Jij doet me denken aan die boot.'

Ik keek hem aan. Zijn gezicht was zo gemeen als een korstloze boterham met pindakaas (en zijn haar was zo geknipt dat zijn panamahoedkapsel net iets minder over zijn voorhoofd hing) maar door zijn opmerking werd ik... Nou ja, opeens kon ik hem helemaal niet meer uitstaan. Hij had me vergeleken met een klein bootje bemand door gezichtsloze vlekken bruin en geel – en *slecht* bemand, want binnen enkele tellen (als je ervan uitging dat het water opkrulde om wraakzuchtig toe te slaan) zou het scheepje vergaan en die bruine veeg aan de horizon, het passerende schip dat zich nergens van bewust was, zou de vlekken echt niet snel te hulp schieten.

Pap kon vaak razend worden wanneer iemand zichzelf uitriep tot zijn persoonlijke orakel van Delphi. Om die reden werden veel van zijn collega's op de universiteit – anonieme, ongevaarlijke vakgenoten – opeens in de ban gedaan als 'zwart schaap'. Ze hadden de fout begaan om Pap samen te vatten, in te korten, te resumeren, af te zwakken en Pap uit te leggen hoe het zat (waarmee ze er helemaal naast zaten).

Vier jaar eerder had Pap op de openingsdag van het Wereldsymposium op het Dodson-Miner College een negenenveertig minuten durende lezing gehouden onder de titel 'Haatmodellen en de handel in organen'. Hij was nogal verknocht aan die lezing, omdat hij in 1995 naar Houston was gereisd om ene Sletnik Patriutzka – met snor – te interviewen, die een nier had verkocht voor haar vrijheid. (In tranen had Sletnik haar littekens laten zien; 'Messen doen zeer,' had ze gezegd.) Onmiddellijk na Paps toespraak stoof universiteitsbestuurder Rodney Byrd als een opgejaagde kakkerlak het podium op en zei: 'Dank u, dr. Van Meer, voor uw scherpzinnige kijk op het postcommunistische Rusland. Het komt niet vaak voor dat we een betrouwbare Russische emigrant op de campus hebben. Als iemand hier vragen heeft over *Oorlog en vrede* is hij de aangewezen man, volgens mij.' (Natuurlijk ging Paps lezing over de handel in organen in West-Europa en was hij nooit in Rusland geweest. Hoewel Pap diverse talen beheerste, sprak hij geen Russisch, behalve 'На бога надейся, а сам не плошай', wat betekende: 'Vertrouw op God, maar doe je auto op slot', een bekend Russisch gezegde.)

'Wanneer je persoonlijk verkeerd wordt geïnterpreteerd,' zei Pap, 'en je te horen krijgt dat je niet ingewikkelder in elkaar zit dan enkele woorden die willekeurig aan elkaar geregen worden als vlekkerige hemden aan een waslijn – nou, dat kan ook de allerkalmsten onder ons tot razernij brengen.'

In de claustrofobische gang was alleen de hijgende ademhaling van Zach te horen. Het geluid deed me aan een trompetschelp denken. Ik voelde hoe zijn blik op mij neerdroop, door de kreukels stroomde van Jeffersons ritselende zwarte jurk, die als je tussen je wimpers door keek op een omgekeerde shiitake-paddestoel leek. De zilverzwarte stof voelde flinterdun aan, alsof hij ieder moment stijfjes kon loslaten als aluminiumfolie om een koud geworden kippenbout.

'Blue?'

Ik beging de grove fout om weer naar hem op te kijken. Zijn gezicht – zijn hoofd helder verlicht door het lampje boven Turner, zijn wimpers idioot lang, zoals die van een Jersey-koe – kwam recht op mij af, zoals dat zuidelijke supercontinent Gwondanaland honderdtwintig miljoen jaar geleden zich heel langzaam naar de zuidpool bewoog.

Hij wilde onze tektonische platen tegen elkaar aan laten botsen, zodat de ene over de andere schoof, waardoor gesmolten materie uit het binnenste van de aarde een woeste en instabiele vulkaan deed oprijzen. Dat was een van die klamme momenten die ik alleen nog maar in dromen had meegemaakt, wanneer mijn hoofd in de holte van zijn arm lag, mijn lippen de aftershave in de nis proefden. Ik zag hoe Zachs gezicht zweefde op de grens tussen Verlangen en Verlegenheid en geduldig wachtte op groen licht (ook al was er niemand in de buurt). Je zou denken dat ik ervandoor wilde gaan, het op een lopen wilde zetten, of achterover zou leunen en aan Milton zou denken (de hele avond was ik stiekem in een soort Neverland en fantaseerde dat híj Pap had ontmoet, dat zíjn vader en moeder door de huiskamer hadden gedribbeld), maar nee, op dat krankzinnige moment schoot Hannah Schneider mijn gedachten binnen.

Ik had haar die middag nog op school gezien, vlak na het zesde uur. Ze had een zwarte wollen jurk met lange mouwen aan, een strakke zwarte jas, liep met onvaste tred en gebogen hoofd over de stoep naar Hanover en had een crèmekleurige canvas tas bij zich. Hannah leek altijd al dun, maar nu zag ze er, vooral bij haar schouders, ongewoon gebogen en smalletjes uit, gedeukt zelfs, alsof ze een deur had ingeramd.

Op dat broeierige moment met die jongen vond ik het afschuwelijk dat ze zo dicht bij Doc kwam dat ze de grijze haren op zijn borst kon tellen. Hoe kon ze zijn handen verdragen, zijn schommelstoelschouders, of de volgende ochtend de lucht die zo steriel was als de vloer van een ziekenhuis? Wat was er met haar aan de hand? Er was iets aan de hand, dat was duidelijk, iets heel ernstigs, maar ik was te veel met mezelf bezig geweest, met Black en het aantal keren dat hij nieste, met Jade, Lu, Nigel, mijn haar, om me daar zorgen over te maken. ('De voornaamste obsessie van een doorsnee Amerikaans meisje is haar haar – een pony, krullen, geen krullen, dode punten – en ze heeft onthutsend weinig belangstelling voor alle andere dingen, zoals een scheiding, een moord of een kernoorlog,' schrijft dr. Michael Espiland in *Altijd kloppen voor je naar binnen gaat* (1993)). Wat was er met Hannah gebeurd dat ze afdaalde naar Cottonwood zoals Dante moedwillig was afgedaald naar de Hel? Waarom vertoonde ze steeds zo'n opvallende neiging tot zelfvernietiging, die onrustbarend verergerd was sinds de dood van haar vriend Smoke Harvey, het drinken en het grove taalgebruik, haar magerte, waardoor ze eruitzag als een uitgehongerde kraai. Verdriet vermenigvuldigt zich, tenzij er onmiddellijk iets aan wordt gedaan. Volgens Irma Stenpluck, auteur van *De vertrouwenscrisis* (1988), gold dat ook voor tegenslag. Op blz. 329 beschreef ze uitgebreid dat er maar een klein tegenslagje voor nodig was om 'je hele schip naar de bodem van de Atlantische Oceaan te laten verdwijnen'. Misschien ging het ons niets aan, maar misschien was dat nu precies wat ze de hele tijd had gehoopt: dat een van ons zich van zichzelf zou losweken en eens aan haar zou vragen hoe het met haar ging, niet uit nieuwsgierigheid, maar omdat ze een vriendin van ons was en het kennelijk niet zo goed ging.

Ik haatte mezelf, daar in die gang, naast de Turner en Zach, die nog steeds zweefde boven het droge ravijn van een kus.

'Er zit je iets dwars,' merkte hij rustig op. Dat joch dacht dat hij Carl Jung was, of Freud, verdomme.

'Ik wil hier weg,' zei ik nors, en ik deed een stapje achteruit.

Hij glimlachte. Het was ongelofelijk; zijn gezicht kende geen uitdrukking voor woede of irritatie, net zoals sommige indianenstammen, de Mohikanen, de Hupa, geen woord hadden voor 'paars'.

'Wil je niet weten waarom je op die boot lijkt?' vroeg hij.

Ik haalde mijn schouders op en mijn jurk zuchtte.

'Dat komt doordat de maan er precies op schijnt en nergens anders op. Hier. Aan de zijkant. Dat is het enige wat fluoresceert,' zei hij, of een ander duur woord, met een stem vol gloeiende lava, brokken steen, as en heet gas. Ik had besloten daar niet op te wachten, want ik had me al omgedraaid en liep de trap af. Onderaan kwam ik Patsy en Roge weer tegen, op precies dezelfde plek als waar we ze hadden achtergelaten als twee vergeten winkelwagentjes bij het koekjesschap.

'Vind je het niet geweldig?' riep Patsy uit.

Ze zwaaiden toen Zach en ik in de Toyota stapten. Een stralende lach deed hun gezichten oplichten toen ik terugzwaaide en door het geopende raampje riep: 'Dank u wel! Hopelijk tot gauw!' Wat vreemd dat er mensen zoals Zach, Roge en Patsy over de wereld zweefden. Zij waren de schattige madeliefjes die langs de spiegelorchissen wervelden, de mariadistels van de Hannah Schneiders en de Gareth van Meers die verstrikt waren geraakt in de takken en de modder. Zij waren de oppervlakkige mensen waar Pap zo'n hekel aan had – hij noemde ze 'bubbels' (of, nog kleinerender, 'lieve mensjes') – wanneer hij in de rij voor de kassa achter ze stond en hun altijd pijnlijk onbeduidende gesprekken afluisterde.

Ik wist niet wat me mankeerde, maar ook al kon ik niet wachten tot ik Zach zou dumpen zodra we bij het Gala aankwamen (Jade en de anderen zouden er zijn, ook Black en Joalie, die naar ik hoopte aan een onverwachte huidirritatie leed die maar niet wilde verdwijnen, zelfs niet met voortdurende behandelingen met verscheidene middeltjes van de drogist), ik verwonderde me over zijn incasseringsvermogen. Ik had op zijn geplande kus met niet minder afgrijzen gereageerd dan wanneer een grote zwerm sprinkhanen op mijn land was neergestreken en toch lachte hij naar me en vroeg opgewekt of ik genoeg beenruimte had.

Vlak voordat we aan het einde van de oprit rechts afsloegen, keek ik even achterom naar zijn huis boven op de steile heuvel met bomen, en ik zag dat Patsy en Roge daar nog steeds stonden, waarschijnlijk nog steeds met hun armen om elkaars middel geslagen; reepjes van Patsy's groene bloes waren tussen de takjes van de bomen zichtbaar. Hoewel ik dat nooit aan Pap zou vertellen, vroeg ik me toen Zach het popliedje op de radio harder zette echt even af of het nu werkelijk zo verschrikkelijk was om zo'n familie te hebben, om een vader te hebben die knipoogde en een jongen met ogen die zo blauw waren dat je niet gek moest opkijken als er opeens mussen doorheen vlogen, en een moeder die onafgebroken staarde naar de plek waar ze haar zoon het laatst had gezien, als een hond op het parkeerterrein van een supermarkt die zijn ogen niet van de automatische deuren afwendt.

'Heb je zin in het bal?' vroeg Zach.

Ik knikte.

'The Housebreaker of Shady Hill'

Het kerstgala werd gehouden in kantine Harper Racey '05 die onder de strenge leiding van Maxwell, de Voorzitter van de Leerlingenraad, veranderd was in een broeierige nachtclub in Versailles-stijl met imitatie-Sèvres-vazen op de zijtafels, Franse kazen en patisserie, veel klatergoud, grote, grof getekende posters met wanstaltige meisjes op geïmproviseerde schommels die op de Muur Aller Tijden waren geplakt (Gallway-klassenfoto's van 1910 tot heden) en die de swingende luchtigheid van Fragonards *De schommel* (ca. 1767) moesten uitbeelden, maar onbedoeld associaties met *De schreeuw* (Munch, ca. 1893) opriepen.

Minstens de helft van de leerkrachten was op komen draven, in elk geval degenen die waren gevraagd om toezicht te houden; en daar waren ze dan, de *Mondo-Strangos*, opgeprikt in hun smoking. Havermeyer stond naast zijn bleke, broodmagere vrouw, Gloria, die gekleed was in zwart fluweel. (Gloria vertoonde zich zelden in het openbaar. Volgens de verhalen ging ze bijna nooit de deur uit en bleef ze liever thuis rondlummelen, marshmallows snoepen en romantische boekjes van Circe Kensington lezen, een geliefde schrijfster van vele Meikevers. Zodoende kende ik de populairste titel, *De kroonjuwelen van Rochester de Wheeling* (1990).) Meneer Archer, met zijn uitpuilende ogen, was er ook. Hij hield zich vast aan de vensterbank en paste precies in zijn marineblauwe pak, als een uitnodiging in een envelopje. Mevrouw Thermopolis was in dartel Hawaïaans oranje en rood in gesprek met meneer Butters. (Ze had iets met haar haar gedaan, een mousse die krullen veranderde in korstmos.) Verder was ook de lieveling van Hannah er, meneer Moats, bijna even lang als de deuropening waarin hij stond. Hij droeg een Pruisisch blauw jasje en een geruite broek. (Hij had een omineus gezicht; zijn neus, dikke lippen, kin, zelfs het grootste deel van zijn wangen leken zich verzameld te hebben op het onderste deel van zijn gezicht, als passagiers op een zinkend schip die op de vlucht zijn voor het zeewater.)

Jade en de anderen hadden beloofd (gezworen op een keur aan grootouderlijke graven) dat ze om negen uur zouden komen, maar het was nu halfelf en ze waren nog nergens te bekennen, zelfs Milton niet. Hannah had er ook moeten zijn – 'Eva Brewster vroeg of ik langs wilde komen,' had ze me verteld –, maar zij was er ook niet. Dus zat ik in het binnenland van Zach, thuisland van de Klamme Handpalm, de Gewaagde Aanraking, de Trillende Arm, de Calcutta Adem, de Nauwelijks Waarneembare Valse Neurie, Irritant als De Elektrische Brom in een Muur, de grootste stad: een groepje sproeten in zijn nek onder zijn linkeroor, rivieren: zweet op zijn slapen, in dat kleine ravijn in zijn hals.

Op de dansvloer stonden ze als haringen in een ton. Rechts van ons, op nog geen kwart meter van ons vandaan, was Zachs ex-vriendin, Lonny Felix, aan het dansen met haar date, Clifford Wells, die kleiner was dan zij en met zijn elfachtige gezicht naar haar opkeek. Hij was ook lichter dan zij. Telkens wanneer hij haar achterover moest laten buigen ('En nu achterover,' commandeerde ze) klemde hij zijn kaken op elkaar en probeerde hij uit alle macht haar niet op de grond te laten vallen. Verder leek ze veel plezier te hebben in haar zelfbedachte tornadodraai waarbij haar wapperende ellebogen en stekelige geblondeerde haar gevaarlijk dicht bij mijn gezicht kwamen telkens wanneer Zach en ik aan het einde van een draai waren en ik naar de buffettafel keek (waar Perón Nutella-crêpes maakte, onkarakteristiek stemmig gekleed in *Rhapsody in Blue* met pofmouwen) en Zach naar de ramen.

Maxwell, een soort Phineas T. Barnum met een karmozijnrood fluwelen jasje en een wandelstok, besteedde geen enkele aandacht aan zijn date, Kimmie Kaczynski (een trieste, mismoedige zeemeermin in een groensatijnen kostuum die haar zeeman niet kon verleiden) en gaf met veel plezier leiding aan zijn rariteitenkabinet, de wazig kijkende, uitgebluste Jelly Roll Jazzband.

'Neem me niet kwalijk,' zei een stem achter me.

Het was Jade, mijn reddende engel. Ik zag meteen dat er iets mis was. Donnamara Chase in haar onpraktisch wijde klokjurk en haar date, Trucker, die voortdurend zijn lippen likte, en een paar anderen, zoals Sandy Quince-Wood, Joshua Cuthbert en Dinky, een levende, ademende boobytrap die zijn armen stevig om de nek van de arme, onderdanige Brett Carlson geklemd hield, waren allemaal opgehouden met dansen en gaapten haar aan.

Ik zag waarom.

Ze droeg een dunne, mandarijnkleurige zijden jurk met een decolleté zo diep als de vrije val van een parachutespringer. Ze was dronken, had geen beha en geen schoenen aan, en hoewel ze Zach en mij bekeek met één hand in haar zij, haar gebruikelijke intimidatiehouding, leek het nu alleen maar of ze zichzelf probeerde vast te houden voor het geval ze voorover zou vallen. In haar andere hand had ze een paar zwarte schoenen met naaldhakken.

'Als je het niet erg vindt, Voordeel... Voordeelbon' – ze strompelde naar voren; ik was als de dood dat ze zou vallen – 'zou ik Kots even willen lenen.'

'Gaat het wel?' vroeg Zach.

Ik stapte snel naar voren en greep haar bij haar arm. Met een geforceerde glimlach op mijn gezicht trok ik haar achter me aan, hard, maar niet zo hard dat ze veranderde in een plasje sinaasappelsap op de dansvloer.

'Jeetje. Het spijt me dat ik zo laat ben. Wat moet ik zeggen? Ik zat vast in het verkeer.'

Ik slaagde erin om haar uit de buurt van de meeste oppassers te houden en duwde haar recht in een groepje eersteklassers dat de *gâteaux au chocolat et aux noisettes* en de Franse kazen aan het proeven was ('Dit smaakt heel goor,' zei een van hen).

Mijn hart bonkte in mijn keel. Binnen enkele minuten, nee, seconden, zou Evita haar ontdekken en arresteren – 'uitnodigen aan de ronde tafel' in St. Gallway-termen. Dan volgden onherroepelijk schorsing en een taakstraf bij mannen die verlekkerd naar haar keken wanneer ze de lauwe groentesoep opdiende; misschien werd ze zelfs van school verwijderd. In mijn hoofd begon zich al een smoes te vormen, iets met een pil die door een puisterige mafkees stiekem in haar 7-Up was gedaan; er waren genoeg artikelen over dat onderwerp waar ik naar kon verwijzen. Je kon natuurlijk ook net doen alsof je dom was ('Bij twijfel: veins vergeetachtigheid,' orakelde Pap in mijn hoofd. 'Niemand kan het je kwalijk nemen dat je met een schriel IQ bent geboren'). Maar voordat ik er erg in had, waren we langs de buffettafel en de toiletten geglipt en waren we ongezien de deuren uit gelopen. (Meneer Moats, als u dit leest, ik weet zeker dat u ons heeft gezien. Dank u wel dat u alleen uw verveelde blik inwisselde voor eentje van cynisch genoegen, zuchtte en verder niets deed. En als u geen idee hebt waar ik het over heb, vergeet dan het bovenstaande.)

Buiten sleurde ik haar mee over de patio omringd door smeedijzeren tweezitsbankjes ('Au. Dat doet zeer, hoor'), waar Gallways serieuze stelletjes zich terugtrokken.

Terwijl ik achteromkeek of we niet werden gevolgd, trok ik Jade mee over het gazon, over de voetpaden met de fijne steentjes, door het oranje licht van de schijnwerpers, waar onze dunne schaduwen steeds verder achter ons bleven hangen. Ik liet haar pas los toen we voor Hanover stonden, dat er donker en verlaten uitzag, waar alles – de zwarte ramen, de houten trap, een opge-vouwen vel papier met algebrahuiswerk dat mompelde in zijn slaap – onder-gedompeld was in de nacht met grijze en blauwe tinten.

'Ben je helemaal gek geworden?' riep ik uit.

'Hoe bedoel je?'

'Hoe kun je zo binnenkomen?'

'O. Hou op met dat gegil, Kots.'

'Ik... Wil je soms van school getrapt worden?'

'Krijg toch de klere,' zei ze giechelend. 'En je hondje ook.'

'Waar is iedereen? Waar is Hannah?'

Ze trok een grimas. 'Bij haar thuis. Ze zijn een appeltaart aan het bakken en kijken naar *Heaven & Earth*. Je had het vast al geraden. Ze hebben je laten bar-sten. Ze dachten dat het een stomvervelend feestje zou worden. Ik ben hier degene die loyaal is. Daar mag je me wel voor bedanken. Ik accepteer contant geld, een cheque, MasterCard, Visa. Geen American Express.'

'Jade.'

'De anderen zijn verraders. Ook gij, Brutus. En mocht je het willen weten: Black en die kleine petunia zijn nu in een of ander goedkoop motel het hele er-ge aan het doen. Hij is stapelverliefd, ik kan hem wel wurgen. Die meid is een Yoko Ono en wij gaan uit elkaar.'

'Beheers je een beetje.'

'Alsjeblieft, het gaat prima met me.' Ze glimlachte. 'Laten we ergens naar-toe gaan. Een of ander café waar de mannen man zijn en de vrouwen behaard. Dan gaan we lekker bier drinken.'

'Je gaat naar huis. Nu.'

'Ik dacht aan Brazilië. Kots?'

'Wat is er?'

'Ik moet overgeven, geloof ik.'

Ze zag er inderdaad beroerd uit. Haar lippen hadden zich in haar gezicht teruggetrokken, ze keek me met grote nachtogen aan en hield haar hand bij haar keel.

Ik pakte haar bij haar arm met de bedoeling om haar mee te nemen naar de noodlottige jonge dennenboompjes die rechts van ons stonden, maar opeens slaakte ze de korte, hoge gil van een kind dat het laatste stukje bloemkool niet meer wil opeten of in de auto de veiligheidsriem niet om wil, en ze rukte zich los, sprintte naar de trap en over de veranda. Ik dacht dat de deuren op slot zouden zitten, maar dat was niet zo. Ze verdween naar binnen.

Ik vond haar in het toilet van het kantoor Inschrijving van Mirtha Grazeley. Ze zat in een van de hokjes op haar knieën over te geven.

'Ik vind het vreselijk om over te geven. Ik ga nog liever dood. Vermoord me, hoor je me? Vermoord me. Alsjeblieft.'

Een misselijk kwartier lang hield ik haar haar vast.

'Over,' zei ze, en ze veegde haar ogen en mond af.

Nadat ze haar gezicht onder de kraan had gehouden, liet ze zich languit voorovervallen op een van de banken in Mirtha's Ontvangstkamer.

'We kunnen beter naar huis gaan,' zei ik.

'Nog even.'

Zoals we daar in die stilte zaten, met het licht uit, het groene licht van het gazon van de M. Bella Kanselarij dat door de ramen naar binnen viel, leek het alsof we op de bodem van de zee zaten. De dunne schaduwen van de kale bomen buiten tekenden zich als zeegras en zeewier af op de houten vloer; de zandkorreltjes op de ramen leken op dierlijk plankton; de schemerlamp in de hoek was net een zeespons. Jade zuchtte en draaide zich op haar rug. Haar haar zat vastgeplakt tegen haar wang.

'We moeten hiervandaan,' zei ik.

'Je vindt hem leuk,' zei ze.

'Wie?'

'Voordeelbon.'

'Net zo leuk als geluidsoverlast.'

'Je gaat er met hem vandoor.'

'Ja, hoor.'

'Je gaat eindeloos met hem vrijen en je krijgt zijn cadeaubonnen. Echt waar. Ik weet die dingen. Ik ben helderziend.'

'Schei uit.'

'Kots?'

'Wat is er?'

'Ik haat de anderen.'

'Wie?'

'Leulah. Charles. Ik haat ze. Jou mag ik. Jij bent de enige die normaal is. De anderen zijn allemaal ziek. En Hannah haat ik nog het meest. Bah.'

'Welnee.'

'Ik doe alsof ik haar mag, want het is makkelijk en leuk om erheen te gaan en haar te laten koken en te zien hoe ze zich gedraagt als een gestoorde Franciscus van Assisi. Tuurlijk. Bla-bla. Maar diep vanbinnen weet ik dat het een ziek en walgelijk mens is.'

Ik wachtte even, lang genoeg om bijvoorbeeld een tolhaai langs te laten zwemmen die op zoek is naar een school sardienen, om dat eigenaardige woord dat ze had gebruikt – 'walgelijk' – een beetje te laten ontbinden, oplossen, als inkt uit een inktvis.

'Het komt inderdaad algemeen voor,' zei ik, 'dat mensen af en toe antipathie voelen jegens degenen met wie ze omgaan. Dat is het Derwid Loeverhastel-principe. Dat wordt besproken in...'

'Sodemieter op met je David Hasselhoff.' Ze leunde nu op een elleboog en kneep haar ogen half dicht. 'Ik mag die vrouw niet.' Ze fronste. 'En jij?'

'Ik wel,' zei ik.

'Waarom?'

'Ze heeft een goed hart.'

Jade snoof. 'Zo goed is dat niet. Ik weet niet of je het weet, maar zij heeft die man vermoord.'

'Wie?'

Natuurlijk wist ik wel dat ze Smoke Harvey bedoelde, maar ik hield me liever van den domme, liet alleen de neutraalste woorden als vraag los, op de gereserveerde manier van Ranulph (uitgesproken als 'Ralf') Curry, de onmatige hoofdinspecteur uit Toger Pope Lavelles drie afstandelijke, meesterlijke detectiveromans, geschreven in een tien jaar durende periode van inspiratie tussen 1901 en 1911. Die verhalen werden uiteindelijk overschaduwd door de vrolijkere geschriften van sir Arthur Conan Doyle. Die houding werd door Curry tot kunst verheven wanneer hij ooggetuigen, omstanders, informanten en verdachten ondervroeg, waardoor hij vaak op listige wijze een bepaald detail ontdekte dat de zaak openbrak. 'Kom, kom, Horace,' zegt Curry in het 1017 pagina's dikke *De verwaande eenhoorn* (1901), 'het is een enorme vergissing in ons speurdersvak om je eigen stem te laten klinken tussen de spontane woorden van iemand anders. Hoe meer je spreekt, hoe minder je hoort.'

'Die Smoke,' ging Jade verder. 'Dubs. Ze heeft hem om zeep geholpen. Dat weet ik zeker.'

'Hoe weet je dat?'

'Ik was erbij toen ze haar over hem vertelden, weet je nog?' Ze zweeg even, keek me aan, eerst turend, daarna gewend aan het beetje licht dat er in de kamer was. 'Jij was niet in de buurt, maar ik heb gezien hoe ze deed. Volkomen overdreven. Ze was echt de slechtste actrice ter wereld. Als ze actrice was, zou ze nog niet eens in een B-film mogen spelen. Hoogstens D- of E-films. Volgens mij is ze niet eens goed genoeg voor porno. Natuurlijk denkt ze zelf dat ze volgende week al een Oscar krijgt. Ze ging helemaal door het lint, ging als een waanzinnige tekeer toen ze zag dat die man dood was. Even dacht ik dat ze riep: "De dingo heeft mijn baby opgegeten."'

Ze liet zich van de bank af rollen en liep naar het keukentje achter Mirtha's bureau. Ze opende de deur van het koelkastje en toen ze hurkte werd ze beschenen door een rechthoek van goud licht, zodat haar jurk doorzichtig werd en je in deze röntgenstralen kon zien hoe mager ze was, dat haar schouders niet breder waren dan een hangertje.

'Er staat hier eierpunch,' zei ze. 'Wil jij wat?'

'Nee.'

'Er is zat. Drie volle karaffen.'

'Waarschijnlijk meet Mirtha aan het eind van elke dag hoeveel er over is. Daar krijgen we problemen mee.'

Met de kan in haar hand kwam Jade overeind en ze deed met haar voet de deur dicht.

'Het is wel Mirtha Grazeley, van wie iedereen weet dat ze de Gekke Hoedenmaker is. Wie luistert er naar haar wanneer ze luid kwakend meldt dat er iets ontbreekt? Trouwens, de meeste mensen zijn niet zo efficiënt. Jij zei toch laatst op een *soir* "dat gekte geen systeem kent" of zoiets?' Ze maakte een kastje open en pakte er twee glazen uit. 'Ik zeg alleen maar dat ik denk dat Hannah die man koud heeft gemaakt, net zoals ik denk dat mijn moeder het Monster van Loch Ness is. Of de Yeti. Ik weet nog niet welk monster ze is, maar ze is in elk geval een van de beroemde.'

'Wat was haar motief?' vroeg ik. ('Ik ben van mening,' zei Curry, 'dat het heel nuttig is om ervoor te zorgen dat de spreker niet afdwaalt, zich tot de kern van de zaak beperkt, wanneer hij eindeloos doorzeurt over huissleutels en fluitketels.')

'Monsters hebben geen motief nodig. Het zijn monsters, dus...'

'Ik heb het over Hannah.'

Ze keek me geërgerd aan. 'Je snapt het echt niet, hè? Tegenwoordig heeft niemand een motief nodig. Mensen willen graag een motief, omdat ze bang zijn voor chaos. Maar motieven zijn uit de tijd, net als klompen. De werkelijkheid is dat sommige mensen graag executeren, zoals sommige mensen vallen op skifanaten die onder de moedervlekken zitten alsof God met peperkorrels heeft lopen strooien, of op juristen met armen vol tatoeages.'

'Waarom hij dan?'

'Wie?'

'Smoke Harvey,' zei ik. 'Waarom hij en niet ik, bijvoorbeeld?'

Ze liet een sarcastisch 'ha' horen toen ze mij het glas aanreikte en ging zitten. 'Ik weet niet of je je daar wel bewust van bent, maar Hannah is helemaal geobsedeerd door jou. Alsof je haar verloren kind bent. Ik bedoel, we kenden jou al voordat je hier op school was. Dat was heel gek.'

Mijn hart sloeg over. 'Waar heb je het over?'

Jade Snoof. 'Je hebt haar toch bij die schoenenwinkel ontmoet?'

Ik knikte.

'Vlak daarna, misschien nog wel dezelfde dag, praatte ze maar door over ene Blue die zo fantastisch en geweldig was, en dat we vrienden van jou moesten worden. Alsof je verdomme de Messias was. Zo doet ze nog steeds. Wanneer je er niet bij bent, vraagt ze altijd: "Waar is Blue, heeft iemand Blue gezien?" Blue, Blue, Blue – jezus christus nog aan toe. Maar het gaat niet alleen om jou. Ze heeft allerlei abnormale fixaties. Zoals die dieren en dat meubilair. Al die mannen in Cottonwood. Seks is voor haar net zoiets als iemand een hand geven. En Charles. Ze heeft hem helemaal opgefokt en dat beseft ze niet eens. Ze denkt dat ze ons een groot plezier doet door een vriendin voor ons te zijn, ons te onderwijzen, of wat dan ook.'

Ik slikte. 'Is er echt iets gebeurd tussen Charles en Hannah?'

'Hallo? Natuurlijk. Dat weet ik negentig procent zeker. Charles zal er nooit iets over zeggen, tegen niemand, zelfs niet tegen Black, want ze heeft hem gehersenspoeld. Maar vorig jaar? Lu en ik gingen hem ophalen en we troffen hem huilend aan zoals ik in mijn hele leven nog nooit iemand heb zien huilen. Zijn gezicht was helemaal verwrongen.' Ze deed het voor. 'Hij had een woede-uitbarsting gehad. Het hele huis was een puinhoop. Hij had met schilderijen gegooid, zich uitgeleefd op het behang – grote stroken waren van de muur gescheurd. Toen we hem vonden lag hij opgerold in een foetushouding te huilen bij de tv. Er lag ook een mes op de grond en we waren bang dat hij zou proberen zelfmoord te plegen of zoiets.'

'Maar dat heeft hij niet gedaan, hè?' vroeg ik snel.

Ze schudde haar hoofd. 'Nee. Maar volgens mij was hij door het lint gegaan omdat Hannah had gezegd dat ze er een punt achter moesten zetten. Of misschien was het maar één keer gebeurd. Ik bedoel, waarschijnlijk was het allemaal per ongeluk gegaan. Ik denk niet dat het haar bedoeling was om hem op te fokken, maar ze heeft wel iets gedaan, want hij is zichzelf niet meer. Je had hem vorig jaar moeten zien, twee jaar geleden. Hij was geweldig. Echt een gelukkig iemand van wie iedereen hield. Nu is hij altijd kwaad.'

Ze nam een grote slok van de eierpunch. Het donker verhardde haar profiel, zodat haar gezicht leek op een van die enorme decoratieve jaden maskers die Pap en ik hadden bekeken in de Olmeken-zaal van het Garber Natural History Museum in Artesia, New Mexico. 'De Olmeken kenden een buitengewoon artistieke beschaving, met een sterke fascinatie voor het menselijk gezicht,' las Pap plechtig voor van de gedrukte uitleg aan de muur. 'Ze geloofden dat, hoewel de stem vaak liegt, het gezicht zelf nooit bedriegt.'

'Als je echt zo over Hannah denkt,' kon ik met moeite uitbrengen, 'hoe kun je dan met haar omgaan?'

'Ik weet het, dat is gek.' Peinzend trok ze een mondhoek naar beneden. 'Ik denk dat ze een soort crack is.' Ze zuchtte en sloeg haar armen om haar schenen. 'Het is net zoiets als met *mint-chocolate-chip*-ijs.'

'Wat bedoel je daarmee?' vroeg ik toen ze dat niet meteen uitlegde.

'Nou.' Ze hield haar hoofd scheef. 'Ken je het gevoel dat je echt ontzettend gek bent op mint-chocolate-chip? Dat het je lievelingssmaak is, het lekkerste in de hele wereld? Maar dan hoor je Hannah op een dag eindeloos praten over *butter pecan*. Butter pecan zus en butter pecan zo, en daarna bestel je dus alleen nog maar butter pecan. Je beseft dat je butter pecan het lekkerst vindt. Dat je het waarschijnlijk altijd al het lekkerst had gevonden, maar dat je dat alleen nog niet wist.' Ze zweeg even. 'Je eet nooit meer mint-chocolate-chip.'

Op dat moment had ik gevoel dat ik verdronk tussen de dobberende schaduwen en de balkhaken en de *Henricia oculata*-zeester die zich aan de hanglamp had vastgehecht, maar ik hield mezelf voor dat ik diep adem moest halen en niet per se alles hoefde te geloven wat ze vertelde. Veel van wat ze anderen bezwoer, of ze dronken was of nuchter, kon een valluik zijn, drijfzand, een trompe-l'oeil, het bedrieglijke spel dat licht speelt wanneer het bij verschillende temperaturen door de lucht snelt.

Ik had voor de eerste en laatste keer de fout gemaakt haar meteen te geloven toen ze me toevertrouwde hoe erg ze haar moeder haatte, dat ze dolgraag bij haar vader wilde wonen, een rechter in Atlanta, die een keurige man was (ondanks het feit dat hij er enkele jaren daarvoor met een vrouw vandoor was gegaan die zij Minkukel Marcy noemde, van wie weinig bekend was, behalve dat ze een juriste was met een arm vol met tatoeages), en ik nog geen kwartier later zag dat ze de telefoon oppakte om haar moeder te bellen. Die zat nog in Colorado en was bedolven onder een dolgelukkige liefdeslawine met een skileraar.

'Maar wanneer kom je nu naar huis? Ik vind het vreselijk om door Morella in de gaten gehouden te worden. Ik heb jou nodig voor een gezonde ontwikkeling van mijn emoties,' zei ze in tranen. Toen ontdekte ze mij en riep: 'Wat sta je daar verdomme te kijken?', en ze gooide de deur voor mijn neus dicht.

Ook al was ze aantrekkelijk (haar tic, die afwezige manier waarop ze haar uit haar gezicht blies, dat had Audrey Hepburn niet charmanter kunnen doen) en was ze gezegend met de benijdenswaardige eigenschappen van een nertsmantel – elegant, onredelijk en onpraktisch, waar hij ook overheen hing, of het nu banken of mensen waren (en dat bleef zelfs zo wanneer ze enigszins gehavend en slonzig was, zoals nu) –, ze was desalniettemin een van die mensen wier persoonlijkheid de nagel aan de doodskist van de moderne wiskundige was. Ze was noch een plat vlak, noch driedimensionaal. Ze vertoonde geen enkele symmetrie. Trigonometrie, Analytische Meetkunde en Statistiek bleken onbruikbaar. Haar Cirkeldiagram bestond uit een warboel met arbitraire taartpunten, haar Grafiek, het silhouet van de Alpen. En wanneer je haar rangschikte onder de Chaostheorie – Vlindereffecten, Weersvoorspellingen, Fractals, Bifurcatiediagrammen en noem maar op –, dook ze op als een gelijkbenige driehoek, soms zelfs als een vierkant.

Nu lag ze op de vloer met haar smerige voeten boven haar hoofd en demonstreerde een Pilates-oefening waarbij er, zo legde ze uit, 'meer bloed langs je ruggengraat stroomt'. (Soms werd dit vertaald in een langer leven.) Ik dronk mijn glas eierpunch leeg.

'Laten we naar haar klaslokaal gaan,' zei ze op opgewonden fluistertoon. Ze zwaaide haar dunne benen met een snelle, agressieve guillotinebeweging terug op de vloer. 'We zouden even rond kunnen kijken. Ik bedoel, het is niet zo'n rare gedachte dat ze bewijsmateriaal in haar klas heeft verborgen.'

'Wat voor bewijsmateriaal?'

'Dat heb ik net verteld. Moord. Ze heeft die Smoke vermoord.'

Ik haalde diep adem.

'Misdadigers leggen toch dingen op plekken waar je het laatst zou kijken?' vroeg ze. 'Nou, wie zou er op het idee komen om in haar klas te gaan kijken?'

'Wij.'

'En als we iets vinden? Dan weten we het tenminste. Niet dat dat iets betekent. Ik bedoel, als we haar het voordeel van de twijfel geven, zou het best kunnen zijn dat het Smokes eigen schuld is. Misschien knuppelde hij zeehondjes dood.'

'Jade.'

'En als we niets vinden? Wat maakt dat uit? Niemand heeft er last van.'

'We kunnen haar lokaal niet binnengaan.'

'Waarom niet?'

'Om een aantal redenen. Ten eerste kunnen we betrapt worden en worden we van school gestuurd. Ten tweede: het is niet logisch...'

'O, sodemieter toch op!' riep ze uit. 'Kun je nou niet één keer die stomme universitaire topcarrière van je vergeten en een beetje lol trappen? Wat ben jij voor slomerd?' Ze keek woedend, maar bijna meteen gleed de boosheid van haar gezicht. Ze ging rechtop zitten, met een spanrupsglimlach. 'Denk nou even na, Olijfje,' fluisterde ze. 'We dienen een hoger doel. Undercoveroperatie. Spionage. Misschien komen we wel op het nieuws. Worden we de lievelingen van Amerika.'

Ik keek haar aan. 'Nog eens gestormd, nog eens, mijn lieve vrienden,' zei ik.

'Mooi. Help me nu maar met zoeken naar mijn schoenen.'

Tien minuten later haastten we ons door de gang. Hanover had een oude accordeonvloer die bij iedere stap zuchtend een valse noot liet horen. We duwden de deur open, renden door het holle trappenhuis naar beneden, buiten de kou in, staken het voetpad over dat langs de binnenplaats en Love kronkelde. Om ons heen vormden schaduwen stalactieten en Jade en ik gedroegen ons als vanzelf als negentiende-eeuwse schoolmeisjes die werden achtervolgd door graaf Dracula. We huiverden en liepen stevig gearmd door. We begonnen te rennen, haar haar wapperde tegen mijn blote schouder en in mijn gezicht.

Pap heeft ooit eens gezegd (ietwat morbide, vond ik toen) dat Amerikaanse instellingen oneindig veel succesvoller zouden zijn in het bevorderen van kennisverwerving wanneer ze 's nachts lesgaven in plaats van overdag, van acht uur 's avonds tot vier of vijf uur 's ochtends. Toen ik door het donker rende, begreep ik wat hij bedoelde. Eerlijke rode baksteen, zonnige klaslokalen, symmetrische rechthoeken en binnenplaatsen – in zo'n omgeving kregen kinderen het idee dat Kennis, het Leven zelf, duidelijk, helder en pas gemaaid was. Volgens Pap was een leerling heel wat beter af wanneer hij de wijde wereld introk als hij/zij het periodiek systeem, *Madame Bovary* (Flaubert, 1857), de voortplanting van een zonnebloem bestudeerde, met vervormde schaduwen op de muren van een klaslokaal, silhouetten van vingers en pennen die lekten op de vloer, gejoel dat opsteeg uit de ingewanden van onzichtbare radiatoren, en het gezicht van de leraar niet vlak en vaag, niet subtiel pastelverlicht in het gouden namiddaglicht, maar kronkelend, gargouille-, cycloopachtig in het inktzwarte duister en het zwakke licht van een kaars. Hij/zij zou 'alles en niets' begrijpen, zei Pap, als er in het raam alleen een lantaarn te zien was die omzoomd werd door dansende motten en duisternis, zwijgzaam en nonchalant, zoals duisternis altijd was.

Twee hoge dennenbomen links van ons raakten elkaar per ongeluk met hun takken: het geluid alsof er een gestoorde moordenaar met een houten poot aan kwam strompelen.

'Er komt iemand aan!' fluisterde Jade.

We renden de heuvel af, langs het stille Graydon en de kelder van het Love Auditorium en Hypocrite's Alley, waar de muzieklokalen met de hoge ramen leeg en blind waren als Oedipus nadat hij zijn ogen had uitgestoken.

'Ik ben bang,' fluisterde ze, en ze kneep in mijn pols.

'Ik ben als de dood. En ik heb het koud.'

'Heb je *School of Hell* gezien?'

'Nee.'

'De seriemoordenaar is een leraar Huishoudkunde.'

'O.'

'Koken voor gevorderden. Maakt van leerlingen soufflés. Dat is toch ziek?'

'Ik heb ergens in getrapt. Het ging dwars door mijn schoen.'

'We moeten opschieten, Kots. We mogen niet betrapt worden. Dan zijn we er geweest.'

Ze maakte zich van me los, huppelde de trap van Loomis op en rukte aan de deuren die bedekt waren met donkere, wapperende aankondigingen van meneer Crisps productie van *De kale zangeres* (Ionesco, 1950). Ze zaten op slot.

'Dan gaan we op een andere manier naar binnen,' fluisterde ze opgewonden. 'Door een raam. Of via het dak. Misschien is er wel een schoorsteen. Dan doen we de kerstman na, Kots.'

Ze pakte mijn hand. Met films waarin geveltoeristen en zwijgende huurmoordenaars voorkwamen als voorbeeld kropen we door de struiken en de dennennaalden om het gebouw heen en voelden we aan de ramen. Uiteindelijk vonden we er een dat niet afgesloten was en Jade duwde het een klein stukje naar binnen open, bij het Verkeerstheorielokaal van meneer Fletcher. Zij glipte makkelijk door de opening naar binnen en kwam op één voet terecht. Toen ik erdoorheen ging, haalde ik mijn linkerscheenbeen open aan de raamgreep, scheurde mijn panty, viel ik op het vloerkleed en kwam ik met mijn hoofd tegen de radiator. (Aan de muur hing een poster waarop een kind met een beugel stond dat een veiligheidsgordel om had: CONTROLEER ALTIJD JE DODE HOEK, OP DE WEG EN IN HET LEVEN!)

'Schiet op, slome duikelaar,' fluisterde Jade, en ze verdween door de deur.

Hannahs klas, lokaal 102, lag aan het eind van de gang – die veel weg had van een wortelkanaal – en er hing een *Casablanca*-poster op de deur. Ik was nog nooit in haar lokaal geweest en toen ik de deur opendeed was het binnen verrassend licht; geelwit licht van de schijnwerpers langs het voetpad buiten viel door de raampartij naar binnen, waardoor de vijfentwintig of dertig tafeltjes en stoelen oplichtten en lange, skeletachtig schaduwen over de vloer wierpen. Jade zat al in kleermakerszit op de kruk achter het bureau voor de klas, waarvan een van de twee laden openstond. Ze bladerde aandachtig in een studieboek.

'Heb je al belastend materiaal gevonden?' vroeg ik.

Ze gaf geen antwoord, dus ik draaide me om, liep langs de eerste rij tafeltjes en bekeek de ingelijste posters die aan de muren hingen (zie afbeelding 14.0).

In totaal waren het er dertien, inclusief de twee achterin bij de boekenplank. Wellicht kwam het door de eierpunch, maar het duurde even voordat ik besefte dat er iets vreemds met die posters was. Dan bedoel ik niet dat het allemaal buitenlandse films waren, of een Amerikaanse film in het Spaans, Italiaans of Frans, en zelfs niet dat ze allemaal vijftien centimeter uit elkaar, kaarsrecht in het gelid hingen – een mate van precisie waarvan je geleerd had dat je die niet kon verwachten bij Visuele Hulpmiddelen die op muren van klaslokalen prijkten, zelfs niet bij Natuurkunde of Wiskunde. (Ik liep naar *Il Caso Thomas Crown*, schoof de lijst opzij en zag rond de spijker duidelijke potloodstreepjes, waar ze kennelijk had gemeten, een blijk van haar nauwgezetheid.)

Op twee na (*Per un Pugni di Dollari*, *Fronte del Porto*) stond op elke poster een kus of een omhelzing. Rhett pakte Scarlett beet en Fred hield Holly en Kat vast in de regen (*Collazione di Tiffany*), maar ook was Ryan O'Neil aan het 'Historia del Amor'-en met Ali MacGraw, hield Charlton Heston Janet Leigh krampachtig beet, waardoor haar hoofd een ongemakkelijke houding kreeg in *La soif du mal*, en kwam er heel wat zand in de zwemkleding van Burt Lancaster en Deborah Kerr. Het viel me ook op dat op een grappige manier – en volgens mij liet ik me niet te veel meeslepen – de vrouw op al die posters stond afgebeeld alsof het Hannah was die voortdurend werd omhelsd. Zij had dezelfde porseleinfijne botten, hun haarspeld, hun kustwegprofiel, hun haar dat dansend op hun schouders viel.

Ik was verrast, want zij had me nooit het mallotige type geleken dat zich omringde met uitbundig vertoon van ongebreidelde passie ('volkomen ongepast' volgens Pap).

Dat ze zo nauwgezet die aankondigingen met 'Binnenkort in dit theater' had verzameld, stemde me een beetje triest.

'In de kamer van een vrouw is er altijd wel iets, een voorwerp, een detail,

AFBEELDING 14.0

dat kenmerkend voor haar is, totaal en zonder voorbehoud,' zei Pap. 'Bij je moeder waren dat natuurlijk de vlinders. Niet alleen kon je de uiterste zorg constateren waarmee ze ze conserveerde en opprikte, hoeveel ze voor haar betekenden, maar elk exemplaar wierp ook een klein maar hardnekkig lichtje op de gecompliceerde vrouw die ze was. Neem nu de prachtige Koninginnepage. Die weerspiegelt je moeders koninklijke houding, haar diepe respect voor de natuur. De Paarse Parelmoervlinder? Haar moederinstinct, haar opvatting over moreel relativisme. Natasha zag de wereld niet zwart-wit, maar zoals hij werkelijk is – een uitgesproken veelkleurig landschap. De Grote Weerschijnvlinder? Ze kon zich spiegelen aan alle groten der aarde, van Norma Shearer tot Howard Keel. De insecten zelf leken in menig opzicht op haar: prachtig, hartverscheurend breekbaar. Zo zie je dat wanneer we al die exemplaren hebben bekeken, we ten slotte een beeld van haar overhouden, dat als het niet helemaal precies je moeder is, dan toch wel zeer dicht haar wezen benadert.'

Ik wist niet goed waarom ik op dat moment aan de vlinders dacht, behalve dat die posters de details leken te zijn die Hannah kenmerkten, 'volkomen en zonder voorbehoud'. Misschien stonden Burt Lancaster en Deborah Kerr met zand in hun zwemkleding voor haar levenslust, gepaard aan een liefde voor de zee, de oorsprong van al het leven, en *Bella di giorno*, waarop de mond van Catherine Deneuve onzichtbaar is, voor haar behoefte aan geniep, geheimen, Cottonwood.

'O god,' zei Jade achter me. Ze gooide een dikke paperback door de lucht, die klapwiekend tegen het raam botste.

'Wat is er?'

'Help,' gilde ze. 'Ik word niet goed.'

'Wat is er dan?'

Ze zei niets, wees alleen naar het boek op de grond, zwaar ademhalend. Ik liep naar het raam en raapte het op.

Het was een grijs boek met voorop de foto van een man en de titel in oranje letters: *Merel zingt in het holst van de nacht: het leven van Charles Milles Manson* (Ivys, 1985). Het boek zag eruit alsof het was stukgelezen.

'Ja?' vroeg ik.

'Weet je niet wie Charles Manson is?'

'Tuurlijk wel.'

'Waarom zou ze dat boek hebben?'

'Veel mensen hebben het. Het is de ultieme biografie.'

Ik had geen zin om uit leggen dat ik dat boek zelf ook had, dat Pap het had opgenomen in de syllabus van een vak dat hij had gegeven op de Universiteit van Utah in Rockwell, 'Karakteristieken van een Politiek Rebel'. De auteur, Jay Burne Ivys, een Engelsman, had honderden uren besteed aan het interviewen van allerlei leden van de Manson-familie, die in zijn glorietijd uit minstens 112 mensen bestond. Zodoende gingen de delen II en III van het boek zeer uitgebreid in op de oorsprong en de regels van Mansons ideologie, de dagelijkse activiteiten van de sekte en de hiërarchie (deel I bevatte een nauwgezette psychoanalyse van Mansons moeilijke jeugd, wat Pap, die niet zo'n fan van Freud was, minder interessant vond). Pap behandelde het boek tegelijk met Miguel Nelsons *Zapata* (1989), voor twee, soms drie colleges onder de titel 'Vrijheidsstrijder of fanaticus?'. 'Negenenvijftig mensen die Charles Manson hebben ontmoet toen hij in Haight-Ashbury woonde, hebben verklaard dat ze nog nooit iemand hadden ontmoet die zulke intrigerende ogen en zo'n inspirerende stem had,' bulderde Pap in de microfoon op de katheder. 'Negenenvijftig verschillende bronnen. Dus wat was dat? De x-factor. Charisma. Hij had dat. Net als Zapata. Guevara. Wie nog meer? Lucifer. Je hebt het met je geboorte meegekregen. Dat bepaalde *je ne sais quoi*, en de geschiedenis leert ons dat je met betrekkelijk weinig moeite een groep gewone mensen zover krijgt dat ze de wapens oppakken en voor jouw zaak gaan strijden, wat voor zaak dat ook is; de aard van die zaak doet er eigenlijk heel weinig toe. Als je ze iets toewerpt waar ze in geloven, zullen ze moorden begaan, hun leven geven, jou Jezus noemen. Lach maar, maar tot op de dag van vandaag ontvangt Charles Manson meer fanmail dan welke andere gevangene in een Amerikaanse penitentiaire inrichting dan ook, zo'n zestigduizend brieven per jaar. Zijn cd, *Lie*, verkoopt nog steeds goed bij Amazon.com. Wat zegt dat ons? Of beter gezegd: wat zegt dat *over* ons?'

'Er ligt hierin geen enkel ander boek, Kots,' zei Jade nerveus. 'Kijk maar.'

Ik liep naar het bureau. In de geopende la lag een stapel dvd's, *All the King's Men*, *The Deer Hunter*, *La Historia Oficial*, en nog een paar, maar geen boeken.

'Hij lag achterin,' zei ze. 'Verstopt.'

Ik sloeg het versleten omslag open en bladerde er even in. Misschien kwam het door het sterke licht in het lokaal dat alles platsloeg en fileerde, ook Jade (haar uitgemergelde schaduw lag languit op de vloer en kroop naar de deur), maar de koude rillingen liepen over mijn rug toen ik de naam in vervaagde potloodletters in de bovenhoek van de titelpagina zag staan: Hannah Schneider.

'Dat zegt niets,' zei ik, maar ik merkte tot mijn verbazing dat ik probeerde mezelf te overtuigen.

Jades ogen waren wijd opengesperd. 'Denk je dat ze ons wil vermoorden?' fluisterde ze.

'Alsjeblieft, zeg.'

'Ik meen het. Wij zijn een doelwit omdat we bourgeois zijn.'

Ik fronste. 'Wat heb jij toch met dat woord?'

'Dat is Hannahs woord. Is het je weleens opgevallen dat iedereen een reactionaire schoft is wanneer ze dronken is?'

'Dat meent ze niet,' zei ik. 'Zelfs mijn vader maakt daar soms grappen over.' Maar Jade pakte met grimmig op elkaar geklemde kaken het boek uit mijn handen en begon er furieus in te bladeren. Ze stopte bij de zwart-witfoto's in het midden en hield ze schuin, zodat het licht erop viel. '"Charles noemde Susan Atkins Sexy Sadie,"' las ze langzaam voor. 'Jasses, kijk eens hoe maf dat mens eruitziet. Die ogen. Eerlijk gezegd lijken die wel op die van Hannah.'

'Schei uit,' zei ik, en ik griste het boek terug. 'Wat mankeert jou?'

'Wat mankeert jóú?' Haar ogen waren smalle spleetjes geworden. Soms kon Jade je zo streng aankijken dat je het gevoel kreeg dat ze de eigenaar van een suikerrietplantage uit 1780 was en jij een gebrandmerkte slaaf op de veiling in Antigua die zijn vader en moeder al een jaar niet had gezien en waarschijnlijk nooit meer zou zien. 'Je mist Voordeelbon, is dat het? Wil je voedselbonnen baren?'

Op dat moment zou er een ruzie tussen ons zijn losgebarsten, waarna ik het gebouw uit zou zijn gerend, waarschijnlijk in tranen, en zij me lachend allerlei scheldwoorden nariep. Ze keek echter zo verschrikt dat ik me omdraaide en haar blik naar buiten volgde.

Er liep iemand over het pad naar Loomis, een zwaargebouwde gestalte in een bloezende blauwe jurk.

'Dat is Charles Manson,' fluisterde Jade. 'Als travo.'

'Nee,' zei ik. 'Het is de dictator.'

Tot ontzetting zagen we Eva Brewster naar de voordeuren van Loomis lopen en aan de deurknop trekken, waarna ze zich omdraaide en het gras op liep tot bij de grote dennenboom. Daar hield ze haar hand boven haar ogen, terwijl ze de klaslokalen in tuurde.

'O, verdomme nog aan toe,' zei Jade.

Snel liepen we door het lokaal naar de hoek bij de boekenplank, waar het pikdonker was (onder Cary en Grace in, heel toevallig, *Caccia al aldro*).

'Blue!' riep Eva.

Wanneer je Evita Perón je naam hoorde roepen, bonsde je hart in je keel.

Het mijne ging tekeer als een octopus die op een scheepsdek was gekwakt.

'Blue!'

We zagen haar naar het raam toe komen. Ze was niet bepaald de aantrekkelijkste vrouw ter wereld: ze had het postuur van een brandkraan, haar haar had de structuur van steenwol en was akelig geel-oranje geverfd, maar haar ogen waren, zoals ik een keer had gezien op de Administratie in Hanover, verbluffend mooi, onverwachtse niezen in de saaie stilte van haar gezicht: groot, wijd opengesperd, lichtblauw dat neigde naar violet. Ze fronste en drukte haar voorhoofd tegen de ruit zodat het net een appelslak leek die het glas van een aquarium aan het 'poetsen' was. Ik was doodsbang, hield mijn adem in en Jade boorde haar nagels diep in mijn rechterknie, maar het opgeblazen, enigszins blauw aangelopen gezicht van de vrouw, geflankeerd door grote, felgekleurde oorbellen in de vorm van een dennenappel, zag er niet bijzonder kwaad of onbetrouwbaar uit. Eerlijk gezegd zag ze er eerder gefrustreerd uit, alsof ze naar het raam toe was gekomen om een glimp op te vangen van de zeldzame Chilika skink, de pootloze hagedis die de faam heeft een Salinger onder de reptielen te zijn; na zevenentachtig jaar verbitterd afgeschermd van de buitenwereld te hebben geleefd koos hij er nu voor om zich in het terrarium te verbergen onder een vochtige steen en haar te negeren, hoe vaak ze ook riep, tegen het glas tikte, met glimmende voorwerpen zwaaide of met haar fototoestel flitste.

'Blue!' riep ze weer, nu met iets meer nadruk, en ze reikhalsde om achterom te kunnen kijken. 'Blue!'

Ze mompelde iets in zichzelf en liep snel de hoek van het gebouw om, kennelijk om de andere kant af te zoeken. Jade en ik durfden ons niet te bewegen, kin op de knieën; we luisterden naar de voetstappen die weerkaatsten in de met linoleum beklede gestichtsgangen van je afschuwelijkste nachtmerries.

Maar de minuten sleepten zich voort en er was alleen maar stilte. Af en toe hoestte, snoof of kuchte er alleen een klaslokaal. Na vijf minuten kroop ik langs Jade (ze zat verstijfd in foetushouding) en liep naar het raam, waardoor ik haar weer buiten kon zien staan, nu op de trap aan de voorkant van Loomis.

Dat zou een onstuimig tafereel zijn geweest, Thomas Hardy waardig, als zij iemand anders was geweest – iemand met een normaal postuur, zoals Hannah –, want haar pluizige haar waaide op van haar voorhoofd en de hardnekkige wind had vat gekregen op haar jurk en blies die ver naar achteren, waardoor ze de woeste, mysterieuze uitstraling kreeg van een weduwe die naar de zee staarde of een imposante geest die even pauzeerde voordat hij langs de bonte veenmoerassen zijn trieste zoektocht naar overblijfselen van een gestorven liefde, een Gevallen Vrouw, de Tragedie van een Lichtekooi voortzette. Maar het was Eva Brewster: straf en ontnuchterend, een kruikennek, klotsende bovenarmen en kurkbenen. Ze rukte aan haar jurk, keek stuurs de duisternis in, wierp een laatste blik op de ramen (een bloedstollend moment dacht ik dat ze me zag), draaide zich daarna om, liep kordaat het voetpad af en verdween.

'Ze is weg,' zei ik.

'Zeker weten?'

'Ja.'

Jade tilde haar hoofd op en drukte een hand tegen haar borst.

'Ik krijg een hartaanval,' zei ze.

'Welnee.'

'Het zou kunnen. In mijn familie komen hartinfarcten vaak voor. Het gebeurt zomaar. Zonder enige aanleiding.'

'Je mankeert niks.'

'Ik heb een beklemd gevoel. Hier. Dat gebeurt er wanneer je last hebt van pulmonale ambrosia.'

Ik staarde uit het raam. Waar het voetpad met een bocht om het Love Auditorium uit het zicht verdween, stond een eenzame boom op wacht met een dikke zwarte stam en trillende, dunne ledematen waarvan de uiteinden achteroverbogen in kleine polsen en handen, alsof hij zwakjes probeerde de hemel omhoog te houden.

'Dat was wel vreemd, hè?' Jade trok een grimas. 'Dat ze jouw naam riep – ik vraag me af waarom ze mijn naam niet riep.'

Ik haalde mijn schouders op en probeerde zo nonchalant mogelijk te doen, maar eigenlijk voelde ik me onwel. Misschien had ik de wazige constitutie van een victoriaanse vrouw die flauwviel omdat ze het woord 'been' had gehoord, of misschien had ik me bij het lezen van *L'Idiot* (Petrand, 1920) iets te veel geïdentificeerd met de gestoorde held, de ziekelijke en krankzinnige Byron Berintaux, die in elke leunstoel zijn naderende Dood zag die enthousiast naar hem zwaaide. Misschien had ik wel te veel duisternis voor één nacht moeten verwerken. 'De nacht is niet goed voor de hersenen of het zenuwstelsel,' betoogt Carl Brocanda in *Oorzaak en gevolg* (1999). 'Onderzoek toont aan dat mensen die op plekken leven met weinig daglicht achtendertig procent minder neuronen hebben en dat zenuwimpulsen zevenenveertig procent trager zijn bij gevangenen die achtenveertig uur opgesloten zitten zonder daglicht te zien.'

Jade en ik kropen naar buiten, slopen langs de kantine, die nog wel verlicht was, maar stil (een paar leraren hingen nog wat op de patio, onder wie mevrouw Thermopolis, een dovend kooltje bij de houten deuren) en verlieten in de Mercedes razendsnel het terrein van St. Gallway zonder Eva Brewster tegen te komen. We scheurden over Pike Avenue langs Jiffy's Eettent, Dollar Depot, Dippity's, Le Salon Esthétique, en toen besefte ik pas dat ik vergeten was het Merel-boek terug te leggen in Hannahs bureau. Ik had het nog steeds in mijn hand. In de haast, de verwarring en het donker was ik helemaal vergeten dat ik dat boek nog bij me had.

'Waarom heb je dat boek nog steeds bij je?' vroeg Jade toen we de drive-in Burger King in reden. 'Ze komt erachter dat het verdwenen is. Hopelijk gaat ze niet met poeder op zoek naar vingerafdrukken. Hé, wat wil je eten? Snel beslissen, want ik verga van de honger.'

We aten een Whopper in het schelle licht van het parkeerterrein en zeiden nauwelijks een woord. Jade was vermoedelijk zo iemand die allerlei wilde beschuldigingen in het rond slingerde en lachend toekeek hoe iedereen daardoor werd ondergesneeuwd, en wanneer het feest voorbij was, ging ze naar huis. Ze zag er tevreden uit, verkwikt zelfs, terwijl ze frietjes in haar mond propte, naar een of andere eikel zwaaide die naar zijn pick-up liep met een tray cola onder zijn arm, en toch, zo onvermijdelijk als het geluid van je hart wanneer je het niet meer hoorde kloppen, zoals de lanterfanterdetective Peter Ackman (die een zwak had voor een lijntje coke en een champagneglaasje whiskey) aan het eind van *Verkeerde vrienden* (Chide, 1954) zei, voelde ik me 'alsof de loop van een proppenschieter diep in je reet is geramd en elk moment lood kan ophoesten'. Ik staarde naar het beschadigde omslag van het boek, waar ondanks de vervaagde inkt en de vele kreukels de zwarte ogen van de man van af spatten.

'Dat zijn de ogen van de Duivel,' had Pap eens peinzend opgemerkt toen hij zijn eigen exemplaar oppakte en nauwkeurig bekeek. 'Hij kijkt rond en ziet je, vind je ook niet?'

Sweet Bird of Youth

Pap vertelde steevast een bepaalde anekdote wanneer hij een collega te eten had. We kregen zelden visite; dat gebeurde maar in een op de twee, drie steden waar we woonden. Gewoonlijk kon Pap niet goed tegen het gebral van zijn collega's op het Hattiesburg College van Kunsten en Wetenschappen, het zich woest op de borst kloppende gedrag van zijn gabbers op het Cheswick College, of hoogleraren op de Universiteit van Oklahoma in Flitch die uitsluitend bezig waren met foerageren, hun uiterlijk en hun territorium (vooral de zilverruggen – hoogleraren van boven de vijfenzestig met een vaste aanstelling, roos, schoenen met rubberzolen en uilenogen achter hun rechthoekige brillenglazen).

Eens in de zoveel tijd stuitte hij onder de wilde eiken op iemand die op hem leek (zo niet dezelfde ondersoort, dan wel dezelfde soort): een collega die uit de boom geklommen was en had geleerd op twee benen te lopen.

Natuurlijk was diegene nooit zo'n erudiete academicus als Pap, en ook nooit zo knap. (De man was bijna altijd behept met een saai gezicht, een hoog, schuin aflopend voorhoofd en overhellende wenkbrauwen.) Maar Pap nodigde die buitengewoon hoogontwikkelde docent vrolijk uit voor een etentje in huize Van Meer. Op een rustige zaterdag- of zondagavond kwam dan de forse hoogleraar Linguïstiek Mark Hill met zijn vijgkleurige ogen, die voortdurend zijn handen in de opgestikte zakken van zijn vormeloze smokingjasje hield, of collega-professor Engels Lee Sanjay Song met zijn kweeperen-met-slagroom-kleurige huid en een gebit dat op een verkeersopstopping leek, en ergens tussen de spaghetti en de tiramisu vertelde Pap dan het Verhaal van Tobias Jones de Verdoemde.

Het was een simpel verhaal over een zenuwachtige bleke kerel die Pap in Havana had ontmoet toen hij werkte voor de OPAI (*Organización Panamericana de la Ayuda Internacional*) tijdens de hete, in rum gedrenkte zomer van 1983.

Hij was een Engelsman uit Yorkshire die in het tijdsbestek van één pechweek in augustus zijn paspoort, zijn portemonnee, zijn vrouw, zijn rechterbeen en zijn waardigheid kwijtraakte – in die volgorde. (Om nog heftigere kreten van verbazing aan zijn publiek te ontlokken kortte Pap de tragedie soms in tot een tijdsbestek van vierentwintig uur.)

Pap lette nooit op het uiterlijk van mensen, dus hij was teleurstellend vaag over hoe het gezicht van de Verdoemde eruitzag, maar uit Paps slecht belichte verbale portret kon ik opmaken dat het een lange, bleke man was met knokige benen (één knokig been, nadat hij was aangereden door de Packard), maïskleurig haar, een schelpvormig zakhorloge dat hij herhaaldelijk uit zijn borstzak haalde, waarna hij er dan een ongelovige blik op wierp; hij zuchtte vaak, had iets met manchetknopen, bleef te lang hangen voor de verchroomde metalen ventilator (de enige in de kamer) en morste vaak *café con leche* op zijn broek.

Paps gast luisterde geboeid terwijl Pap vertelde over het begin van die noodlottige week, toen Tobias trots zijn nieuwe feestelijke katoenen overhemd liet zien aan zijn collega's bij de OPAI terwijl een bende *gente de guarandabia* zijn bungalow in Comodoro Neptuno leeghaalde, tot aan het treurige einde van het verhaal, slechts zeven dagen later, wanneer Tobias als een gebroken man in het bultige bed in *el hospital Julio Trigo* ligt, een been kwijt is en herstelt van een zelfmoordpoging (gelukkig had de dienstdoende verpleegster hem van de vensterbank af weten te praten).

'En we weten niet hoe het hem verder vergaan is,' zei Pap ten slotte terwijl hij peinzend een slokje wijn nam. Professor in de Psychologie Alfonso Rigollo staarde bedroefd naar de hoek van de tafel. Nadat hij 'shit' had gemompeld of 'wat een pech', raakten Pap en hij in gesprek over predestinatie, of de wispelturigheid van de liefde van een vrouw, of hoe Tobias een kans had gehad om heilig verklaard te worden als hij niet had geprobeerd zelfmoord te plegen en een goed doel had gediend. (Volgens Pap had Tobias een van de drie wonderen verricht die nodig zijn voor canonisatie: in 1979 had hij Adalia met de oceaanblauwe ogen zover gekregen dat ze met hem wilde trouwen.)

Binnen twintig minuten wist Pap het gesprek op de werkelijke reden te brengen waarom hij over Tobias Jones was begonnen, namelijk om uit te weiden over een van zijn lievelingstheorieën, de 'Determinatietheorie'. Zijn uiteindelijke standpunt (uitgesproken met de intensiteit waarop Shakespeare-acteur Christopher Plummer 'Wat volgt, is zwijgen' mompelt) was dat Tobias niet, zoals je zou denken, een weerloos slachtoffer van het noodlot was, maar een slachtoffer van zichzelf, van zijn eigen 'grauwe hoofd'.

'Dat brengt ons bij de volgende simpele vraag,' zei Pap. 'Wordt het lot van de mens bepaald door de grillen van zijn omgeving of door zijn vrije wil? Ik beweer dat het de vrije wil is, omdat wat we denken, waar we ons in ons hoofd mee bezighouden, een direct effect heeft op de fysieke wereld. Hoe meer je nadenkt over je eigen teloorgang, je ineenstorting, hoe groter de kans dat die ook inderdaad zal plaatsvinden. Omgekeerd: hoe meer je nadenkt over je eigen succes, hoe groter de kans dat je dat ook krijgt.'

Voor het dramatische effect zweeg Pap hierna altijd even, staarde door de kamer naar het banale landschapje met madeliefjes dat aan de muur hing, of naar het verticale patroon van paardenhoofden en rijzweepjes op het verschoten behang van de eetkamer. Pap was gek op zulke Spannende Stiltes, dus hij voelde de blikken van iedereen over zijn gezicht schieten als de Mongoolse horden die in 1215 Beijing plunderden.

'Dat concept,' ging hij met een trage glimlach verder, 'is de laatste tijd verbasterd in de westerse cultuur, omdat het werd geassocieerd met de snotterige Waarom-niet- en Hoe-komt-het-vragen van Zelfhulpgroepen en met marathonuitzendingen op PBS die tot in de kleine uurtjes blijven smeken om geld, waarvoor je dan in ruil tweeënveertig uur aan meditatietapes krijgt waarbij je mee kunt neuriën wanneer je vastzit in het verkeer. Toch is visualisatie een concept waar vroeger niet zo oppervlakkig mee omgesprongen werd; het gaat terug tot de stichting van het Boeddhistische Mauryan Rijk, omstreeks 320 voor Christus. Grote leiders uit de geschiedenis zagen er het belang van in. Niccolò Machiavelli raadde Lorenzo de' Medici het aan, ook al noemde hij het "bekwaamheid" en "vooruitziendheid". Julius Caesar begreep het – hij zag zichzelf al Gallië veroveren tientallen jaren voordat hij het echt deed. Wie nog meer? Hadrianus, Da Vinci natuurlijk, en nog een groot man, Ernest Shackleton – o, en Miyamoto Musashi. Lees maar eens *Het boek van de vijf ringen*. Leden van *Nächtlich*, de Nachtwakers, pasten het vanzelfsprekend ook toe. Zelfs Amerika's meest adembenemende filmacteur, de in het circus begonnen Archibald Leach, begreep het. Hij wordt geciteerd in een geestig boekje dat we hebben, hoe heet het...'

'*Gevleugelde uitspraken van de helden van het witte doek*,' tsjilpte ik dan.

'Precies. Hij zei: "Ik deed net zo lang alsof ik iemand was die ik wilde zijn totdat ik die ander was. Of dat hij mij werd." Uiteindelijk verandert een mens in wat hij denkt dat hij is, hoe groot of klein ook. Daarom hebben sommige mensen aanleg voor koutjes en rampen, en kunnen anderen op water dansen.'

Kennelijk dacht Pap dat hij een van degenen was die op water konden dansen, want nog een uur lang belichtte hij zijn premisse van alle mogelijke kanten: de noodzaak van discipline en reputatie, het intomen van emotie en gevoel, manieren om geleidelijk veranderingen te verwezenlijken. (Ik had tijdens zoveel voorstellingen achter de coulissen gezeten dat ik de logische keus voor de doublure was, ook al had Pap nog nooit een voorstelling gemist.) Weliswaar was Paps concert heel aangenaam, maar geen van zijn melodieën was grensverleggend.

Voornamelijk vatte hij het Franse *La Grimace* van een anonieme Franse schrijver samen, een grappig boekje over macht dat was gepubliceerd in 1824. Zijn andere ideeën had hij bij elkaar gesprokkeld bij H.H. Hills *Napoleons veroveringen* (1908), *Voorbij goed en kwaad* (Nietzsche, 1886), *De vorst* (Machiavelli, 1515), *Geschiedenis is macht* (Hermin-Lewishon, 1990), en onbekende werken zoals Aashir Alhayeds *De grondvesten van een dystopia* (1973) en *Zwendel* (1989) van Hank Powers. Hij verwees zelfs naar enkele fabels van Aesopus en La Fontaine.

Tegen de tijd dat ik de koffie serveerde was van onze gast slechts een leeg omhulsel vol eerbiedig zwijgen overgebleven. Zijn mond stond altijd open. Zijn ogen leken op volle manen. (Als het 1400 v. Chr. was geweest, zou hij Pap tot leider van de Israëlieten hebben uitgeroepen en hem hebben gevraagd ze naar het Beloofde Land te voeren.)

'Dank u, dr. Van Meer,' zei hij bij het afscheid, en hij schudde hem nadrukkelijk de hand. 'Het was me een waar genoegen. Alles waar u het over had... Het was buitengewoon informatief. Ik voel me vereerd.' Daarna wendde hij zich tot mij en knipperde verrast met zijn ogen alsof hij me die avond voor het eerst zag. 'Het was ook een voorrecht om jou te leren kennen. Ik verheug me op onze volgende ontmoeting.'

Die kwam nooit, bij geen van die mannen. Voor die collega's was een diner bij Van Meer zoiets als Geboorte, Dood en Eindexamenbal, namelijk iets wat je maar één keer in je leven meemaakt. Ook al werden er enthousiast beloftes geroepen in de krekelnacht wanneer de Onderwijsassistent Poëtische en Verhalende Literatuur murw naar zijn auto sjokte, in de daaropvolgende weken trokken Paps soortgenoten zich altijd terug in de betonnen gangen van de Universiteit van Oklahoma in Flitch of Petal of Jesulah of Roane, en kwamen nooit meer tevoorschijn.

Eén keer heb ik aan Pap gevraagd waarom dat was.

'Ik geloof niet dat de aanwezigheid van de man stimulerend genoeg was om me nog een keer aan zoiets bloot te stellen. Hij was niet dom, briljant of erg inspirerend,' zei hij, en hij keek daarbij nauwelijks op uit Christopher

Hares *Sociale onrust en de handel in narcotica* (2001).

Ik moest vaak denken aan het verhaal van Tobias de Verdoemde, ook toen Jade me na het kerstgala naar huis bracht. Wanneer er iets vreemds was gebeurd, hoe onbenullig ook, kwam ik altijd weer bij hem uit. Diep vanbinnen was ik bang dat ik in hem zou veranderen, dat ik door mijn eigen angst en zenuwachtigheid een vreselijke kettingreactie van tegenspoed en ellende in gang zou zetten en daardoor Pap ernstig zou teleurstellen. Dat zou betekenen dat ik alle principes van zijn geliefde Determinatietheorie zou hebben genegeerd, inclusief het uitgebreide onderdeel over het omgaan met noodsituaties. ('Er zijn heel weinig mensen die over de scherpzinnigheid beschikken om qua denken en voelen boven de commoties van het moment uit te stijgen. Probeer het maar eens,' droeg hij me op, waarmee hij de woorden van Carl von Clausewitz kort had samengevat.)

Terwijl ik over het verlichte pad naar onze veranda liep, wilde ik niets liever dan Eva Brewster vergeten, Charles Manson, alles wat Jade me over Hannah had verteld, en gewoon in bed rollen en de volgende ochtend misschien tegen Pap aan kruipen met *De kroniek van het collectivisme*. Misschien zou ik hem dan door een paar essays van studenten over toekomstige oorlogsmethoden heen kunnen helpen, of misschien liet ik hem *Het barre land* (Eliot, 1922) voorlezen. Normaal kon ik daar niet tegen – hij deed dat heel hoogdravend, in de stijl van John Barrymore (zie 'Baron Felix von Geigern' in *Grand Hotel*). Maar nu leek het me het ideale tegengif tegen mijn zwaarmoedigheid.

Toen ik de voordeur opendeed en de hal in liep, zag ik dat het licht nog aan was in de bibliotheek. Snel stopte ik het Merel-boek in mijn rugtas, die nog nonchalant naast de trap lag, waar ik hem vrijdagmiddag had neergekwakt, en liep snel de gang door op zoek naar Pap. Hij zat in zijn rode leren leunstoel met een kopje Earl Grey-thee op het tafeltje naast hem gebogen over een blocnote en zat ongetwijfeld een college uit te werken, of een essay voor *Federal Forum*. Zijn onleesbare handschrift dwarrelde over de bladzij.

'Hallo,' zei ik.

Hij keek op. 'Weet je wel hoe laat het is?' vroeg hij vriendelijk.

Ik schudde mijn hoofd terwijl hij op zijn horloge keek.

'Acht voor half twee,' zei hij.

'O. Het spijt me. Ik...'

'Wie heeft je thuisgebracht?'

'Jade.'

'En waar is Jan Doedel?'

'Die is... Dat weet ik niet precies.'

'En waar is je jas?'

'O, die heb ik laten liggen in de...'

'En wat heb je in 's hemelsnaam met je been gedaan?'

Ik keek naar beneden. Rondom de snee in mijn scheen had het bloed een korst gevormd en mijn panty had de aansporing 'Naar het westen, jongeman!' opgevolgd: er zat van boven tot onder een ladder in en hij had ergens in mijn schoen een stuk grond geclaimd.

'Ergens aan opengehaald.'

Pap zette langzaam zijn leesbril af en legde die voorzichtig op het tafeltje naast hem.

'Nu is het afgelopen,' zei hij.

'Wat?'

'Finito. Basta. Ik heb schoon genoeg van die leugens.'

'Wat bedoel je?'

Hij staarde me aan, zijn gezicht was zo kalm als de Dode Zee.

'Je hebt die studiegroep verzonnen,' zei hij. 'De door jou ontwikkelde flagrante bravoure waarmee je liegt, staat eerlijk gezegd in schril contrast tot de leugen zelf. Lieverd, *Ulysses* is een ongeloofwaardige keuze voor een studiegroep op een middelbare school, hoe hoog het niveau van die school ook is. Je had beter Dickens kunnen nemen.' Hij haalde zijn schouders op. 'Austen misschien. Omdat je toch niets zegt, ga ik maar verder. Thuiskomen op de onmogelijkste tijden. Door de stad dolen als een kale zwerfhond. De drinkgelagen waar ik weliswaar geen bewijzen van heb maar die ik moeiteloos kan opmaken uit de talloze verhalen over Amerika's onhandelbare jongeren waar radio en tv bol van staan, en uit die onaantrekkelijke wallen onder je ogen. Ik heb er weinig van gezegd wanneer je als een schuimtaart weer eens de deur uit stormde in wat het vrije Westen unaniem een papieren zakdoekje zou noemen, omdat ik er – ten onrechte, blijkt – van uitging dat je gezien je goede opleiding uiteindelijk na afloop van dat hele ordinaire, oppervlakkige gedoe zou inzien dat die zogenaamde vrienden van je, die halve baby's met wie je rondhangt, pure tijdverspilling zijn, en dat hun ideeën over de wereld en zichzelf onbenullig zijn. Daarentegen lijk je nu te lijden aan een ernstige vorm van blindheid. En gebrek aan mensenkennis. Voor je eigen bestwil moet ik nu ingrijpen.'

'Pap...'

Hij schudde zijn hoofd. 'Ik heb voor het volgende semester een betrekking aanvaard op de Universiteit van Wyoming, in het plaatsje Fort Peck. Zo'n salaris heb ik in geen jaren gezien. Volgende week, na je laatste toetsen, regelen we de verhuizing. Bel maandag het Aanmeldingsbureau van Harvard maar op en geef ze de adreswijziging door.'

'Wat?'

'Je hebt me wel gehoord.'

'D-dat kun je niet maken.' Het kwam eruit als een schril, bibberend gejammer, moet ik tot mijn schande toegeven, maar ik probeerde echt om niet te huilen.

'Dat bedoel ik nou. Als we dit gesprek drie of vier maanden geleden hadden gevoerd, zou je de gelegenheid te baat hebben genomen om Hamlet te citeren. "O, dat dit al te vaste vlees versmolt/Vervloeide en tot een dauw verging!" Nee, deze stad heeft op jou dezelfde invloed als de televisie op Amerikanen. Hij heeft je veranderd in een schaaltje zuurkool.'

'Ik ga niet.'

Peinzend draaide hij de dop op zijn vulpen. 'Lieve schat, ik begrijp volledig dat er nu een melodrama gaat losbarsten. Nadat je verteld hebt dat je van huis gaat weglopen en in een hamburgertent gaat wonen, ga je naar je kamer, snik je in je kussen dat de liefde niet eerlijk is, gooi je met dingen – sokken, stel ik voor, dit is een huurhuis –, morgen weiger je om met me te praten, over een week geef je antwoorden bestaande uit één woord en tegenover je Peter Pankornuitjes omschrijf je mij als een lid van de Russische maffia, iemand die er alleen maar op uit is om voor jou elke kans op geluk om zeep te helpen. Dat gedragspatroon zal zich voortzetten tot we weggaan uit deze stad en na drie dagen in Fort Peck praat je weer tegen me, zij het dan vergezeld van rare blikken en grimassen. En over een jaar zul je me dankbaar zijn. Dan zeg je dat dat het beste was wat ik ooit voor je heb gedaan. Ik dacht dat wanneer ik je *De kronieken van de tijd* liet lezen, we deze sores zouden kunnen vermijden. *Scio me nihil scire*. Maar als je ons per se door deze vervelende toestand wilt slepen, dan stel ik voor dat je er maar meteen aan begint. Ik moet een lezing over de Koude Oorlog schrijven en veertien onderzoekverslagen nakijken, allemaal van de hand van studenten zonder gevoel voor humor.'

Daar zat hij, zijn zongebruinde gezicht had in het gouden lamplicht een hardvochtige, uiterst arrogante en onvermurwbare uitdrukking (zie 'Picasso geniet van het lekkere weer in Zuid-Frankrijk', *Uit respect voor de duivel*, Hearst, 1984, blz. 210). Hij wachtte tot ik me terugtrok, de aftocht blies, alsof ik een van zijn halfzachte studenten was die hem tijdens zijn Spreekuur kwam storen bij zijn onderzoek met een of andere onnozele vraag over goed en kwaad.

Ik kon hem wel vermoorden. Ik kon wel een hete kachelpook in zijn al te vaste vlees prikken (of elk ander stevig en scherp ding), zodat zijn verbeten gezicht van angst doortrokken zou worden en uit zijn mond niet die volmaakte pianosonate van woorden kwam, maar een gesmoord Ahhhhh! aan zijn ziel ontsnapte, het soort gesnik dat je hoort opstijgen uit vochtige kronieken over middeleeuwse martelingen en uit het Oude Testament. Het de tranen waren aan hun exodus begonnen, langzaam en dom gleden ze naar beneden.

'I-ik ga niet weg,' zei ik weer. 'Ga jij maar. Ga terug naar Congo.'

Hij liet niet eens blijken dat hij me had gehoord, want zijn geliefde lezing over de beginselen van het reaganisme had alweer zijn aandacht getrokken. Zijn hoofd was gebogen, zijn bril zat weer op de punt van zijn neus en hij had een onverbiddelijke grijns op zijn gezicht. Ik probeerde nog iets te bedenken wat ik kon zeggen, iets groots en meeslepends – een of andere hypothese, een onbekend citaat waarvan hij uit zijn stoel zou rollen, grote ogen zou opzetten. Maar zoals zo vaak wanneer je qua denken en voelen niet boven de commoties van het moment weet uit te stijgen, schoot me niets te binnen. Ik stond daar maar met mijn armen slap langs mijn lijf, armen die aanvoelden als kippenvleugels.

De volgende momenten beleefde ik in een afstandelijk waas. Ik voelde dezelfde sensatie die veroordeelde moordenaars in gevangenis-oranje tot in detail beschreven wanneer ze door een gretige verslaggever met goedkope, bronskleurige make-up werd gevraagd hoe hij/zij als ogenschijnlijk normaal mens ertoe gekomen was om een onschuldig iemand zo bruut van het leven te beroven. Zulke criminelen spraken een beetje verward over de eenzame helderheid die hun op die fatale dag beving, zo licht als een neervallend katoenen laken: een wakkere verdoving die ze voor het eerst in hun rustige leven in staat stelde om Voorzichtigheid en Tact te laten varen, het Gezonde Verstand te negeren, de Neiging tot Zelfbehoud te onderdrukken en Rijp Beraad buiten de deur te houden.

Ik liep de bibliotheek uit, de gang in. Ik ging naar buiten, deed de voordeur zo zacht mogelijk achter me dicht zodat de Prins der Duisternis het niet hoorde. Twee of drie minuten stond ik op het trappetje en staarde naar de stakige bomen, het getemperde licht uit de ramen watteerde het grasveld.

Ik begon te rennen. Dat viel niet mee op Jeffersons hoge hakken, dus ik deed ze uit en gooide ze over mijn schouder. Ik holde de oprit af en de straat in, langs de lege auto's en de rommelige bloembedden met dennenappels en dode bloemstengels, langs de putten en de brievenbussen, en de gevallen takken die zich aan de straat vastklampten, en de groene plasjes licht die uit de straatlantaarns lekten.

❖

Ons huis op Armor Street 24 lag begraven in een dicht bebost deel van Stockton dat bekendstond als Maple Grove. Ook al was het niet zo'n orwelliaanse omheinde gemeenschap als Pearl Estates (waar we in Flitch woonden) met identieke witte huizen die keurig in het gelid stonden als tanden na een langdurige orthodontische behandeling, en waar de toegangspoort een actrice op leeftijd was (snerpend, roestig, humeurig), toch beroemde Maple Grove zich op zijn exclusieve Gemeentehuis, Politiekorps, Postcode en zijn Onvriendelijke Welkomstbord ('U rijdt nu de Gemeente Maple Grove binnen, een keurige en besloten woonwijk').

De kortste weg uit Grove was om vanuit onze straat rechtstreeks in zuidelijke richting de bossen in te lopen en door zo'n tweeëntwintig keurige en besloten tuinen te sluipen. Ik baande me voorzichtig een weg, hikkend en huilend tegelijk; de huizen lagen stil en sereen naast de gladde gazons als olifanten op een ijsbaan te dommelen. Ik kroop door een barricade van blauwsparren, wrong me door een versperring van dennenbomen, slingerde een helling af, totdat ik als water uit een goot kletterend neerkwam op Orlando Avenue, Stocktons antwoord op de Sunset Strip.

Ik had geen plan, geen enkel idee, wist me geen raad. Zelfs al binnen een kwartier nadat je van huis bent weggelopen, het anker hebt gelicht, word je verlamd door de omvang der dingen, het orkaangeweld van de wereld, de kwetsbaarheid van je schip. Zonder na te denken stak ik de straat over naar het BP-station en duwde de deur van het winkeltje open. Die heette me aangenaam rinkelend welkom. Het joch dat er altijd werkte, Larson, zat voorin opgesloten in zijn kogelvrije hok en was altijd in gesprek met een van zijn vriendinnen die als een luchtverfrisser voor zijn loket hing. Ik dook het eerste het beste gangpad in.

Nu wil het toeval dat 'Dag, Ik Ben Larson' een jongen was op wie Pap net zo gek was als een Surinaamse kakkerlak op de uitwerpselen van een vleermuis. Hij was zo'n onverwoestbare achttienjarige, met een Hardy Boy-gezicht dat niemand meer had, sproeten en een braniegrijns, dik bruin haar dat als een bromelia om zijn gezicht hing, en een slungelig lichaam dat voortdurend in beweging was, alsof hij werd bestuurd door een buikspreker die aan de speed was (zie hoofdstuk 2, 'Charlie McCarthy', *De poppen die ons leven veranderden*, Mesh, 1958). Pap vond Larson fantastisch. Zo was Pap: hij onderwees Bemiddelingsmethodiek aan duizend zonnevissen die hij nauwelijks kon verdragen, en dan rekende hij bij een jongen af voor kersensnoepjes en was hij helemaal ondersteboven van hem – hij noemde hem een echte dolfijn die telkens wanneer je floot een salto in de lucht maakte. 'Dat is nu eens een veelbelovende jongeman,' zei Pap. 'Ik zou direct elke Giegel, Dommel en Doc inruilen om hem les te kunnen geven. Hij heeft pit. Dat kom je niet vaak tegen.'

'Als dát niet het meisje met de vader is,' zei de intercomstem. 'Hoor jij niet in je bedje te liggen?'

Ondergedompeld in het kille licht van de winkel voelde ik me voor gek staan. Mijn voeten deden zeer, ik had een overgare marshmallow aan en mijn gezicht (dat kon ik duidelijk zien in de spiegelende stellingen) muteerde snel in een chaos van opgedroogde tranen en slechte make-up (zie 'Radon-221', *Vragen over radioactiviteit*, Johnson, 1981, blz. 120). Bovendien was ik versierd met miljoenen dennennaalden.

'Kom 'ns hier! Wat doe je nog zo laat op straat?'

Onwillig liep ik naar het loket. Larson had een spijkerbroek aan en een rood T-shirt waarop LEESFOUT stond. Hij grijnsde. En zo was Larson: hij was iemand die voortdurend grijnsde. Ook had hij ondeugende ogen, wat waarschijnlijk verklaarde waarom elke avond al die verliefd ogende ijsjes smolten als ze hem zagen in de winkel van het benzinestation. Zelfs wanneer je voor zijn loket stond en alleen heel onschuldig afrekende voor de benzine namen zijn ogen – het uitgesproken bruin van melkchocolade of modder – je op een bepaalde manier op waardoor je het gevoel kreeg dat hij iets heel intiems van je zag: hoe je er spiernaakt uitzag, of welke gênante dingen je in je slaap zei, of, nog erger: hoe je graag lekker dom fantaseerde over hoe je in een lange, met kraaltjes bestikte japon over een rode loper liep en iedereen zijn best deed om er niet op te gaan staan.

'Laat me raden,' zei hij. 'Ludduvuddu.'

'O. Ik, eh... had ruzie met mijn vader.' Mijn stem klonk als knerpend aluminiumfolie.

'O ja? Laatst zag ik hem nog. Kwam hij langs met zijn vriendin.'

'Ze zijn uit elkaar.'

Hij knikte. 'Diamanta, haal jij even een Slurpee voor haar?'

'Hè?' zei ze met een nors gezicht.

'Twee liter. Maakt niet uit welke smaak. Ik trakteer.'

Diamanta had een glimmend roze hemd aan en een glanzende minirok van spijkerstof, en ze had een bleke, witte perkamenthuid waarin je in het schelle licht blauwe aderen door haar armen en benen kon zien zwemmen. Ze wierp me een chagrijnige blik toe en haalde haar zwarte plateauschoen van de voet van de standaard met wenskaarten, draaide zich om en liep fonkelend het gangpad in.

'Natuurlijk,' zei Larson, en hij schudde met zijn hoofd. 'Vaders. Die kunnen lastig zijn. Toen ik veertien was, ging mijn vader ervandoor. Liet alleen een paar werkschoenen en een abonnement op *People* voor me achter, echt waar. Twee jaar lang heb ik steeds achteromgekeken en overal naar hem gezocht. Dacht ik dat ik hem zag aan de overkant van de straat. Of in een bus die langsreed. Dan volgde ik die bus van de ene kant van de stad naar de andere, omdat ik dacht dat hij erin zat, en wachtte ik radeloos totdat hij bij een halte zou uitstappen. Maar toen hij uitstapte, was het de vader van iemand anders. Niet de mijne. Uiteindelijk was zijn vertrek het beste wat me had kunnen overkomen. Wil je weten waarom?'

Ik knikte.

Hij boog voorover, zette zijn ellebogen op de toonbank.

'Dankzij hem kan ik Koning Loer spelen.'

'Welke smaak?' riep Diamanta vanaf de Slurpee-automaat.

'Welke smaak?' vroeg Larson. Zonder blikken of blozen noemde hij als een veilingmeester die een veestapel aan het veilen was, de namen op. 'Rootbeer, Blue Bubblegum, 7-Up, 7-Up Tropical, Grapemelon, Banana Spit, Code Red, Live Wire...'

'Rootbeer is prima, dank je.'

'De dame zonder schoenen wil graag Rootbeer,' zei hij in de intercom.

'Hoe heette die koning?' vroeg ik.

Hij grijnsde en nu zag ik twee uit het gelid staande voortanden, waarbij de ene achter de andere vandaan gluurde alsof hij plankenkoorts had.

'Loer. Een personage van Shakespeare. In tegenstelling tot wat iedereen denkt, heeft een mens teleurstelling en verraad nodig. Anders krijgt-ie geen doorzettingsvermogen. Kan-ie niet vijf bedrijven lang een hoofdrol spelen. Kan-ie niet twee voorstellingen op één dag spelen. Kan-ie niet de ontwikkeling van een personage van Punt A naar Punt G neerzetten. Kan-ie geen plot, geen overtuigende verhaallijn uitwerken – dat soort dingen. Iemand moet op zijn flikker krijgen. Moet belazerd worden, gebruikt. Daar kan-ie iets mee, zie je. Doet hartstikke zeer. Is een rotgevoel. Hij weet niet of-ie nog wel verder wil. Maar dan krijg je "emotionele diepte" in je spel. Dan kunnen de mensen hun ogen niet van je afhouden als je op het toneel staat. Heb je je in de bioscoop bij een goeie film weleens omgedraaid en naar de gezichten gekeken? Heel heftig. Diamanta?'

'Hij doet het niet,' riep ze.

'Zet de automaat uit, daarna weer aan en probeer het opnieuw.'

'Waar zit die knop?'

'Aan de zijkant. Rood.'

'Dat ziet er niet best uit,' zei ze.

Ik keek naar hem op. Pap had gelijk: die jongen had iets intrigerends. Het was zijn ouderwetse oprechtheid, de manier waarop zijn wenkbrauwen de polka dansten wanneer hij praatte, en zijn bergstreekaccent, waardoor de woorden als puntige, glibberige stenen tevoorschijn sprongen en waaraan je je kon bezeren. Door de duizenden sproeten waarmee hij van top tot teen bespikkeld was leek het alsof hij in lijm gedoopt was en daarna in fijne, iriserende confetti.

'Kijk,' zei hij. Hij boog zich verder naar voren en sperde zijn ogen wijd open. 'Als je geen pijn hebt gevoeld, kun je alleen jezelf spelen. En daarmee kun je geen mensen ontroeren. Dat is goed voor reclamespotjes voor tandpasta of aambeienzalf en zo. Maar meer niet. Dan word je nooit een levende legende. En dat wil je toch worden?'

Diamanta gaf me de enorme Slurpee aan en ging weer mismoedig bij de wenskaarten staan.

'En nu,' zei Larson, en hij klapte in zijn handen, 'moet je ons vertellen hoe je heet.'

'Blue.'

'Vertel op, Blue. Je komt hier binnenvallen omdat je hulp nodig hebt. Dus wat doen we?'

Ik keek van Larson naar Diamanta, en weer naar Larson.

'Hoe bedoel je?' vroeg ik.

Hij haalde zijn schouders op. 'Je komt in het holst van de nacht langs. Om' – hij keek even op zijn horloge – 'zes over twee.' Hij tuurde naar mijn voeten en knikte. 'Zonder schoenen. Dat is nogal theatraal. Zo begint een toneelscène.'

Hij keek me aan, hij keek net zo ernstig als Sun Yat-sen altijd op een foto stond.

'Vertel ons of we in een komedie zitten, een melodrama, een detective of absurdistisch theater. Je kunt ons hier niet zonder dialoog op het toneel laten staan.'

Ik voelde dat er een soort nachtwinkelkalmte over me kwam, rustig en eentonig als het gebrom van de koelkast met frisdrank. Waar ik naartoe wilde, wie ik moest spreken, was zo helder als de spiegelende ramen, het schap met kauwgum en batterijen, Diamanta's grote oorringen.

'Het is een detective,' zei ik. 'Ik vroeg me af of ik je auto mocht lenen.'

Laughter in the Dark

Hannah droeg een jurk in de kleur van schuurpapier, die bij de zoom slordig was afgeknipt, zodat kleine draadjes de hoela om haar scheenbenen dansten toen ze deur opendeed. Haar gezicht was zo kaal als een onbeschilderde muur, maar het was duidelijk dat ze niet had geslapen. Haar haar hing sereen langs haar gezicht en haar heldere zwarte ogen vlogen als hommels van mijn gezicht via mijn jurk en mijn voeten naar Larsons pick-up en terug naar mijn voeten en mijn gezicht – dat alles binnen enkele seconden.

'Lieve help,' zei ze met een hese stem. 'Blue.'

'Het spijt me dat ik je wakker heb gemaakt,' zei ik. Dat soort dingen zeg je wanneer je om kwart voor drie 's nachts bij iemand op de stoep staat.

'Nee, nee… ik was wakker.' Ze glimlachte, maar het was geen echte glimlach, hij leek eerder van karton, en meteen vroeg ik me af of ik een vergissing had begaan door te komen, maar zij sloeg een arm om me heen. 'God, kom binnen. Het is ijskoud.'

Ik was alleen nog maar samen met Jade en de anderen bij haar binnen geweest, met Louis Armstrong en zijn resonerende paddenstem, de geur van worteltjes die overal in huis hing. Nu kreeg ik er een claustrofobisch gevoel van; het was er doods en schemerig als in de cockpit van een langgeleden neergestort vliegtuig. Vanachter haar blote benen loerden de honden naar me en hun grimmige schaduwen bewogen langzaam naar mijn voeten. Er brandde licht, de zwanenhalslamp in de huiskamer, en die belichtte papieren op het bureau, rekeningen, een paar tijdschriften.

'Zal ik een kopje thee zetten?' vroeg ze.

Ik knikte, en nadat ze me even in mijn schouder had geknepen, verdween ze in de keuken. Ik ging op de bultige geruite leunstoel naast de stereo-installatie zitten. Een van de honden, Brody met zijn drie poten en de kop van een seniele zeekapitein, blafte vol walging, hobbelde toen naar me toe en duwde zijn koude, natte neus tegen mijn hand alsof hij zo stiekem een geheim overdroeg. Pannen kuchten achter de keukendeur, een kraan jankte, een la kreunde een paar keer – ik probeerde me te concentreren op die alledaagse geluiden, want eerlijk gezegd voelde ik me niet echt geweldig over mijn aanwezigheid daar. Toen ze de voordeur opendeed, had ik verwacht dat ze in een badjas van badstof, met verwarde haren en dikke oogleden zou uitroepen: 'Lieverd, wat is er in godsnaam gebeurd?' Of dat ze toen ze de deurbel had gehoord dacht dat ik een struikrover was met wapperende manen die trek had in havermout en een vriendelijke dame, of een furieus ex-vriendje met tatoeages op zijn knokkels (v-a-l-er-io, stond er).

Ik had niet gerekend op deze stijve filmklapperbegroeting, de schriele ontvangst, de fluisterfrons – alsof ik de hele avond een zendertje op me had gedragen en zij alle lasterpraat, gescherts en onderonsjes had afgeluisterd, dus ook dat Jade haar had beschuldigd van banden met Manson en dat haar Cottonwood mijn avond met Zach Soderberg was binnengedrongen en bezit van mij had genomen. Ik was naar haar huis gereden (50 km/u, nauwelijks in staat om die twee werelden te combineren, half buiten zinnen wanneer ik langs een truck met oplegger reed of wat op een rij tulpenbomen leek) omdat ik een pesthekel aan Pap had en geen andere plek kon bedenken om naartoe te gaan, maar ook omdat ik hoopte dat Hannah die gesprekken als grappige verzinsels terzijde zou schuiven, zoals een enkele wetenschappelijke waarneming van een raiatea-spreeuw (*Aplonis mavornata*) die ik meteen van de lijst van Uitgestorven Diersoorten kon halen en op de onheilspellende, maar absoluut bemoedigendere lijst van Bedreigde Diersoorten kon zetten.

Haar aanblik had het echter alleen maar verergerd.

Pap had me altijd gewaarschuwd dat het misleidend was om je een beeld van mensen te vormen, om ze met je Geestesoog te bekijken, omdat je je dan nooit herinnerde hoe ze werkelijk waren, met zoveel ongerijmdheden als er haren op een mensenhoofd zitten (100.000 à 200.000). In plaats daarvan gebruikte de geest een lui steno, registreerde een globaal beeld met alleen de belangrijkste karaktertrekken – pessimisme of onzekerheid (als de geest echt lui was, dan ging hij niet verder dan Aardig of Onaardig) – en beging hij de fout om zich alleen op basis daarvan een oordeel te vormen, waardoor hij bij een volgende ontmoeting het risico liep onaangenaam verrast te worden.

De keukendeur ging met een zucht open en ze kwam binnen met een dienblad waarop een ingezakt stuk appeltaart stond, een fles wijn, een glas en een pot thee.

'Ik zal het licht aandoen,' zei ze. Ze schoof met haar blote voet een *National*

Geographic, een *TV Guide* en wat post van de salontafel voordat ze het dienblad erop zette. Ze deed de gele lamp aan bij de asbak die bezaaid was met sigarettenpeuken die als dode wormen bij elkaar lagen, en een brede baan licht viel over mij en de meubels heen.

'Sorry dat ik zo kom binnenvallen,' zei ik.

'Blue, alsjeblieft. Je kunt altijd bij me terecht. Dat weet je.' Ze sprak de woorden uit en ze meende het ook wel, maar de betekenis ervan pakte ook zijn koffers en liep naar de deur. 'Het spijt me als ik een beetje afwezig lijk. Het is laat en ik ben moe.' Ze zuchtte, en terwijl ze me in de ogen keek stak ze haar arm uit en kneep in mijn hand. 'Echt, ik ben blij dat je er bent. Ik kan wel wat gezelschap gebruiken. Je kunt in de logeerkamer slapen, dus je hoeft vannacht niet meer naar huis te rijden. Goed, vertel me nu maar wat er is.'

Ik slikte, wist van de zenuwen niet waar ik moest beginnen. 'Ik heb ruzie gehad met mijn vader,' zei ik, maar net toen ze een papieren servetje pakte en daar aandachtig een gelijkbenige driehoek van begon te vouwen, ging de telefoon. Het klonk als een menselijke gil – Hannah had zo'n blèrend toestel uit de jaren zestig, waarschijnlijk voor een dollar gekocht bij een zolderopruiming – en mijn hart wierp zich theatraal tegen mijn ribben (zie Gloria Swanson, *Shifting Sands*).

'O god,' fluisterde ze zichtbaar geïrriteerd. 'Momentje.'

Ze verdween in de keuken. Het rinkelen hield op.

Ik probeerde te verstaan wat ze zei, maar er viel niets af te luisteren, alleen stilte en het getingel van de halsbanden van de honden; ze deden zenuwachtig hun kop omhoog.

Bijna onmiddellijk kwam ze weer tevoorschijn, weer met dat glimlachje dat op haar gezicht was geschoven als een klein kind dat het toneel op geduwd was.

'Dat was Jade,' zei ze terwijl ze naar de bank terugliep. Met een secretaresseachtige concentratie observeerde ze de theepot; ze tilde het deksel op, bekeek nauwkeurig de drijvende theezakjes, tikte er met een vinger tegen alsof het dode visjes waren.

'Ik neem aan dat jullie tweeën een bewogen avond achter de rug hebben?' vroeg ze. Ze keek me even aan, schonk de thee in en reikte me de IK VAL OP NAAKTSLAKKEN-koffiebeker aan (ze reageerde niet toen er vanaf de zijkant heet water op haar knie drupte). Daarna, alsof ik haar al de hele avond had gesmeekt of ze wilde poseren voor een olieverfschilderij, vlijde ze zich languit op de bank neer en stak ze haar blote voeten onder de kussens (zie afbeelding 16.0).

AFBEELDING 16.0

'We hebben slaande ruzie gehad,' zei ze. 'Jade en ik. Ze was razend toen ze hier wegging.' Ze sprak op een vreemde onderwijzerstoon alsof ze uitlegde wat fotosynthese was. 'Ik weet niet eens meer waar het over ging. Iets onbenulligs.' Ze keek op naar het plafond. 'Ik geloof dat het om inschrijvingsformulieren voor de universiteit ging. Ik zei dat ze daar werk van moest maken, anders kon ze weleens te laat zijn. Toen werd ze me toch kwaad.'

Ze nam een slok wijn, en bestookt door schuldgevoelens nipte ik aan mijn woeloengthee. Het was me pijnlijk duidelijk dat Hannah wist wat Jade over haar had gezegd – of ze wist het zeker, als Jade haar had opgebeld en alles had opgebiecht (Jade zou nooit een oplichtster, woekeraarster of corrupte politica kunnen worden vanwege haar onbedwingbare behoefte om alles uit te leggen aan haar slachtoffer), of ze raadde het naar aanleiding van hun ruzie. Het opvallendste was echter dat Hannah er zichtbaar door geïrriteerd was. Volgens Pap deden mensen de vreemdste dingen wanneer ze in het defensief waren, en Hannah fronste haar wenkbrauwen, wreef met haar duim over de rand van haar wijnglas en haar ogen schoten voortdurend heen en weer tussen mijn gezicht, het wijnglas, het stuk appeltaart (dat eruitzag alsof iemand erop had gestaan) en weer naar haar wijnglas.

Ik bleef haar maar aankijken (haar linkerarm lag als een boa constrictor over haar heup) als een inspecteur die nauwkeurig de vingerafdrukken op een bedstijl bekijkt in een poging om de waarheid te achterhalen, al was het maar een glimp ervan. Ik wist dat het belachelijk was – krankzinnigheid, schuld en liefde kwamen niet boven water door sproeten met elkaar te verbinden of een klein lichtje te laten schijnen in het kuiltje bij het sleutelbeen –, maar ik kon er niets aan doen. Sommige dingen die Jade had gezegd lieten me niet los. Zou ze die man opzettelijk hebben kunnen verdrinken? Was ze werkelijk met Charles naar bed geweest? Verborg zich ergens in haar buitenwijken, haar periferie, een verloren liefde – Valerio? Zelfs wanneer ze in een chagrijnige, afwezige stemming was, zoals nu, vulde ze nog steeds de koppen op je voorpagina en verdreef ze andere minder boeiende verhalen (Pap, Fort Peck) naar pagina 10. FADE-OUT: Pap, Fort Peck (mijn droom dat hij Che ging spelen in de Democratische Republiek Congo). FADE-IN: Hannah Schneider, die als op het strand aangespoeld, glimmend languit op de bank ligt; haar gezicht was besprenkeld met zweetdruppels en haar vingertoppen speelden met de naad die door haar jurk meanderde.

'Dus je bent niet meer naar het bal gegaan?' wierp ik met een dun stemmetje een visje uit.

De vraag schudde haar wakker; het was duidelijk dat zij de vraag wat ik eigenlijk hier kwam doen was vergeten, dat ik gewoon was komen opdagen in een zonnige oranje vierdeurs Chevy Colorado-pick-up, onaangekondigd, zonder schoenen. Niet dat ik het erg vond: Pap was een man die er altijd van uitging dat hij bij alles het Belangrijkste Gespreksonderwerp, het Middelpunt was, zodat ik het eigenlijk fantastisch vond dat Hannah, nadat ik had verteld over onze ruzie, hem onbeschaamd afserveerde en hem afdeed als oninteressant.

'Het werd laat,' zei ze laconiek. 'We hadden taart gebakken.' Ze keek me aan. 'Jade is wel gegaan, hè? Ze stormde de deur uit en zei dat ze jou ging opzoeken.'

Ik knikte.

'Soms doet ze vreemd. Jade. Soms kan ze dingen zeggen die... hoe zal ik het zeggen... nou, die afschuwelijk zijn.'

'Ik geloof niet dat ze het meent,' zei ik rustig.

Hannah hield haar hoofd schuin. 'Nee?'

'Sommige mensen zeggen alleen maar iets om de stilte te vullen. Of om te choqueren en te provoceren. Of als oefening. Verbale aerobics. Orale cardiotraining. Er kunnen allerlei redenen zijn. Maar heel zelden worden woorden uitsluitend in hun denotatieve betekenis gebruikt,' zei ik, maar Paps commentaar uit 'Methodiek van het redevoeren en de kracht van taal' maakte geen enkele indruk op Hannah. Ze schonk er geen enkele aandacht aan. Haar starende blik hing ergens bij de piano in de donkere hoek van de kamer. Daarna reikte ze fronsend (lijnen die ik nog nooit eerder had gezien doorkliefden haar voorhoofd) met haar arm over de bank, trok de la van het bijzettafeltje open en pakte er een halfleeg pakje Camel-sigaretten uit. Ze tikte er eentje uit, wipte er geërgerd mee tussen haar vingers en bekeek me aandachtig, alsof ik een jurk in de uitverkoop was, de laatste in haar maat.

'Je zult het natuurlijk wel geraden hebben,' zei ze. 'Je hebt zo'n grote opmerkingsgave; jou ontgaat niets...' Ze onderbrak zichzelf. '... of misschien ook niet. Nee. Ze heeft het je niet verteld. Volgens mij is ze jaloers. Jij praat altijd zo liefdevol over je vader.'

'Wat had ze me dan moeten vertellen?'

'Weet je iets van Jade? Haar achtergrond?'

Ik schudde mijn hoofd.

Hannah knikte en zuchtte weer. Ze viste een doosje lucifers uit de la en stak snel de sigaret op. 'Als ik het je vertel, moet je me wel beloven dat je er niets over tegen de anderen zult zeggen. Maar ik vind het belangrijk dat je het weet. Want anders, wanneer ze op zo'n avond als deze zo kwaad naar je toe komt... Ze was dronken, hè?'

Ik knikte langzaam.

'Nou, op momenten zoals... nou, zoals vanavond, kan ik me voorstellen hoe je je voelt.' Hannah dacht diep na over hoe ik me voelde. Ze beet op haar lip alsof ze probeerde te beslissen wat ze van de menukaart zou bestellen. 'Verward. Ernstig verward misschien wel. Ik zou dat in elk geval wel zijn. Als je de waarheid weet, zal dat alles in de juiste context plaatsen. Misschien niet meteen. Nee, je kunt iets niet goed begrijpen wanneer je er dichtbij staat. Dat is zoiets als op een paar centimeters afstand een billboard bekijken. We zijn allemaal, hoe noemen ze dat... verziend... of is het bijziend – maar later, nee dan...' Ze was alleen met zichzelf in gesprek. 'Ja, dan wordt het allemaal duidelijk. Naderhand.'

Ze praatte niet meteen verder. Ze bestudeerde met samengeknepen ogen het gloeiende uiteinde van haar sigaret, de warrige oren van Old Bastard die op haar kroop, haar knie likte en weer op het vloerkleed neerviel, zo moe als een vakantieliefde.

'Hoe bedoel je?' vroeg ik zachtjes.

Een verlegen, bijna schalks lachje gleed stiekem over haar gezicht – maar daar was ik niet helemaal zeker van; telkens wanneer ze haar hoofd bewoog snelde het gele lamplicht over haar jukbeenderen en mond, maar wanneer ze me recht aankeek verdween het meteen.

'Je mag niemand vertellen wat ik je ga vertellen,' zei ze streng. 'Zelfs je vader niet. Beloof me dat.'

Ik voelde een nerveuze dolkstoot in mijn borst. 'Waarom?'

'Hij is nogal beschermend, hè?'

Dat kon je inderdaad wel stellen. Ik knikte.

'Ja, hij zou er een trauma van krijgen, dat weet ik zeker,' zei ze afkeurend. 'Daar schiet niemand iets mee op.'

Angst begon zich van me meester te maken. Ik werd licht in het hoofd, alsof ik die angst in mijn arm had geïnjecteerd. Ik liet de afgelopen zes minuten de revue nog eens passeren in een poging erachter te komen hoe we in deze situatie verzeild waren geraakt. Ik was langsgekomen met de bedoeling om onvoorbereid een onschuldig toneelstukje over Pap op te voeren, maar ik was achter de coulissen geduwd, en daar stond de doorgewinterde artieste. Zij beheerste het toneel en zou zo aan haar monoloog beginnen – een huiveringwekkende monoloog leek het te worden. Volgens Pap moest je andermans hartstochtelijke ontboezemingen en bekentenissen absoluut zien te vermijden. 'Zeg maar dat je echt de kamer even uit moet,' was zijn advies, 'dat je iets verkeerds hebt gegeten, dat je misselijk bent, dat je vader roodvonk heeft, dat het einde van de wereld naakt en je nu een voorraad water en gasmaskers moet inslaan. Of doe gewoon alsof je flauwvalt. Het maakt niet uit, als je je maar behoedt voor de intimiteiten die ze als beton over je heen willen storten.'

'Zul je niks zeggen?' vroeg ze. Haar stem klonk kalm, onschuldig.

Eerlijk gezegd overwoog ik even om te zeggen dat Pap de pokken had, dat ik snel aan zijn bed moest gaan zitten om zijn bescheiden en emotionele Laatste Woorden nog te kunnen horen. Maar uiteindelijk knikte ik opgewonden, de onvermijdelijke menselijke reactie wanneer iemand je vraagt of je een geheim wilt horen.

'Op haar dertiende is Jade van huis weggelopen,' zei ze. Ze wachtte even en liet die woorden ergens in duisternis aan de andere kant van de kamer neerkomen voordat ze verderging.

'Uit wat ze me heeft verteld weet ik dat ze is opgevoed als een erg rijk, verwend kind. Haar vader gaf haar alles. Maar hij was een enorme hypocriet: oliemagnaat, dus het bloed van duizenden kleefde aan zijn handen. En haar moeder...' Hannah trok haar schouders op en huiverde theatraal. 'Ik weet niet of je al het genoegen hebt gehad om haar te ontmoeten, maar ze is iemand die niet eens de moeite neemt om zich aan te kleden. Midden op de dag loopt ze rond in haar peignoir. Maar goed, Jade had als kind een hartsvriendin, heeft ze me verteld. Een beeldschoon meisje, breekbaar. Ze waren net twee zusjes. Ze kon haar in vertrouwen nemen, haar alles vertellen wat ze op haar hart had – de vriendin die iedereen wil hebben maar niemand heeft – ik weet bij god niet meer hoe ze heette. Wat was het ook alweer? Iets chics. Maar goed...' Ze tikte de as van haar sigaret. 'Ze vonden haar een probleemkind. Werd voor de derde of vierde keer betrapt op stelen. Ze stond op het punt om naar een jeugdgevangenis gestuurd te worden. Toen is ze gevlucht. Ze is helemaal tot in San Francisco gekomen. Kun je je dat voorstellen? Jade? Van Atlanta naar San Francisco – ze woonde toen in Atlanta, haar ouders waren nog bij elkaar. Dat is vijfenveertighonderd kilometer. Ze liftte mee met vrachtwagenchauffeurs, met gezinnen die ze tegenkwam bij tussenstops en werd ten slotte door de politie opgepakt in een winkel, Lord's Drugstore heette die, geloof ik. Lord's Drugstore, nota bene.' Hannah glimlachte, blies sigarettenrook uit en die walmde om haar heen. 'Die zes dagen hadden haar leven ingrijpend veranderd, zei ze.'

Ze zweeg even. De huiskamer leek onder het gewicht van het verhaal wat dieper in de grond te zijn weggezakt.

Zodra ze was begonnen te praten, waarbij haar stem zich merkwaardig volhardend door de woorden heen sleepte, deed mijn hoofd onmiddellijk het licht uit en zette de filmprojector aan: ik zag Jade in korrelig schemer (strakke spijkerbroek, zo dun als een paraplu) vastberaden onderweg door het opgeschoten groen in de berm van een snelweg – in Texas of New Mexico – en haar haar lichtte op in het licht van de koplampen en haar gezicht bloosde in het achterlichtrood van de auto's. Maar toen ik in mijn fantasie in mijn tientonner langs haar heen denderde, keek ik achterom en zag tot mijn verbazing dat het niet Jade was, maar een meisje dat op haar leek. Dat kwam doordat 'meeliften met vrachtwagenchauffeurs' niet bij haar paste, net zomin als de 'beeldschone, kwetsbare' vriendin. Volgens Pap moest je over een bepaalde zeldzame rebelse instelling beschikken om 'huis en haard te verlaten, hoe slecht de omstandigheden ook waren, en je in het ongewisse te storten'. Natuurlijk, Jade glipte regelmatig met een *hombre* een invalidentoilet binnen om zijn diepste wensen te vervullen, of ze werd zo dronken dat haar hoofd als een sliert lijm tussen haar schouders naar beneden hing, maar dat ze zo'n risico zou nemen, een sprong in het duister zonder te weten waar je neerkomt, als je de andere kant al zou halen, dat leek ongeloofwaardig. Maar je mocht

geen enkel verhaal uit iemands leven weglachen of op voorhand van tafel vegen: 'Denk nooit te weten waar iemand toe is staat is, was, of zal zijn,' zei Pap.

'Leulah heeft iets vergelijkbaars meegemaakt,' ging Hannah verder. 'Ze
liep weg met haar wiskundeleraar toen ze dertien was. Hij was knap en
hartstochtelijk, zei ze. Achter in de twintig. Mediterraan type. Turks, volgens mij. Ze dacht dat ze verliefd was. Ze hebben het gered tot in... waar was
het... Florida, geloof ik, voordat hij werd gearresteerd.' Ze nam een lange trek
van haar sigaret en liet de rook uit haar mond ontsnappen terwijl ze door-
praatte. 'Dat was op de school voor ze naar St. Gallway kwam, ergens in South
Carolina. Charles is al heel jong uit huis geplaatst. Zijn moeder was prostituee, verslaafd – het gebruikelijke werk. Geen vader. Uiteindelijk is hij geadopteerd. Nigel ook. Zijn ouders zitten in een Texaanse gevangenis omdat ze een
politieagent hebben vermoord. De precieze toedracht weet ik niet meer.
Maar ze hebben hem doodgeschoten.'

Ze stak haar kin omhoog en staarde in de sigarettenrook, die terugdeinsde
boven de lamp. Die leek doodsbang voor Hannah – net zoals ik op dat moment. Ik was bang voor de klank in haar stem waarmee ze geheimen ongeduldig van zich af gooide alsof het een spelletje ringwerpen betrof.

'Het is wel grappig om te zien,' ging ze verder (en ze moet mijn angst gevoeld hebben, want haar stem had pasteltinten gekregen en de scherpe rand-
jes waren met vingertoppen weggewreven), 'wat de beslissende momenten
in iemands leven zijn. Als je opgroeit denk je altijd dat je leven – je succes – af-
hangt van je ouders en van het geld dat ze hebben, van de universiteit waar je
naartoe gaat, de baan die je weet te veroveren, je eerste salaris.' Haar lippen
krulden al in een lach voor er geluid uit kwam (slecht nagesynchroniseerd).
'Maar dat is niet zo. Je zult het niet geloven, maar de beslissende momenten in
je leven spelen zich binnen een paar seconden af, volkomen onverwachts.
Wat je in die paar tellen beslist bepaalt de rest van je leven. Sommige mensen
halen de trekker over en alles valt in duigen. Andere mensen lopen hard weg.
Je weet pas wat je zult doen als het zover is. Wees niet bang, Blue, wanneer
jouw moment komt. Doe wat je moet doen.'

Ze ging rechter zitten, zwaaide haar voeten op de vloer en staarde naar
haar handen. Ze lagen elk op een been, gerimpeld en nutteloos als een door
Pap weggegooid begin van een lezing. Er hing een lok voor haar linkeroog en
daardoor zag ze eruit als een piraat, maar ze nam niet de moeite om hem achter haar oor te stoppen.

Intussen probeerde mijn hart mijn mond binnen te kruipen. Ik wist niet of
het verstandig was om daar passief te zitten luisteren naar die afschuwelijke,

broodmagere bekentenissen of om te proberen ervandoor te gaan, naar de deur te rennen, die open te zwaaien met de kracht van Scipio Africanus toen hij meedogenloos Carthago plunderde, naar de pick-up te sprinten, als een dief in de nacht weg te scheuren met opspattend grind en banden die protesteerden als krijgsgevangenen. Maar waar moest ik heen? Terug naar Pap, als de tweede initiaal van een president die iedereen vergat, als een dag in de Geschiedenis waarop niets baanbrekends gebeurde behalve de komst van enkele katholieke missionarissen in het Amazone-gebied en een onbeduidende opstand van inboorlingen in het Oosten?

'En dan hebben we nog Milton,' zei Hannah die zijn naam bijna liefkozend uitsprak. 'Hij zat in een straatbende – ik weet niet meer welke, iets met "nacht".'

'Mílton?' vroeg ik. Ik zag hem meteen voor me: autokerkhof, leunend tegen een gaashek (hij stond altijd met zijn rug ergens tegenaan), legerkistjes, zo'n enge rode of zwarte nylon sjaal om zijn hoofd geknoopt, stoere blik, zijn huid vaag de kleur van een geweer.

'Ja, Mílton,' echode ze. 'Hij is ouder dan iedereen denkt. Eenentwintig. God, niet verder vertellen, hoor. Hij is een paar jaar kwijt, black-outs, waarvan hij niet eens meer weet wat hij heeft gedaan. Hij leefde op straat, maakte de buurt onveilig. Maar dat begrijp ik wel. Wanneer je niet weet waar je in geloven moet, als je het gevoel hebt dat je verdrinkt, dan zoek je houvast bij zoveel ideeën als je maar pakken kunt. Zelfs de krankzinnige. Uiteindelijk houdt één je drijvende.'

'Dat was in Alabama?' vroeg ik.

Ze knikte.

'Zo komt hij natuurlijk aan die tatoeage,' zei ik.

Ik had hem gezien – de tatoeage – en het spannende moment waarop hij die aan mij had laten zien was een tijdloze videoclip geworden die ik voortdurend in mijn hoofd afspeelde. We waren met z'n tweeën in de Paarse Kamer – Jade en de anderen waren naar de keuken gegaan om spacecake te bakken – en bij de bar schonk Milton zichzelf een drankje in, liet ijsblokjes in het glas plonzen, langzaam, alsof hij munten uittelde. Hij had de lange mouwen van zijn NINE INCH NAILS-T-shirt omhooggeschoven, zodat ik op zijn rechterbovenarm net de zwarte tenen van iets kon ontwaren. 'Wil je hem zien?' had hij plotseling gevraagd. Daarna liep hij met het glas whiskey in zijn hand op zijn gemak naar mij toe, ging met een plof zitten, waarbij zijn rug tegen mijn linkerknie botste en de bank huiverde. Zijn bruine ogen keken me doordringend aan. Hij trok de mouw omhoog, heel langzaam – hij genoot kennelijk van mijn gespannen aandacht – en ontblootte niet de zwarte vlek waar iedereen op St. Gallway fluisterend over sprak, maar de tekening van een ondeugend kijkende engel ter grootte van een bierpul. Ze knipoogde als een geile opa, hield een mollige knie omhoog en het andere been recht naar beneden, alsof het een momentopname was van een gehoekte sprong vanaf een duikplank. 'Dat is ze dan,' zei Milton met zijn sombere stem, 'Miss Amerika'. Voordat ik iets kon zeggen, een paar woorden bij elkaar had gejaagd en verzameld, was hij opgestaan, had hij de mouw naar beneden geschoven en was hij de kamer uit gelopen.

'Ja,' zei Hannah opeens. 'Maar goed.' Ze tikte nog een sigaret tevoorschijn. 'Ze hebben allemaal het een en ander meegemaakt, heel schokkende dingen, toen ze een jaar of twaalf, dertien waren – dingen die de meeste mensen niet te boven zouden komen.' Ze stak hem snel aan en gooide de lucifers op de salontafel. 'Heb je weleens gehoord van de Onvindbaren?'

Ik had gezien dat Hannah bijna zonder benzine zat toen ze het over Milton had. Was ze bij Jades verhaal vol zelfvertrouwen begonnen in een soepel rijdende open sportwagen, tegen de tijd dat Miltons verhaal moeizaam langskwam, zat ze in zo'n roestige brik die zich zwoegend over de snelweg voortbewoog, alarmlichten aan. Ik voelde dat ze wroeging kreeg over wat ze aan het doen was: mij opzadelen met die ontboezemingen; haar gezicht leek net een pauze tussen twee zinnen waarin ze in gedachten de woorden terughaalde die ze net had uitgesproken, erin porde, luisterde naar hun hartslag in de hoop dat ze niet stervende waren.

Maar met deze nieuwe vraag leek ze weer aan snelheid gewonnen te hebben. Er verscheen een intense uitdrukking op haar gezicht (haar ogen keken me recht aan en lieten me niet meer los). Het was een blik die me aan Pap deed denken. Wanneer hij extra studieboeken over Burgeroorlogen en Buitenlandse Zaken doorspitte op zoek naar die ene prachtige bewijsvoering waarvan de studenten, wanneer hij die bij zijn lezing zou gebruiken, steil achterover zouden slaan, waarvan 'die ettertjes zouden wegsmelten op hun stoelen en alleen een vlek op de vloerbedekking zouden achterlaten', had hij vaak ook die militante uitdrukking. Dan kreeg hij zulke harde gelaatstrekken dat ik het gevoel kreeg dat wanneer ik blind was en met mijn hand aan zijn gezicht moest voelen om hem te herkennen, hij zou aanvoelen als een muur.

'Dat zijn vermiste personen,' zei Hannah. 'Die door de overal aanwezige kieren in het plafond, in de vloer, heen vallen. Weglopers, wezen; ze worden ontvoerd, vermoord – ze verdwijnen uit de officiële archieven. Na een jaar staakt de politie het zoeken. Ze laten alleen een naam achter en zelfs die wordt uiteindelijk vergeten. "Het laatst gezien op de avond van 8 november 1988. Haar werk bij Arby's in Richmond, Virginia, zat erop voor die dag. Ze reed weg in een blauwe Mazda 626 uit 1982, die later leeg werd aangetroffen langs de kant van de weg, in wat mogelijk een geënsceneerd ongeluk was."'

Ze zweeg, in gedachten verzonken. Sommige herinneringen waren zo: moeras, drijfzand, een verlaten mijnschacht. Terwijl de meeste mensen die benauwde, niet in kaart gebrachte, volkomen onbewoonde herinneringen vermeden (omdat ze wel begrepen dat je daarin voorgoed kon verdwijnen), leek Hannah het risico genomen te hebben om er op haar tenen een te betreden. Ze staarde met lege ogen naar de grond. Haar gebogen hoofd verduisterde de lamp en een smal lint licht omgaf haar profiel.

'Over wie heb je het?' vroeg ik zo vriendelijk mogelijk. Dr. Noah Fishpost vermeldde in zijn meeslepende boek over de avonturen van de moderne psychiatrie, *Overpeinzingen bij Andromeda* (2001), dat je zo onopvallend mogelijk te werk moest gaan wanneer je een patiënt vragen stelde, omdat de waarheid en geheimen net kraanvogels waren: imponerend groot, maar toch opvallend verlegen en op hun hoede; als je iets te veel geluid maakte, kozen ze het luchtruim en kreeg je ze nooit meer te zien.

Ze schudde haar hoofd. 'Nee, als meisje spaarde ik die. Ik leerde de lijsten uit mijn hoofd. Ik kon er honderden uit mijn hoofd citeren. "Het veertienjarige meisje verdween op 19 oktober 1994, toen ze van school naar huis liep. Het laatst is ze gezien in een telefooncel, tussen 14.30 en 14.45 uur, op de hoek van Lennox en Hill." "Voor het laatst door haar familie gezien in hun woning in Cedar Springs, Colorado. Om ongeveer drie uur 's nachts ontdekte een gezinslid dat de televisie in haar slaapkamer nog aanstond, maar zij was er niet."'

Ik kreeg kippenvel op mijn armen.

'Daarom heb ik ze uitgezocht, denk ik,' zei ze. 'Of ze hebben mij uitgezocht, dat weet ik niet eens meer. Ik was bang dat zij ook door de kieren heen zouden vallen.'

Haar blik richtte zich eindelijk weer op en ik zag tot mijn afgrijzen dat haar gezicht rood was. In haar ogen welden dikke tranen.

'En dan hebben we jou nog,' zei ze.

Mijn adem stokte. Wegwezen, dacht ik. Snel naar Larsons pick-up, de snelweg op naar Mexico, want iedereen die moest vluchten ging daarheen, ook al kwam niemand daar aan. Ze kwamen enkele meters voor de grens allemaal tragisch aan hun einde. Anders ging ik naar Hollywood, want iedereen die op zoek was naar zichzelf en filmster wilde worden ging naar Hollywood (zie *De wraak van Stelle Verslanken*, Botando, 2001).

'Toen ik jou in september in die supermarkt tegenkwam, zag ik iemand die eenzaam was.' Ze zweeg even, liet haar woorden even uitrusten als vermoeide werklui op de rand van de stoep. 'Ik dacht dat ik je kon helpen.'

Ik voelde me een nul. Nee, ik was een koutje, een krakend bed, iets gênants, de gerafelde rand aan een verschoten kniebroek. Maar net toen ik een of andere kinderachtige smoes in elkaar wilde flansen om weg te kunnen rennen en nooit meer terug te keren ('Het rampzaligst wat een man, vrouw of kind kan overkomen is vernederend medelijden,' schreef Carol Mahler in het met de Purperprijs bekroonde *Paarse duiven* (1987)) wierp ik een blik op Hannah en was verbijsterd.

Haar boosheid, irritatie, ergernis – in welke stemming ze ook verstrikt was geraakt sinds ik hier was aangekomen, de telefoon had gegild, en ik had strikte geheimhouding moeten beloven – zelfs haar melancholie van zo-even was verdampt. Ze was nu angstwekkend kalm (zie 'Het meer van Luzern', *Van Zwitsers belang*, Porter, 2000, blz. 159).

Toegegeven, ze had nog een sigaret opgestoken en de rook kronkelde tussen haar vingers vandaan. Ze had ook een hand door haar haar gehaald, zodat het nu zeeziek heen en weer slingerde voor haar voorhoofd. Maar haar gezicht straalde onverholen de opluchting en tevredenheid uit van iemand die net iets had volbracht, een mooi stukje werk had afgeleverd; in haar gezicht zag je een demonstratief dichtgeklapt studieboek, een dichtgeslagen deur, gedoofde verlichting, of anders, na een buiging, tijdens een staande ovatie, een zware, rode voorhang die wordt dichtgeschoven.

Jades woorden dreunden na in mijn hoofd: 'Ze was echt de slechtste actrice ter wereld. Als ze actrice was, zou ze nog niet eens in een B-film mogen spelen. Hoogstens D- of E-films.'

'Maar goed,' ging Hannah verder, 'wat maakt het nu uit – waarom doen we dingen? Denk daar verder maar niet over na. Over tien jaar, dan komt het moment dat je moet beslissen. Nadat je de wereld al versteld hebt doen staan. Heb je slaap?' Ze vroeg het heel snel en was kennelijk niet geïnteresseerd in mijn antwoord, want ze geeuwde in haar vuist, stond op, en rekte zich uit op de manier zoals haar witte Perzische kat dat deed – Lana of Turner, dat wist ik niet meer –, die uit het donker onder de pianokruk miauwend tevoorschijn kwam en met haar staart een groet zwaaide.

The Sleeping Beauty and other Fairy Tales

Ik kon niet slapen.

Nee, nu ik alleen in een onbekend, hard bed lag, het vale ochtendlicht door de gordijnen scheen en de plafonnière als een reusachtig oog op me neerkeek, begonnen de verhalen over de achtergrond van de Bluebloods uit het struikgewas tevoorschijn te kruipen als nachtdieren in de avondschemering (zie Zorilla, Spitsmuis, Springmuis, Kinkajoe en Kortoorvos, *Encyclopedie van levende wezens*, vierde druk). Ik had maar weinig ervaring met Duistere Verledens, afgezien van het nauwgezet bestuderen van *Jane Eyre* (Brontë, 1847) en *Rebecca* (Du Maurier, 1938) en hoewel ik heimelijk altijd wel een zekere grandeur had gezien in melancholieke afstandelijkheid, grauwe wallen onder ogen en smartelijke stiltes, benauwde de wetenschap dat elk van hen had geleden (als ik Hannah mocht geloven) me toch.

Ik moest denken aan Wilson Gnut, de ingetogen knappe jongen die ik op Luton Middle in Luton, Texas, had gekend, wiens vader zich op kerstavond had opgehangen. Wilsons eigen tragiek had niets te maken met zijn vader, maar met de manier waarop hij op school werd bejegend. De anderen waren niet onaardig tegen hem – integendeel, ze waren poeslief. Ze hielden deuren open, boden huiswerk aan ter overschrijving, lieten hem voorgaan bij alle drinkfonteintjes, automaten en de uitreiking van gymkleding. Maar achter hun welwillendheid school het alomtegenwoordige besef dat er door zijn vader een Geheime Deur voor Wilson was opengegaan en dat daar elk denkbaar kwaad uit tevoorschijn kon komen – zelfmoord natuurlijk, maar ook andere beangstigende dingen zoals Necrofilie, Polyorfantia, Menazorangia, misschien zelfs Zoötoses.

Met de stille precisie van Jane Goodall, alleen in haar observatiepost in een regenwoud in Tanzania, observeerde en documenteerde ik de verschillende blikken die leerlingen, ouders en docenten in Wilsons aanwezigheid tentoonspreidden. Je had de Opgeluchte Blik van Dolblij Dat Ik Jou Niet Ben (na eerst vriendelijk naar Wilson te hebben geglimlacht, en met een verholen medelijdende blik naar een derde), de Meelevende Blik van Daar Komt Hij Nooit Overheen (gericht naar de grond en/of de directe omgeving rond Wilson), de Betekenisvolle Blik van Die Knul Eindigt Zo Gestoord Als Een Deur (diep in Wilsons bruine ogen) en het Eenvoudige Aangapen (mond open, ogen ongericht, algehele houding bijna vegetatief, achter de rug van Wilson wanneer hij stilletjes achter zijn tafeltje zat).

Er waren ook gebaren, zoals het Halfslachtige Hand Opsteken (na school, vanuit de auto, als leerlingen wegreden met hun ouders en ze Wilson zagen die nog op zijn moeder stond te wachten, een vrouw met strohaar die lachte als een geit en kralenkettingen droeg. Dat gebaar ging altijd vergezeld van een van de drie opmerkingen: 'Heel triest, wat er gebeurd is', 'Onvoorstelbaar wat hij moet doormaken', of het onbehouwen: 'Pa gaat zich binnenkort toch niet van kant maken?'). Je had ook het Daar-Heb-je-Hem Wijzen, Daar-Heb-je-Hem Wijzen in de tegenovergestelde richting van waar Wilson Gnut stond (het Texaanse equivalent van subtiliteit), en de ergste van allemaal: de Snelle Schrikreactie (van leerlingen als de handen van Wilson Gnut per ongeluk die van hen raakten bij het openen van een deur of het uitdelen van proefwerken, alsof zijn noodlot een ziekte was die werd overgedragen via handen, ellebogen of vingertoppen).

Op het laatst – en dat maakte het zo tragisch – sloot Wilson zich maar bij de algemene gedachtegang aan. Hij begon ook te geloven dat er alleen voor hem een Geheime Deur was opengegaan waarachter elk denkbaar kwaad schuilde dat elk moment tevoorschijn kon komen. Hij kon er natuurlijk niets aan doen. Als de wereld zegt dat je een Jachthond van Niks bent, een Cowboy Zonder Laarzen, Niet in Goeden Doen bent, ben je geneigd om dat te geloven. Wilson was niet langer de stuwende kracht achter de basketbalpartijtjes in de pauze en hij deed niet meer mee aan de Denksportcompetitie. En hoewel ik bij diverse gelegenheden toevallig hoorde hoe goedbedoelende leerlingen hem vroegen of hij na school meeging naar KFC, vermeed Wilson oogcontact, mompelde hij: 'Nee, bedankt', en verdween hij in de gang.

Met hetzelfde ontzag als Jane Goodall toen ze ontdekte dat chimpansees vaardig gebruikmaakten van hulpmiddelen om termieten te verschalken, kwam ik tot de conclusie dat het niet zozeer de tragische gebeurtenis zelf was die herstel in de weg stond als wel het feit dat anderen ervan op de hoogte waren. Een individu kan bijna alles doorstaan (zie *Das unglaubliche Leben der Wolfgang Becker*, Becker, 1953). Zelfs Pap stond versteld van het menselijk lichaam, en Pap stond nooit ergens van versteld. 'Het is echt verbijsterend wat het lichaam kan verdragen.'

Als hij in een bourbonstemming en in een theatrale bui was, deed hij na deze constatering zijn imitatie van Brando als kolonel Kurtz.

'Je moet mannen met principes hebben,' donderde Pap terwijl hij langzaam zijn gezicht naar me toe wendde en zijn ogen opensperde in een poging om zowel geniaal als gestoord te lijken. 'Tegelijk moeten ze hun oerinstincten kunnen gebruiken om meedogenloos te doden, zonder emotie, zonder geweten...' (Pap trok altijd zijn wenkbrauwen op en keek me scherp aan bij het woord 'geweten'.) 'Want dat geweten kost ons de overwinning.'

Natuurlijk moest ik mijn vraagtekens zetten bij de betrouwbaarheid van wat Hannah me had verteld, haar eigen betrouwbaarheid. Haar woorden hadden een onmiskenbaar filmstudiogehalte, bewijzen van kunstpalmen (vaagheid over exacte locaties), rekwisieten (wijnglazen, talloze sigaretten), windmachines (de neiging om te romantiseren), pr-poses (peilloze blikken naar het plafond of de vloer) – gekunstelde houdingen die aan de affiches met radeloze geliefden in haar klaslokaal deden denken. Het was ook waar: talloze oplichters waren onder druk in staat om macabere sprookjes te bedenken, ruim voorzien van achtergrondinformatie, ingenieuze verwijzingen, vleugjes ironie en spelingen van het lot zonder ook maar één keer met hun ogen te knipperen. Maar hoewel zulke slinkse intriges zeker mogelijk waren, leek het bij Hannah Schneider niet bepaald aannemelijk. Slechteriken en afzetters bedachten zulke ingewikkelde verzinsels om niet de bak in te draaien; wat voor reden had Hannah om zo'n tragisch verleden voor elk van de Bluebloods te bedenken, ze botweg de deur uit te zetten en ze in de regen achter te laten? Nee, ik was ervan overtuigd dat haar verhaal een kern van waarheid bezat, zelfs met de Hannah-achtige studiolampen en blanken met een dikke laag make-up die de rol van inboorling speelden. Met die gedachten viel ik in slaap terwijl de ochtend naar het raam kroop en de dunne gordijnen ritselden in een zachte windvlaag.

Er gaat niets boven een heldere, frisse morgen om alle geesten van de voorgaande nacht te verjagen. (In tegenstelling tot wat algemeen wordt aangenomen zijn Onbehagen, Doemgedachten en Schuldcomplexen buitengewoon onzeker van zichzelf en vluchten ze doorgaans in de aanwezigheid van Gemoedsrust en een Brandschoon Geweten.)

Ik werd wakker in de kleine logeerkamer van Hannah – muren in de kleur van wilde hyacinten – en liet me uit bed glijden. Ik deed de dunne witte gordijnen open. Het gazon glinsterde onder een blauwe hemelkoepel. Ritselende bladeren oefenden *en pointe* op de oprit hun *glissades* en *grands jetés*. In Hannahs vermolmde vogelhuisje (dat doorgaans werd gemeden als een huis dat vergeven was van asbest en loodhoudende verf) zaten twee dikke kardinaalvogels en een mees te eten.

Ik liep naar beneden, waar Hannah aangekleed en wel de krant zat te lezen.

'Dus je bent wakker,' zei ze opgewekt. 'Goed geslapen?'

Ze gaf me kleren, een oude grijze ribfluwelen broek die volgens haar was gekrompen in de was, zwarte schoenen en een vaalroze vest met kraaltjes rond de hals.

'Hou maar,' zei ze met een glimlach. 'Het staat je beeldig.'

Twintig minuten later reed ze in haar Subaru helemaal achter me aan naar het BP-tankstation, waar ik Larsons wagen en de sleutels achterliet bij Big Red met zijn verweerde vingers die er 's ochtends werkte.

Hannah stelde voor om nog wat te eten voor ze me naar huis bracht, dus stopten we bij de Pancake Haven op Orlando. Een serveerster nam onze bestelling op. Het restaurant had een ongekunstelde oprechtheid: vierkante ramen, versleten bruine vloerbedekking met de gehavende tekst PANCAKE HAVEN PANCAKE HAVEN tot in de toiletten, mensen die stilletjes zaten te eten. Als er al Duisternis en Verdoemenis in de wereld waren, gedroegen ze zich uiterst hoffelijk en wachtten ze tot iedereen klaar was met zijn eten.

'Is Charles... verliefd op je?' vroeg ik plotseling. Ik schrok van het gemak waarmee ik de vraag had gesteld.

Ze reageerde niet kwaad, maar geamuseerd. 'Van wie heb je dat? Jade? Ik dacht dat ik dat gisteravond wel duidelijk had gemaakt – haar neiging om alles te overdrijven, mensen tegen elkaar uit te spelen, alles exotischer te maken dan het is. Ze doen het allemaal. Ik heb geen idee waarom.' Ze zuchtte. 'Ze denken zelfs dat ik een onbeantwoorde liefde heb. Verdorie, welke naam was het ook weer? Victor. Of Venezia, iets uit *Braveheart*. Het begon met een V.'

'Valerio?' vroeg ik zachtjes.

'Is dat hem?' Ze lachte. Een luide, kokette lach, en een man in oranje sportkleding aan het tafeltje naast ons keek hoopvol haar kant op. 'Echt, als mijn ridder op het witte paard ergens in de buurt was – Valerio, toch? –, zou ik als een dolle achter hem aan gaan. En dan zou ik hem een dreun geven met mijn knots, hem over mijn schouder gooien, meenemen naar mijn grot en met hem doen wat ik wilde.' Nog nagiechelend ritste ze haar leren handtas open en gaf me drie kwartjes. 'En nu bel je je vader.'

❖

Ik belde met de munttelefoon bij de sigarettenautomaat. Pap nam na één keer overgaan op.

'Hallo...'

'Waar zit je in godsnaam?'

'In een restaurant, met Hannah Schneider.'

'Is alles goed?'

(Ik moet toegeven dat het wel ontroerend was om de enorme ongerustheid in zijn stem te horen.)

'Natuurlijk. Ik zit aan de wentelteefjes.'

'O ja? Ik heb een aangifte voor Vermiste Personen als ontbijt. Voor het Laatst Gezien. Ongeveer halfdrie. Kleding. Weet ik niet precies. Goed dat je belt. Is het die jurk die je gisteravond aanhad of een dichtgebonden vuilniszak?'

'Ik ben over een uurtje thuis.'

'Het doet me genoegen dat je me weer wilt verblijden met je aanwezigheid.'

'En ik ga niet naar Fort Peck.'

'Daar kunnen we het later nog wel over hebben.'

Op dat moment drong het tot me door, net als toen Alfred Nobel op het idee kwam voor het wapen dat een eind zou maken aan alle oorlogen (zie hoofdstuk 1, 'De Atoombom', *Vergissingen uit de geschiedenis*, juni 1992).

'Vluchten doe je uit angst,' zei ik.

Hij aarzelde, maar slechts heel even. 'Daar zit iets in. Maar we zullen zien. Aan de andere kant snak ik naar je hulp bij deze droevig stemmende essays. Als ik daarvoor Fort Peck moet inruilen tegen drie of vier uur van je tijd ben ik daartoe bereid.'

'Pap?'

'Ja?'

Ik weet niet waarom, maar ik wist niets te zeggen.

'Zeg niet dat je een tatoeage op je borst hebt laten zetten met de tekst SATANSKIND,' zei hij.

'Nee.'

'Je hebt een piercing.'

'Nee.'

277

'Je wilt bij een sekte. Een stel extremisten die aan polygamie doen en zich de Kwelling der Mensheid noemen.'

'Nee.'

'Je bent lesbisch en je wilt mijn goedkeuring voordat je de trainster van een dameshockeyteam mee uit vraagt.'

'Nee, Pap.'

'Goddank. Damesliefde wordt, hoewel het zo natuurlijk en zo oud als de zee is, in Midden-Amerika helaas nog steeds gezien als een soort modegril, vergelijkbaar met het meloendieet of broekpakken. Het zou geen gemakkelijk leven zijn. En zoals we allebei weten is het geen pretje om mij als vader te hebben. Het zou niet meevallen om twee van zulke lasten te torsen.'

'Ik hou van je, Pap.'

Het bleef stil.

Ik voelde me natuurlijk belachelijk, niet alleen omdat die woorden nadat je ze eruit hebt geflapt direct door de ander herhaald dienen te worden, zelfs niet omdat ik besefte dat ik door de vorige avond sentimenteel was geworden, een softie, een wandelende *For the Love of Benji* en een levende *Lassie Come Home*, maar omdat ik maar al te goed wist dat Pap die woorden niet verdroeg, net zoals hij geen Amerikaanse politici verdroeg, managers van grote bedrijven die in de *Wall Street Journal* geciteerd werden en woorden gebruikten als 'synergie' of 'insteek', armoede in de wereld, genocide, spelletjesprogramma's, filmsterren, E.T., of, in datzelfde verband, Reese's Pieces, het in die film aangeprezen snoepgoed.

'Ik hou ook van jou, lieverd,' zei hij uiteindelijk. 'Maar dat zou je intussen toch wel moeten weten. Toch kun je zoiets verwachten. De meest tastbare en duidelijke dingen in het leven, de olifanten en witte neushoorns voor mijn part, staan rustig in hun waterpoel op bladeren en takjes te kauwen en ze vallen niemand op. En hoe komt dat?'

Het was een Retorische Vraag van Van Meer gevolgd door de Veelzeggende Stilte van Van Meer, dus wachtte ik af, met de hoorn van de telefoon tegen mijn kin gedrukt. Ik had hem vaker zulke oratorische trucjes horen gebruiken, de paar keer dat ik hem college had zien geven in een van die grote amfitheaters met gestoffeerde wanden en zoemende lampen. De laatste keer dat ik hem had horen spreken, over het fenomeen Burgeroorlog, op Cheswick College, was ik geschokt geweest, het stond me nog helder voor de geest. Er was geen twijfel mogelijk, dacht ik terwijl Pap met een priemende blik op het podium stond (waar hij zich met enige regelmaat bediende van overdreven gebaren alsof hij een gestoorde Marcus Antonius of manische koning Hendrik VIII was), iedereen kon glashelder de gênante waarheid zien: hij wilde Richard Burton zijn. Maar toen ik goed om me heen keek zag ik dat elke student (zelfs die ene op de derde rij die een anarchistisch symbool op zijn achterhoofd had geschoren) zich gedroeg als een onbeduidende mot die door het licht dwarrelde dat Pap uitstraalde.

'Amerika slaapt,' donderde Pap. 'Jullie hebben het al vaker gehoord – misschien van een zwerver op straat die stonk als een urinoir, dus hield je je adem in en deed je alsof hij een brievenbus was. Maar is het waar? Houdt Amerika een winterslaap? Doet het een dutje, ligt het te dommelen? We leven in een land van onbegrensde mogelijkheden. Toch? Nou, ik weet dat het antwoord "ja" is als je toevallig een CEO bent. Vorig jaar is het inkomen van een Chief Executive Officer met maar liefst zesentwintig procent gestegen en het salaris van een arbeider met een armzalige drie procent. En de dikste looncheque van allemaal? Stuart Burnes, CEO van Integrated Technologies. Wat heeft hij gewonnen, Bob? Honderdzestien komma vier miljoen dollar voor een jaar werken.'

Op dat moment deed Pap zijn armen over elkaar en keek hij peinzend.

'Wat dóét Stu om zo'n douceurtje te rechtvaardigen, een salaris waarvan je heel Sudan te eten kunt geven? Helaas niet veel. Integrated heeft het vierde kwartaal geen winst gemaakt. Het aandeel is negentien procent in waarde gedaald. En toch betaalde de raad van bestuur het salaris van de bemanning van het jacht van vijftien meter van Stu, en ze betaalden ook Christie's voor het beheer van zijn impressionistische kunstcollectie die bestaat uit veertienhonderd stukken.'

Op dat punt hield Pap zijn hoofd schuin, alsof hij in de verte zachte muziek hoorde.

'Dat is dus hebzucht. En is dat *goed*? Moeten we luisteren naar een man die bretels draagt? Bij velen van jullie bespeur ik een gevoel van onontkoombaarheid als jullie een praatje komen maken, niet van *verslagenheid*, maar van berusting, dat zulke onrechtvaardigheden nu eenmaal bestaan en dat er niets tegen te doen is. Dit is Amerika, en we pakken wat we pakken kunnen voordat we allemaal doodgaan aan een hartkwaal. Maar willen we dat ons leven een bonusuitkering is, een rondje graaien? Je kunt me een optimist vinden, maar ik denk van niet. Ik denk dat we op iets met meer inhoud hopen. Maar wat dóén we? Beginnen we een revolutie?'

Pap vroeg dit aan een tenger bruinharig meisje in een roze T-shirt op de eerste rij. Ze knikte begripvol.

'Ben je niet goed bij je hoofd?'

In één klap werd ze zes tinten donkerder dan het T-shirt.

'Misschien heb je wel gehoord van diverse imbecielen die in de jaren zestig en zeventig ten strijde trokken tegen de regering van de Verenigde Staten. Het Nieuwe Communistische Links. De Weather Underground. De Studenten voor de Bla-Bla-Niemand-Neemt-Je-Serieus. Volgens mij waren zij nog erger dan Stu, want ze maakten geen eind aan monogamie, maar aan de hoop op effectief protest en verzet in dit land. Door hun bedrieglijke zelfgenoegzaamheid en ad-hocgeweld werd het heel eenvoudig om iedereen die zijn onvrede over de status-quo kenbaar maakte af te doen als maffe aanhanger van de bloemenkinderen. Nee. Ik pleit ervoor dat we leren van een van de grootste Amerikaanse trends van dit moment – feitelijk is het een revolutie op zich, die strijdt tegen tijd en zwaartekracht en tegelijk verantwoordelijk is voor de meest wijdverbreide instandhouding van buitenaards ogende levensvormen op aarde. Cosmetische chirurgie. Inderdaad, dames en heren. Amerika is dringend toe aan een operatieve ingreep. Geen volksopstand, geen massale revolutie. Eerder een oogcorrectie hier, een borstvergroting daar. Een goedgeplaatste liposuctie. Een minuscuul sneetje achter de oren, straktrekken en vastnieten. Zelfvertrouwen is het sleutelwoord. En *voilà*, iedereen zal zeggen dat we er geweldig uitzien. Elastischer. Geen verzakkingen. Degenen die lachen zullen precies zien wat ik bedoel als jullie de opdracht voor dinsdag lezen, de verhandeling in *Anatomie van het modernisme* van Littleton, "De Nachtwakers en Imaginaire Grondregels voor Praktische Verandering." En *Onderdrukking van imperialistische krachten* van Eidelstein. En mijn eigen bescheiden bijdrage, "Blind dates: de voordelen van een stille burgeroorlog". Niet vergeten. Er volgt een onverwachte toets.'

Pas nadat Pap met een zelfvoldaan lachje zijn versleten leren map vol kriebelige aantekeningen had dichtgeklapt (uit effectbejag op het podium gezet, hij keek ze nooit in), zijn zakdoek uit de zak van zijn colbertje had gehaald en er voorzichtig mee over zijn voorhoofd had gestreken (we waren een keer in juli dwars door de Andamo-woestijn in Nevada gereden waarbij hij niet één keer op die manier zijn voorhoofd had hoeven afdrogen), pas toen durfde iemand zich te verroeren. Sommige jongelui grinnikten ongelovig, anderen liepen met verbaasd gezicht de zaal uit. Een paar begonnen door het boek van Littleton te bladeren.

Nu beantwoordde Pap zijn eigen vraag, zijn stem klonk laag en krakerig in de hoorn.

'We bevinden ons in een staat van volstrekte blindheid voor de ware aard der dingen,' zei hij.

A Room with a View

De onvolprezen Horace Lloyd Swithin (1844-1917), Brits schrijver, hoogleraar, satiricus en socioloog, schreef in zijn autobiografische *Afspraken, 1890-1901* (1902): 'Wanneer men naar het buitenland reist, ontdekt men niet zozeer de verborgen Wonderen der Wereld, als wel de verborgen wonderen van de individuen met wie men reist. Ze bieden mogelijk een adembenemend uitzicht, een nogal slaapverwekkend landschap of een gebied dat zo verraderlijk is dat men tot de conclusie komt dat het beter is om de hele zaak maar te vergeten en huiswaarts te keren.'

Tijdens de toetsenweek zag ik Hannah niet en Jade en de anderen maar een enkel keertje voor een toets. 'Tot volgend jaar, Olijfje,' zei Milton toen we elkaar bij Scratch passeerden. (Toen hij naar me zwaaide dacht ik dat ik rimpeltjes op zijn voorhoofd zag die duidden op zijn hogere leeftijd, maar ik wilde hem niet blijven aanstaren.) Ik wist dat Charles voor tien dagen naar Florida was, dat Jade naar Atlanta ging, Lu naar Colorado en Nigel naar zijn grootouders – in Missouri, geloof ik –, en ik moest me dus schikken in een saaie kerstvakantie met Pap en de laatste analyse van het Amerikaanse rechtssysteem van Rikeland Gestault, *Volg het wederlicht* (2004). Maar na mijn laatste toets, Kunstgeschiedenis, kondigde Pap aan dat hij een verrassing had.

'Een vroegtijdig cadeau voor je diploma. Een laatste *Abenteuer – aventure* moet ik zeggen – voordat je van me af bent. Het is nog maar een kwestie van tijd dat je mij – hoe zeggen ze dat ook alweer in die sentimentele film met die geschifte oudjes? – een ouwe sok noemt.'

Het bleek dat een oude vriend van Pap van Harvard, dr. Michel Servo Kouropoulos (Pap noemde hem teder Baba au Rhum, waardoor ik ervan uitging dat hij gelijkenis vertoonde met in rum geweekt schuimgebak), er al een tijdje op had aangedrongen hem in Parijs op te zoeken, waar hij de afgelopen acht jaar klassieke Griekse literatuur had gedoceerd aan de Sorbonne.

'Hij heeft ons te logeren gevraagd. En dat gaan we zeker doen, voor zover ik weet heeft hij een vorstelijk appartement aan de Seine. Zijn familie komt om in het geld. Import en export. Maar eerst lijkt het me *te gek* om een paar nachten een hotel te nemen, even proeven van *la vie parisienne*. Ik heb iets in het Ritz geboekt.'

'Het Ritz?'

'Een suite op de *sixième étage*. Klinkt wel opwindend.'

'Pap...'

'Ik wilde de Coco Suite, maar die was al bezet. Ongetwijfeld wil iedereen in de Coco Suite.'

'Maar...'

'Ik wil niets horen over de kosten. Je weet dat ik heb gespaard voor een paar uitspattinkjes.'

Ik was verrast door de reis, de gesuggereerde overvloed, maar nog meer door het kinderlijke enthousiasme dat zich van Pap had meester gemaakt, een Gene Kelly-effect dat ik niet meer bij hem had gezien sinds Meikever Tamara Sotto uit Pritchard in Georgia Pap had meegevraagd naar *Monster Mash*, een tractorpulling-evenement waar je zonder connecties in de truckerswereld onmogelijk kaartjes voor kon krijgen. ('Denk je dat ik een keer mag sturen als ik een van die tandeloze wezens vijftig dollar toestop?' had Pap gevraagd.) Ik was er kortgeleden ook achter gekomen (een verfrommeld vel papier dat droevig boven het keukenafval uitstak) dat *Federal Forum* had geweigerd om Paps laatste artikel, 'Het Vierde Rijk', te publiceren, een onvergeeflijke daad die normaal gesproken zou hebben geleid tot dagenlang nukkig gemopper, of zou hebben aangezet tot een spontane verhandeling over het gebrek aan kritische geluiden in de Amerikaanse media, zowel de bekende als de onbekende.

Maar nee, Pap was een en al 'Singing in the Rain', een en al 'Gotta Dance', een en al 'Good Mornin''. Twee dagen voor ons vertrek kwam hij thuis met een hele verzameling stadsgidsen (waaronder: *Paris, Pour Le Voyageur Distingué* (Betraux, 2000)), plattegronden, Swiss Army-koffers, toiletsets, minileeslampjes, opblaasbare nekkussens, vliegtuigsokken, twee soorten oordoppen (Earplane en Air-Silence), zijden sjaals ('Alle Parijse vrouwen dragen een sjaal omdat ze de indruk willen wekken dat ze op een foto van Doisneau staan,' zei Pap), taalgidsjes en de indrukwekkende honderd uur durende La Salle-conversatiecursus ('Word tweetalig in vijf dagen,' verkondigde de zijkant van de doos. 'Wees het middelpunt tijdens etentjes').

Met de nerveuze hoop 'die je alleen voelt wanneer je afstand doet van je bagage en je vastklampt aan het twijfelachtige idee dat je er na een reis van 3500 kilometer weer mee wordt herenigd', gingen Pap en ik op de avond van 20 december aan boord van een Air France-toestel op Hartsfield Airport in Atlanta, en landden we veilig op Charles de Gaulle in Parijs op de koude, druilerige middag van 21 december (zie *Plaatsbepalingen, 1890-1897*, Swithin, 1898, blz. 11).

We zouden pas de 26ste naar Baba au Rhum gaan (Baba was volgens zeggen op bezoek bij familie in Zuid-Frankrijk), dus brachten we die eerste vijf dagen in Parijs met z'n tweetjes door zoals in de vroegere Volvo-dagen; we spraken alleen elkaar en hadden het niet eens in de gaten.

We aten crêpes en coq au vin. 's Avonds dineerden we in dure restaurants met uitzicht op de stad en mannen met glanzende ogen die achter vrouwen aan fladderden als vogels in een kooi die hoopten een kleine opening te ontdekken waardoor ze konden ontsnappen. Na het eten doken we onder in een jazzclub als Au Caveau la Huchette, een rokerige crypte waarin je geacht werd geen woord te zeggen, bewegingloos en oplettend als een jachthond terwijl het jazztrio (hun gezichten zo bezweet dat het leek alsof ze met olie waren ingesmeerd) drieënhalf uur lang met gesloten ogen uithaalde, improviseerde en varieerde, hun vingers dansend over toetsen en snaren. Volgens onze serveerster was het een van de lievelingsgelegenheden van Jim Morrison geweest en had hij heroïne zitten spuiten in hetzelfde donkere hoekje waar Pap en ik zaten.

'We willen naar dat tafeltje verhuizen, *s'il vous plaît*,' zei Pap.

Ondanks deze fantastische belevenissen dacht ik de hele tijd aan thuis, aan die nacht met Hannah, de vreemde verhalen die ze me had verteld. Zoals Swithin had geschreven in *De stand van zaken: 1901-1903* (1902): 'Wanneer iemand zich op een bepaalde plek bevindt, denkt hij aan een andere. Als hij met een vrouw danst, ziet hij onwillekeurig de ronding van een andere onbedekte schouder; nooit is hij tevreden, nooit zal zijn geest en lichaam genieten van één enkele situatie – dat is de vloek die rust op het menselijk ras!' (blz. 513).

Het was waar. Ik genoot (vooral op momenten dat Pap zich niet bewust was van het restje eclair in de hoek van zijn mond of wanneer hij in 'perfect' Frans een zin ratelde waarna slechts een verwarde blik zijn deel was), maar 's nachts lag ik wakker en piekerde ik over hen. En hoewel ik het vreselijk vind om het te moeten toegeven, want het zou me volstrekt koud moeten laten wat Hannah me had verteld, zag ik ze allemaal nu toch in een iets ander licht, een onbarmhartig licht waarin ze opvallend veel gelijkenis vertoonden met de groezelige schoffies die paradeerden en 'Consider yourself' zongen in het koor in *Oliver!*, die Pap en ik op een saaie avond in Wyoming met een zak zoute popcorn hadden gezien.

Na zulke nachten kneep ik de volgende ochtend net iets harder in Paps arm als we vlak voor de aanstormende auto's de Champs Élysées overstaken, giechelde ik iets harder om zijn commentaar op dikke Amerikanen in kakikleurige kleding als een dikke Amerikaan in kakikleurige kleding aan de madame van de pâtisserie vroeg waar het toilet was. Ik ging me gedragen als iemand met een duister voorgevoel, ik zocht de hele tijd Paps gezicht af, stond op het punt in tranen uit te barsten als ik de dunne rimpeltjes rond zijn ogen zag, het zwarte vlekje in de iris van zijn linkeroog, de gerafelde manchetten van zijn ribfluwelen colbertje – een direct gevolg van mijn jeugd, van mijn vastklampen aan zijn mouw. Ik dankte God voor deze stoffige details, dingen die niemand anders zag omdat ze, fragiel als de draden van een spinnenweb, de enige dingen waren die me onderscheidden van *hen*.

Ik moet vaker aan de anderen hebben gedacht dan ik besefte, want ze begonnen Hitchcock-trekjes te vertonen. Ik zag Jade talloze keren. Daar liep ze, vlak voor ons, ze liet een hooghartig mopshondje uit op de rue Danton: gebleekt haar, felrode lippenstift, kauwgom en spijkerbroek – precies Jade. En ik zag Charles, de magere, gemelijke blonde jongen die versmolt met de bar in Café Ciseaux, nippend aan zijn koffie, en die arme Milton, gestrand buiten de Odéon Métro met alleen een slaapzak en een blokfluit. Met verweerde vingers speelde hij een melancholiek kerstliedje – een droevig deuntje met vier noten –, zijn voeten waren kapot en zijn huid was als een natte spijkerbroek.

Zelfs Hannah verscheen even, tijdens wat later het enige voorval tijdens ons verblijf bleek te zijn dat niet door Pap was gepland (in elk geval voor zover ik weet). Op de vroege ochtend van 26 december was er een bommelding. Alarmbellen rinkelden, zwaailichten in de gangen, alle gasten van het hotel en het personeel – ochtendjassen, kale hoofden, ontblote bovenlijven – werden uitgestort over de Place Vendôme als aardappelsoep uit een blik. Soepele Doelbewustheid, de onverbiddelijke kwaliteit die het personeel van het Ritz uitstraalde, bleek niets meer te zijn dan een onbeduidende toverformule die alleen werkte als het personeel zich daadwerkelijk *in* het hotel bevond. Buiten in het donker werden ze teruggetoverd tot beverige wezens, mensen met rode ogen, loopneuzen en warrig haar.

Vanzelfsprekend vond Pap dit spectaculaire intermezzo reuzespannend, en terwijl we voor een piccolo van was in onze golvende lichtgroene zijden pyjama's stonden te wachten op de komst van de brandweer ('We komen vast op France 2,' speculeerde Pap vergenoegd), zag ik Hannah. Ze was veel ouder, nog steeds slank, maar het merendeel van haar schoonheid was verloren gegaan. De mouwen van haar pyjama waren opgerold als die van een vrachtwagenchauffeur.

'Wat is er aan de hand?' vroeg ze.

'Eh...' zei de angstige piccolo. *'Je ne sais pas, madame.'*

'Hoe bedoel je, *tu ne sais pas?'*

'Je ne sais pas.'

'Is er iemand die wel iets weet? Of zitten jullie er allemaal bij als een stel kikkers op plompenbladeren?'

(De 'bommelding' bleek tot Paps grote ongenoegen niets meer te zijn dan een technische storing, en de volgende ochtend, onze laatste in het hotel, werden Pap en ik gewekt met een gratis ontbijt in onze suite en een briefje in vloeiende gouden letters waarin excuses werden aangeboden voor *le dérangement*.)

❖

Op de winderige, grijze middag van de 26ste namen we afscheid van het Ritz en gingen we met onze koffers naar de andere kant van de stad, naar het appartement met vijf slaapkamers van Baba au Rhum, dat de bovenste twee verdiepingen van een zeventiende-eeuws gebouw op het Île St. Louis besloeg.

'Niet onaardig, hmm?' vroeg Servo. 'Ja, de meisjes vonden het heerlijk om in dit oude *krot* op te groeien. Al hun Franse vriendinnen wilden elk weekend komen logeren, ze waren niet weg te slaan. Wat vind je van Parijs, hmm?'

'Het is hee...'

'Elektra houdt niet van Parijs. Ze heeft meer met Monte Carlo. Ik ook. De toeristen maken ons echte Parijzenaars het leven lastig, en Monte is een themapark waar je niet in komt tenzij je, zeg, een, twee miljoen hebt. Ik heb de hele ochtend met Elektra aan de telefoon gehangen. Ze belt me. "Papa," zegt ze, "papa, ze willen me voor de ambassade." Ik viel van mijn stoel toen ik hoorde wat voor salaris ze haar bieden. Net negentien, drie semesters overgeslagen. Op Yale lopen ze weg met haar. Ze is hun grote ster. Net als Psyche. Net begonnen aan haar eerste jaar. En ze willen haar nog steeds voor al hun modellenwerk; ze heeft 's zomers gewerkt als topmodel. Ze heeft genoeg verdiend voor zo'n landje in de Stille Oceaan, en hoe heet die ene met zijn ondergoed ook weer, Calvin Klein? Stapelverliefd op haar. Schreef op haar negende al als Balzac. Haar leerkrachten moesten huilen als ze haar werk lazen, ze zeiden voortdurend dat ze een *dichter* was. Als dichter word je geboren, je kunt het niet worden. Zoiets kom je maar, wat zeggen ze? Hmm? Eens in de eeuw tegen.'

Dr. Michel Servo Kouropoulos was een diepgebruinde Griek met veel meningen, verhalen en onderkinnen. Hij was te dik, tweede helft zestig en had wit schapenhaar en dofbruine ogen die onafgebroken de kamer afzochten. Hij transpireerde en had de vreemde tic om op zijn borst te slaan en er vervolgens in cirkels overheen te wrijven, hij verbond al zijn zinnen met een onderaards 'hmm?' en maakte korte metten met ijdele gesprekken die niet over zijn gezin gingen alsof het door houtworm aangetaste huizen waren die ontsmet moesten worden met het zoveelste verhaal over Elektra of Psyche. Hij was vlug ter been, ondanks zijn mankheid en houten wandelstok, die nadat hij hem ergens tegen een toonbank had gezet om *un pain au chocolat* te bestellen met enige regelmaat lawaaierig op de grond viel of waarmee hij mensen tegen hun schenen of voet sloeg ('Hmm? O hemeltje, *excusez moi*').

'Hij loopt al zijn hele leven mank,' zei Pap. 'Al toen we op Harvard zaten.'

Hij bleek er ook een grote afkeer van te hebben om vereeuwigd te worden. De eerste keer dat ik mijn wegwerpcamera uit mijn rugzak haalde deed dr. Kouropoulos zijn hand voor zijn gezicht en weigerde hij om hem weg te halen. 'Hmm, ik sta nooit goed op *fotoows*.' De tweede keer verdween hij tien minuten naar het herentoilet. 'Neem me niet kwalijk, jammer dat ik een leuke *fotoow* bederf, maar de natuur laat zich niet dwingen.' De derde keer kwam hij met het afgezaagde verhaal over de Masai dat mensen steeds weer met graagte herhalen om hun gevoeligheid en savoir faire te benadrukken als het om primitieve volkeren gaat: 'Ze zeggen dat je ziel wordt afgenomen. Ik neem liever geen risico.' (Dit argument was achterhaald. Pap had lange tijd in de Grote Rift Vallei doorgebracht en volgens hem lieten de meeste Masai onder de vijfenzeventig jaar zich voor vijf dollar zo vaak je maar wilde van hun ziel beroven.)

Ik vroeg Pap waarom hij zo moeilijk deed.

'Ik weet het eigenlijk niet. Maar het zou me niet verbazen als hij werd gezocht wegens belastingontduiking.'

Het idee dat Pap bewust vijf minuten in het gezelschap van deze man wilde vertoeven, laat staan zes dagen, was onbegrijpelijk. Ze waren geen vrienden. Sterker nog: ze leken elkaar te verachten.

De maaltijden met Baba au Rhum waren geen aangename aangelegenheid, maar een eindeloze martelgang. Na het uit elkaar plukken van zijn gesmoorde rundvlees of lamsbout was hij zo vies dat ik wenste dat hij de onbeschaafde doch essentiële voorzorgsmaatregel had genomen om een servet om zijn hals te knopen. Zijn handen bewogen als dikke, geschrokken katten;

ze schoten zonder waarschuwing over tafel om het zoutvaatje of de fles wijn te grijpen. (Hij schonk eerst zichzelf in en kwam daarna pas op het idee om Pap bij te schenken.)

Mijn weerzin bij deze maaltijden kwam niet alleen voort uit zijn tafelmanieren, maar voornamelijk uit de algehele gespreksstof. Halverwege het voorgerecht, en soms eerder, namen Pap en Servo elkaar op een vreemde, verbale wijze op de hoorns, een slagvaardig staaltje mannelijkheid dat algemeen voorkomt bij bronstige wapitiherten en sabeltand-rouwtorren.

Voor zover ik begreep kwam de strijd voort uit de subtiele insinuaties van Servo dat het wel leuk en aardig was dat Pap één genie had grootgebracht ('Een klein vogeltje heeft me ingefluisterd dat er thuis goed nieuws ligt te wachten van Harvard,' onthulde Pap gewichtig tijdens het dessert bij Lapérousse), maar hij, dr. Michael Servo Kouropoulos, gelauwerd professor in de *littérature archaïque*, had er twee grootgebracht ('Psyche is door de NASA gepolst voor Apollomissie V in 2014. Ik zou graag meer onthullen, maar zulke dingen zijn geheim. Dus voor haar bestwil en die van 's werelds aftakelende supermacht moet ik mijn mond houden').

Na een aanzienlijk aantal verbale man-tegen-mangevechten begon Pap steeds gespannener te worden. Tot hij Servo's achilleshiel ontdekte, een teleurstellende jongere zoon met de misplaatste naam Atlas, die niet alleen niet in staat was gebleken om de wereld te torsen, maar ook niet de lasten van het eerste jaar aan de Río Grande Universidad in Cuervo in Mexico. Pap liet hem erkennen dat de arme knul nu ergens in Zuid-Amerika rondzwierf.

Ik deed mijn best om de belachelijke schermutselingen te negeren, probeerde zo elegant mogelijk te eten en wapperde met witte vlaggen in de vorm van lange, verontschuldigende blikken naar de getergde obers en de geïrriteerde clientèle in onze nabijheid. Alleen als er een wapenstilstand van kracht leek probeerde ik Pap tot bedaren te brengen.

'Onze liefde voor schoonheid leidt niet tot onmatigheid. Onze liefde voor geestelijke aspecten leidt niet tot weekheid,' zei ik zo plechtig mogelijk na een gezwollen betoog van Servo over de beroemde zoon van een miljardair (Servo kon geen namen noemen) die in 1996 in Cannes stapelverliefd was geworden op de twaalfjarige Elektra toen die op het strand zandkastelen zat te bouwen met al het gevoel voor vormgeving en het scherpe oog voor vakmanschap van Mies van der Rohe. 's Werelds Meest Begeerde Vrijgezellin was zo in trek dat Servo vreesde dat hij een contactverbod moest afdwingen zodat de man met zijn jacht van honderdtwintig meter lang (dat hij dreigde te herdopen tot Elektra, wilde voorzien van een Pilates-ruimte en een helikopterdek) niet binnen driehonderd meter van het fascinerende meisje mocht komen.

Met mijn handen gevouwen op mijn schoot hief ik mijn hoofd en liet ik een Doordringende Blik van Alwetendheid door de ruimte gaan, een blik die vergelijkbaar was met de duiven die Noach losliet op zijn Ark, duiven die naar hem terugkeerden met twijgjes.

'Zo sprak Thucydides, Boek Twee,' fluisterde ik.

De ogen van Baba au Rhum puilden uit.

Na drie dagen met deze kwellende maaltijden concludeerde ik uit de verslagen blik in Paps ogen dat hij tot dezelfde slotsom was gekomen als ik, dat het beter was dat we elders onderdak zochten, want het was prima dat ze op Harvard allebei broeken met wijde pijpen hadden gedragen en hun bakkebaarden precies even lang hadden laten groeien, maar dit was het tijdperk van de o's, het strakke kapsel en de rechte broekspijpen. Een hechte vriendschap op Harvard eind jaren zeventig met hemden van kaasdoek en de wijdverspreide rage van klompen en bretels die je kon vastklikken stelde zeker niet meer voor dan een hechte vriendschap nu, met minimalistische, goed zittende katoenen overhemden en de wijdverspreide toepassing van collageen en headsets die je kon vastklikken zodat je handsfree bevelen kon uitdelen.

Maar ik had het mis. Pap was grondig gehersenspoeld (zie 'Hearst, Patty', *Almanak van rebellen en opstandelingen*, Skye, 1987). Hij kondigde opgewekt aan dat hij de hele dag met Servo op de Sorbonne zou doorbrengen. Er was een vacature voor een hoogleraar, wat een interessante optie voor hem was terwijl ik vastzat op Harvard, en aangezien ik een hele dag vriendelijk babbelen op de faculteit wel saai zou vinden, kreeg ik opdracht om mezelf maar te vermaken. Pap gaf me driehonderd euro, zijn MasterCard, een sleutel van het appartement en een papiertje met het vaste en mobiele telefoonnummer van Servo. We zouden elkaar om halfacht treffen in Le Georges, het restaurant boven in het Centre Pompidou.

'Het wordt een echt avontuur,' zei Pap met geveinsd enthousiasme. 'Schreef Balzac in *Verloren illusies* niet dat je Parijs alleen in je eentje echt kunt ontdekken?' (Balzac heeft nooit zoiets geschreven.)

In eerste instantie was ik opgelucht dat ik ze kwijt was. Pap en Baba au Rhum zochten het samen maar uit. Maar na zes uur dwalen door de stad, het Musée d'Orsay, mezelf overeten aan *croissants* en *tartes* en doen alsof ik een jonge hertogin in vermomming was ('De talentvolle reiziger zal zich onwillekeurig willen voordoen als een ander personage,' schrijft Swithin in *Bezittin-*

gen, 1910 (1911). 'Terwijl hij thuis slechts een nietszeggende echtgenoot is, één van de talloze saai geklede boekhouders, kan hij in het buitenland beschikken over de grandeur die hij verkiest'), had ik blaren onder mijn voeten, was mijn suikerspiegel te laag, was ik bekaf en deugde niets nog. Ik wilde terug naar het appartement van Servo en besloot (met niet geringe voldoening) om van de beschikbare Eigen Tijd gebruik te maken om wat persoonlijke bezittingen van Baba au Rhum onder de loep te nemen in de hoop dat ik onder in een sokkenla een vergeten foto zou vinden waaruit bleek dat zijn dochters niet de gebeeldhouwde Olympiërs waren zoals hun vader iedereen wilde doen geloven, maar kwabbige, puisterige stervelingen met kleine, diepliggende ogen en een brede mond met slappe, dropachtige lippen.

Op de een of andere manier was ik helemaal op Pigalle uitgekomen, dus stapte ik in de eerste *métro* die ik zag, stapte over op Concorde en liep ik St. Paul uit toen ik een man en een vrouw passeerde die gehaast de trap af liepen. Ik bleef als aan de grond genageld staan en draaide me om om ze na te kijken. Zij was zo'n tengere, donkere, streng kijkende vrouw die niet liep, maar *klauwde*, met halflang bruin haar en een strakke, groene jas. Hij was aanzienlijk langer dan zij en droeg een spijkerbroek en een suède pilotenjack, en toen ze iets tegen hem zei – in het Frans, zo leek het – lachte hij: een hard, maar krachteloos geluid, de lach van iemand die in een zonovergoten hangmat ligt. Hij voelde in zijn achterzak naar zijn kaartje.

Andreo Verduga.

Ik moet de naam hebben gefluisterd, want een oudere Franse vrouw met een gebloemde sjaal om haar verlepte gezicht wierp me een blik vol verachting toe toen ze zich langs me wurmde. Met ingehouden adem ging ik snel achter ze aan de trap weer af. Ik botste tegen een man die met een lege wandelwagen op weg was naar de uitgang. Andreo en de vrouw waren al langs de controlepoortjes en slenterden over het perron. Ik wilde ze achternagaan, maar ik had alleen een enkeltje gekocht en achter me stonden al vier mensen te wachten. Ik hoorde het dreunende geluid van een naderende metro. Ze bleven staan, een heel eind rechts van me, Andreo met zijn rug naar mij toe. Groene Jas keek hem aan, luisterde naar wat hij zei, vast een terloopse opmerking als: JA STOP IK SNAP WAT JE BEDOELT STOP (OUI ARRÊTE JE COMPRENDS ARRÊTE), en toen kwam de metro binnenrazen. De deuren gingen kreunend open, hij liet Groene Jas beleefd eerst instappen en toen hij zelf instapte kon ik een glimp van zijn profiel zien.

De deuren sloegen dicht, de metro schokte en rolde het station uit.

Ik liep als verdoofd terug naar het appartement van Servo. Het kon hem niet geweest zijn, niet *echt*. Ik was net Jade; ik maakte de dingen exotischer dan ze in werkelijkheid waren. Ten slotte dácht ik dat hij, toen hij zich langs me de trap af haastte en zijn jas openritste, een zwaar zilveren horloge om zijn pols droeg, en Andreo de Tuinman, Andreo van de Schotwond en het Uiterst Gebrekkige Engels zou nooit zo'n horloge dragen, tenzij hij in de drie jaar dat ik hem niet had gezien (afgezien van de die ene keer bij de Wal-Mart) een geslaagd ondernemer was geworden of een klein vermogen had geërfd van een ver familielid in Lima. En toch – dat gezicht, de gestalte die ik vaag op de trap had gezien, de stoere aftershave die hem als een groepje zelfingenomen zongebruinde mannen op een zeiljacht achteloos volgde – had ik hem echt gezien. Misschien was het alleen maar een dubbelganger. Ik had Jade en de anderen ook overal in de stad gezien, en Allison Smithson-caldona had in haar onderzoek naar alle dingen die dubbel en dito waren, *De tweelingparadox en atoomklokken* (1999) daadwerkelijk geprobeerd om wetenschappelijk de ietwat mystieke theorie te bewijzen dat iedereen ergens op de planeet een tweelingzus of tweelingbroer had. Ze kon dit bewijzen bij drie van elke vijfentwintig onderzochte individuen, ongeacht hun nationaliteit of ras (blz. 250).

Toen ik de deur van Servo's appartement opende, hoorde ik tot mijn verbazing Pap en Servo in de woonkamer, vlak naast de donkere entree en hal. Alle registers waren nu opengetrokken, constateerde ik met genoegen. Ze kijfden erop los als Jan Klaassen en Katrijn.

'Half hysterisch vanwege...' Dat was Pap (Jan Klaassen).

'Jij hebt geen flauw benul wat het betekent!' Dat was Servo (Katrijn).

'Hou toch op met die... Je bent net zo heetgebakerd als...'

'Jij vindt het best, als je je maar kunt verstoppen achter je lessenaar.'

'Jij gedraagt je als een puber met hormoonproblemen! Neem een koude douche!'

Kennelijk hoorden ze de deur (hoewel ik hem zachtjes dicht probeerde te doen), want hun stemmen stokten alsof een grote bijl hun woorden had afgekapt. Vlak daarna verscheen Paps hoofd in de deuropening.

'Liefje,' zei hij met een glimlach. 'Hoe beviel het sightseeën?'

'Prima.'

Het witte, ronde hoofd van Servo verscheen ter hoogte van Paps elleboog in het zicht. Zijn gezicht glom als een beboterde bakplaat en zijn glanzende rouletteogen dansten over mijn gezicht. Hij zei geen woord, maar zijn lippen trokken geïrriteerd, alsof er onzichtbare draadjes aan zijn mondhoeken waren bevestigd en een spelend kind aan de uiteinden trok.

'Ik ga even liggen,' zei ik opgewekt. 'Ik ben kapot.'

Ik schudde me uit mijn jas, gooide mijn rugzak op de vloer en liep nonchalant glimlachend de trap op. Ik wilde mijn schoenen uittrekken, stilletjes terugsluipen naar de overloop en meeluisteren naar de onderdrukt gefluisterde voortzetting van hun verhitte woordenwisseling (hopelijk niet in het Grieks of een andere onbegrijpelijke taal), maar toen ik op mijn sokken doodstil op de onderste tree van de trap stond hoorde ik ze rommelen in de keuken en kibbelden ze alleen nog maar over het verschil tussen absint en anisette.

❖

We besloten om die avond niet naar Le Georges te gaan. Het regende, dus bleven we thuis en keken we naar Canal Plus, aten restjes kip en speelden scrabble. Pap zwol van trots toen ik twee spelletjes op rij won, met 'hologram' en 'monoculair' als *coups de grâce,* waardoor Servo (die bleef volhouden dat de Cambridge Dictionary het fout had, dat 'license' in het Verenigd Koninkrijk als 'lisense' werd gespeld, hij was ervan overtuigd) knalrood werd, vertelde dat Elektra voorzitster van het Debating Team van Yale was en mompelde dat hijzelf nog steeds niet geheel over de griep heen was.

Ik had Pap nog steeds niet onder vier ogen gesproken en zelfs om middernacht vertoonde geen van hen tekenen van vermoeidheid of, spijtig genoeg, signalen van onderlinge wrok. Baba zat het liefst zonder schoenen en sokken in zijn reusachtige rode leunstoel, met zijn vlezige rode voeten op een fluwelen kussen voor hem (kalfskoteletten, klaar om opgediend te worden aan een vorst). Ik moest mijn toevlucht nemen tot mijn 'Hebt U Een Aalmoes'-blik die Pap, fronsend boven zijn rijtje letters, niet oppikte, dus schakelde ik over op mijn 'Stervende Tijger Smachtend Naar Water'-blik, en toen die onopgemerkt bleef, op mijn Emily Dickinson-noodkreet.

Eindelijk kondigde Pap aan dat hij me naar bed ging brengen.

'Waar hadden jullie ruzie over toen ik thuiskwam?' vroeg ik toen we boven in mijn kamer waren.

'Ik had het prettiger gevonden als je dat niet had gehoord.' Pap stak zijn handen in zijn zakken en keek naar buiten, waar de regendruppels op het dak roffelden. 'Servo en ik hebben nog een hoop dingen liggen, onuitgesproken kwesties. En we leggen allebei de schuld daarvan bij de ander.'

'Waarom maakte je hem uit voor een puber met hormoonproblemen?'

Pap keek ongemakkelijk. 'Heb ik dat gezegd?'

Ik knikte.

'Wat heb ik nog meer gezegd?'

'Veel meer heb ik niet meegekregen.'

Pap zuchtte. 'Het probleem met Servo is – iedereen heeft wel wat, denk ik, maar het probleem met Servo is dat voor hem alles een wedstrijd is. Hij vindt het heerlijk om mensen op stang te jagen, om ze in een zo ongemakkelijk mogelijke positie te brengen en ze dan te zien worstelen. Hij is niet goed wijs. En nu heeft hij het in zijn hoofd gehaald dat ik moet hertrouwen. Ik heb natuurlijk tegen hem gezegd dat dat belachelijk was, dat het hem niets aangaat, de wereld staat of valt niet met zulke sociale...'

'Is híj getrouwd?'

Pap schudde zijn hoofd. 'Al jaren niet meer. Ik weet niet eens wat er is geworden van Sophie.'

'Ze zit in het gekkenhuis.'

'Nee,' zei Pap glimlachend, 'als je een beetje op hem let en hem kort houdt is hij ongevaarlijk. Af en toe zelfs geniaal.'

'Ik mag hem in elk geval niet,' zei ik.

Ik deed zelden tot nooit zulke stellige uitspraken. Je moest een krachtig, ervaren 'zo liggen de zaken nu eenmaal'-gezicht hebben om zoiets met gezag te kunnen zeggen (zie Charlton Heston, *The Ten Commandments*). Maar soms, als je geen duidelijke reden had voor je standpunt, als het alleen maar een gevoel was, moest je wel zo'n uitspraak doen, ongeacht je gezichtsuitdrukking.

Pap ging naast me op bed zitten. 'Ik moet je haast wel gelijk geven. Er is een grens aan de hoeveelheid opgeblazen eigendunk die een mens kan verdragen. En ik heb er zelf ook een beetje de pest over in. Toen we vanmorgen naar de Sorbonne gingen, ik met een koffer vol aantekeningen, essays en mijn curriculum vitae – ik leek wel gek –, bleek dat er helemaal geen vacature was, zoals hij had beweerd. Een hoogleraar Latijn wilde deze herfst drie maanden met verlof, dat was alles. Toen bleek de werkelijke reden waarom we er waren: hij heeft een uur geprobeerd me zover te krijgen dat ik Florence met haar keelstem te eten vroeg, een of andere *femme* die gespecialiseerd is op het gebied van Simone de Beauvoir – het zal je specialisme maar zijn –, een vrouw met meer eyeliner dan Rudolph Valentino. Ik kon pas na vier uur ontsnappen uit haar catacombenkantoor. Ik kwam er niet verliefd vandaan, maar met longkanker. Het mens rookte als een ketter.'

'Volgens mij heeft hij helemaal geen kinderen,' zei ik met een fluisterstem. 'Misschien alleen die ene in het regenwoud van Colombia. De anderen verzint hij gewoon.'

Pap fronste. 'Servo heeft wel kinderen.'

'Heb je ze ooit ontmoet?'

Hij dacht even na. 'Nee.'

'Foto's gezien?'

Hij hield zijn hoofd schuin. 'Nee.'

'Omdat ze alleen bestaan in zijn ongebreidelde fantasie.'

Pap lachte.

Daarna wilde ik hem vertellen over de andere ongelooflijke gebeurtenis van die dag: Andreo Verduga met zijn suède jack en zijn zilveren horloge die over het station slenterde, maar ik hield me in. Ik besefte hoe onwaarschijnlijk het was, zo'n toevalligheid, om dat in alle ernst te vertellen leek idioot, zielig zelfs. 'Het is schattig en heerlijk onbevangen om stiekem in sprookjes te geloven, maar op het moment dat je dergelijke ideeën met anderen deelt, verander je van een lieveling in een lulletje, van onbevangen in schrikbarend wereldvreemd,' schreef Albert Pooley in *De adellijke wederhelft van de zuivelkoningin* (blz. 233, 1981).

'Zullen we naar huis gaan?' vroeg ik zachtjes.

Tot mijn verrassing knikte Pap. 'Eigenlijk wilde ik je na mijn woordenwisseling met Servo vanmiddag al hetzelfde vragen. We hebben wel genoeg van *la vie en rose* gehad, vind je niet? Persoonlijk zie ik het leven liever zoals het echt is.' Hij glimlachte. '*En noir*.'

Pap en ik namen afscheid van Servo en Parijs, twee dagen voor onze eigenlijke vertrekdatum. Misschien was het niet eens zo verrassend dat Pap de luchtvaartmaatschappij belde en de tickets liet overboeken. Hij zag er uitgeblust uit, met bloeddoorlopen ogen en een vermoeide stem. En voor het eerst sinds ik me kon heugen had Pap weinig te vertellen. Bij het afscheid van Baba au Rhum wist hij er alleen een 'dank je wel' en een 'hopelijk tot gauw' uit te persen voordat hij in de wachtende taxi stapte.

Ik nam daarentegen de tijd.

'Hopelijk kan ik de volgende keer Psyche en Elektra in levenden lijve ontmoeten,' zei ik, recht in de priemoogjes van de man kijkend. Ik had bijna met hem te doen: zijn witte haardos hing over zijn hoofd als een plant die te weinig water of zon had gehad. Rond zijn neus werden kleine rode adertjes zichtbaar. Als Servo een rol zou spelen in een Pulitzerprijs-winnend toneelstuk, zou hij het pijnlijk tragische personage zijn, de man in het bronskleurige pak

AFBEELDING 18.0

op de krokodillenleren schoenen, de man die alle verkeerde dingen veraf-
goodde zodat Het Leven hem op de knieën moest dwingen.

'Iemands ware leven is vaak het leven dat hij niet leidt,' voegde ik eraan toe
toen ik me naar de taxi wendde, maar hij knipperde alleen maar even met zijn
ogen en dat nerveuze, sluwe lachje gleed weer over zijn gezicht.

'Tot kijk, kindje, hmm, goede vlucht.'

Onderweg naar het vliegveld zei Pap bijna geen woord. Hij legde zijn hoofd
tegen de ruit van de taxi en keek triest naar de voorbijglijdende straten – het
was zo'n ongewone houding voor hem dat ik voorzichtig mijn camera uit
mijn tas pakte, en terwijl de taxichauffeur mopperde op de mensen die vlak
voor hem het kruispunt overstaken maakte ik een foto van hem, de laatste op
het rolletje.

Ze zeggen dat als mensen niet weten dat je ze fotografeert, ze te zien zijn
zoals ze in het echt zijn. Maar hoewel Pap het niet in de gaten had, zag hij eruit

zoals hij nooit was: stil, eenzaam, de weg kwijt (afbeelding 18.0).

'Hoe ver men ook reist, hoeveel men ook ziet, van de koepels van de Taj Mahal tot de Siberische wildernis, uiteindelijk kan men tot een onaangename conclusie komen – meestal wanneer men in bed ligt, starend naar het rieten dak van een ondermaats overnachtingsadres in Indo-China,' schrijft Swithin in zijn laatste boek, het postuum verschenen *Pleisterplaatsen, 1917* (1918). 'Het is onmogelijk om afstand te nemen van de aanhoudende, weerzinwekkende koorts die algemeen bekendstaat als Heimwee. Na drieënzeventig jaren van kwelling heb ik echter een remedie gevonden. Ga terug naar huis, klem je tanden op elkaar en bepaal dan, ongeacht hoe zwaar deze taak ook is, de exacte coördinaten van je thuis, je lengte- en breedtegraden. Pas dan zul je ophouden met terugblikken en zul je het spectaculaire uitzicht vóór je zien.'

DEEL 3

Howl and other Poems

ij terugkeer op St. Gallway aan het begin van het nieuwe semester was het eerste ongewone dat me aan Hannah opviel – net als de hele school trouwens ('Volgens mij heeft dat mens tijdens de vakantie in een inrichting gezeten,' veronderstelde Dee tijdens het studie-uur) – dat ze tijdens de kerstvakantie al haar haar had afgeknipt.

Nee, het was niet een van die schattige jaren-vijftigkapsels die van modebladen het predikaat 'chic' en 'gedurfd' kregen (zie Jean Seberg, *Bonjour Tristesse*). Het was grof en plukkerig. En, zoals Jade opmerkte toen we bij Hannah gingen eten, er zat zelfs een klein kaal plekje achter haar rechteroor.

'Wat is dat nou?' riep Jade.

'Wat?' vroeg Hannah, en ze draaide zich om.

'Er is een hap uit je haar! Je kunt je schedel zien!'

'Echt waar?'

'Heb je het zelf geknipt?' vroeg Lu.

Hannah staarde ons aan en knikte toen, zichtbaar verlegen. 'Ja. Ik weet dat het idioot is en dat het er, nou ja, anders uitziet.' Ze voelde in haar nek. 'Maar het was al laat. Ik wilde iets uitproberen.'

Het acute masochisme en de zelfhaat van een vrouw die doelbewust haar uiterlijk schendt waren een concept dat uitgebreid aan de orde kwam in het verbitterde boek van oerfeministe dr. Susan Shorts, *Het Beëlzebub-complot* (1992), dat ik gezien had in de canvas L.L. Bean-boodschappentas van mijn natuurkundelerares uit de hoogste klas van de basisschool, mevrouw Joanna Perry van het Wheaton Hill Middle. Om mevrouw Perry en haar stemmingswisselingen beter te kunnen doorgronden had ik zelf een exemplaar weten te bemachtigen. In hoofdstuk 5 betoogde Shorts dat sinds het jaar 1010 voor Christus veel vrouwen die tevergeefs naar meer onafhankelijkheid hadden gestreefd gedwongen waren om hun acties op zichzelf te richten. Hun fysieke verschijning was namelijk het enige object waar ze rechtstreeks 'invloed op konden uitoefenen', een gevolg van het 'reusachtige masculiene complot dat sinds het begin der tijden in werking is, vanaf het moment dat de man op zijn twee lompe, harige benen begon te lopen en merkte dat hij langer was dan de arme vrouw', sneert Shorts (blz. 41). Veel vrouwen, onder wie Jeanne d'Arc en gravin Alexandra Karwatski, 'knipten op ruwe wijze hun haar af', en brachten zichzelf verwondingen toe met 'kniptangen en messen' (blz. 42-43). De meer radicale vrouwen brandmerkten hun buik met gloeiende ijzers tot 'ontsteltenis en weerzin van hun echtgenoten' (blz. 44). Op pagina 69 schrijft Shorts verder: 'Een vrouw zal haar uiterlijk ontsieren omdat ze weet dat ze deel uitmaakt van een hoger plan, een complot waarover ze geen controle heeft.'

Natuurlijk denkt niemand op zo'n moment aan de doemteksten van feministes, en als dat wel het geval is, zal het theatraal en overdreven lijken. Dus stelde ik me gewoon zo voor dat er een moment in het leven van een volwassen vrouw komt waarop ze de behoefte voelt om haar uiterlijk radicaal te veranderen, te ontdekken hoe ze er écht uitziet, zonder toeters en bellen.

Pap, over Begrijpen Waarom Vrouwen Zijn Zoals Ze Zijn: 'Het is eenvoudiger om te proberen het heelal op een duimnagel te persen.'

En toch, toen ik naast Hannah aan de eettafel zat en keek hoe ze sierlijk haar kip sneed (haar kapsel balanceerde dapper op haar hoofd als een afzichtelijk hoedje dat je naar de kerk droeg), kreeg ik het angstaanjagende gevoel dat ik haar al eerder had gezien. Het kapsel legde haar genadeloos bloot, onthulde haar op huiveringwekkende wijze, en vreemd genoeg kwamen de scherpe jukbeenderen en de hals me opeens vaag bekend voor. Ik herkende haar, niet van een ontmoeting (nee, ze was niet een van Paps Meikevers uit het grijze verleden; er was meer nodig dan een fraai kapsel om hun paardengezichten te maskeren). Het gevoel was neveliger, verder weg. Ik kreeg eerder het gevoel dat ik haar op een foto had gezien, in een krantenartikel, of misschien in een afgeprijsde biografie die Pap en ik hardop hadden voorgelezen.

Ze merkte meteen dat ik naar haar keek (Hannah was een van die mensen die alle ogen in een ruimte nauwlettend volgen) en terwijl ze elegant een hap nam, wendde ze langzaam haar hoofd naar me toe en glimlachte. Charles praatte eindeloos door over Fort Lauderdale – God, wat was het heet, zes uur moeten wachten op het vliegveld (hij vertelde zijn wijdlopige verhaal zoals altijd alsof Hannah de enige aanwezige aan tafel was) – en het kapsel vestigde de aandacht op haar glimlach, deed met haar glimlach wat jampotglazen met ogen deden: enorm vergroten (spreek uit: ENORMMM). Ik glimlachte terug en hield de rest van de maaltijd mijn ogen strak op mijn bord gericht, mezelf met een dictatorstem toeschreeuwend (Augusto Pinochet die opdracht geeft een tegenstander te martelen) dat ik Hannah niet zo moest aangapen.

Dat was onbeleefd.

❖

'Hannah krijgt binnenkort een zenuwinzinking,' verkondigde Jade die vrijdagavond somber. Ze droeg een opzichtige charlestonjurk met zwarte kraaltjes en ze zat achter een enorme gouden harp. Met haar ene hand plukte ze aan de snaren en in de andere had ze een glas vermout. Het instrument was bedekt met een dikke laag stof, als een laag vet in een pan na het bakken van spek. 'Dat geef ik je op een briefje.'

'Dat zeg je al het hele jaar,' zei Milton.

'Gaap,' zei Nigel.

'Ik denk eigenlijk dat ze gelijk heeft,' zei Leulah ernstig. 'Dat kapsel is eng.'

'Eindelijk!' riep Jade. 'Ik heb een medestander! Eén heb ik, hoor ik twee? Eenmaal, andermaal, *verkocht* aan die stumper van een één.'

'Ik meen het,' ging Lu verder. 'Volgens mij is ze chronisch depressief.'

'Schei uit,' zei Charles.

Het was elf uur 's avonds. We hingen op de leren banken in de Paarse Kamer, we dronken het nieuwste drankje van Leulah, iets wat ze een Kakkerlak noemde, een mengsel van suiker, sinaasappelsap en Jack Daniels. Volgens mij had ik de hele avond niet meer dan twintig woorden gezegd. Natuurlijk vond ik het leuk om ze weer te zien (ik was ook blij dat Pap, toen Jade me kwam ophalen met de Mercedes, alleen 'Tot straks, kindje' zei, vergezeld van zijn boekenleggerglimlach, die tot ik terugkwam mijn plaats zou innemen), maar iets gaf de Paarse Kamer iets ongeïnspireerds.

Voorheen had ik het toch altijd naar mijn zin gehad op dit soort avonden? Ik had toch altijd wel gelachen en een beetje Klauw of Kakkerlak op mijn knieen gemorst, gevatte opmerkingen gemaakt die door de kamer flitsten? Of, als ik geen gevatte opmerkingen had gemaakt (de Van Meers stonden niet bekend om hun stand-up comedy), dan had ik toch wel met een uitdrukkingsloos gezicht en een zonnebril op in het zwembad rondgedobberd op een luchtbed met op de achtergrond Simon and Garfunkel die 'woe woe woe' zongen? Of, als ik niet met een uitdrukkingsloos gezicht had liggen dobberen (de Van Meers waren niet goed in pokeren), had ik dan niet in de Paarse Kamer zitten dagdromen dat ik een alternatieveling met een woeste haardos op een motor was, op weg naar New Orleans op zoek naar het echte Amerika, optrekkend met ranchers, hoeren, rednecks en mimespelers? Of, als ik van mezelf geen alternatieve roadie had gemaakt (nee, de Van Meers waren van nature niet hedonistisch aangelegd), had ik mezelf dan niet in een streepjesshirt met een Frankfurter-accent '*New York Herald Tribune!*' laten roepen, met een dikke laag eyeliner rond mijn ogen, om er vervolgens vandoor te gaan met een of andere onbeduidende crimineel?

Als je in Amerika jong en zoekende was, moest je iets zien te vinden waar je bij kon horen. Dat iets moest choquerend of ruig zijn, want in zo'n omgeving zou je je eigen ik ontdekken, je plek kunnen vinden, zoals Pap en ik uiteindelijk minuscule, bijna onmogelijk te traceren plaatsjes als Howard in Louisiana en Roane in New Jersey op onze Rand McNally-wegenatlas hadden gevonden. (Als je daar niet in slaagde wachtte je een triest, kunstmatig bestaan.)

Hannah heeft me gebroken, dacht ik nu, en ik drukte de achterkant van mijn hoofd diep in de leren bank. Ik had besloten om op een afgelegen plek een anoniem graf te graven en daarin te begraven wat ze me had verteld (verstoppen en bewaren voor slechte tijden, zoals zij met haar griezelige messencollectie had gedaan), maar als je iets overhaast onder de groene zoden stopt, herrijst het onvermijdelijk uit de dood. Ik keek naar Jade, die aan de snaren van de harp plukte met de concentratie waarmee je wenkbrauwharen plukt, en zag onwillekeurig voor me hoe ze haar magere armen om het zware bovenlijf van verschillende vrachtwagenchauffeurs sloeg (drie per staat, waarmee het totaal voor haar reis van Georgia naar Californië op zevenentwintig besmeurde truckers kwam; ruwweg één per honderddrieënzeventig kilometer). En toen Leulah een slokje van haar Kakkerlak nam en er een beetje over haar kin liep, zag ik daadwerkelijk de Turkse wiskundeleraar van ergens in de twintig achter haar opdoemen, meedeinend op Anatolische popmuziek. Ik zag Charles als een van die aanbiddelijke baby's liggen te kirren naast een vrouw met blauw geslagen ogen, naakt, opgekruld op een kleed als een te lang gebakken garnaal, waanzinnig grijnzend naar niets. En toen *Milton* (die net was binnengekomen na een bioscoopafspraak met Joalie, Joalie die tijdens de kerstvakantie met haar familie was wezen skiën in Sankt Anton, Joalie die helaas niet buiten de piste in een eindeloos diepe kloof was gevallen) uit zijn broekzak een kauwgommetje opdiepte, dacht ik heel even dat hij een stiletto pakte, net zo eentje als die waarmee de Sharks al zingend ronddansten in *West Side Story*.

'Kots, wat is er godsamme met jou aan de hand?' vroeg Jade, die me argwanend aankeek. 'Je zit de hele avond al met van die enge ogen naar iedereen te staren. Je hebt de vakantie toch niet met die Zach doorgebracht? Het zou me niks verbazen als hij je heeft veranderd in zo'n vrouw uit *The Stepford Wives*.'

'Sorry. Ik zat aan Hannah te denken,' loog ik.

'Misschien moeten we iets doen in plaats van alleen maar te zitten denken. We kunnen op z´n minst iets bedenken zodat ze niet steeds naar Cottonwood gaat. Stel dat er wat gebeurt? Dat ze iets geks doet? Dan vervloeken we onszelf later dat we niets hebben gedaan. Het blijft ons jaren achtervolgen en we gaan eenzaam dood met een paar honderd katten om ons heen of we worden tot moes gereden door een auto.'

'Hou alsjeblieft je bek!' riep Charles. 'Ik ben het zat om elk weekend dit gelul aan te horen! Jullie zijn een stel imbecielen! Allemaal!'

Hij zette met een klap zijn glas op de bar en beende de kamer uit met een verhit gezicht dat scherp contrasteerde met zijn haar, dat de kleur had van heel blank hout, het heel zachte hout dat je met je nagel kon indrukken, en een paar seconden later – niemand zei iets – hoorden we de voordeur dichtslaan, en het geloei van zijn auto toen hij de oprit af scheurde.

'Ligt het aan mij of is het overduidelijk dat dit niet goed kan aflopen?' vroeg Jade.

❖

Rond drie of vier uur 's nachts viel ik in slaap op de leren bank. Een uur later werd ik wakker geschud.

'Zin om een stukje te wandelen, wijfie?'

Nigel keek glimlachend op me neer, zijn bril op het puntje van zijn neus.

Ik knipperde met mijn ogen en ging overeind zitten. 'Best.'

De kamer was gehuld in een zacht, blauw licht. Jade was boven, Milton was naar huis (dat was, vermoedde ik, een rendez-vous met Joalie in een motel), en Lu lag diep in slaap op de paisleybank, haar lange haar kronkelde over de leuning. Ik wreef in mijn ogen, ging staan en strompelde achter Nigel aan, die al naar de hal was geglipt. Hij wachtte op me in de salon: schreeuwend roze wanden, een vleugel waarvan de klep geeuwend openstond, stakige palmen en lage canapés die eruitzagen als grote, zwevende volkorencrackers waarop je niet durfde te gaan zitten uit angst dat er een stuk van af brak en er overal kruimels terecht zouden komen.

'Trek deze maar aan als je het koud hebt,' zei Nigel, en hij pakte een lange zwarte bontjas die als een dood dier over de pianokruk bungelde. De jas hing romantisch in zijn armen, als een dankbare secretaresse die net was flauwgevallen.

'Hoeft niet,' zei ik.

Hij haalde zijn schouders op en trok hem zelf aan (zie Siberische wezel, *Encyclopedie der levende wezens*, vierde druk). Met een frons pakte hij een grote kristallen zwaan met blauwe ogen die over het blad van een bijzettafeltje naar een grote zilveren fotolijst zwom. Er zat geen foto van Jade, Jefferson of een ander stralend familielid in, maar een zwart-witafbeelding die er klaarblijkelijk bij aankoop in had gezeten (FIRENZE, stond erop, 7"x9").

'Die arme, dikke, verzopen zak,' zei Nigel. 'Geen hond die zich hem nog herinnert, weet je dat?'

'Wie?'

'Smoke Harvey.'

'O.'

'Dat gebeurt er als je doodgaat. Iedereen maakt er een hoop heisa over. En vervolgens vergeten ze je.'

'Tenzij je iemand in overheidsdienst vermoordt. Een senator, of een politieagent. Dan onthoudt iedereen het.'

'Denk je?' Hij keek me geïnteresseerd aan en knikte. 'Ja,' zei hij opgewekt. 'Ik denk dat je gelijk hebt.'

Doorgaans, als je over Nigel nadacht – zijn gezicht, vlak als een muntstuk, zijn afgekloven vingernagels, zijn dunne metalen bril die voortdurend het beeld opriep van een insect dat brutaal zijn vermoeide gazen vleugels op zijn neus liet rusten – was het moeilijk om te doorgronden wat hij precies dacht, waar die flikkering in zijn ogen vandaan kwam, de dunne glimlach die leek op dat leuke rode potloodje waarmee mensen stembiljetten aankruisten. Ik stelde me voor dat hij aan zijn echte ouders dacht, Mimi en George, Alice en John, Joan en Herman, hoe ze ook heetten, opgesloten in een extra beveiligde gevangenis. Niet dat Nigel ooit echt terneergeslagen of tobberig keek; als Pap ooit levenslang kreeg (als een handjevol Meikevers hun zin kreeg, zou dat inderdaad het geval zijn) zou ik vermoedelijk zo'n kind zijn dat altijd met opeengeklemde kaken en tandenknarsend rondliep, fantaserend dat ik mijn medeleerlingen om het leven bracht met dienbladen uit de kantine en balpennen. Nigel slaagde er bijzonder goed in om altijd opgewekt te blijven.

'Wat vind jij van Charles?' vroeg ik.

'Knap, maar niet mijn type.'

'Nee, ik bedoel...' Ik wist niet goed hoe ik het moest formuleren. 'Wat is er tussen hem en Hannah gebeurd?'

'Heb je met Jade gepraat?'

Ik knikte.

'Volgens mij is er niets gebeurd, afgezien van het feit dat hij denkt dat hij stapelverliefd op haar is. Hij is altijd al verliefd op haar geweest. Al sinds de eerste klas. Ik snap niet waarom hij zijn tijd ermee verdoet – denk je dat ik kan doorgaan voor Liz Taylor?' Hij zette de glazen zwaan neer en maakte een pirouette. De bontjas waaierde plichtsgetrouw uit tot een kerstboom.

'Tuurlijk,' zei ik. Als hij Liz was, was ik Bo Derek in *Ten*.

Glimlachend duwde hij zijn bril hoger op zijn neus. 'Dus moeten we op zoek naar de buit. De beloning. Het grote geld.' Hij draaide zich om, schoot de deur uit, de hal door, de witte marmeren trap op.

Op de overloop bleef hij staan. 'Eigenlijk wilde ik je iets vertellen.'

'Wat dan?' vroeg ik.

Hij drukte een vinger op zijn lippen. We stonden bij de slaapkamer van Jade, en hoewel het er volledig donker en stil was, stond haar deur half open. Hij gebaarde dat ik hem moest volgen. We slopen de overloop over naar een van de logeerkamers aan het einde.

Hij deed de lamp bij de deur aan. Ondanks de roze vloerbedekking en fleurige gordijnen voelde het benauwend, alsof je in een grote long zat. De bedompte, doodse atmosfeer moest haast wel identiek zijn aan wat Carlson Quay Meade van de *National Geographic* bedoelde in zijn verslag over zijn opgravingen met Howard Carter in 1923 in de Vallei der Koningen, getiteld 'Toetanchamon onthuld': 'Ik moet erkennen dat ik niet gerust was op wat we mogelijk zouden aantreffen in die onheilspellende krochten, en hoewel er zeker een sfeer van gespannen verwachting hing, zag ik me door de misselijkmakende stank gedwongen om mijn zakdoek voor mijn neus en mond te houden toen we de sombere tombe binnengingen' (Meade, 1924).

Nigel sloot de deur achter me.

'Milton en ik gingen zondagochtend dus vroeg naar Hannah, voordat jij kwam,' zei hij op zachte, ernstige toon, leunend tegen het bed. 'En Hannah moest even naar de supermarkt. Terwijl Milton bezig was met zijn huiswerk nam ik even een kijkje in haar garage.' Hij glimlachte en zijn ogen werden groot. 'Onvoorstelbaar wat ik allemaal tegenkwam. Ten eerste al die oude kampeerspullen, maar daarna heb ik in een paar van die kartonnen dozen gekeken. De meeste zaten vol rotzooi, kopjes, lampen, dingen die ze had bewaard, een foto – volgens mij heeft ze ook een heftige punkperiode gehad –, maar in één doos zaten alleen maar wandelkaarten, duizenden. Een paar ervan had ze met een rode pen gemarkeerd.'

'Hannah ging vroeger regelmatig kamperen. Ze heeft toch verteld over die keer dat ze iemand had gered? Weet je nog?'

Hij stak zijn hand op en knikte. 'Boven op de rest lag een map. Vol kranten-artikelen. Fotokopieën. Een paar uit de *Stockton Observer*. Ze gingen allemaal over verdwenen kinderen.'

'Vermiste personen?'

Hij knikte.

Ik was verbaasd dat het opnieuw noemen van die twee woorden, *vermiste personen*, me onmiddellijk zo'n verontrustend gevoel kon bezorgen. Natuurlijk, als Hannah niet was gekomen met haar ijzingwekkende verhaal over de Spoorlozen, als ik haar onbewogen Voor het Laatst Gezien-opsomming niet had aangehoord, opgedreund alsof ze ernstig gestoord was, zou de onthulling van Nigel me in het geheel niet hebben beangstigd. We wisten dat Hannah in het verleden een ervaren bergwandelaarster was geweest, en de map met fotokopieën stelde op zich niet zoveel voor. Pap was ook iemand met een zeer impulsieve intellectuele geest en hij kon ook een plotselinge interesse opvatten voor allerlei willekeurige onderwerpen, van de vroege versies van de atoombom van Einstein en de anatomie van de zee-egel tot afzichtelijke kunstobjecten en rappers die met negen kogels waren vermoord. Maar geen enkel onderwerp was voor Pap ooit een fixatie – wel een *passie*, dat wel, je hoefde maar over Che of Benno Ohnesorg te beginnen of er verscheen een wazige blik in zijn ogen –, maar Pap onthield geen losse feiten die hij sigaretten rokend en met ogen die als leeglopende ballonnen door de ruimte schoten met een schelle Bette Davis-stem voordroeg. Pap poseerde niet, pretendeerde niets, knipte zijn eigen haar niet af waardoor er een kale plek ter grootte van een pingpongbal ontstond. ('Het leven kent enkele onovertroffen genoegens en één daarvan is achterovergeleund bij de kapper zitten en je haar laten knippen door een vrouw met vaardige handen,' zei Pap.) En Pap zadelde me niet op onverwachte momenten op met *angst*, een angst die ik geen plek kon geven omdat hij meteen verdween als ik hem constateerde.

'Ik heb een van die artikelen, als je het wilt lezen,' zei Nigel.

'Heb je het meegenomen?'

'Eén blaadje maar.'

'Geweldig.'

'Wat?'

'Dan weet ze meteen dat je erin hebt zitten snuffelen.'

'Welnee, het waren er minstens vijftig. Dat merkt ze nooit. Ik zal het voor je pakken. Het zit beneden in mijn tas.'

Nigel ging de kamer uit (voor hij de deur uit ging keek hij nog even met opgetogen uitpuilende ogen naar me – een Dracula-blik uit een stomme film).

Even later kwam hij terug met het artikel. Het was maar één velletje. Het was zelfs geen artikel, het was een fragment uit een paperback die in 1992 was uitgegeven door Foothill Press uit Tennessee, *Verdwenen maar nooit gevonden: mensen die spoorloos verdwenen en andere raadselachtige gebeurtenissen* door J. Finley en E. Diggs. Nigel ging op het bed zitten en trok de bontjas strak om zich heen, wachtend tot ik klaar was met lezen.

HOOFDSTUK VIER

Violet May Martinez

Vrees niet, want Ik ben bij u;
Dus wanhoop niet, want Ik ben uw God.
Jesaja 41:10

Op 29 augustus 1985 verdween de vijftienjarige Violet May Martinez zonder een spoor achter te laten. Ze werd voor het laatst gezien in het Great Smoky Mountains National Park tussen Blindmans Bald en het parkeerterrein bij Burnt Creek.

Haar verdwijning blijft tot op de dag van vandaag een mysterie.

Het was die 29ste augustus 1985 een zonnige ochtend toen Violet Martinez met de bijbelstudiegroep van de doopsgezinde kerk in Besters, North Carolina, vertrok. Ze zouden naar het Great Smoky Mountains National Park gaan voor een natuurexcursie. Violet, een leerling uit de tweede klas van Besters High, stond bij haar klasgenoten bekend als een vrolijk en hartelijk meisje en was in het jaarboek uitgeroepen tot Best Geklede Leerling.

Haar vader Roy jr. had haar die ochtend bij de kerk afgezet. Violet, blond haar, 1 meter 72 lang, droeg een roze trui, een spijkerbroek, een v-vormige gouden halsketting en witte Reeboks.

Het uitstapje stond onder leiding van Mike Higgis, een gewaardeerde voorganger in de kerk en Vietnam-veteraan die al zeventien jaar actief was voor de kerk.

Violet zat achter in de bus met haar beste vriendin, Polly Elms. Om halfeen arriveerde de bus op het parkeerterrein bij Burnt Creek. Mike Higgis kondigde aan dat ze het pad naar Blindmans Bald zouden lopen, waarna ze om halfvier terug bij de bus zouden zijn.

'Sta stil,' zei hij, citerend uit het Boek Job, 'en aanschouw de wonderbaarlijke werken van God.'

Violet liep samen met Polly Elms en Joel Hinley naar boven. Violet had een pakje Virginia Slims in haar broekzak verstopt en op de top rookte ze een sigaret totdat Mike Higgis zei dat ze hem moest uitmaken. Violet poseerde voor foto's en at een mueslireep. Ze wilde terug, dus vertrok ze vanaf de top met Joel en twee vriendinnen. Anderhalve kilometer van de bus ging Violet sneller lopen dan de rest. Het groepje moest stoppen omdat Barbee Stuart kramp kreeg. Violet stopte niet.

'Ze zei dat we een stel slakken waren en huppelde verder,' zei Joel. 'Toen ze het laatste stuk van het pad had bereikt waar we haar konden zien, hield ze stil, stak een sigaret op en zwaaide naar ons. Toen ging ze de bocht om en verdween uit het zicht.'

Joel en de anderen liepen verder in de veronderstelling dat Violet bij de bus zou staan te wachten. Maar toen Mike Higgis om vijf over halfvier de namen afriep,

'Waar is de rest?' vroeg ik.

'Meer heb ik niet meegenomen.'

'En alle artikelen gingen over dit soort verdwijningen?'

'Maf, hè?'

Ik haalde alleen maar mijn schouders op. Ik wist niet meer of mijn eed van geheimhouding alleen gold voor de verhalen over de Bluebloods of over het hele nachtelijke gesprek met Hannah, dus zei ik alleen: 'Volgens mij is Hannah altijd al geïnteresseerd geweest in dit soort dingen. Verdwijningen.'

'O ja?'

Ik deed alsof ik gaapte en gaf hem het vel papier. 'Ik zou er maar niet mee zitten.'

Hij haalde teleurgesteld over mijn reactie zijn schouders op en vouwde het velletje op.

Ik bad – voor mijn geestelijk welzijn – dat het daarbij zou blijven. Helaas ging hij de daaropvolgende drie kwartier terwijl we door de kamers langs de bestofte tafels en nooit gebruikte stoelen liepen, maar door over de artikelen, ongeacht wat ik zei om hem tot bedaren te brengen (arme Violet, wat zou er met haar zijn gebeurd, waarom zou Hannah die artikelen bewaren, wat moest zij ermee). Ik nam aan dat hij alleen maar interessant wilde doen, dat hij Liz nadeed in *The Last Time I Saw Paris*, tot het licht van een van de sterrenbeelden tegen het keukenplafond (Hercules) op zijn smalle gezicht viel en ik zijn gezichtsuitdrukking zag: niet geveinsd, maar oprecht bezorgd (en ongewoon gewichtig, een ernst die je doorgaans alleen associeert met onverkorte woordenboeken en oude gorilla's).

Toen we kort daarna terugkwamen in de Paarse Kamer, zette Nigel zijn bril af en viel direct in slaap voor de haard, de bontjas vast in zijn greep alsof hij bang was dat die voor zijn ontwaken de kamer uit zou glippen. Ik liep terug naar de leren bank. Achter de bomen die zichtbaar waren door de glazen deuren werd de hemel marmeladekleurig verlicht door het ochtendlicht. Ik was niet moe. Nee, dankzij Nigel (die lag te snurken) tolden mijn gedachten rond als een hond die zijn eigen staart achternazat. Waarom was Hannah verslaafd aan verdwijningen? Levensverhalen die abrupt waren afgekapt zodat het bleef bij een begin en een middenstuk, nooit een einde? ('Een levensverhaal zonder fatsoenlijk einde is helaas helemaal geen verhaal,' zei Pap.) Hannah kon zelf geen vermist persoon zijn, maar misschien was haar broer of zus het wel geweest, of een van de meisjes op de foto's die Nigel en ik in haar kamer hadden gezien, of anders die verloren geliefde waarvan ze het bestaan weigerde te erkennen – Valerio. Er moest wel een verband bestaan tussen die vermiste personen en haar leven, hoe indirect of vaag ook: 'Mensen ontwikkelen slechts zeer zelden een fixatie die geen enkel verband heeft met hun eigen geschiedenis,' schreef Josephson Wilheljen, Arts, in *Uitgestrekter dan de hemel* (1989).

Ik had ook het knagende gevoel dat ik *haar* al eerder ergens had gezien, toen ze een vergelijkbaar eivormig kapsel had – een gevoel dat zo hardnekkig was dat toen Leulah me de volgende koude, zonnige dag thuis afzette, ik meteen de recente biografieën in de bibliotheek van Pap begon door te spitten. *Warrig type: leven en werk van Andy Warhol* (Benson, 1990), *Margaret Thatcher: de vrouw, de mythe* (Scott, 1999), *Michael Gorbatsjov: de verdwenen prins van Moskou* (Vadivaritsj, 1999). Ik bladerde naar het midden en bekeek de foto's. Ik wist dat het een zinloze onderneming was omdat het gevoel, hoewel hardnekkig, ook onbestemd was; ik wist niet of het echt was, of ik Hannah niet gewoon verwarde met een van de Zoekgeraakte Jongens uit een voorstelling van *Peter Pan* die Pap en ik op de universiteit van Kentucky in Walnut Ridge hadden gezien. Op een bepaald moment dacht ik dat ik haar had gevonden – mijn hart sloeg over toen ik een zwart-witfoto zag van wat Hannah Schneider wel moest zijn, languit op een strand in een chic klassiek badpak en met een zonnebril op – tot ik het bijschrift las: 'St. Tropez, de zomer van 1955, Gene Tierney.' (Ik was zo stom geweest om *Ontsnapt uit een werkkamp* (De Winter, 1979), te pakken, een oude biografie over Darryl Zanuck.)

Mijn volgende stappen op het speurderspad voerden me naar de werkkamer van Pap waar ik op internet zocht naar 'Schneider' en 'Vermist', wat bijna vijfduizend hits opleverde. Bij 'Valerio' en 'Vermist' waren het er honderddrie.

'Ben je beneden?' riep Pap boven aan de trap.

'Ik moet wat opzoeken,' antwoordde ik.

'Heb je al gegeten?'

'Nee.'

'Trek je rolschaatsen aan – er zaten twaalf kortingsbonnen van Lone Steer Steakhouse bij de post – tien procent korting op Onbeperkt Spare Ribs Eten, Buffelvleugels, Gestoofde Uien en iets met de onheilspellende naam Vulkaanaardappel met Stukjes Spek!'

Ik las snel een paar pagina's door, waarbij ik niets interessants of relevants zag – rechtbankverslagen met uitspraken van rechter Howie Valerio uit Shelburn County, stukken over Loggias Valerio, geboren in Massachusetts in 1789 – en zette de laptop van Pap uit.

'Kindje?'

'Ik kom eraan,' riep ik.

Toen Jade me die zondag ophaalde, had ik verder geen tijd gehad om meer onderzoekswerk te verrichten naar Hannah of Vermiste Personen, en toen we bij Hannahs huis aankwamen constateerde ik met de nodige opluchting dat het misschien niet meer nodig was; Hannah schoot met hernieuwd enthousiasme op blote voeten en in een zwarte jurk door het huis, glimlachend, met zes dingen tegelijk bezig en pratend in deftige zinnen zonder interpunctie: 'Blue, ken je Ono al – is dat de keukenwekker – o jee, de asperges.' (Ono was een piepklein groen vogeltje dat één oog miste en klaarblijkelijk niets van Lennon moest hebben; ze hield zoveel mogelijk vogelkooi tussen hem en haar.) Hannah had ook haar best gedaan om iets meer stijl in haar kapsel aan te brengen, de weerbarstiger plukken waren in het gareel gebracht aan de zijkanten van haar voorhoofd. Alles was in orde – perfect eigenlijk – toen we met z'n zevenen in de eetkamer ons vlees, asperges en maïs van de kolf zaten te eten (zelfs Charles zat te glimlachen, en toen hij een van zijn verhalen vertelde praatte hij tegen ons allemaal en niet alleen tegen Hannah) –, maar toen sprak zij.

'Zesentwintig maart,' zei ze. 'Het begin van de voorjaarsvakantie. Ons grote weekend. Dus zet het maar in jullie agenda.'

'Ons grote weekend waarvoor?' vroeg Charles.

'Ons kampeeruitstapje.'

'Wie heeft er iets gezegd over een kampeeruitstapje?' vroeg Jade.

'Ik.'

'Waar?' vroeg Leulah.

'De Great Smokies. Het is nog geen uur rijden.'

Ik verslikte me bijna in mijn vlees. Nigel en ik keken elkaar geschrokken aan.

'Je weet wel,' ging Hannah opgewekt verder, 'een kampvuur, griezelverhalen, prachtige vergezichten, frisse lucht...'

'Bamisoep,' mompelde Jade.

'We hoeven geen bamisoep te eten. We kunnen eten waar we zin in hebben.'

'Het lijkt me nog steeds vreselijk.'

'Doe niet zo flauw.'

'Mijn generatie doet niet aan natuur. We gaan liever winkelen.'

'Misschien moet je je grenzen verleggen tot voorbij jouw generatie.'

'Is dat niet gevaarlijk?' onderbrak Nigel haar zo achteloos mogelijk.

'Natuurlijk niet.' Hannah glimlachte. 'Zolang je maar niks stoms doet. Maar ik ben er wel duizend keer geweest. Ik ken de paden. Ik ben er zelfs pas geleden nog geweest.'

'Met wie?' vroeg Charles.

Ze glimlachte naar hem. 'In mijn eentje.'

We gaapten haar aan. Het was tenslotte januari.

'Wanneer?' vroeg Milton.

'Tijdens de vakantie.'

'Was het niet ijskoud?'

'De kou kan me niet schelen,' zei Jade. 'Was het niet oersaai? Er is daar niks te doen.'

'Nee, het was niet oersaai.'

'En de beren?' ging Jade verder. 'Of nog erger: de muggen? Ik heb het totaal niet op insecten. Maar ze zijn dol op mij. Elke mug is geobsedeerd door mij. Ze volgen me overal. Het zijn net op hol geslagen fans.'

'Als we in maart gaan, zijn er geen muggen. En als ze er wel zijn, dompel ik je onder in de muggenolie,' zei Hannah op barse toon (zie Persfoto voor *Torrid Zone* uit 1940, *Buldog in een kippenhok: het leven van James Cagney*, Taylor, 1982, blz. 339).

Jade zei niets, ze bulldozerde haar spinazie met haar vork.

'Allemachtig,' ging Hannah met gefronste blik verder, 'wat mankeert jullie? Ik probeer iets leuks te organiseren, iets anders. Vonden jullie Thoreau niet intrigerend, *Walden*? Hebben jullie het niet bij Engels gelezen? Of doen ze daar tegenwoordig niet meer aan?'

Ze keek naar mij. Ik vond het moeilijk om terug te kijken. Ondanks haar modelleerpogingen leidde haar kapsel nog steeds de aandacht af. Het leek op de enge stijl die filmregisseurs in de jaren vijftig hanteerden om aan te geven dat de hoofdpersoon onlangs in een inrichting had gezeten of door bekrompen stedelingen was bestempeld tot hoer. En hoe langer je naar haar keek, hoe meer het leek of haar geschoren hoofd losraakte en zelfstandig door de ruimte zweefde zoals dat van Jimmy Stewart in *Vertigo*, als hij een zenuwinstorting heeft en psychedelische kleuren, het roze en groen van de waanzin, achter hem ronddraaien. Het kapsel maakte haar ogen onnatuurlijk groot, haar hals bleek, haar oren kwetsbaar als naaktslakken. Misschien had Jade gelijk; misschien kreeg ze wel een zenuwinstorting. Misschien was ze het wel 'spuugzat om mee te doen aan de Grote Leugen' (zie *Beëlzebub*, Shorts, 1992, blz. 212). Of een nog angstaanjagender mogelijkheid: misschien had ze wel te vaak gelezen in het Merel-boek over Charles Manson. Zelfs Pap zei – Pap, die absoluut niet bijgelovig of angstig aangelegd was – dat een dergelijke analyse van het kwaad volkomen ongeschikt was 'voor de ontvankelijke, verwarde of zoekende geest'. Om die reden maakte het ook geen deel meer uit van zijn syllabus.

'Jij weet toch wel wat ik bedoel?'

Haar ogen bumperkleefden aan mijn voorhoofd.

'"Ik ging naar de bossen om bewust te leven,"' begon ze voor te dragen. '"Ik wilde al het merg uit het leven zuigen, om niet bij mijn dood te ontdekken, dat ik", hoe ging het ook weer, "dat ik bewust..."'

Haar woorden dwarrelden naar de grond en bleven roerloos liggen. Niemand zei iets. Ze grinnikte, maar het was een triest, wegstervend geluid.

'Ik zal het weer eens moeten lezen.'

The Taming of the Shrew

eontyne Bennet ontleedt in *Het gemenebest van verdwenen ijdelheid* (1969) op vaardige wijze het bekende citaat van Vergilius: 'Liefde overwin alles.' 'Eeuwenlang,' schrijft hij op blz. 559, 'hebben we deze drie beroemde woorden verkeerd geïnterpreteerd. De onwetende massa hanteert hijgend dit onbeduidende zinnetje als rechtvaardiging voor vrijages in het openbaar, voor het in de steek laten van echtgenotes en het bedriegen van echtgenoten, voor het escalerende aantal echtscheidingen, voor hordes ongewenste kinderen die bedelen om een aalmoes bij de metrostations Whitechapel en Aldgate – terwijl er in feite in de verste verte niets bemoedigends of vrolijks aan deze vaak geciteerde uitdrukking is. De Latijnse dichter schreef "*Amor vincit omnia*", oftewel "Liefde overwint alles". Hij schreef niet "Liefde maakt allen vrij" of "Liefde verlost allen", en daarin vinden we het eerste punt van onze grove misvatting. Overwinnen: verslaan, onderwerpen, afslachten, vermorzelen, gehakt maken van. Dat kan met geen mogelijkheid iets positiefs zijn. En vervolgens schreef hij "overwint *alles*" – niet alleen de onaangename dingen, armoede, moord, roof, maar alles, inclusief vreugde, vrede, gezond verstand, vrijheid en zelfbeschikkingsrecht. Derhalve kunnen we concluderen dat de woorden van Vergilius geen aanmoediging zijn, maar eerder een voorbehoud, een vingerwijzing om het gevoel tegen elke prijs te mijden, uit de weg te gaan, zich eraan te onttrekken; anders riskeren we de vernietiging van alles wat ons het meest dierbaar is, inclusief de eigen persoon.'

Pap en ik moesten altijd grijnzen om Bennets langdradige vermaningen (hij zou nooit trouwen en stierf in 1984 aan levercirrose; op zijn begrafenis waren alleen zijn huishoudster en een redacteur van Tyrolian Press aanwezig), maar in februari ontdekte ik zowaar het belang van datgene waarover hij achthonderd pagina's lang doorzwatelt. De reden waarom Charles zich steeds nukkiger en inconsequenter gedroeg, waarom hij met een kwijnende blik en een warrige haardos door de gangen van St. Gallway doolde (ik had niet de indruk dat hij peinsde over Het Grote Waarom), was de liefde. Bij de Ochtendmededelingen zat hij onrustig te draaien op zijn stoel (waarbij hij geregeld tegen de leuning van mijn stoel bonkte) en als ik me glimlachend naar hem omdraaide zag hij me niet; hij staarde voor zich uit zoals zeemansweduwen waarschijnlijk over zee staarden. ('Ik ben hem spuugzat,' verkondigde Jade.)

De liefde kon ook mij in zijn deprimerende ijzeren greep nemen met het gemak van een tornado die een boerderij van zijn plek rukte. Milton hoefde alleen maar 'Old Jo' te zeggen (zo noemde hij Joalie nu – een koosnaampje is het verschrikkelijkste bij een middelbareschoolrelatie; als een soort superlijm kon het een stel maanden bij elkaar houden), en meteen voelde het alsof ik vanbinnen doodging, alsof mijn hart, longen en maag hun kaart in de prikklok duwden, de boel afsloten en naar huis gingen omdat het zinloos was om dag in dag uit te blijven kloppen, ademen en voedsel te verteren als het leven zo ten hemel schreiend was.

En dan was er ook nog Zach Soderberg.

Ik was hem helemaal vergeten, met uitzondering van dertig seconden tijdens de vlucht naar huis vanuit Parijs toen een uitgeputte stewardess per ongeluk een Bloody Mary morste over een oudere heer aan de andere kant van het gangpad en hij niet mopperend reageerde maar met een glimlach, terwijl hij zijn nu ontoonbare colbertje bette met servetjes, en zonder een spoor van sarcasme zei: 'Zit er maar niet over in, kindje, zoiets kan iedereen overkomen.' Ik had Zach bij Natuurkunde berouwvolle glimlachjes toegeworpen (waarbij ik niet afwachtte of hij ze opving of op de grond liet vallen). Ik nam de raad van Pap ter harte: 'Het meest poëtische einde van een relatie bestaat niet uit excuses, een eindeloos zoeken naar Wat Is Er Misgegaan – de sintbernard van alle mogelijkheden, met een vochtige en sentimentele blik –, maar uit statig zwijgen.' Maar op een dag, vlak na de lunchpauze, stond Zach opeens achter me toen ik mijn kluisje dichtsloeg, met zo'n trekkerstentjesglimlach, de ene kant omhooggetrokken, de andere kant slap afhangend.

'Hallo, Blue,' zei hij. Zijn stem klonk zo stijf als een paar nieuwe schoenen.

Mijn hart begon onverwacht te bonzen. 'Hallo.'

'Hoe is het?'

'Goed.' Ik moest iets aardigs zeggen, excuses verzinnen waarom ik hem bij het kerstgala was vergeten als een paar winterhandschoenen. 'Zach, het spijt me van...'

'Ik heb iets voor je,' onderbrak hij me, zijn stem klonk niet boos, maar opgewekt officieel, alsof hij de manager van Zus-En-Zo was die blij zijn kantoor uit stapte om me te vertellen dat ik een prijs had gewonnen. Hij stak zijn hand in zijn achterzak en gaf me een dikke, blauwe envelop. Hij was aandoenlijk grondig dichtgeplakt, zelfs de uiterste hoekjes, en mijn naam stond in sentimentele cursieve letters op de voorkant.

'Doe ermee wat je wilt,' zei hij. 'Ik heb net een parttimebaantje gekregen bij Kinko's, dus ik kan je wel helpen als je ze wilt laten afdrukken. Je kunt ze laten uitvergroten tot posterformaat en ze laten sealen. Of er een kalender van laten maken, voor aan de wand of op je bureau. Een andere mogelijkheid is om er een T-shirt mee te bedrukken. Dat is heel erg populair. We hebben net een zending binnengekregen. En dan heb je ook nog, hoe heet het ook alweer, de kunstdruk op doek. Die zijn ook leuk. Betere kwaliteit dan je zou verwachten. We maken ook spandoeken in verschillende formaten, ook van vinyl.'

Hij knikte kort en het leek alsof hij op het punt stond om nog iets te zeggen – zijn lippen op een kiertje, als een raam –, maar toen leek hij van gedachten te veranderen.

'Ik zie je nog wel bij Natuurkunde,' zei hij, en hij draaide rond om zijn as en liep de gang in. Hij werd onmiddellijk begroet door een meisje dat vlak daarvoor langs was gelopen, intussen met tot muntgleuven samengeknepen ogen vanuit haar ooghoeken naar ons glurend, waarna ze bij het drinkfonteintje was gestopt om wat te drinken. (Het leek er sterk op dat ze net terug was van een trektocht door de Gobi-woestijn.) Het was Rebecca met de kamelentanden, een derdejaars.

'Houdt je vader zondag de Schriftlezing?' vroeg ze. Terwijl ze hun verheven gesprek voortzetten scheurde ik geïrriteerd de grote envelop open en haalde er de glans*fotoows* van Zach en mij uit, met stijve schouders en een ongemakkelijke glimlach op ons gezicht gegrift.

Op zes ervan was tot mijn afschuw mijn rechter behabandje zichtbaar (zo wit dat het bijna lichtgevend paars leek en op je netvlies bleef hangen als je ergens anders naar keek). Op de laatste *fotoow*, gemaakt door Patsy toen we voor het zonverlichte raam stonden (met Zachs linkerarm strak om mijn middel; hij was een metalen statief en ik een sierpop) was het licht tussen ons in vlekkerig geworden, zodat de contouren van ons lichaam in elkaar overvloeiden, en onze glimlach was net zo bleek als de hemel tussen de kale bomen op de achtergrond.

Eerlijk gezegd herkende ik mezelf nauwelijks. Op foto's stond ik doorgaans reigerstijf of wezelbang, maar op deze zag ik er vreemd betoverend uit (letterlijk: mijn huid was goudkleurig en in mijn ogen waren paranormale groene speldenprikjes zichtbaar). Ik zag er ook ontspannen uit, als iemand op een piña-colada-strand, kirrend van plezier. Ik leek op een vrouw die zichzelf volledig kon laten gaan, alle ketenen kon verbreken om zichzelf te laten meezweven als honderd heliumballonnen terwijl iedereen die op aarde verankerd was haar jaloers nastaarde. ('Een vrouw voor wie zelfbespiegeling net zo zeldzaam is als een reuzenpanda,' zei Pap.)

Zonder na te denken draaide ik me om om Zach na te kijken – misschien wilde ik hem bedanken, misschien wilde ik nog iets zeggen – maar toen drong het besef tot me door dat hij allang weg was en dat ik wezenloos naar het bordje UITGANG stond te staren en naar de horde leerlingen met kniekousen en afgetrapte schoenen die de trap naar hun lokaal op denderden.

Zo'n twee weken later lag ik op een dinsdagavond languit op bed te zwoegen op de slagvelden van *Hendrik v* (Shakespeare, 1600) voor Engels toen ik een auto hoorde. Ik haastte me naar het raam en gluurde tussen de gordijnen door. Een witte sedan kroop als een geslagen hond over de oprit en kwam aarzelend tot stilstand bij de voordeur.

Pap was niet thuis. Hij was een uur eerder vertrokken om te gaan eten in de Tijuana, een Mexicaans restaurant, met professor Arnie Sanderson, die Inleidingscursus Drama en Wereldgeschiedenis van het Theater doceerde. 'Een treurige jongeman,' zei Pap, 'met een gezicht vol moedervlekjes, alsof hij chronisch waterpokken heeft.' Pap had gezegd dat hij niet voor elf uur thuis zou zijn.

De koplampen gingen uit. De motor zweeg na een laatste oprisping. Na een ogenblik stilte ging het portier van de bestuurder open en viel er een marmerbleek been naar buiten, en een tweede. (Deze opkomst leek op het eerste gezicht een poging om een soort rodeloperfantasie in praktijk te brengen, maar toen de vrouw volledig zichtbaar werd begreep ik dat ze zich zo bewoog door de kleding die ze droeg: een strak wit jasje dat pogingen deed om haar middel in te snoeren, een wit rokje dat als plasticfolie rond een stakerig boeket zat, witte kousen en witte schoenen met enorme hakken. Ze was een in glazuur gedoopte reuzenwafel.)

De vrouw sloeg het portier dicht en deed een ietwat lachwekkende poging om het op slot te doen, waarbij ze eerst moeite had om het sleutelgat te vinden en daarna de juiste sleutel. Ze trok haar rokje recht (een beweging die gelijkenis vertoonde met het op zijn plek trekken van een sloop rond een kussen), draaide zich om en probeerde zonder geluid te maken de veranda op te klimmen. Haar volle kapsel – citroengeel – hing als een losse lampenkap over haar hoofd. Ze belde niet aan, maar bleef even twijfelend voor de deur staan (de acteur die op het punt stond om op te komen, maar opeens onzeker was van zijn tekst). Ze hield haar hand boven haar ogen, boog naar links en keek door het raam van onze eetkamer.

Ik wist natuurlijk wie ze was. Vlak voor ons vertrek naar Parijs hadden we een reeks anonieme telefoontjes gehad (mijn 'Hallo?' werd gevolgd door stilte en daarna het geluid van het verbreken van de verbinding), en nog geen week geleden weer zo'n reeks. Hele zwermen Meikevers waren haar op dezelfde wijze voorgegaan, vanuit het niets, in evenzovele gemoedstoestanden, omstandigheden en kleuren als er in een doos kleurpotloden zaten (Gebroken-Hart Groen, Buitengewoon Pissig Paars enz.).

Ze wilden allemaal Pap spreken, hem het mes op de keel zetten, in het nauw drijven, hem ompraten (of verminken, in het geval van Zula Pierce), een laatste smeekbede tot hem richten. Ze gingen deze noodlottige confrontatie aan alsof ze voor de rechter moesten verschijnen, hun haar achter de oren strijkend, in neutrale no-nonsensekleren, pumps, parfum en degelijke koperen oorringen. Voor haar ultieme krachtmeting had Meikever Jenna Parks zelfs een onhandige leren aktetas meegenomen, die ze kordaat op haar schoot hield en met clichématige doortastendheid openknipte, waarna ze Pap zonder omhaal een servetje uit een restaurant teruggaf waarop hij in gelukkiger tijden had geschreven: 'Jij, van mijn hartstocht meesteres en meester, kreeg van Natuurs penseel een vrouwelijk aanschijn.' Ze zorgden altijd voor een uitdagend accent bij het optreden van deze getuige-deskundige (vuurrode lippen, geraffineerde lingerie onder een vaag doorschijnende blouse) om Pap te verleiden, te wijzen op wat hij versmaadde.

Als hij thuis was, leidde hij ze naar de studeerkamer als een cardioloog die een hartpatiënt slecht nieuws moest meedelen. Maar voor hij de deur sloot vroeg hij aan mij (Pap de alwetende arts, ik de grillige assistente) of ik een kopje Earl Grey wilde zetten.

'Melk en suiker,' zei hij dan met een knipoog – een mededeling die een onverwachte glimlach op het bleke gezicht van de Meikever deed verschijnen.

Als ik water had opgezet liep ik terug naar de dichte deur om stiekem mee te luisteren naar haar getuigenis. Ze kon niet meer eten, niet meer slapen, zelfs niet meer kijken naar een andere man ('Zelfs niet naar Pierce Brosnan, en daar was ik zo weg van,' bekende Connie Madison Parker). Pap zei iets – ge-

317

dempt, onverstaanbaar – en dan ging de deur open en verliet de Meikever de rechtszaal. Haar blouse losgeknoopt, haar haar in de war, en het meest rampzalige deel van deze metamorfose: haar gezicht dat voorheen zo onberispelijk was opgemaakt en nu op een rorschachtest leek.

Ze haastte zich naar haar auto, een lichte frons als geplisseerde stof tussen haar wenkbrauwen, en dan reed ze weg in haar Acura of Dodge Neon, terwijl Pap berustend en zuchtend in zijn leunstoel ging zitten met de Earl Grey die ik voor hem had gezet (wat de hele tijd zijn bedoeling was geweest) en zich boog over een verhandeling over Bemiddeling in het Midden-Oosten of een lijvig boek over de Grondbeginselen van een Revolutie.

Er was altijd een klein detail dat me een naar gevoel bezorgde: het besmeurde loszittende strikje op de neus van de linkerpump van Lorraine Connelley, of de driehoek van robijnrode stof van de synthetische blazer van Willa Johnson die tussen het autoportier zat, angstig wapperend in de luchtstroom toen ze de oprit af raasde en zonder te kijken linksaf Sandpiper Circle op draaide. Niet dat ik hoopte dat er een zou blijven. Het was een vermoeiend idee om naar *On the Waterfront* te moeten kijken met een vrouw die rook naar de abrikozenpotpourri uit het toilet van een restaurant (Pap en ik spoelden onze lievelingsscène, de scène met de handschoen, soms wel tien of twaalf keer terug terwijl de Meikever geërgerd haar benen over elkaar sloeg en weer naast elkaar neerzette), of te moeten luisteren naar Pap die zijn nieuwste ideeën voor een voordracht (Transformationisme, Starbuckificatie) probeerde uit te leggen aan een vrouw die geforceerde nieuwslezer-mm-mm's produceerde, zelfs als ze er niets van begreep. Toch voelde ik schaamte als ze moesten huilen (een mededogen waarvan ik niet geheel zeker wist of ze het wel verdienden; afgezien van een enkele oppervlakkige vraag over jongens of mijn moeder wisselden ze nooit een woord met me, ze gluurden naar me alsof ik een klompje plutonium was, zich afvragend of ik radioactief of ongevaarlijk was).

Het was natuurlijk niet fraai wat Pap deed. Hij liet volkomen normale vrouwen zich gedragen alsof ze scènes uit *Peyton Place* naspeelden – maar ik vroeg me af of dat helemaal aan hem was toe te schrijven. Pap maakte er nooit een geheim van dat hij zijn Ene Grote Liefde al had gekend. En iedereen wist dat één het maximale aantal Grote Liefdes in een mensenleven was, hoewel sommige onverzadigbare mensen dat weigerden te accepteren en abusievelijk bleven mompelen over een tweede en een derde. Iedereen stond klaar om de hartenbreker af te keuren, de Casanova, de libertijn, waarbij ze geheel voorbijgingen aan het feit dat sommige libertijnen volkomen openhartig waren over wat ze wilden (wat spanning tussen de lezingen door) en als het allemaal zo vreselijk was, waarom bleven ze dan zijn voordeur belagen? Waarom zweefden ze niet weg in de zomernacht, verdwenen ze niet rustig en onopvallend tussen de schaduwen van de magnolia?

Als Pap niet thuis was wanneer een Meikever onverwacht haar opwachting maakte, moest ik me strikt aan zijn instructies houden: ik mocht haar onder geen beding binnenlaten. 'Glimlach en zeg dat ze moet vasthouden aan die onvolprezen eigenschap waarvan de mensen helaas geen enkel besef meer hebben: *trots*. Nee, geen onvertogen woord over Mr. Darcy. Je kunt ook het gezegde vermelden: na regen komt inderdaad zonneschijn. En als ze blijft aandringen, wat vermoedelijk het geval is – sommigen van hen hebben de vasthoudendheid van een pitbull – zul je het woord *politie* moeten laten vallen. Meer hoef je niet te zeggen, en met een beetje geluk verdwijnen ze dan – uit ons leven, als mijn gebeden worden verhoord – als een kuise ziel uit de hel.'

Ik liep op mijn tenen de trap af, met de nodige ongerustheid (het viel niet mee om als personeelsmanager voor Pap te fungeren) en op het moment dat ik bij de voordeur kwam, belde ze aan. Ik keek door het spionnetje, maar ze had zich omgedraaid en keek uit over de tuin. Ik haalde diep adem, knipte de buitenlamp aan en deed open.

'Hoi,' zei ze.

Ik verstarde. Het was Eva Brewster, Evita Perón.

'Hoe is het ermee?' vroeg ze. 'Waar is hij?'

Ik kon geen woord uitbrengen. Ze trok een gezicht, maakte een kort geluid en duwde mij en de deur opzij om naar binnen te kunnen.

'*Gareth, liefje, ik ben er weer!*' riep ze met haar hoofd naar boven gericht, alsof ze verwachtte dat Pap zich aan het plafond zou materialiseren.

Ik schrok zo dat ik haar alleen maar kon aanstaren. 'Kitty', besefte ik, was een koosnaampje geweest dat ze op enig moment in haar leven had gehad en dat ze nu weer in gebruik had genomen als een gezamenlijk geheim. Ik had het kunnen weten – of er in elk geval aan moeten denken. Het was eerder voorgekomen. Sherry Piths was Fuzz geweest. Cassie Bermondsey was zowel Lil' als Squirts geweest. Zula Pierce was Midnight Magic geweest. Pap had het komisch gevonden als ze pakkende namen hadden die lekker in de mond lagen, en zijn glimlach als hij zo'n Naam uitsprak was door haar waarschijnlijk geïnterpreteerd als Liefde, en als het geen liefde was, dan toch een kiem van 'Geven om' die in de loop der tijd zou uitgroeien tot een stevige rank 'Houden van'. Het zou een bijnaam kunnen zijn die haar vader haar had gegeven, of haar geheime Hollywood-naam (de naam die ze eigenlijk had moeten hebben, de naam die haar toegang zou hebben verschaft tot de Paramount-studio's).

'Zeg je nog wat? Waar is hij?'

'Uit eten,' zei ik slikkend, 'met een collega.'

'Aha. Met wie?'

'Professor Arnie Sanderson.'

'Zo. Dat zal wel.'

Ze maakte nog een knorrig geluid, sloeg haar armen over elkaar, waardoor haar jasje omhoogkroop, en liep in de richting van de bibliotheek. Ik liep schuchter achter haar aan. Ze drentelde naar de aantekenschriften van Pap die netjes op een stapeltje op de houten tafel naast de boekenplanken lagen. Ze pakte er een en bladerde erin.

'Juffrouw Brewster?'

'Eva.'

'Eva.' Ik liep wat dichter naar haar toe. Ze was zo'n vijftien centimeter langer dan ik en zo robuust als een graansilo. 'Neem me niet kwalijk, maar ik weet niet of het zo verstandig is om hier te blijven. Ik heb huiswerk.'

Ze gooide haar hoofd in haar nek en lachte (zie 'Doodskreet van de haai', *De stervensmooie wereld der dieren*, Barde, 1973, blz. 244).

'O, doe me een lol,' zei ze terwijl ze het aantekenschrift achteloos op de grond liet vallen. 'Het wordt tijd dat je eens wat losser wordt. Hoewel dat met hem in de buurt niet zal meevallen. Ik ben vast niet de enige die hij onder de knoet wil houden.' Ze liep langs me de bibliotheek uit in de richting van de keuken, met de houding van een makelaar die het behang, de vloerbedekking, de deurposten en de ventilatie inspecteerde om een marktconforme prijs te kunnen bepalen. Nu begreep ik het: ze was dronken. Niet openlijk; ze was heimelijk dronken. Ze had haar dronkenschap zorgvuldig weggestopt, zodat die nauwelijks merkbaar was. Alleen haar ogen, die niet rood maar dik waren (en een beetje lodderig als ze knipperde), verraadden haar, en haar manier van lopen, die traag en zoekend was, alsof ze elke stap moest overwegen om niet om te vallen als een bord met TE KOOP erop. Daarnaast bleef er af en toe een woord in haar mond steken en gleed het terug in haar keel tot ze iets anders zei en het alsnog meekwam.

'Ik wil gewoon heel even rondkijken,' mompelde ze, en ze ging met haar mollige gemanicuurde hand over het aanrecht. Ze drukte op de BERICHTEN-knop van het antwoordapparaat ('Er zijn geen nieuwe boodschappen') en tuurde naar de lelijke gehandwerkte spreuken van Meikever Dorthea Driser die naast elkaar aan de muur bij de telefoon hingen (Heb uw Naaste Lief, Blijf Uzelven Trouw).

'Je wist toch wel van mijn bestaan, hè?'

Ik knikte.

'Want hij was daar heel raar in. Al die geheimen en leugens. Als je er eentje weghaalt, stort de hele boel boven je in. Het kan je je hachje kosten. Hij liegt bij alles – zelfs "Leuk om je te zien", en "Pas goed op jezelf".' Ze keek in gedachten naar boven. 'Hoe word je zo? Wat is er met hem gebeurd? Heeft zijn moeder hem op zijn hoofd laten vallen? Was hij het sulletje met zijn been in een beugel die tijdens de pauze door iedereen in elkaar werd geslagen?'

Ze deed de deur naar Paps werkkamer open.

'Het zou fijn zijn als je daar wat duidelijkheid in kon verschaffen, want ik tast in elk geval behoorlijk in...'

'Juffrouw Brewster?'

'Ik lig er 's nachts wakker van.'

Ze stommelde de trap af.

'Mijn vader heeft vast liever dat u hier boven wacht.'

Ze negeerde me en liep de laatste treden af. Ik hoorde haar rommelen met de schakelaar van de plafondlamp en daarna rinkelde het kettinkje van de groene bureaulamp van Pap. Ik haastte me achter haar aan.

Toen ik de werkkamer binnenkwam, bestudeerde ze, zoals ik verwacht en gevreesd had, de zes vitrines met vlinders en motten. Haar neus raakte bijna het glas van de derde kast vanaf het raam en er was een klein mistwolkje ontstaan boven het vrouwtje van de *Euchloron megaera*. Ze kon er niets aan doen dat ze haar aandacht trokken; ze waren het enige in de kamer wat in het oog sprong. Niet dat *Lepidoptera* in een uitstalkast zo bijzonder waren ('Dan delen we het verschil'-Lupine vertelde ons dat ze tien voor een stuiver verkocht werden op inboedelverkopen en dat er in New York op straat veertig dollar voor werd gevraagd), maar dit waren vooral exotische soorten die je bijna alleen in boeken zag. Afgezien van de drie *Leptotes cassius* (die er nogal alledaags uitzagen naast de *Papilio paris* – drie weeskindjes naast Rita Hayworth), had mijn moeder de rest gekocht van vlinderkwekerijen in Zuid-Amerika, Afrika en Azië (ze hadden allemaal zogenaamd een aangenaam leven gehad en ze waren pas na hun natuurlijke dood verzameld. 'Je had haar aan de telefoon moeten horen doordrammen over hun leefomstandigheden,' zei Pap. 'Alsof het om een adoptiekind ging'). De *Ornithoptera priamus* (12,2 cm) en de *Chrysiridia rhiphearia* (8,6 cm) zagen er zo oogverblindend uit dat ze bijna onecht leken, gemaakt door Sasja Lurin Koeznetzov, de legendarische speelgoedmaker van Nicolaas en Alexandra. Met de exclusiefste materialen – fluweel, zijde, bont – kon hij in zijn slaap chinchilla teddyberen en 24-karaats poppenhuizen maken (zie *Keizerlijke weelde*, Lipnokov, 1965).

'Wat zijn dit allemaal?' vroeg Eva. Ze liep met vooruitgestoken kin naar de vierde uitstalkast.

'Gewoon wat vlinders.' Ik stond recht achter haar. Op haar witte wollen jasje zaten grijze pluisbolletjes. Een lok zwavel-oranje haar krulde in een ? over haar linkerschouder. Als het een film noir was geweest zou dit het moment zijn geweest waarop ik met mijn hand in de jaszak van mijn regenjas een damespistool tegen haar rug had geduwd en geslist had: 'Eén verkeerde beweging en ik schiet je overhoop.'

'Ik vind het maar niks,' zei ze. 'Ik krijg er koude rillingen van.'

'Waar ken je mijn vader van?' vroeg ik zo opgewekt mogelijk.

Ze draaide zich om en kneep haar ogen een beetje dicht. Ze hadden inderdaad een heel bijzondere kleur: het zachtste paarsblauw dat je je kon voorstellen, zo zuiver dat het bijna wreed was dat ze hiervan getuige moesten zijn.

'Heeft hij je dat niet verteld?' vroeg ze achterdochtig.

Ik knikte. 'Volgens mij wel. Ik ben het alleen vergeten.'

Ze stapte bij de uitstalkasten vandaan en boog zich over het bureau van Pap om de kantoorkalender (die op mei 1998 was blijven steken) vol onleesbaar gekrabbel te bestuderen.

'Ik ben iemand die werk en privé gescheiden houdt,' zei ze. 'Veel leerkrachten doen dat niet. Er komt een vader langs die zegt dat hij hun manier van lesgeven zo goed vindt en opeens zijn ze verwikkeld in een ordinaire affaire. Ik zeg het keer op keer: jullie spreken af tijdens de lunchpauze en 's avonds laat rijd je langs zijn huis – denk je echt dat daar iets moois uit zal voortkomen? Toen kwam je vader op de proppen. Hij hield niemand voor de gek. Misschien een doorsneevrouw, maar mij niet. Ik wíst dat hij een bedrieger was. Dat is het gekke, ik wíst het, maar tegelijk ook niet, snap je? Omdat hij ook zoveel gevoel toonde. Ik ben nooit zo'n romantisch type geweest. Maar opeens dacht ik dat ik hem kon redden. Maar een bedrieger is niet te redden.'

Ze rommelde met haar lange gelakte nagels (jonge-katjesneusroze) door Paps pennenbeker. Ze haalde er eentje uit – toevallig zijn lievelingspen, een 18-karaats gouden Mont Blanc, een afscheidscadeau van Amy Pinto, een geschenk van een Meikever dat hij echt op prijs had gesteld. Eva rolde de pen tussen haar vingers en rook eraan alsof het een sigaar was. Ze stopte hem in haar handtas.

'Die kun je niet meenemen,' protesteerde ik verschrikt.

'Als je niet wint bij *Hollywood Squares*, krijg je een troostprijs.'

Mijn keel zat dicht. 'Misschien kun je beter wachten in de woonkamer,' stelde ik voor. 'Hij komt over' – ik keek op mijn horloge en zag tot mijn schrik dat het pas halftien was – 'een paar minuten thuis. Ik zou thee kunnen zetten. Volgens mij hebben we nog wat Whitman's-chocolaatjes...'

'Thee, hè? Wat welgemanierd. Thee. Dat zou hij ook kunnen zeggen.' Ze wierp me een blik toe. 'Kijk maar uit. Vroeg of laten veranderen we allemaal in onze ouders. *Poef.*'

Ze plofte neer in de bureaustoel van Pap, trok een la open en begon door zijn aantekenschriften te bladeren.

'Hij zal niet weten wat hem... "Onderlinge Verbanden Tussen Binnenlandse en Buitenlandse Politiek vanaf de Griekse Staps – Stadstaten tot Heden".'

Ze fronste. 'Snap jij iets van die zooi? Ik heb me prima met die vent vermaakt, maar meestal vond ik wat hij zei maar een hoop flauwekul. "Kwantitatieve methodes." "De rol van externe krachten bij vredesprocessen."'

'Juffrouw Brewster?'

'Ja.'

'Wat bent u... van plan?'

'Dat bedenk ik gaandeweg wel. Waar woonden jullie hiervoor eigenlijk? Daar was hij altijd vaag over. Over een hoop dingen.'

'Ik wil niet vervelend zijn, maar ik denk erover om de politie te bellen.'

Ze kwakte het schrift terug in de la en keek me aan. Als haar ogen bussen waren geweest, was ik overreden. Als het pistolen waren geweest, was ik doodgeschoten. Ik vroeg me – heel gek – af of ze misschien een wapen bij zich had en bereid was om het te gebruiken. 'Lijkt dat je een goed idee?' vroeg ze.

'Nee,' gaf ik toe.

Ze schraapte haar keel. 'Arme Mirtha Grazeley, zo gek als een hond die door de bliksem is getroffen, maar haar kantoor heeft ze op orde. Die arme Mirtha kwam maandag op school. Laatste semester. Haar kantoor was niet zoals ze het had achtergelaten, er stonden een paar stoelen niet op hun plaats, de zittingen waren vuil en er was een liter eierpunch verdwenen. Het leek er ook sterk op dat er iemand onwel was geworden in het toilet. Niet fraai. Ik weet dat het geen beroeps was, omdat de boosdoener haar schoenen was vergeten. Zwart. Maat 40. Dolce & Gabbana. Maar weinig leerlingen hebben geld voor zulk chic spul. Dus richt ik me op de beter gesitueerde kinderen, de types die rondrijden in een Mercedes. Dat gegeven vergelijk ik met de leerlingen die op het feest waren en daar komt een lijst uit die gek genoeg niet zo lang is. Maar ik heb ook een geweten. Ik ben niet iemand die er een kick van krijgt om de toekomst van een of andere leerling te verpesten. Nee, dat zou rot zijn. Dat kind van Whitestone heeft al genoeg problemen. Misschien zakt ze wel voor het examen.'

Ik kon even niets zeggen. Je kon het huis horen gonzen. Toen ik klein was, gonsden sommige van onze huizen zo hard dat ik dacht dat er een onzichtbaar zanggezelschap in de wanden zat, in bordeauxrode gewaden, hun monden geopend in een ernstige O, dat dag en nacht zong.

'Waarom riep u mijn naam?' slaagde ik erin te vragen. 'Op het feest.'

Ze keek verrast. 'Heb je me gehoord?'

Ik knikte.

'Ik dácht dat ik jullie naar Loomis zag rennen.' Ze snoof en haalde haar schouders op. 'Ik wilde gewoon even babbelen. Over je vader praten. Net zoiets als dit. Niet dat er nog veel te zeggen valt. Het spel is uit. Ik wéét wat hij is. Hij denkt dat hij God is, maar in werkelijkheid is hij een onbeduidend...'

Ik dacht dat ze daar zou stoppen, bij die dodelijke mededeling, 'Hij is een onbeduidend', maar toen maakte ze haar zin zachtjes af.

'Een onbeduidend mannetje.'

Ze zweeg, sloeg haar armen over elkaar en leunde achterover in Paps bureaustoel. Hoewel Pap me zelf had gewaarschuwd dat je geen acht moest slaan op de woorden die iemand er in zijn woede uit slingerde, toch vond ik het vreselijk wat ze zei. Ik vond ook dat je niets ergers van iemand kon zeggen: dat hij onbeduidend was. Mijn enige troost was dat eigenlijk álle mensen onbeduidend waren als je ze afzette tegen Het Grote Plan, ze vergeleek met de Tijd en het Heelal. Zelfs Shakespeare en Van Gogh waren onbeduidend – en Leonard Bernstein ook.

'Wie is ze?' vroeg Eva plotseling. Ze had triomfantelijk moeten klinken, ze had allemaal nietsontziende dingen over mijn vader geroepen en ik had geen enkel tegenargument weten in te brengen, dus ze was de overtuigende winnaar, maar toch was er een barstje in haar stem te horen.

Ik wachtte tot ze verder zou gaan, maar ze zweeg. 'Ik weet niet precies wat u bedoelt.'

Ze schudde haar hoofd. 'Je hoeft me niet te vertellen wie het is, maar ik zou het wel prettig vinden.'

Ze bedoelde overduidelijk de nieuwe vriendin van Pap, maar die was er niet, in elk geval niet voor zover ik wist.

'Ik geloof niet dat hij een ander heeft, maar ik zou het voor u kunnen vragen.'

'Oké,' zei ze met een knik. 'Oké. Ik geloof je. Hij is goed. Ik had het nooit geweten, zelfs niet kunnen vermoeden als ik niet sinds de tweede klas bevriend was geweest met Alice Steady, de eigenaresse van de Green Orchid aan Orlando. "Hoe heet die kerel waar je wat mee hebt ook weer?" "Gareth." "Aha," zegt ze. Schijnt dat hij langskwam, met zijn blauwe Volvo, en met zijn creditcard voor honderd dollar aan bloemen kocht. Zei nee toen Alice vertelde dat ze gratis bezorgden. En dat was gehaaid, weet je – geen bezorgadres, geen bewijs, toch? En ik weet dat die bloemen niet voor hem waren, omdat Alice vertelde dat hij er zo'n kaartje bij wilde. En door hoe jij keek weet ik dat ze ook niet voor jou waren. Alice is zo'n romantisch type, volgens haar koopt een man nooit voor honderd dollar aan Barbaresco Orientals voor iemand op wie hij niet stapelgek is. Rozen, oké. Elke goedkope del krijgt rozen, maar geen Barbaresco Orientals. Ik geef direct toe dat ik me rot schrok – ik ben niet iemand die doet alsof het me allemaal toch niets doet, maar toen belde hij ook niet meer terug, ik werd als een stel broodkruimels onder het tapijt geveegd. Niet dat het me iets kan schelen. Ik heb intussen een ander. Een opticien. Gescheiden. Volgens mij was zijn eerste vrouw een volslagen fiasco. Gareth ziet verder maar wat hij doet.'

Eva zweeg, niet omdat ze uitgeput was of omdat ze stond na te denken, maar omdat haar ogen weer bleven hangen op de vlinders.

'Hij is echt dol op die dingen,' zei ze.

Ik volgde haar blik naar de muur. 'Niet echt.'

'Niet?'

'Hij kijkt er bijna nooit naar.'

Ik zag hoe het idee vorm kreeg, hoe de gloeilamp haar hoofd verlichtte alsof ze een figuur in een stripverhaal was.

Ze was snel, maar ik ook. Ik ging voor haar staan en zei snel dat de bloemen voor mij waren geweest ('Pap heeft het de hele tijd over je!' riep ik nogal knullig), maar ze hoorde me niet.

Met een felrode vlek in haar nek trok ze de laden van Paps bureau open en gooide al zijn aantekenschriften (hij ordende ze op universiteit en datum) de lucht in. Ze dwarrelden door de kamer als grote geschrokken kanaries.

Kennelijk vond ze wat ze zocht: een metalen liniaal die Pap gebruikte voor zijn keurige kruisvergelijkingen in zijn aantekeningen – en tot mijn grote schrik schoof ze me wild opzij en probeerde ze hem door het glas van een van de vlinderkasten te steken. Maar de liniaal werkte niet mee, dus gooide ze hem met een vloek op de grond en probeerde ze het glas met haar blote vuist kapot te slaan, en vervolgens met haar elleboog, en toen dat niets opleverde kraste ze met haar nagels over het glas als een of andere gek die het zilveren laagje van een kraslot schraapte.

Nog steeds niet tot bezinning gekomen draaide ze zich om. Haar ogen gingen over het bureau van Pap tot ze stilhielden bij de groene lamp (een afscheidscadeau van de gemoedelijke decaan van de Universiteit van Arkansas in Wilsonville). Ze greep hem, rukte het snoer los en hield hem boven haar hoofd. Met de voet van massief koper sloeg ze het glas van de eerste vlinderkast kapot.

Ik rende weer naar haar toe en trok 'Toe nou!' roepend aan haar schouders, maar ik was niet sterk genoeg en waarschijnlijk te verdoofd door alles. Ze gaf me opnieuw een duw en ramde haar elleboog tegen mijn kaak, zodat ik mijn nek verdraaide en op de grond viel.

Het regende overal glas, op het bureau van Pap, het kleed, mijn handen en voeten, en ook op haar. Kleine scherfjes glinsterden in haar haar en bleven kleven aan haar dikke witte maillot, trillend als kraaltjes water. Ze kon de kasten niet van de wand krijgen (Pap had ze met speciale schroeven opgehangen), maar ze trok het bevestigingspapier kapot en rukte de kartonnen achterkant uit de lijsten; ze trok alle vlinders en motten van hun speldje, verpulverde hun vleugels zodat het net gekleurde confetti was, die ze met opengesperde ogen en een gezicht dat leek op een gladgestreken vel gekreukeld papier door de kamer gooide, waardoor het iets sacraals kreeg, een priester die op hol sloeg met het wijwater.

Op een bepaald ogenblik hapte ze zelfs zacht grommend in eentje en leek ze één gruwelijk en surrealistisch moment op een reusachtige cyperse kat die een merel opvrat. (Op de vreemdste momenten komen vaak de vreemdste gedachten bij een mens op, en in dit geval, toen Eva haar tanden zette in de vleugel van de *Taygetis echo*, moest ik denken aan de keer dat Pap en ik van Louisiana naar Arkansas reden. Het was ruim dertig graden, de airconditioning was kapot en we zegden een gedicht van Wallace Stevens op, een van Paps lievelingsgedichten, 'Dertien manieren om naar een merel te kijken'. 'Tussen twintig besneeuwde bergen/ Was het enige wat bewoog/ Het oog van de merel,' vertelde Pap aan de snelweg.)

Toen ze ophield, toen ze eindelijk bleef staan, verbaasd over wat ze zojuist had gedaan, volgde de ultieme stilte die altijd volgde, zo stelde ik me voor, op massaslachtingen en orkanen. Als je je concentreerde kon je waarschijnlijk het geruis van de maan horen, net als dat van de aarde, het suizende geluid van zijn baan om de zon met een snelheid van 29,8 kilometer per seconde. Eva begon zich te verontschuldigen, met een trillende stem die klonk alsof hij werd gekieteld. Ze huilde ook zachtjes – een verontrustend, laag, sijpelend geluid.

Ik weet trouwens niet zeker of ze huilde; ik was zelf ook geheel gedesoriënteerd en bleef maar tegen mezelf zeggen: *Dit is niet echt gebeurd*, bij de aanblik van de chaos om me heen, en in het bijzonder de bovenkant van mijn rechtervoet, mijn gele sok, waarop het bruine en pluizige lijfje van een of andere mot lag, misschien de *Zelotypia stacyï*, licht gebogen, als een stukje pijpenrager.

Eva zette voorzichtig de lamp terug op het bureau van Pap, alsof het een baby was, en zonder me aan te kijken liep ze langs me heen de trap op. Even daarna hoorde ik de voordeur dichtslaan en haar auto sputterend wegrijden.

Met de samoerai-achtige precisie en helderheid van geest die optreden na zonderlinge gebeurtenissen in iemands leven, besloot ik om alles op te ruimen voordat Pap thuiskwam.

Ik haalde een schroevendraaier uit de garage en schroefde één voor één de kapotte vlinderkasten van de muur. Ik veegde het glas en de vleugels op, stofzuigde onder het bureau van Pap, langs de plinten, de boekenkasten en de trap. Ik legde de aantekenschriften terug in de la waar ze hoorden, op universiteit en datum, en droeg de resten die nog te redden waren in hun verhuisdoos (BREEKBAAR VLINDERS) naar mijn kamer. Het was niet veel: gescheurd wit papier, een paar bruine vleugels die nog intact waren en de eenzame *Heliconius erato*, die de slachting op wonderbaarlijke wijze had overleefd door zich te verbergen achter de archiefkast van Pap. Ik probeerde verder te lezen in *Hendrik v* tot de Prins der Duisternis thuiskwam, maar de woorden bleven steken op mijn netvlies. Ik bleef naar hetzelfde punt op de bladzijde staren.

Ondanks het kloppende gevoel in mijn rechterwang had ik niet de illusie dat de rol van Pap bij dit bizarre voorval meer voorstelde dan die van meedogenloze schurk. Natuurlijk haatte ik haar, maar ik haatte hem ook. Pap had eindelijk zijn verdiende loon gekregen, alleen had hij bezigheden elders gehad waardoor *ik*, zijn onschuldige rechtstreekse nazaat, de klappen voor hem had opgevangen. Ik wist dat het melodramatisch was, maar ik wenste bijna dat Kitty me had vermoord (of op z'n minst bewusteloos had geslagen) zodat Pap me bij terugkeer op de grond van de studeerkamer zou aantreffen, mijn lichaam bewegingloos, mijn gezicht grijs als een honderd jaar oude sofa en mijn nek onnatuurlijk geknikt, wat erop duidde dat het Leven met de noorderzon was vertrokken. Nadat Pap op zijn knieën was gevallen en koning

Lear-achtige kreten had geuit ('Nee! Neee! Laat haar leven, God! Ik doe wat U wilt!') zouden mijn ogen opengaan, ik zou naar adem happen en mijn weergaloze pleidooi houden over Menselijkheid, Mededogen, de smalle lijn tussen Vriendelijkheid en Medelijden, de noodzaak van Liefde (een thema dat met hulp van de Russen was gered van de banaliteit: 'Alles wat ik begrijp, begrijp ik slechts omdat ik liefheb,' en een uitspraak van Irving Berlin om het een beetje luchtig te houden: 'Ze zeggen dat liefde heerlijk is, heerlijk, zeggen ze'). Ik zou afsluiten met de mededeling dat de Jack Nicholson, de gebruikelijke modus operandi van Pap, vanaf dat moment diende plaats te maken voor de Paul Newman, en Pap zou met gepijnigd gezicht en zijn ogen neergeslagen knikken. Bovendien zou zijn haar grijs worden, egaal staalgrijs, zoals dat van Hecabe, het symbool van oprecht verdriet.

En de anderen? Had hij die net zo gekwetst als Eva Brewster? Hoe zat het met Shelby Hollows met haar gebleekte snorharen? Of Janice Elmeros met de cactusbenen onder haar zomerjurkjes? En Rachel Groom en Isabelle Franks, die nooit langskwamen zonder cadeautjes mee te nemen, als Hedendaagse Wijzen uit het Oosten (die Pap voor kerstkind aanzagen), maïsbrood, muffins en stropopjes met vertrokken gezichten (alsof ze net een zuurbal op hadden), hun goud, wierook en mirre? Hoe lang had Natalie Simms zitten zwoegen op haar vogelhuisje van lollystokjes?

Om kwart voor twaalf kwam de blauwe Volvo de oprit op rijden. Ik hoorde Pap de voordeur opendoen.

'Kom gauw beneden, lieverd! Je lacht je een hoedje!'

(Je een hoedje lachen was een van de extra irritante Pap-zegswijzen, net zoals 'huilen tot de mussen van het dak vielen' en dat je iemands 'oog-peer' was.)

'Blijkt dat kleine Arnie Sanderson niet tegen drank kan! Hij zakte in elkaar, ik zweer je, midden in het restaurant, onderweg naar het toilet. Ik moest de stumper naar huis brengen, naar zijn Calcutta-achtige universiteitsonderkomen. Een vreselijke kamer: groezelige vloerbedekking, de stank van zure melk, promovendi die door de gangen doolden op voeten met exotischer levensvormen dan er op de Galapagos-eilanden voorkomen. Ik moest hem de trap op dragen. Drie verdiepingen! Herinner je je *Teacher's Pet*, die aandoenlijke film met Gable en Doris die we hebben gezien in – waar was het ook weer? Missouri? Dit was net zoiets, maar dan zonder pittig blondje. Ik ben toe aan een borrel.'

Hij zweeg.

'Lig je al in bed?'

Pap liep de trap op, klopte zachtjes en deed de deur open. Hij had zijn jas nog aan. Ik zat op de rand van mijn bed met mijn armen over elkaar naar de muur te staren.

'Wat is er gebeurd?' vroeg hij.

Toen ik het hem vertelde (waarbij ik mijn best deed om de pose van Losrakende Stalen Draagbalk vast te houden, vervaarlijk en dreigend) veranderde Pap in zo'n ding dat bij de deur van ouderwets kapperszaken hangt: hij werd rood toen hij de rode plek op mijn gezicht zag, wit toen ik met hem de trap af liep en de gebeurtenissen prachtig naspeelde (inclusief fragmenten van de dialoog, de exacte positie waarin ik meedogenloos tegen de grond was gekwakt en de onthulling van Eva dat Pap *onbeduidend* was), weer naar boven, en weer rood toen ik hem de doos met restjes vlinder en mot liet zien.

'Als ik had geweten dat zoiets mogelijk was,' probeerde Pap opnieuw, 'dat ze kon veranderen in een Scylla – erger dan een Charybdis, vind ik –, dan had ik die geschifte trut vermoord.' Hij drukte een washandje met ijsblokjes tegen mijn wang. 'Ik moet even nadenken wat ik nu moet doen.'

'Hoe heb je haar leren kennen?' vroeg ik zwakjes en zonder hem aan te kijken.

'Ik had natuurlijk wel soortgelijke verhalen gehoord over collega's, de films gezien, met *Fatal Attraction* als uitschieter...'

'Hoe, Pap?' schreeuwde ik.

Hij schrok van mijn stem, maar in plaats van dat hij kwaad werd haalde hij alleen het ijs weg, fronste bezorgd (zijn imitatie van de verpleegster uit *For Whom the Bell Tolls*), en streelde met de rug van zijn hand over mijn wang.

'Hoe heb ik... even denken, wanneer was het... eind september,' zei hij, en hij schraapte zijn keel. 'Ik ging voor de tweede keer naar je school om te praten over je niveau. Weet je nog? En toen verdwaalde ik. De decaan, dat rare mens van een Ronin-Smith, had gezegd dat ik in een andere kamer moest zijn omdat die van haar werd geschilderd. Maar ze had het verkeerd uitgelegd, dus stond ik voor joker toen ik aanklopte bij Hanover 316, waar ik een onaangename en baardige geschiedenisleraar trof die met weinig succes – gezien de niet-begrijpende blikken van zijn leerlingen – het Hoe en Waarom van de Industriële Revolutie trachtte uit te leggen. Ik ging naar het kantoor om te vragen waar ik moest zijn en daar trof ik de manische juffrouw Brewster.'

'En het was liefde op het eerste gezicht.'

Pap staarde naar de doos met restanten op de grond. 'En dan te bedenken dat dit allemaal voorkomen had kunnen worden als dat stomme mens gewoon *Barrow* 316 gezegd had.'

'Het is niet grappig.'

Hij schudde zijn hoofd. 'Het was verkeerd om het je niet te vertellen. Het spijt me. Maar ik zat ermee in mijn maag, met mijn' – zijn adem stokte even uit gêne – '*verhouding* met iemand van je school. Het was zeker niet mijn bedoeling dat het zo uit de hand zou lopen. In het begin leek het allemaal vrij onschuldig.'

'Dat zeiden de Duitsers ook toen ze de Tweede Wereldoorlog hadden verloren.'

'Ik neem alle verantwoordelijkheid op me. Ik ben stom geweest.'

'Een leugenaar. Een *bedrieger*. Zíj noemde je een bedrieger. En ze had gelijk.'

'Ja.'

'Je liegt over alles en iedereen. Zelfs als je "leuk om je te zien" tegen iemand zegt.'

Hij gaf geen antwoord, hij zuchtte alleen.

Ik sloeg mijn armen over elkaar en bleef naar de muur staren, maar ik trok mijn hoofd niet weg toen hij de koude washand weer tegen mijn wang drukte.

'Voor zover ik het kan overzien,' zei hij, 'zal ik de politie moeten bellen. Dat of de aantrekkelijkere optie. Ik ga naar haar huis met een illegaal aangeschaft vuurwapen.'

'Je kunt de politie niet bellen. Je kunt niets doen.'

Hij keek me geschrokken aan. 'Maar ik dacht dat je dat monster achter de tralies wilde hebben?'

'Ze is gewoon een doodnormale vrouw, Pap. En jij hebt haar respectloos behandeld. Waarom heb je haar telefoontjes niet beantwoord?'

'Ik denk dat ik niet zo'n zin had om te praten.'

'In de beschaafde wereld is niet terugbellen de wreedste vorm van marteling. Heb je *Erop en erover: crisis in alleenstaand Amerika* niet gelezen?'

'Ik geloof het niet.'

'Het minste wat je kunt doen is haar met rust laten.'

Hij wilde iets terugzeggen, maar hij hield zich in.

'Voor wie waren die bloemen trouwens?' vroeg ik.

'Hmm?'

'De bloemen waarover ze het had.'

'Janet Finnsbroke. Een medewerkster van de administratie die afkomstig is uit het paleozoïcum. Punt. Haar vijftigste trouwdag. Het leek me wel aardig...' Pap zag hoe ik keek. 'Nee, ik heb absoluut niets met haar. Doe me een lol.'

Ik deed alsof ik het niet zag, maar Pap zag er nogal kleintjes uit, zo op de rand van mijn bed. Er trok een verdwaasde, zelfs deemoedige uitdrukking over zijn gezicht (dat daar zelf ook van opkeek.). Toen ik hem zo zag, zo niet-als-Pap, had ik met hem te doen, maar dat liet ik niet merken. Zijn verwarde blik deed me denken aan de weinig flatteuze foto's van presidenten die de *New York Times* en andere kranten graag op de voorpagina plaatsten om de wereld te laten zien hoe de Grote Leider er tussen de georkestreerde enthousi-aste menigtes, de voorgekauwde uitspraken en de gerepeteerde begroetin-gen uitzag: niet onwrikbaar en statig, zelfs niet evenwichtig, maar broos en dwaas. Die foto's waren komisch, maar als je er goed over nadacht was de onderliggende implicatie van zo'n foto angstaanjagend, want ze gaven aan hoe wankel het evenwicht in ons bestaan was, hoe kwetsbaar ons rustige le-ventje was als deze man aan het roer stond.

Deliverance

En zo kom ik bij het gevaarlijke deel van mijn verhaal.

Als dit een verslag van de geschiedenis van Rusland was, zou dit hoofdstuk een proletarisch verslag van de grote socialistische oktoberrevolutie van 1917 zijn; als het een geschiedverhaal van Frankrijk was, zou het de onthoofding van Marie Antoinette behelzen; als het een kroniek van Amerika was, zou het de moord op Abraham Lincoln door John Wilkes Booth beschrijven.

'Alle leerzame verhalen bevatten een element van geweld,' zei Pap. 'Stel je de doodsangst maar eens voor wanneer er voor je deur een vreselijk monster op de loer ligt. Je hoort het hijgen en puffen, en opeens wordt wreed en meedogenloos *je huis omvergeblazen*. Dat is net zo beangstigend als een reportage bij cnn. Maar wat zou er van de "Drie Kleine Biggetjes" zijn geworden zonder al dat geweld? Niemand zou ooit van ze hebben gehoord, want rust en vrede zijn geen dingen voor verhalen bij het haardvuur, laat staan dat er verslag van wordt gedaan door een verslaggeefster met een dikke laag make-up op haar gezicht en zoveel glansoogschaduw dat een pauw erbij verbleekt.'

Ik wil niet de suggestie wekken dat mijn verhaal kan tippen aan gecompliceerde gebeurtenissen uit de wereldgeschiedenis (elk ervan goed voor meer dan duizend pagina's dundruk) of driehonderd jaar oude vertellingen. Maar het is toch opmerkelijk dat geweld, hoewel het in moderne westerse en oosterse culturen officieel verworpen wordt (alleen officieel, want geen enkele cultuur, modern of niet, aarzelt om het in het eigen belang toe te passen), onvermijdelijk is om een verandering tot stand te brengen.

Zonder het verontrustende voorval uit dit hoofdstuk zou ik dit verhaal nimmer hebben geschreven. Ik zou niets hebben om over te schrijven. Het leven in Stockton zou zijn doorgegaan zoals het was: vreedzaam en keurig op zichzelf als Zwitserland, en vreemde voorvallen – Cottonwood, de dood van

Smoke Harvey, het opmerkelijke gesprek met Hannah voor de kerstvakantie – zouden zeker als ongewoon worden gezien, maar uiteindelijk alleen achteraf worden verklaard, kortzichtig en zonder verrassing.

Ik zie me genoodzaakt om een beetje vooruit te blikken, een stukje vooruit te lopen (zoals Violet Martinez in de Great Smoky Mountains), en gezien dit gebrek aan geduld zal ik alleen even enkele gebeurtenissen aanstippen uit de twee maanden tussen de verwoesting van de vlinders van mijn moeder door Eva en het kampeeruitje dat Hannah ondanks ons gebrek aan enthousiasme ('Ik pieker er niet over, ik zie de lol er niet van in,' verklaarde Jade) gepland had voor het weekend van 26 maart, het begin van de voorjaarsvakantie.

'Vergeet je bergschoenen niet,' zei ze.

St. Gallway zwoegde stug voort (zie hoofdstuk 9, 'De Slag om Stalingrad', *De Grote Oorlog om het Vaderland*, Stepnovich, 1989). Met uitzondering van Hannah waren de meeste leerkrachten vrolijk en onveranderd teruggekeerd van de kerstvakantie, afgezien van enkele kleine, positieve veranderingen in hun uiterlijk: een nieuwe, rode Navajo-trui (meneer Archer), glanzende nieuwe schoenen (meneer Moats), een nieuwe, braamkleurige kleurspoeling die haar veranderde in iets waar je zorgvuldig iets bijpassends bij moest zoeken (mevrouw Gershon). Door deze in het oog springende details moest je tijdens de lessen wel mijmeren over wie meneer Archer die trui had gegeven, of bedenken dat meneer Moats kennelijk onzeker was vanwege zijn lengte omdat al zijn schoenen zolen hadden die zo dik waren als een pakje boter, of je de uitdrukking op het gezicht van mevrouw Gershon voorstellen toen de kapper de handdoek van haar hoofd haalde en zei: 'Maak je geen zorgen. Die paarse plukken lijken zo extreem omdat je haar nog nat is.'

De leerlingen van St. Gallway waren ook nog dezelfden. Als knaagdieren gingen ze door met het verzamelen, opslaan, verbergen en consumeren van reusachtige hoeveelheden fabrieksvoedsel, ondanks ontluisterende landelijke schandalen en angstaanjagende gebeurtenissen in de rest van de wereld. ('Dit is een doorslaggevend moment in de geschiedenis van onze natie,' zei juffrouw Sturds altijd bij de Ochtendmededelingen. 'Laten we zorgen dat we hier over twintig jaar met trots op kunnen terugkijken. Lees de krant. Kijk naar het nieuws. Kies partij. Heb een mening.') Maxwell Stuart, de voorzitter van de leerlingenraad, kwam met grootse plannen voor een lentebarbecue met dansfeest, compleet met square-dansen, bluegrass-band en een vogelverschrikkerwedstrijd; meneer Carlos Sandborn van Geschiedenis deed geen gel meer in zijn haar (het zag er niet meer uit alsof hij baantjes had getrokken in het zwembad, maar uiteengewaaid, alsof hij achtjes had gevlogen in een stuntvliegtuig); en meneer Frank Fletcher, kruiswoordraadselmaharishi en toezichthouder bij de studie-uren, was verwikkeld in een echtscheiding. Evelyn, zijn vrouw, had hem klaarblijkelijk de deur gewezen (hoewel niemand wist of de kringen onder zijn ogen een gevolg waren van de kruiswoordraadsels of de scheiding) wegens Duurzame Ontwrichting.

'Waarschijnlijk riep meneer Fletcher bij het vrijen op kerstavond "Elf naar boven," en niet "Evelyn, naar boven!". Dat was de laatste druppel,' zei Dee.

Ik zag Zach voortdurend bij Natuurkunde, maar afgezien van een paar 'hallo's' spraken we elkaar niet echt. Hij dook niet meer plotseling op bij mijn kluisje. We stonden een keer bij elkaar achter in het lokaal bij Mechanicapracticum en ik keek op van mijn aantekeningen om naar hem te glimlachen, waarna hij tegen een van de tafels aan botste en alles liet vallen wat hij in zijn handen had, een standaard en een stel bekende massa's. Maar zelfs toen hij de spullen opraapte, zei hij geen woord. Hij liep snel terug naar voren (naar Krista Jibsen, met wie hij samenwerkte) met een officiële woordvoerdersblik. Ik had geen idee wat er in zijn hoofd omging.

De gelegenheden waarbij ik Eva Brewster op de gang tegenkwam verliepen ook stuntelig. We deden allebei alsof we leden aan de gevolgen van het Tegelijk Lopen en Denken van Diepe Gedachten (Einstein leed eraan, net als Darwin en De Sade). Daardoor vertoonde de patiënt een gebrek aan belangstelling voor zijn/haar directe omgeving die in de buurt kwam van een tijdelijke black-out of het volledige verlies van het bewustzijn (hoewel we onze ogen bij het elkaar passeren neersloegen, alsof er door ons prairiestadje een hoer op zoek naar onderdak liep). Ik had het gevoel dat ik een duister, akelig geheim over Eva wist (in bepaalde zeldzame omstandigheden veranderde ze in een weerwolf) en dat zij daarom een afkeer van me had. Maar als ze in gedachten verzonken langsliep, met een vleugje citroenachtig parfum achter zich aan, alsof ze een reiniger voor gladde keukenoppervlakken had opgespoten, was ik er tegelijkertijd van overtuigd dat ik in de lijnen van haar beige trui, de kromming van haar vlezige nek, bespeurde dat het haar speet en dat ze alles zou willen terugdraaien als ze dat kon. Ook al had ze niet het lef om het rechtstreeks te zeggen (maar weinig mensen hebben het lef om echt iets te zeggen), ik voelde me er minder gespannen door, alsof ik haar een klein beetje begreep.

De strafexpeditie van juffrouw Brewster had ook wat positieve effecten, zoals alle rampen en tragedies (zie *De nasleep van Dresden*, Trask, 2002). Pap, die zich nog steeds schuldig voelde vanwege Kitty, had een berouwvolle houding aangenomen die heel verfrissend was. Op de dag dat we terugkwamen uit Parijs hoorde ik dat ik was toegelaten aan Harvard, en we vierden deze mijlpaal op een winderige vrijdagavond begin maart. Pap droeg zijn dure overhemd van Brooks Brothers met gouden GUM-manchetknopen en ik een grijsgroene jurk van Au Printemps. Pap koos het viersterrenrestaurant puur op de naam: Quixote.

De maaltijd was om allerlei redenen onvergetelijk. Een ervan was dat Pap in een ongewoon vertoon van zelfbeheersing geen enkele aandacht schonk aan onze beeldschone serveerster met het voluptueuze lichaam van een kolf met zwanenhals en een buitengewoon fraai kuiltje in haar kin. Haar koffiebruine ogen zogen Pap van top tot teen op toen ze onze bestelling opnam en daarna nog een keer, toen ze hem vroeg of hij verse peper wilde ('*Genoeg* [peper]?' informeerde ze zwoel). Maar Pap bleef halsstarrig onverstoorbaar onder deze onderbreking en dus gingen haar ogen enigszins ontmoedigd terug naar waar ze vandaan waren gekomen ('De Dessertkaart,' kondigde ze bars aan bij het eind van de maaltijd).

'Op mijn dochter,' zei Pap plechtig, en hij tikte zijn wijnglas tegen de rand van mijn colaglas. Een middelbare vrouw aan het tafeltje naast ons met een overdadige hoeveelheid sieraden en een gezette echtgenoot (waar ze zich van leek te willen ontdoen alsof het om een grote hoeveelheid boodschappentassen ging) reikhalsde en glimlachte voor de dertigste keer stralend naar ons (Pap een toonbeeld van volmaakt ouderschap: knap, toegewijd, gekleed in tweed). 'Moge je studies voortduren tot het eind van je leven,' zei hij. 'Moge je pad verlicht zijn. Moge je vechten voor waarheid – jouw waarheid, niet die van een ander – en moge je vóór alles inzien dat jij het belangrijkste concept, de belangrijkste theorie en filosofie bent die ik ooit heb gekend.'

De vrouw rolde bijna van haar stoel door Paps welbespraaktheid. Ik dacht dat hij een Ierse heilwens aanhaalde, maar toen ik later in *Voorbij het gesproken woord* van Killing keek, kon ik hem niet vinden. Hij was van Pap.

Met dezelfde onschuld waarmee de inwoners van Troje zich rond het vreemde houten paard schaarden dat bij de poort van hun stad stond om het vakmanschap te bewonderen, reed Hannah op vrijdag 26 maart ons gele Rent-Me-busje het terrein van de Sunset Views camping op en parkeerde bij plek 52. Het terrein was leeg op een blauwe Pontiac na die voor de receptie stond (boven de deur bungelde als een loszittende pleister een krom houten bord met de tekst INGANG) en er stond een verroeste caravan ('Eenzame Dromen') onder een evangelisteneik (hij was in aanbidding verzonken, de takken ten hemel geheven alsof hij naar de voeten van zijn opperwezen wilde reiken). Een onverzettelijke, strakwitte hemel plooide zich achter de voortrollende bergen. Afval dwarrelde over het terrein als cryptische boodschappen in flessen: Santa Fe Ranch-chips, Thomas' Engelse Muffins, een gerafeld paars lint. Ergens vorige week had het blijkbaar sigarettenpeuken geregend.

Niemand van ons wist hoe we daar terecht waren gekomen. We waren vanaf het begin weinig enthousiast geweest over een kampeeruitstapje (inclusief Leulah, die altijd in was voor iets nieuws), en nu stonden we hier, in oude spijkerbroeken en op ongemakkelijke bergschoenen, met onze uitdijende rugzakken die we hadden gehuurd van Into the Blue Mountaineering tegen de achterruit van ons busje gepropt als een stel dikke mannen die in slaap waren gesukkeld. Een lege, zenuwachtig schommelende veldfles, een versleten bandana, het geritsel van Special K en pakjes noedelsoep, het plotselinge vervliegen van een volle verpakking contactlijm, nukkig gejammer, 'Wacht, wie heeft mijn winddichte parka?' – bewijzen van de invloed van Hannah, haar beangstigend subtiele manier om je iets te laten doen waarvan je iedereen, inclusief jezelf, had bezworen dat je het nooit zou doen.

We hadden het niet zo afgesproken, maar Nigel en ik hadden de anderen niets verteld over de knipsels die hij had ontdekt, of over Violet May Martinez, maar als we alleen waren praatte hij er onophoudelijk over. Waargebeurde verhalen over onopgeloste verdwijningen blijven doorgaans lang nadat je erover hebt gelezen in duistere hoekjes van je geest hangen – wat ongetwijfeld ook de reden was waarom het slecht geschreven en warrig gedocumenteerde verhaal van Conrad Hiller uit 2002 over de ontvoering van twee kinderen uit Massachusetts, *Ze waren zo mooi*, tweeënzestig weken in de bestsellerlijst van de *New York Times* had gestaan. Dergelijke verhalen waren alomtegenwoordig als vleermuizen, ze doken op bij de geringste verstoring en bleven boven je hoofd fladderen, en hoewel je wist dat je er volledig buiten stond en dat jou waarschijnlijk een ander lot beschoren was, voelde je toch een mengeling van angst en fascinatie.

'Heeft iedereen alles wat hij nodig heeft?' zong Hannah terwijl ze de rode veters van haar leren schoenen opnieuw strikte. 'We kunnen niet teruggaan naar de wagen, dus zorg dat je je rugzak en je kaarten hebt – vergeet vooral niet de kaarten die ik jullie heb gegeven. Het is onderweg heel belangrijk dat je weet waar je bent. We volgen de Bald Creek Trail, langs Abram's Peak naar Sugartop Summit. Het pad loopt naar het noordoosten, naar het kampeerterrein op zes kilometer van Newfound Gap Road, US 441, de dikke rode lijn. Zien jullie het op de kaart?'

'Ja,' zei Lu.

'De verbanddoos. Wie heeft die?'

'Ik,' zei Jade.

'Mooi.' Hannah glimlachte, haar handen in haar zij. Ze was toepasselijk gekleed: een kaki broek, een zwart T-shirt met lange mouwen, een dik groen vest, een zonnebril met weerspiegelende glazen. Er klonk een enthousiasme in haar stem dat ik sinds de herfst niet meer had gehoord. Tijdens de zondagse maaltijden waren we ons er allemaal van bewust geweest dat ze niet zichzelf was. Er was een minieme verandering in haar optreden, iets waar je moeilijk de vinger op kon leggen; het was alsof een schilderij aan de wand stiekem een paar centimeter naar rechts was verplaatst. Ze luisterde als altijd naar ons, toonde dezelfde belangstelling voor ons leven, praatte over haar vrijwilligerswerk bij het dierenasiel, een papegaai die ze in huis wilde nemen – maar ze leek niet meer te lachen, die meisjesachtige giechel die klonk als neervallende kiezelsteentjes. (Nigel zei dat haar nieuwe kapsel een 'blijvende domper op haar feestvreugde' was.) Ze beperkte zich regelmatig tot stille knikjes en afwezige blikken, en ik wist niet of ze iets kon doen aan deze nieuwe geslotenheid, of die voortkwam uit een onverklaarbaar verdriet dat zich als een woekerplant in haar had geworteld en verspreid, of dat ze het opzettelijk deed, zodat we er allemaal over in zouden zitten wat haar dwarszat. Ik wist dat sommige Meikevers zich overgaven aan ongewone stemmingen variërend van stug tot kwetsbaar, alleen maar opdat Pap ze met vertwijfelde stem zou vragen of hij ook maar iets voor ze kon doen. (Paps gebruikelijke reactie op zulk berekenend gedrag was dat hij zei dat ze er moe uitzag en dat ze maar bijtijds in bed moest kruipen.)

Na het eten zette Hannah nooit meer 'No Regrets' van Billie Holiday op waarbij ze meezong met haar lage, ingetogen en amuzikale stem, maar zat ze peinzend op de bank Lana en Turner te aaien, zwijgend terwijl de anderen praatten over school, of Gloria, de vrouw van rector Havermeyer die in verwachting was van een tweeling en haar dikke buik over het schoolterrein rondzeulde met hetzelfde plezier als Sisyfus zijn steen, of het waanzinnige verhaal dat begin maart de ronde deed, dat juffrouw Sturds sinds kerst stiekem verloofd was met meneer Butters (een combinatie die net zo onwaarschijnlijk was als die van een bizon en een ringslang).

Zowel verhulde als openlijke pogingen om Hannah bij het gesprek te betrekken waren zo succesvol als strandvolleyballen met een kanonskogel. Ze at ook nauwelijks van de maaltijden die ze zo zorgvuldig had klaargemaakt. Ze schoof het eten over haar bord als een ongeïnspireerde schilder met een palet vol onwillige verf.

Maar nu was ze voor het eerst sinds maanden in een opperbeste stemming. Ze bewoog zich met de blijmoedige snelheid van een mus.

'Zijn we zover?' vroeg ze.

'Waarvoor?' vroeg Charles.

'Voor achtenveertig uur ellende,' zei Jade.

'Voor het één zijn met de natuur. Heeft iedereen zijn kaart?'

'Voor de twintigste keer: we hebben onze klotekaarten,' zei Charles, en hij sloeg de achterklep van het busje dicht.

'Mooi zo,' zei Hannah opgewekt, en nadat ze had gecontroleerd of alle portieren op slot zaten, hees ze haar reusachtige blauwe rugzak op haar schouders en begon in de richting van het bos aan de andere kant van het parkeerterrein te lopen. 'En daar gaan ze!' riep ze over haar schouder. 'Schneider is als eerste weg en gaat aan de leiding. Aan de buitenkant komt Milton Black opzetten. Leulah Mahoney komt vanaf de vijfde plaats naar voren. Jade en Blue zijn in de laatste bocht voor de eindstreep verwikkeld in een onderling gevecht.' Ze lachte.

'Waar heeft ze het over?' vroeg Nigel, en hij keek haar na.

'God mag het weten,' zei Jade.

'Lopen, raspaardjes! We moeten er over vier uur zijn, anders moeten we in het donker lopen.'

'Geweldig,' zei Jade, en ze rolde met haar ogen. 'Ze is eindelijk doorgedraaid. Dat kon ze niet zolang we nog verankerd waren in de beschaving. Nee, het moest nu gebeuren, midden in de wildernis, waar het wemelt van de slangen en bomen en waar alleen een stel klotekonijnen ons te hulp kan komen.'

Nigel en ik keken elkaar aan. Hij haalde zijn schouders op.

'Wat maakt het uit?' zei hij. Hij glimlachte kort, als een zakspiegeltje dat licht weerkaatst, en liep achter Hannah aan.

Ik hield in en keek naar de anderen. Om de een of andere reden wilde ik niet mee. Ik was niet bang of ongerust, ik voelde alleen dreigend onheil, iets wat zo onmetelijk groot was dat ik het niet kon overzien. Ik wist niet of ik de kracht had om de uitdaging aan te gaan (zie *Slechts een kompas en een elektrometer: het verhaal van kapitein Scott en de race naar Antarctica*, Walsh, 1972).

Ik trok de riemen van mijn rugzak strak en volgde de anderen.

Een paar meter voor me struikelde Jade over een boomwortel aan het begin van het pad. 'Geweldig. Echt geweldig,' zei ze.

De noordwestelijke route van de Bald Creek Trail (een zwarte stippellijn op Hannahs kaart) begon vrij onschuldig, breed als de schouders van mevrouw Rowley, mijn lerares van groep 2 op Wadsworth Elementary, zacht en zonbeschenen, met ranke, lichte dennenbomen als de haren die aan het eind van de dag uit haar paardenstaart piekten. (Mevrouw Rowley beschikte over de benijdenswaardige vaardigheid dat ze alle 'gefronste wenkbrauwen kon laten verdwijnen en gesnif in gelach kon veranderen'.)

'Misschien valt het wel mee,' zei Jade met een grijns achterom terwijl ze voor me uit sjokte. 'Het is eigenlijk best geinig.'

Maar een uur later, nadat Hannah naar ons had geroepen dat we bij de splitsing rechts moesten aanhouden, onthulde het pad zijn ware aard; het leek niet op mevrouw Rowley, maar op de venijnige juffrouw Dewelhearst van Howard Country Day die gekleed ging in donkerbruin, krom was als het handvat van een ouderwetse paraplu en een gezicht had dat zo gerimpeld was dat ze meer op een walnoot leek dan op een mens. Het pad werd smaller, zodat we in relatieve stilte achter elkaar langs pijnlijke braamstruiken en opdringerige planten moesten lopen. ('Geen woord tijdens het proefwerk of ik trek een punt van je cijfer af en je zult tot in lengte van dagen verdoemd zijn,' zei juffrouw Dewelhearst.)

'Dit doet *pijn*,' zei Jade. 'Mijn benen moeten plaatselijk worden verdoofd.'

'Zeur niet,' zei Charles.

'Lukt het allemaal?' vroeg Hannah, achterwaarts de heuvel op lopend.

'Grandioos, grandioos. Het lijkt luilekkerland wel.'

'Nog maar een halfuurtje tot het eerste uitkijkpunt.'

'Ik spring naar beneden,' zei Jade.

We ploeterden verder. In het bos met zijn eindeloze reeksen kwijnende dennenbomen, rododendrons met afhangende bladeren en vaalgrijze rotsen leek de tijd willekeurig sneller en langzamer te gaan. Ik zakte weg in een vreemd soort verdoving terwijl ik helemaal achteraan voortsjokte. Ik staarde minutenlang naar de rode kniekousen van Jade (de pijpen van haar spijkerbroek erin gestopt ter bescherming tegen ratelslangen), de dikke bruine boomwortels die over het pad kropen en de vervagende gouden lichtvlekken op de grond. We leken met z'n zevenen de enige levende wezens in de wijde omtrek (afgezien van een paar onzichtbare vogels en een grijze eekhoorn die een boom in schoot) en onwillekeurig vroeg ik me af of Hannah gelijk had: of deze onderneming waartoe ze ons had overgehaald in werkelijkheid een doorgang naar iets anders was, een nieuwe onbevangen visie op de wereld. De dennenbomen imiteerden ruisend de zee. Een vogel vloog als een luchtbel de hemel tegemoet.

Vreemd genoeg leek Hannah de enige die niet in de ban was van deze diepe betovering. Als het pad zich even uitrekte tot een rechte lijn, kon ik zien dat ze zich had laten afzakken naar Leulah en geanimeerd met haar liep te praten – een beetje té geanimeerd –, knikkend en het gezicht van Lu in zich opnemend alsof ze al haar gezichtsuitdrukkingen wilde onthouden. En af en toe lachte ze, een abrupt en rauw geluid dat de stilte om ons heen doorbrak.

'Ik vraag me af waarover ze lopen te roddelen,' zei Jade.

Ik haalde mijn schouders op.

Rond kwart over zes bereikten we Abram's Peak, het eerste uitkijkpunt. Het was een grote, uitstekende rots rechts van het pad, als een soort podium waarachter de uitgestrekte bergen zichtbaar waren.

'Daar ligt Tennessee,' zei Hannah met haar hand boven haar ogen.

We staarden naast elkaar op een rij naar Tennessee. Het enige geluid in de omgeving was afkomstig van Nigel, die de aardbeienreep openmaakte die hij uit zijn rugzak had gehaald. (Net zoals vissen niet kunnen verdrinken was Nigel totaal niet ontvankelijk voor Stille, Diepzinnige Momenten.) De koude lucht kneep mijn keel en mijn longen af. De bergen schurkten afstandelijk tegen elkaar aan, als mannen die elkaar omhelzen, zonder met hun borst tegen elkaar te komen. Onder de toppen hingen dunne wolken en de bergen die het verst weg lagen en verdwenen aan de horizon waren zo lichtgekleurd dat je niet kon zien waar zij ophielden en de lucht begon.

De aanblik maakte me triest, maar ik denk dat iedereen die geconfronteerd wordt met de weidsheid van de aarde, het licht en de nevel, het adembenemende en oneindige, zich triest voelt – 'de eeuwige melancholie van de mens' noemde Pap het. Het was op zulke momenten onmogelijk om niet stil te staan bij het gebrek aan voedsel en schoon water, het schrikwekkend lage aantal mensen dat kon lezen en schrijven, en de lage levensverwachting in ontwikkelingslanden, maar ook bij meer afgezaagde dingen, zoals hoeveel mensen er op dat moment werden geboren, hoeveel er doodgingen en dat jij je net als 6,2 miljard anderen tussen die twee saaie mijlpalen bevond, mijlpalen die wereldschokkend konden zijn als ze jou troffen, maar in de context van de editie van 2003 van Hichrakers *Geografisch feitenboek* of M.C. Howards *Het zoeken van de kosmos in een zandkorrel: de herkomst van het heelal* (2004) alledaags en gewoontjes waren. Je kreeg het idee dat het leven net zo onbeduidend was als een dennennaald.

'Klootzakken!' riep Hannah.

Het geluid echode niet, zoals in een Looney Tune, maar werd meteen geabsorbeerd, zoals een vingerhoedje dat je in zee gooit. Charles keerde zich om en keek naar haar. Uit zijn gezichtsuitdrukking viel duidelijk af te leiden dat hij dacht dat ze gek was. De rest van ons schuifelde heen en weer als bange koeien in een veewagen.

'Klootzakken!' riep Hannah nogmaals, met schorre stem.

Ze wendde zich naar ons. 'Jullie moeten allemaal iets zeggen.' Ze haalde nog een keer diep adem, boog haar hoofd achterover en deed haar ogen dicht als iemand die van plan is om te gaan zonnebaden in een ligstoel. Haar oogleden en haar lippen trilden.

'Laat mij geen beletsels opwerpen voor het huwelijk tussen oprechte geesten!' riep ze.

'Alles goed met je?' vroeg Milton lachend.

'Er is niets lachwekkends aan,' zei Hannah met een ernstig gezicht. 'Zet er wat kracht achter. Doe alsof je een fagot bent. En zeg dan iets. Iets wat uit je hart komt.' Ze haalde diep adem. 'Henry David Thoreau!'

'Wees niet bang om bang te zijn!' blafte Leulah ietwat onverwacht, met een vooruitgestoken kin als een kind bij een wedstrijd verspugen.

'Mooi,' zei Hannah.

Jade snoof. 'O god. Deze ervaring moet zeker zorgen dat we ons herboren voelen?'

'Ik hoor je niet,' zei Hannah.

'Dit is je reinste flauwekul!' riep Jade.

'Dat is beter.'

'Godver,' zei Milton.

'Watje.'

'Godver!'

'Jenna Jameson?' riep Charles.

'Is dat een vraag of een antwoord?' vroeg Hannah.

'Janet Jacme!'

'Haal me hiervandaan!' schreeuwde Jade.

'Stel grenzen en doelen met dezelfde nauwgezetheid!'

'Ik wil goddomme naar huis!'

'Zeg maar dag tegen mijn kleine *Freund*!' brulde Nigel met een rood gezicht.

'Sir William Shakespeare!' schreeuwde Milton.

'Hij was geen sir,' zei Charles.

'Wel waar.'

'Hij is niet geridderd.'

'Gooi het er maar uit,' zei Hannah.

'Jenna Jameson!'

'Blue?' vroeg Hannah.

Ik weet niet waarom ik niets had geroepen. Ik voelde me als iemand die niet kon loskomen van zijn gestotter. Ik geloof dat ik iemand probeerde te bedenken met een fatsoenlijke achternaam, iemand die dit voorrecht om de wind in geslingerd te worden verdiende. Ik was van plan om Tsjechov te nemen, maar dat leek me te gekunsteld, zelfs met zijn voornaam erbij. Dostojevski was te lang. Plato leek me irritant, alsof ik iedereen de loef probeerde af te steken door de Grondlegger van de Westerse Beschaving en de Rede te nemen. Nabokov zou de goedkeuring van Pap krijgen, maar niemand, inclusief Pap, wist zeker hoe je dat uitsprak. ('NA-bo-kov' was verkeerd, de uitspraak van amateurs die *Lolita* kochten omdat ze dachten dat het over ontmaagding en begeerte ging; maar 'Na-BO-kov' klonk als een ouderwets pistool.) Goethe was nog erger. Molière was een interessante keus (niemand had een Fransman genoemd), maar de 'r' vanuit de keel liet zich niet zo makkelijk roepen. Racine was te onbekend, Hemingway te macho, Fitzgerald was prima, maar als puntje bij paaltje kwam was het onvergeeflijk wat hij met Zelda had gedaan. Homerus was een goede keus, maar lag iets te dicht in de buurt van 'homerisch'.

'Blijf jezelf trouw!' riep Leulah.

'Scorcese!'

'Gedraag je!' zei Milton.

'Die is niet goed,' zei Hannah. 'Je moet je misdragen.'

'Misdraag je!'

'*Just do it!*'

'Verleg je grenzen!'

'Laat je niet verleiden om slogans van Amerikaanse advertenties te gebruiken om je gevoelens te uiten,' zei Hannah. 'Gebruik je eigen woorden. Wat je te zeggen hebt, wat je in je hart voelt, is altijd goed.'

'Armlange tatoeages!' riep Jade. Haar gezicht was door alle emotie vertrokken als een uitgewrongen washandje.

'Blue, je moet niet zo lang nadenken,' zei Hannah.

'Ik, eh...' zei ik.

'*The Canterbury Tales!*'

'Eugenia Sturds! Moge ze lang en gelukkig leven met Mark Butters, maar dat ze zich niet voortplanten en de wereld teisteren met hun nakomelingen!'

'Roep het eerste wat in je opkomt.'

'Blue Van Meer!' flapte ik eruit.

Het ontglipte me als een grote meerval. Ik verstijfde. Ik bad dat niemand me had gehoord, dat het was weggezwommen in de lucht, ver buiten het gehoor van de anderen.

'Hannah Schneider!' riep Hannah.

'Nigel Creech!'

'Jade Churchill Whitestone!'

'Milton Black!'

'Leulah Jane Maloney!'

'Doris Richards, mijn lerares uit groep vijf met die enorme tieten!'

'Nou en of!'

'Je hoeft niet obsceen te worden om je gevoelens te uiten. Durf echt te zijn. Durf serieus te zijn.'

'Luister nooit naar de vreselijke dingen die mensen over je zeggen, want ze zijn alleen maar jaloers op je talent en schoonheid!' Leulah streek haar haar uit haar smalle, ingetogen gezicht. Er stonden tranen in haar ogen. 'Volhard ondanks tegenslag! Geef nooit op!'

'En doe dat niet alleen hier,' zei Hannah tegen ons. Ze wees naar de bergen. 'Doe dat daar beneden ook.'

Het laatste stuk naar Sugartop Summit (nu een verontrustend stippellijntje op onze kaart zonder legenda) nam nog eens twee uur in beslag, en Hannah zei dat we ons tempo moesten verhogen als we er voor het donker wilden aankomen.

Onder het lopen werd het licht zwakker en kropen de stakerige dennenbomen dichter naar ons toe. Hannah raakte weer verwikkeld in een gesprek onder vier ogen, dit keer met Milton. Ze liep heel dicht naast hem (zo dicht dat haar blauwe rugzak en zijn rode af en toe tegen elkaar botsten als de bumpers van twee auto's). Hij knikte vanwege iets wat ze zei, zijn grote lijf gebogen naar waar zij liep, alsof ze als een magneet zijn energie uit hem zoog.

Ik wist hoe gevleid je je kon voelen als Hannah met je praatte, als ze jou eruit pikte – je bescheiden omslag opensloeg, ruw je rug knakte, tuurde naar je bladzijden, op zoek naar het punt waar ze de vorige keer was opgehouden met lezen, benieuwd naar hoe het verder zou gaan. (Ze las altijd uiterst geconcentreerd, zodat je dacht dat jij haar lievelingsboek was, tot ze je abrupt terzijde schoof en met dezelfde intensiteit iemand anders ging lezen.)

Twintig minuten later was Hannah in gesprek met Charles. Ze schoten in een schorre lach; ze raakte zijn schouder aan, trok hem tegen zich aan, hun armen en handen een ogenblik ineengevlochten.

'Kijk nou eens wat een gelukkig stel,' zei Jade.

Nog geen kwartier later liep Hannah naast Nigel (uit zijn gebogen hoofd en zijdelingse blikken kon ik opmaken dat hij zich een beetje ongemakkelijk voelde) en kort daarna liep ze voor me met Jade te praten.

Ik ging er natuurlijk van uit dat ze uiteindelijk zou afzakken om met mij te praten, dat dit een Hannah-Leerling-Onderhoud was, en dat ik als rode lantaarndrager als laatste aan bod zou komen. Maar toen ze klaar waren – Hannah probeerde Jade over te halen om zich aan te melden voor een stageplaats bij de *Washington Post* ('Je moet lief zijn voor jezelf,' hoorde ik haar ook zeggen) – fluisterde ze nog iets, gaf Jade een vluggezoen op haar wang en haastte zich toen weer naar het begin van onze stoet zonder zelfs maar even in mijn richting te kijken.

'Oké! Wees maar niet bang, jongens,' riep ze. 'We zijn er bijna!'

Tegen de tijd dat we Sugartop Summit bereikten voelde ik een mengeling van verontwaardiging en neerslachtigheid. Een mens probeert geen aandacht te schenken aan flagrante voortrekkerij ('Niet iedereen kan lid zijn van de Van Meer-fanclub,' merkte Pap een keer op), maar als het je zo schaamteloos onder de neus werd gewreven moest je je wel gekwetst voelen, alsof iedereen een dennennaald mag zijn en jij natuurlijk weer het boomsap. Gelukkig hadden de anderen niet in de gaten dat ze niet met mij had gepraat, dus toen Jade haar rugzak op de grond kwakte, haar armen boven haar hoofd strekte en met een brede glimlach zei: 'Ze weet wel precies wat ze moet zeggen, hè? Ongelooflijk', loog ik, knikte instemmend en zei: 'Dat doet ze zeker.'

'We gaan eerst de tenten opzetten,' zei Hannah. 'Ik help met de eerste. Maar kijk eerst eens naar het uitzicht! Daar word je stil van!'

Ondanks Hannahs onverwoestbare enthousiasme vond ik de kampeerplek somber en een anticlimax, vooral na de nonchalante grootsheid van Abram's Peak. Sugartop Summit bestond uit een cirkelvormige open plek die omzoomd was door kale dennenbomen, met een zwartgeblakerde kampvuurplek waar kortgeleden nog een paar houtblokken hadden gebrand, zacht en met grijze randen als de snuit van een oude hond. Aan de rechterkant, achter een hoop lijvige rotsen, lag een uitstekende kale richel, smal als een bijna gesloten deur, waarvandaan je kon uitkijken over een onbegroeide, paarsgekleurde bergrug die rustte onder een rafelige deken van mistflarden. De zon was intussen weggezonken. Uitgelopen oranje en gele tinten kleurden de hemel.

'Er is hier vijf minuten geleden nog iemand geweest,' zei Leulah.

Ik draaide me om. Ze stond in het midden van de open plek en wees naar de grond.

'Wat is er?' vroeg Jade die naast haar stond.

Ik liep hun kant op.

'Kijk.'

Voor de punt van haar schoen lag een sigarettenpeuk.

'Drie seconden geleden brandde hij nog.'

Jade ging op haar hurken zitten en raapte de peuk op zoals je een dode goudvis opraapt. Ze snoof er voorzichtig aan.

'Je hebt gelijk,' zei ze, en ze gooide de peuk weer op de grond. 'Ik kan het ruiken. *Geweldig*. Dat konden we net gebruiken. Een of andere engerd die wacht tot het donker is om ons vervolgens allemaal van achteren te neuken.'

'Hannah!' riep Lu. 'We moeten hier weg.'

'Wat is er?' vroeg Hannah.

Jade wees naar de sigarettenpeuk. Hannah bukte zich voorover.

'Dit is een populaire plek,' zei ze.

'Maar hij brandde nog,' zei Leulah met wijd opengesperde ogen. 'Ik heb het gezien. Hij lichtte oranje op. Er is hier iemand. We worden bekeken.'

'Doe niet zo raar,' zei Hannah.

'Niemand van ons rookte,' zei Jade.

'Niks aan de hand. Hij is vast van een wandelaar die hier even is gestopt om uit te rusten. Zit er maar niet over in.' Hannah stond op en slenterde naar Milton, Nigel en Charles, die probeerden om de tenten op te zetten.

'Voor haar is het allemaal een grap,' zei Jade.

'We moeten hier weg,' zei Leulah.

'Dat heb ik steeds gezegd,' zei Jade, en ze liep weg. 'Maar wilde er iemand luisteren? Nee. Ik was de spelbreker. De koude douche.'

'Hé,' zei ik glimlachend tegen Leulah. 'Het zit heus wel goed.'

'Denk je?' vroeg ze onzeker.

Hoewel ik geen bewijs had om mijn bewering te staven, knikte ik.

Een halfuur later begon Hannah een kampvuur te maken. De rest van ons zat op de kale rots rigatoni te eten met Newman's Own Fra Diavolo-tomatensaus, opgewarmd op de benzinebrander, met stokbrood dat zo hard was als graniet. We zaten met ons gezicht richting het uitzicht, hoewel er alleen duisternis zichtbaar was, een donkerblauwe hemel. De hemel had iets nostalgisch; hij wilde het laatste restje licht niet kwijt.

'Wat zou er gebeuren als je van deze rotstoestand valt?' vroeg Charles.

'Dan ben je dood,' zei Jade met een hap pasta in haar mond.

'Er staat geen bord of zo. Geen KIJK UIT WAAR U LOOPT. Geen VERVELEN-DE PLEK OM AAN JE EIND TE KOMEN. Die afgrond is er gewoon. Val je eraf? Jammer dan.'

'Is er nog Parmezaanse kaas?'

'Ik vraag me af waarom het Sugartop Summit heet,' zei Milton.

'Ja, wie verzint die maffe namen?' vroeg Jade kauwend.

'Mensen uit de omgeving,' zei Charles.

'De stilte is nog het prettigst,' zei Nigel. 'Je merkt pas hoe lawaaierig het overal is als je hier bent.'

'Ik heb te doen met de indianen,' zei Milton.

'Dan moet je *Onteigend* van Redfoot maar eens lezen,' zei ik.

'Ik heb nog honger,' zei Jade.

'Hoe kun je nog honger hebben?' vroeg Charles. 'Jij hebt het meest van allemaal gegeten. Je zat enorm te schrokken.'

'Helemaal niet.'

'Maar goed dat ik niet nog wat wilde. Je had vast mijn hand afgebeten.'

'Als je niet genoeg eet, schakelt je lichaam over op de uithongerstand, en als je dan een plak cake eet doet je lichaam alsof het penne alla vodka is en zwel je binnen vierentwintig uur op als een ballon.'

'Ik vind het maar niks dat er iemand hier was,' zei Leulah opeens.

Iedereen keek haar aan, geschrokken door haar toon.

'Die sigarettenpeuk,' fluisterde ze.

'Zit daar maar niet over in,' zei Milton. 'Hannah zit er ook niet mee, en zij heeft vaker gekampeerd.'

'Hoe dan ook, we kunnen toch niet weg, zelfs als we zouden willen,' zei Charles. 'Het is pikdonker. We zouden verdwalen. Waarschijnlijk die hoe-heet-ie-ook-weer die hier ronddoolt tegen het lijf lopen.'

'Ontsnapte misdadigers,' zei Jade knikkend.

'Die vent die aanslagen pleegt op abortusklinieken.'

'Die hebben ze gepakt,' zei ik.

'Jullie hebben Hannahs gezicht niet gezien,' zei Leulah.

'Wat was er dan mis met haar gezicht?' vroeg Nigel.

Lu zat er wanhopig bij in haar blauwe windjack, haar armen om haar knieën, haar Raponsje-haar in een sliert over haar linkerschouder, tot op de grond.

'Je kon zien dat ze net zo bang was als ik. Alleen wilde ze het niet zeggen omdat zij de volwassene is, verantwoordelijk voor de rest en zo.'

'Heeft iemand een vuurwapen meegenomen?' vroeg Charles.

'Nee,' zei Nigel.

'Ik had dat ding van Jefferson moeten meenemen,' zei Jesse. 'Zo'n kleintje. Schitterend. Ze bewaart hem in haar la met ondergoed.'

'We hebben geen wapens nodig,' zei Milton, die op zijn rug naar de hemel lag te staren. 'Als ik doodging – ik bedoel, als mijn tijd echt was gekomen –, zou ik er niet mee zitten als het hier was. Onder deze sterren.'

'Jij bent een van die berustende morbide mensen,' zei Jade. 'Ik zal er alles aan doen om ervoor te zorgen dat ik pas aan de beurt kom als ik minstens vijfenzeventig ben. Als dat inhoudt dat ik iemand door zijn kop moet schieten of een trailerparkbewoner zijn pik moet afbijten, het zij zo.' Ze keek in de richting van de tenten. 'Waar is ze trouwens? Hannah, bedoel ik. Ik zie haar nergens.'

We liepen met de borden en pannen terug naar de open plek, waar Hannah bij het vuur een mueslireep zat te eten. Ze had zich omgekleed en droeg een groen-met-zwart geblokt houthakkersoverhemd. Ze vroeg of we nog honger hadden en toen Jade bevestigend antwoordde stelde ze voor om marshmallows te roosteren.

Toen we daarmee bezig waren en Charles zijn griezelverhaal vertelde (taxichauffeur, lugubere passagier) merkte ik dat Hannah, die aan de andere kant van het vuur zat, naar me zat te kijken. Het kampvuur bescheen iedereen met lampionlicht, kleurde hem oranje, ontdeed hem van delen van zijn gezicht, en de donkere ogen van Hannah leken extra hol, alsof ze waren uitgediept met een theelepeltje. Ik glimlachte zo onbekommerd als ik maar kon en deed of ik geheel opging in de Kunst van het Marshmallows Roosteren. Maar toen ik even later weer in haar richting keek, zag ik dat haar blik niet was afgedwaald. Ze keek me recht in mijn ogen en vervolgens gebaarde ze bijna onmerkbaar naar links, naar het bos. Ze raakte haar horloge aan. Haar rechterhand gaf een vijf aan.

'En toen draaide de taxichauffeur zich om,' zei Charles. 'De vrouw was verdwenen. En wat lag er nog op de achterbank? Een witte zijden sjaal.'

'Was dat het?'

'Ja,' zei Charles glimlachend.

'Het meest waardeloze griezelverhaal dat ik ooit heb gehoord.'

'Wat een lulkoek.'

'Als ik een tomaat had zou ik hem naar je hoofd gooien.'

'Wie kent dat verhaal van die hond zonder staart?' vroeg Nigel. 'Hij gaat ernaar op zoek en terroriseert mensen.'

'Je bedoelt die poot van die aap,' zei Jade, 'dat afschuwelijke korte verhaal dat je als kind hebt gelezen maar dat je om onbekende redenen de rest van je leven bijblijft. Dat en dat verhaal, 'The most dangerous game'. Ja toch, Kots?'

Ik knikte en glimlachte zwakjes.

'Er is er eentje met een hond, maar ik ben het vergeten.'

'Hannah kent een goed verhaal,' zei Charles.

'Niet waar,' zei Hannah.

'Toe nou.'

'Nee, ik ben vreselijk slecht in verhalen vertellen. Altijd geweest.' Ze geeuwde. 'Hoe laat is het?'

Milton keek op zijn horloge. 'Even na tienen.'

'We kunnen het beter niet te laat maken,' zei ze. 'We moeten goed uitrusten. Morgen is het weer vroeg dag.'

'Hoera.'

Natuurlijk waarden Angst en Ongerustheid door me heen. Niemand van de anderen leek Hannahs teken te hebben gezien, zelfs Leulah niet, die de onheilspellende sigarettenpeuk helemaal was vergeten. Ze zat tevreden haar marshmallow te eten (er zat een gesmolten sliertje op haar lip) en ze lachte om alles wat Milton vertelde, met kleine kuiltjes in haar kin. Ik zat op mijn knieën en staarde naar het vuur. Ik overwoog om Hannah te negeren ('*Bij twijfel: veins vergeetachtigheid*'), maar vijf minuten later merkte ik tot mijn schrik dat Hannah weer naar me zat te staren, dit keer verwachtingsvol, alsof ik Ophelia speelde en zo in mijn rol opging, zo verstrikt zat in de klauwen van de krankzinnigheid, dat ik elke claus miste, waardoor Laërtes en Gertrude moesten improviseren. Haar dwingende blik deed me opstaan en het stof van me af kloppen.

'Ik ben zo terug,' zei ik.

'Waar ga je heen?' vroeg Nigel.

Iedereen staarde me aan.

'Naar de wc,' zei ik.

Jade giechelde. 'Daar zie ik zo tegen op.'

'Als de indianen het konden kun jij het ook,' zei Charles.

'Die indianen scalpeerden ook mensen.'

'Ik zou droge bladeren gebruiken. Of een plukje mos,' zei Nigel met een grijns.

'We hebben wc-papier,' zei Hannah. 'Het ligt in mijn tent.'

'Dank je,' zei ik.

'In mijn rugzak.'

'Is er nog chocola?' vroeg Jade.

Ik liep naar de achterkant van de tenten, waar het donker en korrelig was, en wachtte tot mijn ogen waren gewend. Toen ik zeker wist dat niemand me was gevolgd omdat ik hun stemmen door het knapperen van het vuur hoorde, liep ik het bos in. Takken streken als elastiek langs mijn benen. Ik draaide me om en zag tot mijn verrassing dat de dennenbomen achter me hun plaats weer hadden ingenomen, als de slierten van een kralengordijn uit de jaren zeventig. Ik bleef buiten de lichtcirkel van de open plek lopen, tussen de bomen zodat niemand me zou zien, en ik hield stil op het punt waar ik dacht dat Hannah naar had gewezen.

Het kampvuur was dichtbij, op zo'n tien meter afstand, en ik zag dat Hannah nog bij de anderen zat, met haar hoofd op haar hand. Haar gezicht leek zo slaperig en tevreden dat ik me even afvroeg of ik het me had ingebeeld. Ik zei tegen mezelf dat ik zou teruggaan en nooit meer met het geschifte mens zou praten als ze over drie minuten nog niet was gekomen – of liever twee – want zo lang duurde het voor de helft van de nuclei in een blokje aluminium-28 was gedesintegreerd, om te overlijden aan blootstelling aan vx, om driehonderd Sioux-mannen, -vrouwen en -kinderen dood te schieten in de Slag bij Wounded Knee in 1890, voor een Noorse vrouw met de naam Gudrid Vaaler om in 1866 het leven te schenken aan een zoon, Johan Vaaler, de toekomstige uitvinder van de paperclip.

Hannah had aan twee minuten genoeg.

Heart of Darkness

Ik zag dat ze opstond en iets tegen de anderen zei. Ik hoorde mijn naam, dus veronderstelde ik dat ze zei dat ze wilde kijken of alles in orde was. Ze liep naar de tenten en verdween uit het zicht.

Ik wachtte nog even en keek naar de anderen – Jade deed haar overdreven imitatie van juffrouw Sturds bij de Ochtendmededelingen: voeten ver uit elkaar, de idiote schommelbeweging alsof ze een veerboot was die een onstuimig Kanaal overstak ('Dit is een buitengewoon angstige tijd voor ons land!' riep Jade met samengevouwen handen en grote ogen) – en toen hoorde ik het geritsel van takken en bladeren, en zag ik Hannah naar me toe lopen, haar gezicht was in het donker niet goed te zien. Toen ze me zag glimlachte ze, ze drukte een vinger tegen haar lippen en wenkte dat ik haar moest volgen.

Dat verraste me natuurlijk. Ik had mijn zaklantaarn niet bij me en de wind trok aan; ik had alleen maar een spijkerbroek, een T-shirt, het sweatshirt van de Universiteit van Colorado in Picayune dat Pap me had gegeven en een windjack aan. Maar ze was al op weg, ze zigzagde tussen de bomen door, dus na een snelle blik naar de anderen – ze lachten, hun stemmen golfden door elkaar – volgde ik haar.

Buiten gehoorsafstand van het kampeerterrein wilde ik haar vragen wat de bedoeling was, maar toen ik naar haar keek en de intense blik in haar ogen zag durfde ik niets te zeggen. Ze pakte een zaklamp – ze had een zwart of donkerblauw heuptasje om dat ik niet eerder had gezien –, maar de zwakke lichtcirkel kon de duisternis nauwelijks terugdringen en verlichtte alleen een handjevol magere boomstammen.

We volgden geen pad. In het begin probeerde ik een mentaal Hans en Grietje-broodkruimelspoor te onthouden en lette ik op bijzonderheden – anders gekleurd boomschors, oké, grote rots in de vorm van een pad naast die dode boom, skeletachtige takken gestrekt als een omgekeerd crucifix, dat belooft wat –, maar dergelijke duidelijke kenmerken kwamen weinig voor en uiteindelijk bleek het zinloos. Na vijf minuten hield ik ermee op en liep ik blindelings naast haar mee, als iemand die ophoudt met watertrappelen en zich overgeeft aan de verdrinkingsdood.

'Ze vermaken zich wel een tijdje,' zei ze. 'Maar we hebben niet veel tijd.'

Ik weet niet hoe lang we liepen. (Door wat later een enorme vergissing zou blijken te zijn had ik geen horloge om.) Na een minuut of tien stopte ze opeens, ritste haar heuptasje open en pakte een kaart – anders dan de exemplaren die ze ons had gegeven, in kleur en veel gedetailleerder – en een klein kompas. Ze bestudeerde ze.

'Iets verder,' zei ze.

We liepen nog vijf of tien minuten door.

Het was vreemd, zoals ik haar blindelings volgde, en zelfs nu kan ik niet verklaren waarom ik meeging, zonder bezwaar, vragen en zelfs zonder angst. Op de momenten in je leven waarop je ervan uitgaat dat je verlamd van angst zult zijn, ben je dat niet. Ik zweefde, alsof ik me liet meevoeren in de mechanische kano van de Betoverende Amazonetocht in Walter's Wonderworld in Alpaca, Maryland. Ik registreerde vreemde details: Hannah die op de binnenkant van haar lip beet (zoals Pap altijd deed als hij een onverwacht goed geschreven werkstuk moest beoordelen), de neus van mijn leren schoen die het licht van de zaklamp raakte, het rusteloze heen en weer deinen van de dennenbomen, alsof ze allemaal niet in slaap konden komen, de manier waarop Hannah met enige regelmaat met haar rechterhand aan haar heuptasje voelde, als een zwangere vrouw die aan haar buik voelt.

Ze hield stil en keek op haar horloge.

'Nu kan het,' zei ze, en ze deed haar zaklamp uit.

Mijn ogen wenden langzaam aan de duisternis. Het leek alsof we op een plek stonden waar we vijf minuten eerder ook langs waren gekomen. Ik kon de fijne structuur van de bomen om ons heen onderscheiden en het gespannen gezicht van Hannah. Het glansde, een blauwachtig soort parelmoer.

'Ik ga je iets vertellen,' zei ze, en ze keek me strak aan. Ze haalde diep adem en ademde uit, maar ze zei niets. Ik zag dat ze nerveus was, bezorgd zelfs. Ze slikte, haalde nog een keer zwaar adem, legde haar hand op haar sleutelbeen en hield hem daar, een witte, verlepte handcorsage. 'Ik ben hier vreselijk slecht in. Ik ben goed in andere dingen. Wiskunde. Talen. Opdrachten. Mensen op hun gemak stellen. Maar hier ben ik waardeloos in.'

'Waarin?' vroeg ik.

'De waarheid.' Ze lachte. Een vreemd, verstikt geluid. Ze trok haar schouders op en keek naar de hemel. Ik keek ook, want naar de hemel kijken is aanstekelijk, net als gapen. Daar was hij, zoals altijd: door de bomen de lucht in getild, een diepzwart vlak, de sterren, kleine glittersteentjes zoals die op de cowboylaarzen van Meikever Rachel Groom.

'Ik kan niemand iets verwijten, weet je,' zei Hannah. 'Alleen mezelf. Iedereen maakt keuzes. God, ik snak naar een sigaret.'

'Gaat het wel?'

'Nee. Ja.' Ze keek me aan. 'Het spijt me.'

'Misschien kunnen we beter teruggaan.'

'Nee. Ik snap dat je denkt dat ik gek ben.'

'Ik denk niet dat je gek bent,' zei ik, maar op het moment dat ik het zei begon ik het me natuurlijk wel af te vragen.

'Wat ik je moet vertellen is niet erg. Meer voor mij. Voor mij is het vreselijk. Denk niet dat ik niet weet hoe vreselijk. Hoe ziek. Om zo te leven – o, je bent bang. Het spijt me. Het was niet mijn bedoeling dat het zo zou gaan, diep in het betoverde bos, ik weet dat het een beetje primitief lijkt. Maar het is onmogelijk om te praten zonder dat een van hen erbij komt. Hannah dit, Hannah dat. O, god. Het is ondoenlijk.'

'Wat is ondoenlijk?' vroeg ik, hoewel ze me niet leek te horen. Het leek alsof ze tegen zichzelf praatte.

'Toen ik erover nadacht hoe ik het zou vertellen – godsamme, ik ben een lafaard. In de war. Ziek. Ziek.' Ze schudde haar hoofd en legde haar handen op haar ogen. 'Je hebt bepaalde mensen. Kwetsbare mensen. Mensen van wie je houdt en die kwets je. Wat een hopeloos geval ben ik, hè? Ziek. Ik haat mezelf, echt waar. Ik...'

Er is in veel opzichten niets verontrustender dan een volwassene die onthult dat ze geen volwassene is, en alles wat dat woord moet impliceren – niet degelijk maar onbetrouwbaar, niet stabiel, maar uiterst labiel. Het was alsof ik weer in de eerste klas zat en naar een prachtige poppenkastpop keek die langzaam omhoogkwam en zo de monsterachtige mens onthulde die eraan vastzat. Haar kin rimpelde door vreemde, onbekende emoties. Ze huilde niet, maar haar donkere mondhoeken krulden omlaag.

'Zul je luisteren naar wat ik ga vertellen?' Haar stem was laag, zoals die van een oma, maar hulpbehoevend zoals die van een kind. Ze deed een stap naar voren, iets te dicht bij me, en haar zwarte ogen gingen over mijn gezicht.

'Hannah?'

'Beloof het me.'

Ik keek haar aan. 'Oké.'

Dat leek haar iets rustiger te maken.

'Dank je.'

Ze haalde nog een keer diep adem – maar zei niets.

'Heeft het met mijn vader te maken?' vroeg ik.

Ik weet niet waarom juist die vraag zonder nadenken uit mijn mond glipte. Misschien was ik toch niet helemaal over de plotselinge verschijning van Kitty heen: als Pap zo moeiteloos over haar had gelogen, was het heel goed mogelijk dat hij ook had gelogen over andere kleffe escapades met personeelsleden van St. Gallway. Of misschien was het een reflex; mijn hele leven hadden leerkrachten me zonder uitleg terzijde genomen op de gang en in cafetaria's, in knusse zithoekjes en bij het klimrek, en terwijl ik zat te hyperventileren in de verwachting dat ik te horen zou krijgen dat ik stout was geweest en zwaar gestraft zou worden, dat ik een toets had verprutst en een jaar zou moeten overdoen, verrasten ze me altijd door zich naar me over te buigen en met grauwe ogen en koffieadem idiote vragen over Pap te stellen (Rookte hij? Was hij vrijgezel?/ Wanneer was het een goed moment om te bellen en contact te leggen?). Als ik een hypothese moest opstellen voor die gevallen waarbij ik eruit werd gepikt, zou die hierop neerkomen: alles draaide om Pap. (Zelfs hij hield deze vooronderstelling in stand; als de jongen achter de kassa bij de supermarkt nors deed concludeerde Pap dat dat kwam door de laatdunkende manier waarop hij hem per ongeluk had aangekeken terwijl hij de boodschappen op de band had gezet.)

Maar ik kon de reactie van Hannah niet peilen. Ze keek naar de grond met haar mond een klein stukje open, alsof ze in shock was, of misschien had ze me niet gehoord en zocht ze naar iets om te zeggen. En terwijl de dennenbomen niet-aflatend boven ons ruisten en ik wachtte tot ze antwoordde met 'Ja', 'Nee,' of 'Doe niet zo idioot', klonk er een paar meter achter ons een zacht maar onmiskenbaar geschuifel.

Mijn hart kromp ineen. Hannah deed meteen de zaklamp aan en scheen in de richting van het geluid, en tot mijn schrik viel het licht daadwerkelijk op iets – een soort weerspiegeling, brillenglazen – en toen begon het zich uit de voeten te maken, het baande zich een weg door de takken en struiken, over dennennaalden en bladeren, op wat onmiskenbaar twee voeten waren. Ik was te bang om me te verroeren of te gillen, maar Hannah legde een hand op mijn mond tot we het niet meer konden horen, tot alleen de dreigende duisternis en het geluid van de wind in de bomen restten.

Ze deed de zaklamp uit. Ze drukte hem in mijn handen.

'Doe hem alleen aan als het moet.'

Ik kon haar nauwelijks verstaan, zo zacht praatte ze.

'Hou deze ook bij je.' Ze gaf me een dik stuk papier, de kaart. 'Voor de zekerheid. Verlies hem niet. Ik heb de andere, maar ik heb deze nodig als ik terugkom. Blijf hier. Maak geen geluid.'

Het gebeurde razendsnel. Ze kneep in mijn arm, liet los en liep in de richting van het ding, waarvan ik wilde geloven dat het een beer of een wild zwijn was – het meest voorkomende landdier, waarvan bekend was dat het een snelheid van zestig kilometer per uur kon halen en in staat was om sneller het vlees van een mens te scheuren dan een vrachtwagenchauffeur een kippenvleugeltje kon verorberen –, maar vanbinnen wist ik dat het geen zwijn was; geen enkel naslagwerk kon achteraf de waarheid in twijfel trekken: het was een mens geweest, wat zoöloog Bart Stuart in *Beesten* (1998) 'het meest wrede dier van allemaal' noemt.

'Wacht.' Mijn hart voelde alsof het als een tandpastatube werd leeggeknepen in mijn nek. Ik liep achter haar aan. 'Waar ga je heen?'

'Blijf hier, zei ik.'

Haar stem klonk ijzig en ik stopte meteen.

'Ik durf te wedden dat het Charles was,' voegde ze er vriendelijker aan toe. 'Je weet hoe hij is: hartstikke jaloers. Niet bang zijn.' Haar gezicht was groot en ernstig, en hoewel ze glimlachte, een glimlach die door het duister zweefde als een *Hyphantria cunea*, wist ik dat ze dat zelf niet geloofde.

Ze boog voorover en gaf me een zoen op mijn wang. 'Ik ben over vijf minuten terug.'

De woorden bleven steken in mijn mond, in mijn hoofd. Maar ik bleef staan. Ik liet haar los.

'Hannah?'

Vlak daarna begon ik haar naam te snotteren, toen ik haar voetstappen nog kon horen en het besef doordrong dat ik in mijn eentje in deze wildernis stond, toen de onverschilligheid van het bos leek aan te geven dat ik hier waarschijnlijk aan mijn eind zou komen, bevend, alleen, verdwaald, een gegeven voor de statistieken, vastgeprikt op het mededelingbord van de politie, mijn schoolfoto met stijve glimlach (hopelijk namen ze niet die van Lamego High) op de voorpagina van een plaatselijk krantje, vervolgens gerecycled tot toiletpapier of gebruikt voor de zindelijkheidstraining van een hond.

Ik riep haar naam nog zeker drie of vier keer, maar ze gaf geen antwoord en al snel hoorde ik haar niet meer.

Ik weet niet hoe lang ik wachtte.

Het leken wel uren, maar de nacht gleed voort, zonder onderbreking, dus misschien was het een kwartier. Vreemd genoeg was dat het enige wat ik echt ondraaglijk vond: dat ik niet wist hoe laat het was. Ik begreep helemaal waarom de veroordeelde moordenaar Sharp Zulett in zijn verrassend leesbare autobiografie *Leven in de vergeetput* (1980) (een boek dat ik ooit abusievelijk nogal overdreven en melodramatisch had gevonden), had geschreven dat je in de 'vergeetput', een cel van iets meer dan een bij tweeënhalve meter in Lumgate, de maximaal beveiligde staatsgevangenis van Hartford, 'moet loskomen van de leidraad van de Tijd, jezelf moet laten zweven in het donker, erin moet leven. Anders word je gek. Je begint duivels te zien. Eén vent kwam er na twee dagen uit en hij had zich een oog uitgestoken' (blz. 131).

Ik deed mijn best om erin te leven. De eenzaamheid daalde zwaar op me neer, als dat ding dat ze op je leggen bij röntgenfoto's. Ik zat op de prikkende grond en al snel kon ik me niet meer bewegen. Af en toe dacht ik dat ik haar hoorde terugkomen, het aangename geknisper van voetstappen, maar het waren slechts de bomen die in de toenemende wind hun takken langs elkaar veegden en deden alsof ze cimbalen bespeelden.

Telkens als ik een vreselijk geluid hoorde dat ik niet kon thuisbrengen, hield ik mezelf voor dat het alleen maar de chaostheorie was, het dopplereffect, of het onzekerheidsprincipe van Heisenberg, toegepast op verdwaalde mensen in het donker. In gedachten herhaalde ik het onzekerheidsprincipe van Heisenberg minstens duizend keer: het wiskundig product van de gecombineerde onzekerheden van samenvallende berekeningen van positie en moment in een gegeven richting kan nooit minder zijn dan de constante van Planck, h, gedeeld door 4π. Dat betekende, en dit was bemoedigend, dat mijn onzekere positie, nul momentum en de onzekere positie en het onzekere momentum van het Beest dat Verantwoordelijk was voor het Geluid ongeveer tegen elkaar moesten wegvallen, waardoor ik mij bevond in wat in de wetenschappelijke wereld algemeen bekendstaat als een staat van 'alomvattende verbijstering'.

Als je langer dan een uur (opnieuw een schatting) hulpeloos en doodsbang bent, gaat die angst deel uitmaken van jezelf, het wordt een extra arm die je niet eens meer opmerkt. Je vraagt je af wat andere mensen – mensen die je nooit zou kunnen zien 'zweten van angst', om een populaire zegswijze te gebruiken – zouden doen als ze in jouw schoenen stonden. En dat probeer je als leidraad te gebruiken.

Na afloop van zijn Stoelendans: De Essentie bij Hachelijke Situaties-seminar op de Universiteit van Oklahoma in Flitch zei Pap dat ten tijde van crisis twee individuen in Helden veranderen, een handjevol in Schurken en de rest in Dwazen. 'Probeer geen onnozele idioot te zijn, de categorie van de dwazen, waar iemand afglijdt tot het niveau van een aap, verlamd door de wens om te sterven, snel en pijnloos. Ze willen alleen maar als een buidelrat met hun pootjes in de lucht gaan liggen. *Beslis.* Ben je een kerel of een nachtdier? Heb je moed? Begrijp je de betekenis van "begeef je niet gedwee in de goede nacht"? Als je een mens met inhoud bent, als je niet slechts vulling bent, piepschuim, vulling voor een kalkoen met Thanksgiving, tuinmulch – dan moet je vechten. *Vechten.* Vechten voor datgene waarin je gelooft.' (Bij dat op een na laatste 'vechten' sloeg Pap met zijn vuist op het podium.)

Ik stond met stijve knieën op. Ik knipte de zaklamp aan. Ik ergerde me wezenloos aan de miezerige lichtbundel. Ik had het idee dat ik de lamp op een orgie van bomen richtte, uitgemergelde, naakte lichamen die bij elkaar kropen om zich te verbergen. Stapje voor stapje liep ik in de richting die Hannah vermoedelijk op was gegaan. Ik volgde de zaklamp en speelde een spelletje waarbij ik deed alsof niet ik de lichtbundel richting gaf, maar God (samen met een stel verveelde engelen), niet omdat Hij mij bevoorrechtte boven alle andere mensen op aarde die zich in een penibele situatie bevonden, maar omdat het een stil nachtje was en er op zijn radar op het gebied van Wijdverbreide Paniek of Genocide niet veel te zien viel.

Ik bleef met enige regelmaat staan, liep op mijn tenen om enge gedachten heen waarin ik werd gevolgd, verkracht en vermoord door een doorgedraaide zwerver met scherpe tanden en een borstkas ter grootte van een zak zand, zodat ik mijn leven zou eindigen als een hartverscheurend ?, geheel in de geest van Violet Martinez. In plaats daarvan concentreerde ik me op de geplastificeerde kaart die Hannah me had gegeven, met bovenaan de tekst 'The Great Smoky Mountain National Park' (onder deze kop stond in nogal bescheiden letters: 'Met toestemming van de Vrienden van de Smokies') met zijn handige aanduidingen en hompjes berg waarvan de kleur correspondeerde met de hoogte – ik las 'Cedar Gorge', 'Bezoekerscentrum Gatlinburg', 'Hatcher Mountain', 'Pretty Hollow Gap,' '2043 meter boven de zeespiegel'. Omdat ik geen benul had waar ik was had ik er net zoveel aan als aan een bladzij uit *Where's Waldo* (Handford, 1987). Toch bestudeerde ik hem zorgvuldig bij het licht van de zaklamp, alle kriebelige lijntjes en de prettige Times New Roman, de keurige 'Legenda', kleine beloftes, zachte klopjes op de rug die me verzekerden dat er in deze duisternis een Ordening was, een Overkoepelend Plan, dat de mismaakte boom voor me een vlekje ergens op deze kaart was, en dat ik alleen maar datgene moest zoeken dat de twee elementen zou verbinden en opeens (met een kleine lichtflits) zou de duisternis wijken en onderverdeeld worden in aspergegroene vakken die ik naar huis kon volgen, via de A3, B12 en D2 terug naar Pap.

Ik moest ook steeds denken aan het summiere verhaal dat Hannah in de herfst had verteld (geen details, alleen de hoofdlijnen van wat er was gebeurd): die keer in de Adirondacks toen ze een man had gered die gewond was aan zijn heup. Ze zei dat ze was blijven rennen tot ze uiteindelijk een stel kampeerders met een radiozender had gevonden, en dus begon ik vanbinnen te juichen, misschien zou ik ook wel Kampeerders met een Radiozender tegenkomen, misschien stonden er een stukje verder wel gewoon Kampeerders met een Radiozender. Maar hoe langer ik liep en de bomen om me heen draaiden als gevangenen die wachtten tot ze te eten krijgen, hoe duidelijker het werd dat de kans dat ik Kampeerders met een Radiozender zou tegenkomen net zo groot was als dat ik op de volgende open plek een gloednieuwe Jeep Wrangler met de sleutels in het contactslot en een volle tank benzine zou aantreffen. Er was niets, alleen ik, de takken, het moeras van duisternis. Ik vroeg me af waarom die maffe milieufreaks eigenlijk klaagden over Verdwijnende Natuur en zo, want er was een overdaad, een teveel aan Natuur; het werd tijd dat de zaag er eens in ging, dat er een donuttent werd neergezet en een parkeerterrein werd aangelegd zo ver als het oog reikte, groot, rechthoekig en kaal, 's nachts verlicht als een augustusmiddag. Op zo'n prachtige plek waar je schaduwen niet werden afgekapt maar in lange rechte lijnen achter je liepen. Je zou er een gradenboog langs kunnen houden en moeiteloos de exacte hoek met je voeten kunnen vaststellen: dertig graden.

Ik had misschien al wel een uur gelopen, me vastklampend aan dergelijke gammele reddingsvlotjes van gedachten om maar niet te verdrinken – toen ik het geluid voor het eerst hoorde. Het was zo indringend, zo ritmisch en zeker dat de hele inktzwarte wereld leek te zwijgen als zondaren in een kerk. Het klonk – ik stond stil en probeerde mijn ademhaling onder controle te krijgen – als een kind op een schommel. ('Een kind op een schommel' klinkt dreigend, très horrorfilmesque, maar ik ervoer het geluid niet als een directe bedreiging.) En hoewel het in strijd was met rede en gezond verstand, begon ik het zonder er veel bij na te denken te volgen.

Om de zoveel tijd hield het op. Ik vroeg me af of ik me dingen verbeeldde. Vervolgens begon het aarzelend weer. Ik liep door, het licht van de zaklamp drong de dennenbomen terug, en ik probeerde te bedenken wat het zou kunnen zijn. Ik probeerde niet bang te zijn, maar pragmatisch en sterk zoals Pap, in navolging van zijn Determinatietheorie. Ik probeerde me te laten leiden door mevrouw Gershon van Natuurkunde, want elke keer als er een vraag was vanuit de klas gaf ze niet rechtstreeks antwoord, maar draaide ze zich om naar het bord en schreef ze zwijgend en vermoeid vijf tot zeven kernpunten op waarin het antwoord werd uitgelegd. Ze stond altijd in een hoek van vijfenveertig graden ten opzichte van het bord omdat ze zich met haar rug naar de klas gekeerd kwetsbaar voelde. En toch konden we uit juffrouw Pamela 'PMS' Gershons achterkant hele verhalen afleiden; op haar achterhoofd zat een plekje waar haar haar dun werd, haar bruine en grijze broeken hingen als een uitgezakte tweede huid om haar heen, haar achterwerk was ingedrukt als een zondagse hoed waarop iemand was gaan zitten. Als mevrouw Gershon hier was, zou ze proberen om alles over het geluid te weten te komen wat er te weten viel, dat kind op een schommel. Boven aan het bord (ze stond op haar tenen, haar arm hoog boven haar hoofd alsof ze een berg beklom) zou ze schrijven: 'Fenomeen van Kind op Schommel in een Dichtbeboste Omgeving: het Zeven Punten Spectrum van Conceptuele Fysica.' Haar eerste kernpunt zou zijn: '*Atomen*: zowel het Kind op de Schommel als de Schommel is opgebouwd uit kleine bewegende deeltjes', en haar laatste kernpunt zou zijn: '*Einsteins Speciale Relativiteitstheorie*: als een Kind op een Schommel een tweelingzus of -broer had die met een ruimteschip met een snelheid zou reizen die die van het licht benaderde, zou de tweelingzus of -broer bij terugkeer op aarde jonger zijn dan het Kind op de Schommel.'

Nog een stap dichterbij. Het geluid was nu harder. Ik liep over een kleine open plek die bedekt was met dennennaalden, tere, bevende struikjes bij mijn voeten. Ik draaide opzij, het gele licht danste als een rouletteballetje over de boomstammen en kwam tot stilstand.

Ze was verrassend dichtbij, ze hing aan een oranje touw om haar nek minder dan een meter boven de grond. Mijn zaklamp deed haar grote ogen en de groene vlakken op haar overhemd oplichten. Haar tong hing uit haar mond. Haar gezicht, haar gezichtsuitdrukking, het schuim rond haar mond – het was zo onmenselijk, zo misselijkmakend dat ik nog steeds niet weet hoe ik op datzelfde moment wist dat zij het was. Want het was Hannah niet, het was onwezenlijk en monsterachtig, iets waar geen leerboek of encyclopedie je ooit op kon voorbereiden.

En toch was het zo.

❖

De nasleep van haar aanblik is opgesloten in een ontoegankelijke gevangeniscel in mijn geheugen. ('Getuigentrauma,' legde rechercheur Fayonette
Harper later uit.) Ondanks nachten wakker liggen en allerlei diepgaand mentaal zelfonderzoek kan ik me mijn gegil niet herinneren, of dat ik viel, of dat
ik zo hard liep dat ik langs iets schampte en mijn linkerknie dusdanig open-
haalde dat er drie hechtingen voor nodig waren, of zelfs dat ik de kaart verloor
waarvan ze had gezegd dat ik hem goed moest bewaren, met die droge
fluisterstem als een stukje papier dat je wang raakt.

Ik werd de volgende ochtend om ongeveer kwart voor zeven gevonden
door ene John Richards, eenenveertig jaar, die op forellen ging vissen met
zijn zoon Ritchie van zestien. Van mijn stem was niets meer over. Mijn gezicht en handen zaten zo onder de schrammen, modder en opgedroogd bloed
toen ze me vonden – (in de buurt van Forkridge Trail, veertien kilometer van
Sugartop Summit) zittend tegen een boom, een doodse blik op mijn gezicht,
met in mijn handen de bijna gedoofde zaklamp – dat ze tegen Pap zeiden dat
ze dachten dat ik de bergduivel was.

One Flew over the Cuckoo's Nest

Ik deed mijn ogen open en zag dat ik op een bed in een door gordijnen omsloten ruimte lag. Ik probeerde iets te zeggen, maar mijn keel bracht alleen geschraap voort. Ik lag van mijn kin tot mijn in groene sokken gehulde voeten onder een witte katoenen deken. Ik droeg een lichtblauw ziekenhuishemd met verbleekte zeilboten erop en er zat een verband om mijn linkerknie. Overal om me heen klonken voortdurend berichten in ziekenhuismorse: piepjes, belletjes, klikjes, een boodschap voor dr. Bullard om te reageren op lijn 2. Iemand vertelde over een recent reisje naar Florida met zijn vrouw. Op mijn linkerhand zat een vierkant stukje gaas met een injectienaald eronder (muskiet) die met een dun slangetje in verbinding stond met een zak met een doorzichtige vloeistof die boven me hing (mistletoe). Mijn hoofd, of eigenlijk mijn hele lichaam, voelde als een opgeblazen ballon. Ik staarde naar de plooien in het mintgroene gordijn aan mijn linkerkant.

Het gleed opzij. Er kwam een verpleegster binnen. Ze roetsjte het achter zich dicht. Ze bewoog zich naar me toe alsof ze zwenkwieltjes in plaats van voeten had.

'Dus je bent wakker,' zei ze opgewekt. 'Hoe voel je je? Heb je honger? Probeer maar niet te praten. Ik vervang even het infuus en dan haal ik de dokter.'

Ze verwisselde het infuus en rolde weg.

Ik rook latex en ontsmettingsalcohol. Ik staarde naar het plafond, naar de witte rechthoeken die als een vanille-ijsje bespikkeld waren met bruine stipjes. Iemand vroeg waar de krukken van Johnson waren. 'Toen hij binnenkwam stond zijn naam erop.' Een vrouw lachte. 'Vijf jaar getrouwd. Het geheim is dat je elke dag doet alsof het je eerste afspraakje is.' 'Kinderen?' 'Daar zijn we mee bezig.'

Weer een roetsj en er verscheen een kleine, rank gebouwde dokter met een getinte huid en ravenzwart haar. Hij droeg een plastic identificatiepasje om zijn nek met daarop een gepixelde foto van hemzelf in de kleur van een Spaanse peper, een streepjescode en zijn naam: THOMAS C. SMART, ARTS SPOEDEISENDE HULP. Toen hij naar me toe liep, waaierde zijn imposante witte jas grillig achter hem aan.

'En hoe voelen we ons?' vroeg hij. Ik probeerde te praten – mijn *oké* kwam eruit als een mes dat jam smeerde op een aangebrande snee toast – en hij knikte begrijpend, alsof hij dezelfde taal sprak. Hij pende iets neer op zijn klembord waarna hij me vroeg om overeind te gaan zitten en langzaam en diep adem te halen terwijl hij zijn ijskoude stethoscoop op verschillende plaatsen tegen mijn rug hield.

'Dat ziet er goed uit,' zei hij met een vermoeide nepglimlach.

Hij verdween in een warreling van wit. Ik staarde weer naar het troosteloze lichtgroen van het gordijn. Als er aan de andere kant iemand langsliep ging er een rilling doorheen, alsof het bang was. Een telefoon rinkelde en werd haastig opgenomen. Er rolde een bed door de gang: vogelpiepjes van zwenkwielen.

'Ik begrijp het, meneer. Uitputting, kou, geen onderkoeling maar uitdroging, de wond aan haar knie en andere snijwonden en schrammen. Overduidelijk ook een shock. Ik zou haar graag nog een paar uur hier houden, zorgen dat ze wat eet. Daarna zien we wel verder. We schrijven een receptje uit voor de pijn in haar knie. En een licht slaapmiddel. De hechtingen kunnen er over een week uit.'

'U luistert niet. Het gaat me niet om die hechtingen. Ik wil weten wat er met haar is gebeurd.'

'Dat weten we niet. We hebben het park op de hoogte gebracht. Er zijn reddingswerkers...'

'Die reddingswerkers kunnen in de stront zakken.'

'Meneer...'

'Niks meneer. Ik wil naar mijn dochter toe. Ik wil dat ze iets te eten krijgt. Ik wil dat ze een fatsoenlijke verpleegster krijgt, niet zo'n leeghoofd dat in staat is om een kind met een simpele oorontsteking de dood in te jagen. Ze moet naar huis om bij te komen. Ik wil niet dat ze nog een keer alles wat er ook gebeurd mag zijn moet doormaken met een of andere klungel, een of andere pias die te stom was om de middelbare school af te maken, die een motief nog niet eens herkent als het in zijn kont bijt, alleen maar omdat een of ander politiekorps vol kneuzen te amateuristisch is om zelf te weten te komen wat er is gebeurd.'

'Het is standaard bij dit soort ongelukjes...'

'Ongelukjes?'

'Ik bedoel...'

'Limonade op een wit kleed morsen is een ongelukje. *Een oorbel kwijtraken is een ongelukje!*'

'Hij krijgt haar alleen te spreken als ze daartoe in staat is. Dat beloof ik u.'

'Voor dat beloven van u koop ik niet veel, dokter. Wat staat er op dat dingetje, dr. Thomas, Tom *Smarts?*'

'Het is zonder "s".'

'Wat is dat, uw artiestennaam?'

Ik liet me van het bed af rollen, waarbij ik uitkeek dat mijn arm en de andere plastic draadjes die op mijn borst waren bevestigd niet losgetrokken werden van het apparaat waaraan ik was vastgemaakt, en liep het kleine stukje naar het gordijn met het bed onwillig achter me aan. Ik gluurde naar buiten.

Naast de grote witte zeshoek van de administratie in het midden van de Spoedeisende Hulp stond Pap, in ribfluweel. Zijn grijsblonde haar deinde over zijn voorhoofd – iets wat ook bij lezingen gebeurde – en zijn gezicht was rood. Voor hem stond Witte Doktersjas te knikken, zijn handen gevouwen. Links van hem, achter de balie, zat Pluizig Haar met naast haar Mars-Oranje Lippenstift. Ze staarden allebei naar Pap, de een met de hoorn van de telefoon in haar hand, de ander deed alsof ze een klembord bestudeerde, maar ze luisterden overduidelijk mee.

'Pap,' raspte ik.

Hij hoorde me meteen. Zijn ogen werden groot.

'Jezus christus,' zei hij.

Achteraf bleek ik me niets te kunnen herinneren, hoewel ik John Richards en zijn zoon kennelijk de oren van het hoofd had gekletst toen ze me, hun manke bruid, de kilometer naar hun pick-up droegen. (Witte Doktersjas was heel informatief toen hij uitlegde dat ik wat mijn geheugen betrof 'van alles en nog wat' kon verwachten – alsof ik alleen maar mijn hoofd had gestoten, alsof ik alleen maar een frontale botsing had gehad.)

Met wat ik me zo voorstel als de opgeladen, maar geschroeide stem van iemand die net door de bliksem is getroffen (een stroomstoot van meer dan honderd miljoen volt), had ik met grote pupillen en in fragmentarische zinnen mijn naam, adres en telefoonnummer verteld, dat ik op een kampeeruitstapje naar de Smoky Mountains was geweest en dat er iets ergs was gebeurd.

(Ik had daadwerkelijk het woord *ergs* gebruikt.) Ik had geen antwoord gegeven op hun vragen – ik was niet in staat geweest om te vertellen wat ik precies had gezien, maar tijdens de rit van drie kwartier naar Sluder County Hospital had ik voortdurend de woorden 'Ze heeft ons verlaten' herhaald.

Met name dit detail was verontrustend. 'Ze heeft ons verlaten' kwam uit een liedje dat Pap en ik onderweg zongen toen ik vijf jaar oud was, ik had het geleerd in de crèche van juf Jetty in Oxford, Mississippi. Het was min of meer op de melodie van 'Oh My Darlin' Clementine': *Ze heeft ons verlaten, ze is heengegaan/ verdronken in de diepte, waar geen mens kan bestaan.*

(Pap kwam dit te alles te weten toen hij had kennisgemaakt met mijn twee Ridders te Paard in de wachtkamer van de Spoedeisende Hulp, en hoewel ze lang voordat ik bijkwam waren vertrokken, stuurden Pap en ik ze later een bedankbriefje en voor driehonderd dollar aan gloednieuwe vliegvisuitrusting, blind aangeschaft bij Bull's Eye Bait and Tack.)

Dankzij mijn onverwachte helderheid was het Sluder County Hospital in staat geweest om contact op te nemen met Pap en om de dienstdoende parkwachter te alarmeren, een man die Roy Withers heette, die meteen een zoektocht opstartte. Om dezelfde reden had de politie van Burns County een agent van de patrouilledienst, Gerard Coxley, naar het ziekenhuis gedirigeerd om met me te praten.

'Ik heb alles al geregeld,' zei Pap. 'Je praat met niemand.'

Opnieuw lag ik achter het mintgroene gordijn op het zachte bed, gemummificeerd met verwarmde dekens, en probeerde ik met één krachteloze arm het broodje kalkoenfilet en de chocoladekoek te eten die Mars-Oranje Lippenstift bij de kantine had gehaald. Mijn hoofd voelde als de kleurige ballon die ze hadden gebruikt in de filmklassieker *Reis rond de wereld in tachtig dagen.* Ik was alleen in staat om naar het groene gordijn te staren, te kauwen en te slikken en de koffie te drinken die Pluizig Haar volgens de gedetailleerde instructies van Pap had gehaald ('Blue drinkt haar koffie graag met halfvolle melk en zonder suiker. Ik drink hem zwart'): staren, kauwen, slikken, staren, kauwen, slikken. Pap zat aan de linkerkant van het bed.

'Je wordt weer helemaal beter,' zei hij. 'Mijn kleine meid is een kanjer. Nergens bang voor. Over een uur zijn we thuis. Daar kun je tot rust komen. Dan ben je zo weer de oude.'

Ik was me ervan bewust dat Pap met zijn Truman-stem en Kennedy-grijns deze cheerleaderzinnetjes herhaalde om zichzelf op te peppen, niet mij. Van mij mocht hij. Ik had via het infuus een kalmeringsmiddel gekregen en ik was te wazig om zijn opwinding helemaal te begrijpen. Even voor alle duidelijkheid: ik had Pap niet verteld dat we gingen kamperen. Ik had gezegd dat ik het weekend bij Jade zou logeren. Ik wilde niet tegen hem liegen, zeker niet in het licht van zijn pas ingevoerde McDonald's-benadering van het ouderschap (We Staan 24 Uur Per Dag Voor u Klaar), maar Pap had een gruwelijke hekel aan buitenactiviteiten als kamperen, skiën, mountainbiken, parasailen, zweefvliegen en parachutespringen, en nog meer aan 'de leeghoofden' die zulke dingen deden. Pap had geen enkele aandrang om de uitdaging van Het Bos, De Oceaan, De Berg of Het Luchtruim aan te gaan, zoals hij uitgebreid verwoordde in 'Menselijke overmoed en de wereld', in 1982 verschenen in de intussen ter ziele gegane *Sound Opinions Press*.

Ik citeer paragraaf 14, het fragment met de titel 'Het Zeus-complex': 'De egocentrische mens wil van de onsterfelijkheid proeven door veeleisende fysieke beproevingen aan te gaan waarbij hij zich vol overgave op het randje van de dood begeeft om aan zijn egoïstische gevoel van *presteren*, van *overwinnen* te voldoen. Een dergelijk gevoel is onecht en kortstondig, want de macht van de Natuur over de Mens is absoluut. De mens vindt zijn ware bestemming niet in extreme omstandigheden, waarin hij nu eenmaal kwetsbaar is als een vlo, maar in zijn werk. Die bestemming ligt in het opbouwen van dingen en het besturen, het scheppen van regels en verordeningen. In zijn werk zal de mens de zin van het bestaan ontdekken, niet in de zelfzuchtige, semi-heldhaftige beklimming van de Everest zonder zuurstof waarbij hijzelf en de arme sherpa die hem moet dragen bijna omkomen.'

Vanwege die paragraaf 14 had ik het Pap niet verteld. Hij had me nooit laten gaan, en hoewel ik er zelf ook niet echt zin in had wilde ik niet dat de anderen zonder mij een onvergetelijke ervaring zouden hebben. (Ik wist niet hoe onvergetelijk die zou blijken te zijn.)

'Ik ben trots op je,' zei Pap.

'Pap,' was het enige wat ik kon uitbrengen. Ik raakte zijn hand aan en die reageerde als een mimosa, maar dan andersom: hij opende zich.

'Je komt er weer helemaal bovenop, lieverd. Straks ben je weer zo fit als een hoentje.'

'Fris,' kraste ik.

'Fris als een hoentje.'

'Beloof het.'

'Natuurlijk beloof ik dat.'

❖

Een uur later begon mijn stem weer op zijn tenen terug te sluipen. Een nieuwe verpleegster, Gefronste Wenkbrauwen (die door Witte Doktersjas wederrechtelijk was ontvoerd van een andere afdeling om tegemoet te komen aan de wensen van Pap) nam mijn bloeddruk en polsslag op ('Dat gaat de goede kant op,' zei ze voordat ze weghobbelde).

Hoewel ik er heerlijk knus bij lag onder de warme lampen en de piepjes, klikjes en andere ziekenhuisgeluidjes die even rustgevend waren als de onderwatergeluiden die je hoorde bij het snorkelen, merkte ik dat de herinneringen aan de vorige nacht weer tekenen van leven begonnen te vertonen. Tijdens het nippen aan mijn koffie en het luisteren naar het gemopper van een schorre man aan de andere kant van het gordijn die bijkwam van een astma-aanval ('Serieus. Ik moet naar huis om de hond eten te geven.' 'Nog een halfuurtje, meneer Elphinstone') realiseerde ik me dat Hannah mijn gedachten was binnengedrongen: niet zoals ik haar had gezien – *godzijdank niet* –, maar zittend aan haar eettafel en luisterend naar ons, haar hoofd schuin, met een sigaret die ze kort daarna krachtdadig uitdrukte op haar bord. Dat had ze twee keer gedaan. Ik moest ook aan haar hielen denken, aan een klein detail dat niet veel anderen opmerkten: soms waren ze zo roetzwart en uitgedroogd dat ze aan een sleets wegdek deden denken.

'Kindje? Wat is er?'

Ik zei tegen Pap dat ik de politieman wilde spreken. Hij ging met tegenzin akkoord en twintig minuten later lag ik agent Coxley alles te vertellen wat ik me herinnerde.

Volgens Pap had agent Coxley drie uur lang geduldig in de wachtruimte van de Spoedeisende Hulp zitten wachten, gewichtig pratend met de dienstdoende verpleegster en de niet-urgente gevallen, cola light drinkend en 'in een motorblad lezend met zo'n geconcentreerde uitdrukking op zijn gezicht dat ik kon zien dat het zijn geheime handleiding was', vertelde Pap afkeurend. Maar oneindig geduld bleek een van de belangrijkste eigenschappen van Gerard Coxley te zijn (zie *Verboden vruchten, steenvruchten en gedroogde vruchten*, Swollum, 1982).

Met zijn lange, magere benen over elkaar als een vrouw zat hij op de lage plastic stoel die Gefronste Wenkbrauwen voor de gelegenheid had gebracht. Op zijn linkerdij balanceerde een groen notitieblok, waarin hij met zijn linkerhand alles in hoofdletters schreef met de snelheid van een appelzaadje dat uitgroeit tot een boom van drie meter hoog.

Agent Coxley was met zijn veertig jaar, warrig kastanjebruin haar en de slaperige oogopslag van een strandwacht aan het eind van augustus ook een man van reducties, conclusies en korte zinnen. Ik kreeg een stel kussens in mijn rug (Pap hield Coxley intussen vanaf het voeteneind nauwlettend in de gaten), en deed mijn uiterste best om hem alles te vertellen, maar als ik een zin had afgemaakt – een ingewikkelde zin vol details van onschatbare waarde die ik moeizaam uit mijn geheugen putte omdat alles zo onwerkelijk leek; elke herinnering zweefde Cecil B. DeMille-achtig licht door mijn hoofd, compleet met filmlampen, special effects, overdadige make-up, pyrotechniek en sfeeraccenten –, noteerde agent Coxley alles in één, hooguit twee woorden.

ST. GALLWAY ZES TIENERS HANA SCHNEDER LERAAR DOOD? SUGARTOP VIOLET MARTINEZ.

Hij kon elke vertelling van Dickens verkleinen tot een haiku.

'Nog een paar vragen,' zei hij, turend naar zijn e.e. cummings-gedicht.

'En toen ze zich bij me voegde in het bos,' zei ik, 'droeg ze een rugzak die ze daarvoor niet om had. Hebt u dat?'

'Jazeker.' RUGZAK.

'En degene die ons volgde, ik zou zeggen dat het een man was, maar dat weet ik niet zeker, droeg een grote bril. Nigel, een van de jongens bij ons, heeft ook een bril, maar hij was het niet. Honderd procent zeker. Hij is heel tenger en hij draagt een dun brilletje. Deze persoon was forsgebouwd en hij had een grote bril. Met van die jampotglazen.'

'Oké.' JAMPOTGLAZEN.

'Dus nog maar een keer,' zei ik. 'Hannah wilde me iets vertellen.'

Coxley knikte.

'Daarom wilde Hannah weg van het kampeerterrein. Maar ze heeft me niet kunnen vertellen waar het om ging. Toen hoorden we iemand in onze buurt en ging ze achter hem aan.'

Intussen was mijn stem geslonken tot een zuchtje wind, hooguit een briesje, maar ik piepte maar door, ondanks de bezorgde frons van Pap.

'Oké, het staat genoteerd.' KAMPEERTERREIN. Agent Coxley keek me aan met ramboetanwenkbrauwen en hij glimlachte alsof hij nog nooit een ooggetuige zoals ik had meegemaakt. Waarschijnlijk was dat ook zo. Ik had het verontrustende gevoel dat zijn ervaring met getuigen niet was berekend op moord of zelfs maar inbraak, maar op verkeersongelukken. De vijfde van zijn reeks vragen (op zo'n neutrale toon gesteld dat je bijna het vel papier met het opschrift *Vragenlijst Ooggetuigen* op het mededelingenbord van het politiebureau kon zien hangen, naast de intekenlijst voor de tweeënvijftigste jaarlijkse Weekendbijeenkomst Autodiefstal, en het Contacthoekje waar alleenstaande medewerkers in maximaal achtentwintig woorden hun wensen kenbaar maakten) was het meest ontmoedigend geweest: 'Heb je op de plaats van het voorval iets ongewoons gezien?' Volgens mij hoopte hij dat ik 'een defect verkeerslicht' of 'dicht struikgewas dat het zicht op een stopbord belemmerde' zou zeggen.

'Is er al iemand van de anderen terecht?' vroeg ik.

'Daar wordt aan gewerkt,' zei Coxley.

'En Hannah?'

'Zoals ik al zei: iedereen is ermee bezig.' Hij ging met een dikke tuinboonvinger over het groene notitieblok. 'Kun je iets meer vertellen over je relatie met...'

'Ze was lerares op onze school,' zei ik. 'St. Gallway. Maar ze was meer dan dat. Ze was een vriendin.' Ik haalde diep adem.

'Over wie...'

'Hannah Schneider. Haar achternaam is met een "i" erin.'

'Oké.'

'Nogmaals, voor alle duidelijkheid: zij is degene die ik dacht te zien...'

'Goed,' zei hij, knikkend terwijl hij schreef. 'Goed.' VRIENDIN.

Op dat punt vond Pap vermoedelijk dat het welletjes was, want hij keek Coxley even heel strak aan, waarna hij, alsof hij tot een besluit was gekomen, opstond van het voeteneind van het bed (zie 'Picasso geniet van feestvreugde in Le Lapin Agile, Parijs', *Uit respect voor de duivel*, Hearst, 1984, blz. 148).

'Volgens mij heb je alles wel zo'n beetje, Poirot,' zei Pap. 'Heel systematisch. Ik ben onder de indruk.'

'Pardon?' vroeg agent Coxley met een frons.

'Door u heb ik een hernieuwd respect voor ons politieapparaat. Hoeveel dienstjaren intussen, Holmes? Tien? Twaalf?'

'Ik ga naar de achttien.'

Pap knikte glimlachend. 'Indrukwekkend. Ik ben altijd dol geweest op dat taaltje: plaats delict, sporen van braak, een heterdaadje – ja toch? Neem het me maar niet kwalijk. Ik heb te vaak naar *Columbo* gekeken. Ik heb er nog altijd spijt van dat ik zelf niet het vak in ben gegaan. Mag ik vragen hoe u erin bent gerold?'

'Door mijn vader.'

'Dat is mooi.'

'En zijn vader. Het gaat generaties terug.'

'Als u het mij vraagt, gaan er bij lange na niet genoeg jonge mensen bij de politie. Al die pientere jongelui gaan voor de dure baantjes, maar worden ze daar gelukkig van? Volgens mij niet. We hebben degelijke mensen nodig, intelligente mensen. Mensen die hun hoofd gebruiken, niet hun ellebogen.'

'U haalt me de woorden uit de mond.'

'Serieus?'

'De zoon van een goede vriend van me ging naar Bryson City. Ging aan de slag bij een bank. Vond het vreselijk. Kwam weer terug, en ik nam hem in dienst. Is nog nooit zo gelukkig geweest. Maar je moet wel uit het goede hout gesneden zijn. Niet iedereen...'

'Absoluut niet,' zei Pap hoofdschuddend.

'Een neef van me. Kon het niet. Hij kon zijn zenuwen niet de baas.'

'Ik kan het me voorstellen.'

'Ik zie meteen of ze het wel of niet in zich hebben.'

'Echt waar?'

'Nou en of. Ze namen een vent uit Sluder County in dienst. Het hele bureau vond hem geweldig. Behalve ik. Ik zag het aan zijn ogen. Er ontbrak iets. Twee maanden later ging hij ervandoor met de vrouw van een prima kerel van de recherche.'

'Zo zie je maar,' zei Pap, en hij keek met een zucht op zijn horloge. 'Ik zou graag nog verder praten, maar...'

'O...'

'Die dokter hier, een hele goede volgens mij, stelde voor om Blue mee naar huis te nemen zodat ze kan bijkomen en haar stem kan herstellen. We horen het wel als er nieuws is over de anderen.' Pap stak zijn hand uit. 'Ik weet dat we in goede handen zijn.'

'Bedankt,' zei Coxley. Hij ging staan en gaf Pap een hand.

'Dank ú. Ik neem aan dat u ons belt als er verder nog vragen zijn? U hebt ons nummer?'

'Eh, ja hoor.'

'Mooi,' zei Pap. 'Laat het ons weten als we iets kunnen doen.'

'Vanzelf. En het beste.'

'Van hetzelfde, Marlowe.'

En nog voordat agent Coxley wist wat hem overkwam, nog voordat ík wist wat hem overkwam, was hij verdwenen.

Cien años de soledad

I n extreme omstandigheden, wanneer je onverwacht wordt geconfronteerd met een dode, raakt er iets vanbinnen voor altijd van slag. Ergens in de hersenen en het zenuwstelsel, zo stel ik het me voor, zit een onregelmatigheidje, een obstakel, een barrière, een klein technisch mankement.

Voor degenen die nooit die pech hebben gehad: stel je de snelste vogel ter wereld voor, de slechtvalk, *Falco peregrinus*, die majestueus met meer dan vierhonderd kilometer per uur op zijn prooi (nietsvermoedende duif) af duikt als opeens, vlak voordat zijn klauwen een dodelijke klap uitdelen, hij licht in zijn kop wordt, zijn concentratie verliest en in een vrille terechtkomt, *twee boeven op drie uur, verbreek de formatie, Zorro heeft je wingman*, er ternauwernood in slaagt om op te trekken en behoorlijk aangeslagen naar de dichtstbijzijnde boom vliegt om zijn positie opnieuw te bepalen. De vogel mankeert niets – en toch, na afloop, in feite voor de rest van zijn twaalf- tot vijftienjarige leven, slaagt hij er niet meer in om met dezelfde snelheid of intensiteit zo'n duikvlucht te maken als zijn soortgenoten. Hij ligt altijd op de een of andere manier een klein beetje uit koers, hij zit er altijd net even naast.

In biologisch opzicht mag deze onherstelbare verandering, hoe miniem ook, eigenlijk niet optreden. Neem de reuzenmier, die een in het harnas gestorven soortgenoot hooguit vijftien tot dertig seconden laat liggen waar hij ligt alvorens hij het levenloze lichaam beetpakt, het nest uit sleept en op een afvalberg kiepert die bestaat uit zandkorreltjes en stof (zie *Al mijn kinderen: hartsgeheimen van een mierenkoningin*, Strong, 1989, blz. 21). Zoogdieren hebben net zo'n nuchtere kijk op dood en verlies. Een alleenstaande vrouwtjestijger zal haar welpen verdedigen tegen een rondzwervend mannetje, maar als ze zijn gedood zal ze 'omrollen en zonder aarzeling met hem paren' (zie *Trots*, Stevens-Hart, 1992, blz. 112). Primaten kunnen in rouw zijn – 'Er is geen groter verdriet dan dat van de chimpansee,' stelt Jim Harry in *De gereedschap-makers* (1980) – maar hun smart lijkt slechts bestemd voor directe familieleden. Mannetjeschimpansees staan erom bekend dat ze niet alleen concurrenten afmaken, maar ook jonge en gebrekkige dieren van zowel binnen als buiten de groep, waarna ze ze in sommige gevallen om onduidelijke redenen ook opeten (blz. 108).

Ik beschikte niet over deze 'dat hoort er nu eenmaal bij'-koelbloedigheid van het Dierenrijk, hoe graag ik dat ook had gewild. In de loop van de drie daaropvolgende maanden kreeg ik te kampen met hardnekkige slapeloosheid. Ik bedoel niet de romantische vorm, de zoete slapeloosheid wanneer je verliefd bent en halsreikend uitkijkt naar de ochtend en het daaropvolgende rendez-vous met een minnaar in een tuinhuisje. Nee, dit was de kwellende, klamme soort, waarbij je kussen geleidelijk de eigenschappen van een blok hout en je lakens de broeierigheid van de Everglades aannamen.

Mijn eerste nacht thuis uit het ziekenhuis was nog niemand van hen, Hannah, Jade, of de anderen, gevonden. De regen kletterde onophoudelijk tegen de ramen, ik staarde naar het plafond van mijn slaapkamer en voelde een nieuwe gewaarwording in mijn borst, een gevoel dat hij langzaam inzakte, als een oud trottoir. Mijn hoofd zat vol heilloze gedachten, waarvan de hardnekkigste de droom van elke filmproducent was: de enorme maar buitengewoon improductieve drang om de laatste achtenveertig uur van Het Leven te schrappen, de oorspronkelijke regisseur eruit te gooien (die duidelijk geen benul had van waar Hij mee bezig was) en de hele handel opnieuw op te nemen, met een herschreven scenario en nieuwe acteurs in de belangrijkste rollen. Ik kon mezelf niet luchten, zo veilig en knus als ik hier lag met mijn wollen sokken en marineblauwe pyjama van de tienerafdeling van Stickley's. Ik had zelfs een hekel aan de beker met sinaasappelbloesemthee die Pap op de zuidwesthoek van mijn nachtkastje had gezet. (Het opschrift luidde WERK OP TIJD MAAKT WELBEREID, en hij stond daar als een blaar die nodig doorgeprikt moest worden.) Ik vond dat mijn fortuinlijke redding door Richards en zijn zoon net zoiets was als een tandeloze neef die spuug sproeide als hij praatte: ronduit gênant. Ik wilde niet te boek staan als Otto Frank, Anastasia, Curly, Trevor Rees-Jones. Ik wilde bij de anderen zijn, doormaken wat zij doormaakten.

Gezien mijn gekwelde gemoedstoestand zal het weinig verbazing wekken dat ik me gedurende de tien dagen na het kampeeruitje en de voorjaarsvakantie van St. Gallway overgaf aan een ondankbare, uitzichtloze en onbevredigende liefdesaffaire.

Ze was een ongeïnspireerde, wispelturige maîtresse, een tweekoppige man-vrouw, beter bekend als de plaatselijke nieuwszender, WQOX News 13. In het begin zag ik haar drie keer per dag (*Kort nieuws om 17 uur*, *Het uitgebreide nieuws van 17.30 uur* en *Het late nieuws van 23 uur*), maar binnen een etmaal was ze er met haar klare taal, schoudervullingen, improvisatievermogen en onderbrekingen voor de reclame (nog afgezien van de eeuwigdurende nep-zonsondergang achter haar) in geslaagd om zich blijvend in mijn oneven-wichtige hoofd te nestelen. Ik kon niet meer eten, kon zelfs niet proberen te slapen zonder mijn dag aan te vullen met haar programma's van een halfuur om 6.30, 9.00 en 12.30 's middags.

Net als alle relaties begon de onze met hooggespannen verwachtingen.

'We gaan verder met plaatselijk nieuws,' zei Cherry Jeffries. Ze was ge-kleed in vuilroze, had hazelnootbruine ogen en een smalle glimlach alsof er een elastiekje over haar gezicht was gespannen. Haar hoofd was bedekt met dik, blond haar dat om haar hoofd zat als de dop op een balpen. 'Na talloze be-schuldigingen van mishandeling willen de betrokken instanties de stekker er uittrekken in Peuterspeelzaal Zonnegloren.'

'Restauranteigenaars protesteren tegen een nieuwe belastingverhoging door de gemeente,' kwetterde Norvel Owen. Norvels enige opvallende uiter-lijke kenmerk was zijn oprukkende kaalheid, die zijn kapsel het patroon gaf van de stiksels op een honkbal. Wat ook in het oog sprong was zijn das, die be-drukt was met mosselen, schelpen en andere ongewervelde dieren. 'Zo met-een praten we over de gevolgen voor u en uw zaterdagavondje uit.'

Er verscheen een groen vlakje dat als een goed idee rond de schouders van Cherry zweefde: ZOEKTOCHT.

'Maar eerst het belangrijkste nieuws,' zei Cherry. 'De zoektocht naar vijf middelbareschoolleerlingen en hun lerares die vermist worden in het Smoky Mountain National Park gaat onverminderd verder. De parkleiding kwam in actie nadat een inwoner van Yancey County vanmorgen vroeg een zesde leer-ling had gevonden in de buurt van Route 441. De leerling werd met uitdro-gingsverschijnselen opgenomen in een plaatselijk ziekenhuis en heeft het ziekenhuis inmiddels weer kunnen verlaten. Volgens de sheriff van Sluder County is de groep vrijdagmiddag op weg gegaan voor een kampeerweek-end, maar zijn ze vervolgens verdwaald. Reddingsploegen worden gehin-derd door regen, wind en laaghangende bewolking. Maar omdat de tempera-turen ruim boven het vriespunt blijven gaan parkwachters en politie ervan uit dat de anderen ongedeerd zullen worden gevonden. We leven mee met de families en iedereen die betrokken is bij de zoektocht.'

Cherry keek naar het blanco vel papier dat voor haar op het blauwe kunststof bureau lag. Ze keek weer op. 'In het Western North Carolina Farm Center wordt als een paard gewerkt om alles in gereedheid te hebben voor de komst van een gloednieuwe pony.'

'Het beste paard van stal, mogen we wel zeggen,' kwaakte Norvel. 'Mackenzie is een Falabella, een minipaard dat staand iets meer dan een halve meter hoog is. Volgens de beheerder is de pony afkomstig uit Argentinië en is het een van de zeldzaamste rassen die er zijn. U kunt de kleine Mac met eigen ogen zien in het paardenkamp.'

'Het gebeurt elk jaar,' zei Cherry, 'en het succes is goeddeels afhankelijk van u.'

'Zo meteen,' zei Norvel, 'meer bijzonderheden over Operatie Bloeddonor.'

De volgende ochtend, zondag, was mijn vluchtige verliefdheid uitgegroeid tot een obsessie. Het was niet alleen het nieuws waarnaar ik uitkeek, maar dat nog steeds uitbleef: dat reddingsploegen ze eindelijk hadden gevonden, dat Hannah leefde en veilig was, dat alles wat ik had gehoord en gezien was ontsproten aan Angst (bekend om zijn hallucinerende werking). Cherry en Norvel (ik noemde ze Tsjernobyl) hadden onmiskenbaar iets fascinerends, waardoor ik zes uur praatprogramma's trotseerde (slechts één ervan was het bekijken waard: *Van kikker tot prins: mannelijke make-overs*) en wasmiddelreclames met huisvrouwen met te veel vlekken en kinderen en te weinig tijd, om hun tweede gezamenlijke uitzending te zien, *Uw Stockton zakenlunch* om halfeen. Een brede, triomfantelijke glimlach elleboogde zich over het gezicht van Cherry toen ze aankondigde dat zij het programma die middag alleen presenteerde.

'We beginnen deze uitzending met een bericht dat zojuist is binnengekomen,' zei ze fronsend terwijl ze haar blanco vellen papier schikte, nog steeds zichtbaar genietend dat zij nu de baas was over het hele bureau en niet alleen de rechterkant. De witte bies van het marineblauwe pakje langs de randen van haar schouders, zakken en manchetten leek op de wegmarkering van een onverlichte weg met onverwachte bochten. Ze knipperde naar het scherm en keek ernstig. 'Vanmiddag hebben reddingswerkers in het Smoky Mountain National Park het lichaam gevonden van een inwoonster van Carlton County. Het is de laatste ontwikkeling in de zoektocht die gisteren begon naar vijf middelbareschoolleerlingen en hun lerares. Stan Stitwell van News 13 is ter plaatse. Stan, heeft de politie al wat meer gegevens?' Stan Stitwell verscheen, hij stond op een parkeerterrein en achter hem stond een ambulance. Als Stan Stitwell wijn was geweest, was hij niet robuust of gecorseerd geweest. Stan zou fruitig, licht zuur en met een vleugje kers zijn. Zijn bruine haar hing in natte schoenveters over zijn voorhoofd.

'Cherry, de politie van Sluder County heeft nog geen verklaring naar buiten gebracht, maar het lichaam is intussen geïdentificeerd als dat van Hannah Louise Schneider, een vierenveertigjarige lerares van de St. Gallway-school, de bekende particuliere school in West Stockton. Parkwachters hebben intussen vierentwintig uur naar haar en vijf andere leerlingen gezocht. De autoriteiten hebben nog niet bekendgemaakt in welke toestand het lichaam verkeerde, maar zojuist zijn er rechercheurs aangekomen om vast te stellen of er sprake is van een misdrijf.'

'En die vijf leerlingen, Stan? Wat weet je daarvan?'

'Ondanks het slechte weer, regen, wind en dichte mist gaat de zoektocht verder. Een uur geleden kon eindelijk een helikopter van de Nationale Garde de lucht in, maar die heeft moeten terugkeren vanwege het slechte zicht. Desondanks hebben zich de afgelopen twee uur nog eens zo'n vijfentwintig vrijwilligers gemeld voor de zoektocht. En zoals je achter me kunt zien hebben het Rode Kruis en een medisch team van de Universiteit van Tennessee een hulppost opgezet met voedsel en medische apparatuur. Iedereen doet er alles aan om de jongelui weer veilig thuis te krijgen.'

'Dank je wel, Stan,' zei Cherry. 'News 13 houdt u op de hoogte van eventuele ontwikkelingen.'

Ze keek naar het blanco vel op haar bureau. Ze keek weer op.

'Zo meteen de kleine dingen in het leven die u als vanzelfsprekend beschouwt. In onze reeks over gezondheid laten we u zien hoeveel tijd en geld er gaat zitten in de ontwikkeling van dat kleine ding dat we van de tandarts twee keer per dag moeten gebruiken. Mary Grubb van News 13 met een reportage over de tandenborstel.'

Ik keek naar de rest van het nieuws, maar er werd verder niets gezegd over het kampeeruitstapje. Ik bestudeerde allerlei kleine dingen van Cherry: haar ogen die heen en weer schoten over de tekst op de autocue, hoe haar gezichtsuitdrukking varieerde van ingehouden verbijstering (roofoverval), intens medeleven (peuter omgekomen bij brand in flat) en stille gemeenschapszin (strijd tussen motorcrossers en bewoners trailerpark in Marengo verhardt zich) met het gemak van het passen van onderjurken in een paskamer. (De blik op het blanco vel papier voor haar was het moment van deze mechanische uitdrukkingswisseling die leek op het schoonvegen van een Etch-A-Sketch-tekentablet.)

En de volgende ochtend, maandag, toen ik mezelf om halfzeven uit bed sleepte voor het ontbijtprogramma, kon ik zien hoe maniakaal Cherry alle aandacht wegzoog bij Norvel, die werd gereduceerd tot een blindedarm, een wieldop, het extra zakje zout dat onvindbaar was op de bodem van een zak van een hamburgertent. Als je je een voorstelling maakte van Norvel met een hoofd vol zandkleurig haar was hij waarschijnlijk ooit competent geweest, misschien zelfs indrukwekkend in zijn presentatie, maar net als een kerk in Dresden met Byzantijnse stijlkenmerken in de nacht van 13 februari 1945 had hij zich op het verkeerde moment op de verkeerde plaats bevonden. Gekoppeld aan Cherry was hij het slachtoffer geworden van haar strijd om hogerop te komen met behulp van grote plastic oorbellen, het trekken van alle aandacht door het gebruik van meer make-up dan een travestiet en niet te vergeten de kunst van het indirect castreren (d.w.z., 'Over kleuters gesproken, hier is Norvel met een verslag van de opening van een nieuw Montessori-dagverblijf in Yancey County'). Het had hem gebroken. Hij deed zijn deel van de uitzending (onbenullige berichten over plichtplegingen van burgemeesters en over boerderijdieren) met de onzekere, haperende stem van een vrouw op een dieet van ananas en kwark van wie de ruggengraat de vorm van een trapleuning aanneemt als ze vooroverbuigt.

Ik wist dat ze onheil bracht, dat ik er niet goed aan deed.

Alleen kon ik er niets aan doen.

'Vanmorgen zijn vijf leerlingen van een middelbare school levend en wel teruggevonden in de Great Smoky Mountains na een twee dagen durende zoektocht,' zei Cherry. 'Het is de laatste ontwikkeling in de gebeurtenissen na de vondst gisteren van het lichaam van hun lerares, Hannah Louise Schneider. We gaan live naar Stan Stitwell bij het Sluder County Hospital. Stan, wat kun je ons vertellen?'

'Cherry, er klonk gejuich en er waren tranen te zien op het moment dat reddingsploegen de vijf leerlingen in veiligheid brachten die sinds zaterdag werden vermist. Vanmorgen trok de dichte mist op en namen de regenbuien af, waarna speurhonden de sporen van het vijftal konden volgen van een populaire kampeerplek met de naam Sugartop Summit naar een deel van het park daar bijna twintig kilometer vandaan. Volgens de politie waren de vijf gescheiden geraakt van Hannah Schneider en een zesde leerling, die op zaterdag werd gevonden. Bij hun pogingen om terug te keren naar de bewoonde wereld zijn ze verdwaald. Een van de jongens schijnt een gebroken been te hebben, maar voor de rest zijn ze er allemaal redelijk aan toe. Een halfuur geleden zijn ze binnengebracht bij de afdeling Spoedeisende Hulp hier achter me. Daar worden hun snijwonden en andere lichte verwondingen behandeld.'

'Dat is goed nieuws, Stan. Weet de politie al iets meer over de doodsoorzaak van de lerares?'

'Cherry, de politie heeft nog geen verklaring naar buiten gebracht over de dood van de gevonden vrouw, behalve dat er hangende het onderzoek geen mededelingen worden gedaan. We zullen moeten wachten op de bevindingen van de lijkschouwer van Sluder County, die volgende week worden verwacht. Op dit moment overheerst opluchting omdat de jongelui in veiligheid zijn. Waarschijnlijk worden ze in de loop van de dag uit het ziekenhuis ontslagen.'

'Geweldig, Stan. News 13 houdt u op de hoogte van eventuele ontwikkelingen in deze kampeertragedie.'

Cherry keek naar haar vel papier en weer omhoog.

'Het is klein en het is zwart. Het is iets wat u eigenlijk altijd bij u zou moeten hebben.'

'Ontdek wat het is,' zei Norvel naar de camera knipperend, 'in onze serie "Over Techniek". Blijf kijken.'

Ik keek helemaal tot het eind van het programma, toen Cherry glimlachend 'Nog een prettige ochtend!' kwetterde en de camera wegdraaide van haar en Norvel, en als een vlieg door de studio gleed. Aan haar triomfantelijke grijns was af te lezen dat ze hoopte dat de kampeertragedie haar moment van glorie zou worden, haar Vijftien Minuten Roem (Die Mogelijk tot een Halfuur Zouden Uitgroeien), haar Business Class Ticket Ergens Heen (met Stoelen die Helemaal Achterover Kunnen en Champagne voor de Start). Cherry leek het allemaal in de verte voor zich te zien, als een vierbaans autoweg: 'De Cherry Jeffries Talkshow: Zeg Wat Je Op Je Hart Hebt', CHAY-JEY, een klassieke kledinglijn voor de toegewijde blonde werkende vrouw ('niet langer een "contradictio in terminis"'), de Cherry Jeffries School Voor Journalistiek aan de Universiteit van Tennessee, 'Cherry Bird', de Cherry Jeffries Geur voor de Vrouw in Beweging, het artikel in *USA Today*: 'Opzij, Oprah, Hier Komt Cherry.' Er kwam een reclamespot voor auto's langs. Ik merkte dat Pap achter me stond. Zijn doorleefde leren tas vol notitieblokken en tijdschriften hing zwaar aan zijn schouder. Hij was op weg naar de universiteit. Zijn eerste college, Conflictbeheersing in de Derde Wereld, begon om negen uur.

'Misschien is het verstandig om niet meer te kijken,' zei hij.

'Wat moet ik dan doen?' vroeg ik zacht.

'Uitrusten. Lezen. Ik heb een nieuwe geannoteerde *De Profundis*.'

'Ik wil geen *De Profundis* lezen.'

'Dat kan.' Hij zweeg even. Toen: 'Ik zou Randall kunnen bellen. We zouden ergens heen kunnen gaan. Met de auto naar...'

'Waarheen?'

'We zouden kunnen gaan picknicken bij een van die meren die de mensen altijd de hemel in prijzen. Een van die meren met eenden hier.'

'Eenden.'

'Je weet wel. Waterfietsen. En ganzen.'

Pap liep naar de voorzijde van de bank, met de duidelijke bedoeling dat ik mijn ogen zou losrukken van het scherm en hem zou aankijken.

'Om weer onderweg te zijn,' zei hij. 'Misschien beseffen we dan weer dat, hoe groot de rampspoed ook is, er altijd een wereld achter te wachten ligt. "Waarheen voert uw weg, Amerika, in uw glanzende auto in de nacht?"'

Ik bleef naar de tv staren, met zere ogen, in mijn dunne ochtendjas in de kleur van een menselijke tong die slap over mijn benen lag.

'Heb jij een verhouding gehad met Hannah Schneider?' vroeg ik.

Pap schrok zo dat hij niet meteen antwoord gaf. 'Of ik wat?'

Ik herhaalde de vraag.

'Hoe kun je dat nou vragen?'

'Je hebt een verhouding gehad met Eva Brewster, dus misschien heb je ook een verhouding gehad met Hannah Schneider. Misschien heb je zonder dat ik het wist wel een verhouding gehad met de hele school.'

'Natuurlijk niet,' zei Pap geïrriteerd. Hij haalde diep adem en voegde er heel kalm aan toe: 'Ik heb geen verhouding gehad met Hannah Schneider. Je moet hiermee ophouden, kindje. Piekeren is niet goed voor je. Kan ik er iets aan doen? Zeg het maar. We kunnen verhuizen. Californië. Je wilde toch altijd al naar Californië? Noem maar een staat.'

Pap zocht naar woorden zoals een drenkeling naar een stuk drijfhout zoekt. Ik zweeg.

'Goed dan,' zei hij na een tijdje. 'Je hebt mijn nummer op mijn werk. Ik ben om een uur of twee thuis om te kijken of alles goed is.'

'Dat wil ik niet.'

'Lieverd.'

'Wat?'

'Er staat macaroni...'

'In de koelkast, om tussen de middag op te warmen. Ik weet het.'

Hij zuchtte en ik keek stiekem naar hem. Hij zag eruit alsof ik hem een klap in zijn gezicht had gegeven, alsof ik met verf KLOOTZAK op zijn voorhoofd had gespoten, alsof ik had gezegd dat hij voor mijn part kon doodvallen.

'Bel je als ik iets voor je kan doen?' vroeg hij.

Ik knikte.

'Als je wilt, haal ik op de terugweg een paar video's bij, hoe heet het ook weer?'

'Videomekka.'

'Die bedoel ik. Nog voorkeur?'

'Gejaagd door de teringwind,' zei ik.

Pap gaf me een zoen op mijn wang en liep door de gang naar de voordeur. Het was zo'n moment waarop het voelt alsof je huid opeens zo dun is geworden als een laagje filodeeg op een stukje baklava, wanneer je absoluut niet wilt dat de ander weggaat maar je niets zegt, om het isolement in zijn puurste vorm te voelen, als een element uit het periodiek systeem, een van de edelgassen, ISO.

De voordeur ging dicht en viel in het slot. Toen in de verte het geluid van de blauwe Volvo wegstierf, gleed het over me heen, verdriet, doodsheid, als een hoes over tuinmeubilair.

❖

Ik denk dat het de shock was, de lichamelijke reactie op angst, waar Jemma Sloane op pagina 95 van haar boek over 'tegendraadse kinderen', *Goliath in de groei* (1999), 'Traumaverwerking bij kinderen', over blijft doorzeuren. Wat de psychologische achtergrond ook was, de vier dagen na hun redding (zoals mijn geliefde Tsjernobyl berichtte in *Het nieuws van 17 uur* keerde het vijftal als beschadigde pakketjes terug naar huis) nam ik de aard en manier van doen van een vervelende negentigjarige weduwe aan.

Pap moest werken, dus was ik de rest van de voorjaarsvakantie alleen. Ik zei weinig. Wat ik zei, zei ik tegen mezelf of mijn gekleurde metgezel, de tv (Tsjernobyl bleek prettiger gezelschap dan een uitsloverig kleinkind). Pap was de zwaar onderbetaalde, maar trouwe verzorger die regelmatig controleerde of ik het huis niet in brand had gestoken, of ik mijn van tevoren klaargemaakte maaltijden opat en of ik niet in slaap viel in een houding die tot letsel of de dood kon leiden. Hij was de verpleger die zijn mond hield als ik geïrriteerd was, voor het geval ik erin zou blijven.

Toen ik me er sterk genoeg voor voelde, waagde ik me buiten. De neer-

slachtig makende regen van het weekend had plaatsgemaakt voor zelfingenomen zonneschijn. Het was te veel voor me: de felle glans, het gras dat op
stro leek. De zon teisterde de tuin met een schaamteloosheid die ik nooit eerder had gezien. De bladeren werden erin ondergedompeld, de tegels werden
erdoor geblakerd. Ook de wormen gedroegen zich irritant, die zwervers die
zichtbaar dronken waren van het vele water. Ze waren zo ver heen dat ze zich
niet konden bewegen en zichzelf tot Franse frietjes lieten roosteren op de oprit.

Ik zag het chagrijnig aan, hield de gordijnen van mijn slaapkamer dicht,
had de pest aan iedereen en voelde me ellendig. Zo gauw Pap 's ochtends vertrokken was zocht ik tussen het keukenafval naar de laatste *Stockton Observer*
die hij in alle vroegte had weggegooid zodat ik de koppen niet zou zien en zou
gaan piekeren over wat er was gebeurd. (Hij wist niet dat de strijd om mijn
welzijn verloren was; ik had geen trek en slapen was net zo onmogelijk als het
vinden van fenikseieren.)

Rond vijf uur, voordat hij thuiskwam, ging de krant weer terug in de vuil-
nisbak, zorgvuldig toegedekt onder de rigatoni met tomatensaus van de vorige avond. (Barbara, de assistente bij Politicologie had Pap een paar 'opkikker-
recepten' gegeven; naar het scheen hadden ze een of andere tegendraadse
aangenomen zoon geholpen bij het afkicken.) Het was een bewerkelijke
onderneming, die leek op het verstoppen van medicijnen in de zoom van het
beddengoed, ze vergruizen met een soeplepel en vervolgens bij wijze van
mest toedienen aan de geraniums.

'DOOD LERARES SCHOKT SCHOOL', 'DODE VROUW GELIEFDE LEER-
KRACHT, ACTIEF IN DE GEMEENSCHAP', 'RECHERCHEURS HULLEN ZICH
IN STILZWIJGEN' – dat waren de opgeklopte artikelen over het gebeuren,
ons, haar. Ze herkauwden de feiten rond de redding, de 'shock', het 'ongeloof'
en 'het gevoel van verlies' bij de inwoners van Stockton. Jade, Charles, Milton, Nigel en Lu stonden allemaal met hun naam en grijnzende jaarboekfoto
in de krant. (Ik niet – nog een klap voor degene die het eerst was gevonden.) Ze
citeerden Eva Brewster: 'We kunnen het nog steeds niet geloven.' Ze citeerden ook Alice Klein, die met Hannah had samengewerkt in het dierenasiel
van Burns County: 'Het is heel triest. Ze was de vrolijkste en aardigste vrouw
die ik heb gekend. Het ergste is nog dat alle honden en katten lijken te wachten tot ze weer terugkomt.' (Als iemand voortijdig overlijdt, wordt diegene
automatisch de vrolijkste en aardigste persoon.)

Afgezien van 'ONDERZOEK NAAR STERFGEVAL IN PARK WORDT VOORT-
GEZET', waarin werd bericht dat haar lichaam drie kilometer van Sugartop

Summit was gevonden, hangend aan een stuk elektriciteitssnoer, had geen enkel artikel iets nieuws te melden. Na verloop van tijd draaide mijn maag zich ervan om, vooral van het Redactioneel, 'WNC MOORD, BEWIJZEN VAN VOODOO', door R. Levenstein, een of andere 'plaatselijke recensent, natuurbeschermer en webblogger' die suggereerde dat haar dood verband hield met occulte praktijken. 'Na de weigering van de politie om meer bijzonderheden over de dood van Hannah Schneider vrij te geven moet de oplettende toeschouwer wel tot de slotsom komen dat er *een groeiend aantal heksen actief is in Sluder en Burns County*, een feit dat de plaatselijke autoriteiten al jaren verborgen proberen te houden.'

Nee, het was niet zoals in Vroeger Tijden.

Dankzij mijn nieuwe voorliefde voor het graaien in afval ontdekte ik nog iets opmerkenswaardigs dat Pap in het belang van mijn geestelijk welzijn had weggegooid: het Rouwpakket van St. Gallway. Uit de datum op de grote envelop van manillapapier was op te maken dat een en ander verzonden was met de snelheid van een kruisraket zo gauw als het tragische nieuws door de schoolradar was opgevangen.

Het pakket omvatte een brief van rector Havermeyer ('Beste ouders, deze week zijn we opgeschrikt door het bericht van de dood van een van onze dierbaarste leerkrachten, Hannah Schneider...'), een overspannen artikel uit 1991 uit het weekblad *Ouderschap*, 'Hoe kinderen rouwen', een overzicht van de aanwezigheidstijden en kamernummers voor counseling, de leden van het Crisisteam, een stel gratis telefoonnummers voor psychologische hulp (1-800-FEEL-SAD en nog eentje die ik telkens vergeet, 1-800-U-BEWAIL, geloof ik) en een halfslachtig naschrift over een begrafenis ('De datum voor de teraardebestelling moet nog worden vastgesteld').

Het was natuurlijk heel vreemd om deze zorgvuldig voorbereide teksten te lezen, om te beseffen dat het over Hannah ging, ónze Hannah, de Ava Gardner-achtige vrouw tegenover wie ik ooit varkenskarbonade had zitten eten – hoe beangstigend en plotseling die onverwachte overgang van Leven naar Dood was. Wat vooral verontrustend was, was dat er met geen woord over de doodsoorzaak werd gerept. Oké, het geheel was geschreven en verstuurd voordat de lijkschouwer met zijn bevindingen zou komen. Maar toch was de omissie bizar, alsof ze niet was vermoord (een nogal sensatiebelust woord, als het aan mij lag bestond er een serieuzer woord op de kruising van Dood, Moord en Slachting – misschien Slamod). In plaats daarvan was Hannah volgens het pakket simpelweg 'overleden', ze had zitten pokeren en besloten om geen nieuwe kaart te pakken. Als je de weemakende bewoordingen van Havermeyer las, kreeg je het idee dat ze gegrepen was ('van ons weggenomen'), op een KingKong-achtige manier ('zonder waarschuwing') opgepakt door de enorme, zachte hand van God ('Ze is in goede handen'), en hoewel zo'n gebeurtenis vreselijk was ('een van de zwaarste lessen in het leven') moest iedereen een grijns op zijn gezicht spijkeren en op de automatische piloot doorgaan met het leven van alledag ('We moeten verder gaan en genieten van elke dag, zoals Hannah het zou hebben gewild').

De Rouwbegeleiding van St. Gallway begon, maar eindigde absoluut niet met het Rouwpakket. De dag nadat ik het gevonden had, zaterdag 2 april, kreeg Pap een telefoontje van Mark Butters, de leider van het Crisisteam.

Ik luisterde met stilzwijgende toestemming van Pap stiekem mee naar het gesprek via de telefoon op mijn slaapkamer. Voor zijn benoeming bij het Crisisteam was Butters nooit een erg zelfverzekerde man geweest. Zijn gezicht had de kleur van auberginepuree en zijn uitgezakte lichaam riep zelfs op een stralende dag alleen associaties op met een veelgebruikte attachékoffer. Zijn meest opvallende karaktereigenschap was zijn achterdochtige aard, de niet-aflatende overtuiging dat hij, meneer Mark Butters, het slachtoffer was van alle leerlingengrappen, schimpscheuten, woordspelingen en zijdelingse opmerkingen. Tijdens de lunchpauze zochten zijn ogen als drugshonden op een vliegveld de gezichten van de leerlingen af, zoekend naar sporen van spotternij. Maar zoals bleek uit zijn sonore, zekere stem was meneer Butters simpelweg een man van Verborgen Potentieel geweest, een man die bij het geringste onheil opbloeide. Met het gemak waarmee je 's nachts anoniem een erotische video bij de videotheek inlevert in de retoursleuf, had hij zijn Aarzeling en Twijfel verruild voor Gezag en Durf.

'Als uw werkzaamheden het toelaten,' zei meneer Butters, 'zouden we graag een bijeenkomst van een halfuur organiseren met u en Blue om te praten over de gebeurtenissen. Een en ander vindt plaats in aanwezigheid van mij, Havermeyer en een van onze leerlingenadviseurs.'

'Een van uw *wat?*'

(Ik moet even vermelden dat Pap op niemands advies vertrouwde behalve dat van hemzelf. Volgens hem bestond psychotherapie voor het grootste deel uit handje vasthouden en schouders masseren. Hij verachtte Freud, Jung, Frasier en iedereen die het boeiend vond om een boom op te zetten over zijn of haar dromen.)

'Een adviseur. Iemand met wie u en uw dochter jullie vragen kunnen bespreken. We beschikken over een uiterst kundige fulltime kinderpsychologe, Deb Cromwell. Ze komt van de Derds School in Raleigh.'

'Aha. Eigenlijk heb ik maar één probleem.'

'O?'

'Ja.'

'Mooi. Brand maar los.'

'U.'

Butters zweeg. Toen: 'Ik begrijp het.'

'Mijn probleem is dat uw school de hele week niets van zich heeft laten horen – uit angst, neem ik aan – en nu, ten langen leste, heeft iemand van jullie eindelijk de moed weten op te brengen om een teken van leven te geven om, hoe laat is het, *kwart voor vier* op zaterdagmiddag. En het enige wat u te zeggen hebt is dat u graag een keer wilt afspreken zodat we ons kunnen laten psychoanalyseren. Klopt dat?'

'Het gaat alleen maar om een voorbereidende vraag- en antwoordsessie. Bob en Deb willen met u één op één overleggen...'

'De ware reden voor dit telefoontje is dat u erachter wilt komen of ik van plan ben om zowel de school als de Onderwijsinspectie aan te klagen wegens nalatigheid. Heb ik gelijk?'

'Meneer Van Meer, ik wil niet met u in discussie gaan...'

'Doe dat dan ook niet.'

'Ik zeg alleen dat we graag willen...'

'Als ik u was, zou ik maar niets zeggen of willen. Uw roekeloze – laat ik het anders zeggen: uw *gestoorde* collega heeft míjn kind, een *minderjarige*, meegenomen op een kampeeruitstapje zónder toestemming van de ouders te vragen...'

'We zijn ons ervan bewust...'

'Ze heeft haar leven en dat van vijf andere minderjarigen in gevaar gebracht, én, om u er even aan te herinneren, ze heeft zichzelf op een buitengewoon onelegante manier van het leven beroofd. Ik ben sterk geneigd om een advocaat in de arm te nemen en er mijn levenswerk van te maken om ervoor te zorgen dat u, die rector van u, Oscar Meyers, en *iedereen* die verbonden is aan uw derderangs instelling de komende veertig jaar achter slot en grendel doorbrengt. Bovendien, in het hoogst onwaarschijnlijke geval dat mijn dochter wel met iemand over haar ervaringen wil praten, zal de laatste waarmee ze dat zou willen doen een leerlingenadviseur zijn die *Deb* heet. Als ik u was, zou ik maar niet meer bellen, tenzij het is om om mededogen te smeken.'

Pap hing op.

En hoewel ik niet bij hem in de keuken stond, wist ik dat hij de hoorn niet neersmeet maar zachtjes neerlegde, zoals je een cocktailkers op een ijscoupe legt.

Ik zat inderdaad met vragen. En Pap had gelijk: ik was niet van plan om ze te bespreken met Deb. Ik wilde ze bespreken met Jade, Charles, Milton, Nigel en Lu. De drang om ze uit te leggen wat er was gebeurd vanaf het moment dat ik het kampeerterrein had verlaten tot het ogenblik dat ik haar dood had aangetroffen was zo sterk dat ik er niet aan kon denken, zelfs geen *poging* kon doen om het hele verhaal of alleen de hoofdpunten op te schrijven op kaartjes of blocnotes zonder duizelig te worden en me verdoofd te voelen, alsof ik probeerde om tegelijkertijd quarks, quasars en kwantummechanica te doorgronden (zie hoofdstuk 13, 35 en 46, *Incongruenties*, V. Close, 1998).

Later die dag, toen Pap boodschappen aan het doen was, belde ik eindelijk Jade. Ik gokte dat ze voldoende tijd had gehad om te bekomen van de eerste schok (misschien had ze de draad wel weer opgepakt en koesterde ze elke dag, zoals Hannah het zou hebben gewild).

'Met wie spreek ik?'

Het was Jefferson.

'Met Blue.'

'Sorry, kindje. Ze wil niemand spreken.'

Ze hing op voordat ik iets kon zeggen. Ik belde Nigel.

'Creech Aardewerk en Timmerwerk.'

'Hallo, is Nigel er? Met Blue.'

'Hé hallo, Blue!'

Het was Diana Creech, zijn moeder – adoptiefmoeder, eigenlijk. Ik had haar nooit ontmoet, maar ik had haar talloze keren aan de telefoon gehad. Vanwege haar harde, vrolijke stem die alles wat je zei overstemde, of het nu een enkel woord was of de Onafhankelijkheidsverklaring, stelde ik me haar zo voor als een forse, opgewekte vrouw die in een overall vol kleivegen van haar eigen reusachtige vingers rondliep, vingers die waarschijnlijk zo dik waren als het gat in een rol toiletpapier. Al pratend nam ze grote happen uit bepaalde woorden, alsof het glanzend groene, stevige Granny Smiths waren.

'Ik zal eens kijken of hij wakker is. Toen ik daarstraks keek sliep hij als een roos. Iets anders heeft hij de afgelopen twee dagen niet gedaan. Hoe is het met jou?'

'Met mij is het goed. En met Nigel?'

'Ja hoor. We zijn nog steeds in *shock*. Net als iedereen. Vooral de school.

Hebben ze al gebeld? Je merkt dat ze als de *dood* zijn voor een rechtszaak. We zijn natuurlijk benieuwd naar wat de politie zegt. Ik *zei* al tegen Ed dat ze intussen wel een verdachte op het oog zouden mogen hebben of dat ze met *iets* meer informatie zouden mogen komen. Die stilte is onvergeeflijk. Volgens Ed weet *niemand* wat er met haar is gebeurd en houden ze zich daarom stil. Ik weet wel dat als iemand dit heeft *gedaan* – want ik wil niet nadenken over die andere mogelijkheid, nog niet –, dat je ervan uit kunt gaan dat die persoon intussen met een vals paspoort in de business class op weg is naar Timboektoe.' (De keren dat ik haar aan de telefoon had slaagde Diana Creech er altijd in om het woord Timboektoe in het gesprek te verwerken, zoals jongelui met 'weet je wel' of 'boeit niet' deden.) 'Ze zijn zo traag als wat.' Ze zuchtte. 'Ik vind het heel verdrietig wat er is gebeurd, maar ik ben dolblij dat jullie niks mankeren. Maar jij was zaterdag al terecht, hè? Nigel zei dat je niet bij hen was. O, daar heb je hem. Momentje, kindje.'

Ze legde de hoorn neer en liep weg, met het geluid van een trekpaard dat over kinderhoofdjes klepperde. (Ze droeg klompen.) Ik hoorde stemmen en daarna weer de hoeven.

'Is het goed als hij je terugbelt? Hij wil iets eten.'

'Tuurlijk,' zei ik.

'Hou je haaks.'

Toen ik Charles belde, werd er niet opgenomen.

Bij Milton kreeg ik het antwoordapparaat, vioolmuziek en een speelse vrouwenstem: 'Dit is het antwoordapparaat van Joanna, John en Milton. Momenteel zijn we niet aanwezig…'

Ik draaide het nummer van Leulah. Ik vermoedde dat zij het meest van de kaart was van ons allemaal, dus belde ik haar met enige aarzeling, maar ik moest met iemand praten. Ze nam direct op.

'Hé, Jade,' zei ze. 'Sorry voor de onderbreking.'

'O, je spreekt met Blue.' Ik was zo opgelucht dat mijn woorden over elkaar struikelden. 'Hoe is het? Ik word zo langzamerhand helemaal gek. Ik kan niet slapen. Hoe is het met jou?'

'O,' zei Leulah. 'Je spreekt niet met Leulah.'

'Wat?'

'Leulah slaapt,' zei ze met een vreemde stem. Op de achtergrond hoorde ik een televisie. Die was helemaal weg van een bepaalde muurverf die met één laag al dekte. Op verf van Herman's kreeg je vijf jaar garantie, ook voor plekken die blootstonden aan weer en wind.

'Kan ik een boodschap aannemen?' vroeg ze.

'Wat is er?'

Ze hing op.

Ik ging op de rand van mijn bed zitten. De ramen van de slaapkamer werden verlicht door het invallende avondlicht, zacht, geel, de kleur van peren. De schilderijen aan de muur, olieverfdoeken met weiden en graanvelden, glansden dusdanig dat het leek alsof ze nog nat waren en ik er met mijn duim in kon vingerverven. Ik begon te huilen. Dikke, trage tranen, alsof ik een snee had gemaakt in een oude eucalyptusboom waar het sap maar net uit kon.

Dit, zo staat me nog haarscherp voor de geest, was het ergste moment – niet het geheugenverlies, niet mijn vergeefse vrijage met de tv, niet het eindeloze rondzingen in mijn hoofd van een hysterisch zinnetje dat steeds minder echt werd naarmate ik het vaker zei – *iemand heeft Hannah vermoord, iemand heeft Hannah vermoord* –, maar dat vreselijke verlaten gevoel, die onbewoond-eiland-eenzaamheid. En het ergste was dat ik wist dat dit nog maar het begin was, niet het midden of het eind.

Bleak House

In 44 voor Christus, tien dagen nadat hij Caesar in de rug had gestoken, voelde Brutus zich waarschijnlijk net als ik toen we weer naar school gingen voor het vervolg van het schooljaar. Ook Brutus werd in de stoffige straten rond het Forum ongetwijfeld geconfronteerd met de harde werkelijkheid van het volksgericht, met als uitgangspunten: 'Hou afstand', en: 'Fixeer als je dichterbij komt je ogen op een punt direct ten noorden van het hoofd van de lepralijder zodat hij/zij heel even denkt dat je zijn/haar beklagenswaardige bestaan accepteert.' Brutus onderging waarschijnlijk alle vormen van transparantie, waarvan de meest griezelige: 'Doe Alsof Brutus een Doorkijksjaaltje is', en: 'Doe Alsof Brutus een Raam is dat Uitkijkt op een Steegje.' Hoewel hij ooit met water aangelengde wijn had gedronken met de medeplichtigen aan zijn gruwelijke daad, naast ze had gezeten in het Circus Maximus en met ze had gejuicht bij het kantelen van een strijdwagen, ooit samen met ze had gebaad, naakt, in zowel de warme als de koude baden van het openbare badhuis, betekenden die dingen nu niets meer. Door wat hij had gedaan was hij en zou hij altijd het onderwerp van hun afkeuring blijven.

Maar Brutus had tenminste nog iets productiefs gedaan, al was het controversieel. Hij had een zorgvuldig voorbereid plan om de macht te grijpen uitgevoerd in het belang van het voortbestaan van een bloeiend Romeins Rijk.

Ik had daarentegen helemaal niets gedaan.

'Als je er even goed over nadenkt dacht iedereen altijd dat ze zo geweldig was, maar ik vond altijd dat ze iets beangstigends had,' zei Lucille Hunter bij Engels. 'Heb je weleens gezien hoe ze aantekeningen maakte?'

'Mm-mm.'

'Ze keek zo goed als nooit op. En als ze een werkstuk moest schrijven prevelde haar mond de dingen mee die ze opschreef. Mijn oma in Florida, die volgens mijn moeder volslagen dement aan het worden is, doet hetzelfde als ze naar een thuiswinkelprogramma zit te kijken of cheques uitschrijft.'

'Nou,' zei Donnamara Chase, voorovergebogen in haar stoel, 'Cindy Willard vertelde vanmorgen dat Leulah Maloney de hele klas bij Spaans heeft verteld dat...'

Om de een of andere reden was het hun beperkte brein ontschoten dat mijn vaste plek bij Engels van juffrouw Simpson sinds jaar en dag direct achter die van Donnamara was. Ze gaf me het uittreksel van *De gebroeders Karamazov*, dat nog warm was van het kopieerapparaat, en toen ze me zag lachte ze nerveus haar lange, puntige tanden bloot (zie Venusvliegenvanger, *Noord-Amerikaanse Flora*, Starnes, 1989).

'Benieuwd of ze van school gaat,' peinsde Angel Ospfrey.

'Zeker weten,' zei Dinky knikkend. 'Ga er maar van uit dat er binnenkort een mededeling komt dat haar vader, accountmanager van weet ik veel wat voor bedrijf, onlangs is gepromoveerd tot regiomanager in Charlotte.'

'Ik vraag me af wat haar laatste woorden waren,' zei Angel. 'Van Hannah, bedoel ik.'

'Voor zover ik weet is Blue binnenkort aan de beurt voor die van haar,' zei Macon Campins. 'Milton haat haar. Hij zei - ik citeer - dat als hij haar ooit tegenkwam in een donker steegje, "hij haar levend zou villen".'

'Heb je dat oudewijvenverhaal weleens gehoord,' vroeg Krista Jibsen bij Natuurkunde, 'dat het niet uitmaakt dat je nooit rijk of beroemd bent geweest, omdat je dan toch niet weet wat je mist? Volgens mij zit Blue daar nu mee: dat je van de roem hebt geproefd en die bent kwijtgeraakt, dat moet een ramp zijn. Je blijft het najagen om het terug te krijgen. En uiteindelijk eindig je aan de cocaïne. Dan moet je naar een ontwenningskliniek en als je weer vrijkomt ga je vampierfilms maken die alleen op video worden uitgebracht.'

'Dat heb je van *True Hollywood Story* met Corey Feldman,' zei Luke 'Trucker' Bass.

'Nou, het schijnt dat de moeder van Radley dolgelukkig is,' zei Peter 'Nostradamus' Clark. 'Ze is van plan om een "Terug Aan de Macht"-feestje te organiseren omdat die meid na zo'n beproeving niet meer in staat is om aan het eind van het schooljaar de afscheidsrede te houden.'

'Ik weet uit zeer betrouwbare bron - ho. Nee. Dat kan ik eigenlijk niet verder vertellen.'

'Wat?'

'Dat ze *hartstikke* lesbisch is,' zong L Felix tijdens Natuurkunde Practicum 23, 'Symmetrie in Natuurkundewetten: Is Je Rechterhand echt Je Rechterhand?'. 'Op de Ellen-manier, trouwens. Niet de Anne Heche-manier, dat je twee kanten op kunt.' Lony gooide haar haar naar achteren (lang, blond, de structuur van tarwevlokken) en keek naar de voorkant van het lokaal, waar ik stond met Laura Elms, mijn practicumpartner. Ze boog zich naar Sandy Quincewood. 'Schneider was zeker ook van de verkeerde kant. Daarom gingen ze er midden in de nacht samen van tussen. Ik snap niet hoe de ene vrouw de andere aantrekkelijk kan vinden, maar ik weet wel dat er iets vreselijk is misgegaan tijdens de seks. Daar probeert de politie nu achter te komen. Daarom duurt het zo lang voordat ze met een conclusie komen.'

'Gisteravond hadden ze net zoiets in *CSI: Miami*,' zei Sandy afwezig terwijl ze in haar werkschrift schreef.

'Wisten wij veel dat wat er gebeurt in *CSI: Miami* ook in onze klas gebeurt?'

'Tjemig,' zei Zach Soderberg terwijl hij zich naar ze omdraaide. 'Kunnen jullie een beetje stil zijn? Ik probeer die wetten van reflectiesymmetrie te snappen.'

'Sorry, Romeo,' zei Lonny meesmuilend.

'Ja, zullen we proberen om het een beetje rustig te houden?' zei onze invalkracht, een kale man die meneer Pine heette. Pine glimlachte, geeuwde en rekte zijn armen boven zijn hoofd waardoor er zweetplekken ter grootte van pannenkoeken zichtbaar werden. Hij ging verder met het bestuderen van zijn tijdschrift, *Country Life Wall & Windows*.

'Jade wil die Blue van school laten trappen,' fluisterde Dee tijdens het tweede studie-uur.

Dum fronste. 'Waarom?'

'Niet vanwege moord. Eerder vanwege dwang of buitensporig geweld of zoiets. Ik hoorde hoe ze haar zaak in het Spaans bepleitte. Het schijnt dat alles *bueno* was met Hannah. Vervolgens smeert ze 'm met die Blue en even later is ze *muerto*. Niet dat ze dat in de rechtszaal hard kunnen maken. De zaak wordt niet-ontvankelijk verklaard en daarna heeft niemand nog een troef achter de hand om haar wel van school te krijgen.'

'Schei uit met doen alsof je Greta van Susteren met een ooglidcorrectie bent, want ik heb groot nieuws voor je. Dat ben je niet. Laat staan dat je Wolf Blitzer bent.'

'Wat bedoel je daar in 's hemelsnaam mee?'

Dum haalde haar schouders op en gooide haar verkreukelde *Startainment* op de leestafel. 'Het ligt zo voor de hand. Schneider heeft zichzelf van kant gemaakt.'

Dee knikte. 'Dat is niet eens zo onwaarschijnlijk. Denk maar eens aan die les Filmkunde.'

'Wat was daarmee?'

'Dat heb ik je verteld. We zouden een openvragentoets krijgen over de Italianen, *Divorce Italiano Style*, *L'Avventura*, *Eight and a* kloterige *Half...*'

'O, ja.'

'Toen het zover was en we er helemaal klaar voor waren, was ze weer eens helemaal in de bonen. Het was haar volledig ontschoten. Ze deed net alsof de grote verrassing was dat de toets niet doorging, maar iedereen was laaiend – het was overduidelijk dat ze die smoes er met de haren bij sleepte. Ze was het doodeenvoudig vergeten. Dus kwam ze met *Reds* op de proppen, wat niet eens Italiaans is. Plus dat we die al negen keer hadden gezien omdat ze drie dagen achter elkaar was vergeten om *La Dolce* tering-*Vita* mee te nemen. Het mens had geen onderwijsbevoegdheid, ze was volkomen gestoord en van de ratten besnuffeld, en ze loog alsof het gedrukt stond. Welke lerares vergeet nou haar eigen toets?'

'Eentje waar je nooit van op aan kunt,' fluisterde Dum, 'die mentaal niet in orde is.'

'Precies.'

Helaas was mijn instinctieve reactie op het aanhoren van de hiervoor omschreven schoolroddelpraat niet die van Pacino (wraak in Godfather-stijl), van Pesci (harde rouwdouwer-humor), van Costner (rustige geamuseerdheid), van Spacey (iemand met een stalen gezicht verbaal tot op de grond toe afbranden) of van Penn (arbeidersgeloei en -gekreun).

Hoe ik me voelde kan ik alleen maar vergelijken met het bezoek aan een kil ogende kledingzaak waar een van de medewerkers je in stilte volgt om te kijken of je niets steelt. Hoewel je absoluut niet van plan bent om iets te stelen, hoewel je je hele leven nog nooit de aandrang hebt gevoeld om iets te stelen, is de wetenschap dat zij je als een potentiële dief zien voldoende om je in een potentiële winkeldief te veranderen. Je probeert om niet verdacht over je schouder te kijken. Je kijkt verdacht over je schouder. Je probeert geen steelse blikken naar mensen te werpen, je probeert niet gemaakt te zuchten of te fluiten, je probeert niet nerveus te glimlachen. Je werpt steelse blikken, zucht en fluit gemaakt, glimlacht nerveus en je haalt voortdurend je extreem bezwete handen in en uit je zakken.

Het was niet zo dat ik heel St. Gallway over me heen kreeg, en ik zal me niet beklagen over de vervelende reacties of me wentelen in zelfmedelijden. Er waren die eerste dagen op school ook een aantal hartverwarmende reacties, zoals van mijn practicumpartner Laura Elms, die met haar lengte van een meter vijftig en haar gewicht van drieënveertig kilo de uitstraling van rijst had (wit, niet zwaar op de maag, elk kind lust het). Ze greep opeens mijn linkerhand toen ik F= qv x B overschreef van het schoolbord: 'Ik weet precies wat je doormaakt. De vader van een van mijn beste vriendinnen overleed vorig jaar plotseling. Hij stond op de oprit de Lexus te wassen toen hij opeens in elkaar zakte. Ze rende naar buiten en ze herkende hem totaal niet. Hij had zo'n rare bosbessenkleur. Ze is een tijdje helemaal van slag geweest. Ik wil alleen maar zeggen dat je altijd bij me terechtkunt als je wilt praten.' (Laura, ik ben nooit op je aanbod ingegaan, maar bij dezen nog mijn dank. Mijn excuses voor de vergelijking met rijst.)

En je had Zach. Snelheid mag dan de massa van elk voorwerp beïnvloeden, maar dat geldt niet voor Zach Soderberg. Zach was het Amendement, de Rectificatie, het Corrigerend Ingrijpen. Hij was een les in duurzame materialen, een succesverhaal over aanhoudend goed humeur. Hij was *c*, de constante.

Toen ik op donderdag bij Natuurkunde terugkwam van het toilet vond ik op mijn stoel een geheimzinnig dichtgevouwen briefje. Ik las het pas na de les. Ik stond doodstil midden in de gang terwijl alle kinderen langs me stroomden met hun rugzakken, wapperende haren en volumineuze jassen, en staarde naar de tekst, naar zijn meisjesachtige handschrift. Ik was drijfhout in een rivier.

HOE IS HET?

IK BEN ER VOOR JE

ALS JE WILT PRATEN

ZACH

Ik stopte het briefje in mijn rugzak en verbaasde me over het feit dat ik inderdaad met hem wilde praten. (Pap zei dat het nooit kwaad kon om zoveel mogelijk perspectieven en meningen te vergaren, zelfs die waarvan je weet dat ze naïef en primitief zijn.) Tijdens Wereldgeschiedenis fantaseerde ik dat ik niet met Pap meeging, maar met Patsy en Roge, dat het avondeten niet bestond uit spaghetti, aantekeningen van een lezing en een discussie over *De esthetische emancipatie van het menselijk ras* (J. Hutchinson, 1924), maar uit geroosterde kip, aardappelpuree, gesprekken over de softbaloefenwedstrijd van Bethany Louise, of Zachs werkstuk over de Amerikaanse Droom (het saaist denkbare onderwerp). En Patsy zou glimlachen en in mijn hand knijpen terwijl Roge een onvoorbereide preek hield – met een beetje geluk over 'De veertien verlangens'.

Toen de bel ging, haastte ik me Hanover uit naar Barrow, de trap op naar de tweede verdieping, waar Zach zijn kluisje had. Ik zag hem vanuit de deuropening in zijn kaki broek en blauw-met-wit gestreepte shirt staan praten met dat kind van een Rebecca, die met de hoektanden van prehistorische vleeseters. Ze was lang en hield een stapel ringbanden tegen haar uitgestoken heup. Haar stakerige vrije arm rustte op de bovenkant van de kluisjes zodat ze leek op zo'n hoekig Egyptisch figuurtje op een stuk papyrus. Iets in de manier waarop Zach haar zijn volledige aandacht schonk (zonder verder iemand te zien) en de manier waarop hij glimlachte en zijn enorme hand door zijn haar liet gaan, deed me beseffen dat hij verliefd op haar was, dat ze ongetwijfeld een collega van Kinko's was met wie hij zij aan zij tonnen kopieerwerk wegwerkte. Bij de gedachte dat ik hier met hem over de dood zou praten terwijl die wandelende hiëroglief in mijn nek stond te hijgen, haar ogen als twee geplette vijgen aan mijn gezicht bleven hangen en haar dikke haar als de Nijl over haar schouders vloeide, kon ik het niet meer. Ik draaide me om, haastte me de trap af, duwde de deur open en rende naar buiten.

Ik mag ook de vriendelijkheid van een Barmhartige Samaritaan bij een andere gelegenheid niet vergeten, op een vrijdag bij Tekenen toen ik nog uitgeput van de doorwaakte nachten tijdens de les wegdoezelde bij het tekenen van Tim 'Wildeman' Waters die deze week als model moest fungeren.

'Wat is er in 's hemelsnaam aan de hand met juffrouw Van Meer?' bulderde meneer Victor Moats. 'Ze is zo groen als de geest van El Greco! Vertel ons gauw waarmee je hebt ontbeten, dan weten we dat we dat niet moeten nemen.'

Meneer Moats was meestal een vriendelijke man, maar soms vond hij het leuk om zonder duidelijke aanleiding (misschien had het met de stand van de maan te maken) een leerling voor schut te zetten. Hij griste mijn tekenblok van de ezel en hield het hoog boven zijn glanzende zeehondenkapsel. Ik was meteen doordrongen van de kleine ramp: in de Grote Oceaan van het papier was niets te zien, alleen in de rechterbenedenhoek, waar ik een piepkleine Wildeman had getekend ter grootte van Guam. Bovendien had ik zijn been voor zijn nauwelijks herkenbare gezicht getekend, wat prima zou zijn geweest als meneer Moats bij het begin van de les niet tien minuten bezig was geweest om te wijzen op de essenties van modeltekenen en de juiste verhoudingen.

'Ze concentreert zich niet! Ze zit zeker te dromen over Will Smith, Brad Pitt of een van die andere gespierde kanjers, terwijl ze zich eigenlijk zou moeten bezighouden met – wat? *Kan iemand me vertellen wat juffrouw Van Meer zou moeten doen in plaats van onze tijd verspillen?*'

Ik keek naar meneer Moats. Als het een willekeurige vrijdag vóór de dood van Hannah was geweest zou ik rood zijn geworden en hebben gezegd dat het me speet, of ik was naar de wc gerend, had me opgesloten in het invalidentoilet en had op de wc-bril zitten huilen, maar nu voelde ik niets. Ik was zo leeg als een blanco vel tekenpapier. Ik keek hem aan alsof hij het niet over mij had, maar over een ander nukkig kind dat Blue heette. Ik voelde evenveel schaamte als een cactus in de woestijn.

Maar ik merkte wel dat alle leerlingen nerveuze blikken naar elkaar wierpen, zoals meerkatten in een boom elkaar waarschuwen voor de aanwezigheid van een kroonarend. 'Smeuïge' Fran Smithson keek met grote ogen naar Henderson Shoal die op zijn beurt met grote ogen naar Howard 'Beiroet' Stevens keek. Amy Hempshaw beet op haar lip, streek haar karamelkleurige haar achter haar oren vandaan en liet haar hoofd zakken, zodat het als een gordijn de helft van haar gezicht bedekte.

Wat ze aan elkaar doorseinden was natuurlijk dat meneer Moats, die berucht was om zijn voorkeur voor het werk van Velázquez, Ribera, El Greco en Herrera de Oude boven het gezelschap van zijn zwijgzame collega's (die nooit droomden of lyrisch waren over het vakmanschap van de Spaanse Meesters), klaarblijkelijk alle recente interne mededelingen uit zijn postvakje in de hal ongeopend had weggegooid.

Daardoor was hij niet op de hoogte van het 'Belangrijke Memo' van Havermeyer en het artikel van het Onderwijsgenootschap, 'Het Voorbereiden van een Groep Leerlingen op een Rouwproces', of het meest belangrijke: de vertrouwelijke lijst van Butters met de titel 'Extra in het Oog Houden', waar mijn naam op stond en die van Jade en de anderen: '*Vooral deze leerlingen zullen geraakt zijn door het recente sterfgeval. Let goed op hun gedrag en leerprestaties en waarschuw mij of de pas aangestelde adviseuse, Deb Cromwell, bij veranderingen. Het gaat hier om een zeer gevoelige aangelegenheid.*' (Deze vertrouwelijke papieren waren gestolen, gekopieerd en stiekem verspreid onder de leerlingen. Niemand wist door wie. Volgens sommigen was het Maxwell Stuart geweest, volgens anderen Dee en Dum.)

'Eerlijk gezegd,' zei Jessica Rothstein aan de andere kant van de klas, terwijl ze haar armen over elkaar deed, 'vind ik dat we Blue vandaag maar een beetje moeten ontzien.' Haar bruine krullen, die op meer dan vijf meter afstand leken op duizend natte wijnkurken, deinden ritmisch mee.

'*Vind je dat?*' Meneer Moats keerde zich naar haar om. '*En waarom dan wel?*'

'Omdat ze *iets afschuwelijks* heeft meegemaakt,' zei Jessica luid, met de overtuiging van een jong iemand die weet dat ze gelijk heeft en dat de oudere tegenover haar (die in theorie het voordeel van de Volwassenheid en de Ervaring zou moeten hebben) er volkomen naast zit.

'Iets afschuwelijks,' herhaalde Moats.

'Ja, iets afschuwelijks.'

'Over wat voor iets afschuwelijks hebben we het? Ik ben heel benieuwd.'

Jessica keek geërgerd. 'Ze heeft een vreselijke week achter de rug.' Ze keek wanhopig om zich heen in de hoop dat iemand anders het van haar zou overnemen. Jessica was liever de leider van de reddingsoperatie, degene die de telefoon pakte en de opdrachten gaf. Jessica wilde niet de piloot zijn die de HH-43F-helikopter van de basis in Bin Ty Ho naar vijandelijk gebied vloog, door rijstvelden, waterpoelen en tussen het olifantsgras en mijnen door tijgerde met veertig kilo munitie en noodrantsoenen bij zich, de gewonde soldaat tien kilometer op haar rug sjouwde, de nacht doorbracht op de van muskieten vergeven oever van de Cay Ni alvorens ze om nul vijfhonderd uur aan boord van de reddingshelikopter kroop.

'Juffrouw Rothstein draait graag om de zaken heen,' zei Moats.

'Ik wil alleen maar zeggen dat ze een rottijd heeft gehad. Meer niet.'

'*Het leven is niet alleen maar rozengeur en maneschijn, hè?*' vroeg Moats. 'Negenentachtig procent van de meest waardevolle kunstwerken is vervaardigd door mensen die in een door ratten geteisterd hol woonden. Denk je dat Velázquez op schoenen van Adidas liep? *Denk je dat hij zich kon verheugen in de luxe van centrale verwarming en aan huis bezorgde pizza's?*'

'We hebben het hier niet over Velázquez,' zei Tim 'Wildeman' Waters op het krukje in het midden van de modeltekenkring. 'We hebben het over Hannah Schneider en dat Blue erbij was toen ze stierf.'

Doorgaans schonk niemand enige aandacht aan Wildeman met zijn monotone stem en de stickers achter op zijn auto met teksten als PIJN IS FIJN en BLOED SMAAKT GOED en de woorden die met zwarte viltstift op zijn rugtas stonden: GEWELD, ANARCHIE, KRIJG DE KLERE. Wolkjes sigarettenrook volgden in zijn kielzog als blikjes achter een cabriolet met een pasgetrouwd stel. Maar hij zei haar naam, en die dreef als een lege roeiboot door de ruimte. Ik weet niet waarom, maar als hij het me op dat moment had gevraagd was ik weggelopen met die bleke, woedende jongen. Ik hield drie of vier seconden zielsveel van hem, een kwellende, overweldigende liefde. (Zo ging het na de dood van Hannah: iemand viel je totaal niet op, en als dat wel gebeurde, adoreerde je hem of haar en wilde je samen met hem of haar kinderen krijgen, tot het moment net zo plotseling verdween als het gekomen was.)

Meneer Moats bewoog zich niet. Zijn hand ging naar zijn geruite vest en daar hield hij hem, alsof hij moest overgeven of zocht naar de tekst van een liedje dat hij ooit had gekend.

'Ik begrijp het,' zei hij. Hij zette mijn tekenblok voorzichtig terug op mijn ezel. 'Ga door met jullie werk!'

Hij stond naast me. Toen ik weer begon te tekenen, waarbij ik eerst de schoen van Waters midden op het papier tekende (een bruine schoen met op de zijkant het woord CHAOS), boog meneer Moats zich vreemd genoeg voorover, zodat zijn hoofd zich op een paar centimeter van het papier bevond. Ik keek hem zijdelings aan, met enige tegenzin, want net als bij de zon was het niet verstandig om een leraar recht in zijn gezicht te kijken. Je ziet onvermijdelijk dingen die je liever niet had gezien: slaap, moedervlekken, haartjes, rimpels, een vereelt of verkleurd stukje huid. Je wist dat er een onaangename, wrange waarheid achter die details school, maar je wilde niet weten wat het was, nog niet; want het zorgde ervoor dat je je niet meer kon concentreren tijdens de les, je kon geen aantekeningen meer maken over de verschillende voortplantingsstadia van de wolfsklauw, of het exacte jaar en de maand van de Slag bij Gettysburg (juli 1863).

Moats had nog steeds niets gezegd. Zijn ogen dwaalden over het lege vel papier en bleven hangen op Wildeman, in de hoek met zijn been voor zijn gezicht, en ik keek gebiologeerd naar zijn verweerde profiel, een profiel dat opvallend veel gelijkenis vertoonde met de zuidoostkust van Engeland. Toen sloot hij zijn ogen en ik kon zien hoe ontdaan hij was. Misschien was hij verliefd geweest op Hannah. Ik was er ook van doordrongen hoe vreemd volwassenen in elkaar zaten, dat hun leven veel meer omvatte dan ze eigenlijk wilden laten blijken, dat het zich uitstrekte als een woestijn, droog en verlaten, met een onvoorspelbare zee van wandelende zandduinen.

'Misschien kan ik beter een nieuw vel papier nemen,' zei ik. Ik wilde dat hij iets zou zeggen. Als hij iets zei, hield dat in dat hij bestand was tegen extreme hitte overdag en ijzige kou 's nachts, en af en toe een zandstorm.

Hij knikte en ging weer staan. 'Ga verder.'

❖

Na schooltijd ging ik naar het lokaal van Hannah. Ik hoopte dat er niemand zou zijn, maar toen ik Loomis binnenliep zag ik twee meisjes dingen op de deur bevestigen, beterschapskaartjes. Rechts op de vloer stond een reusachtige foto van Hannah en er lag een berg bloemen, hoofdzakelijk anjers in roze, wit en rood. Perón had het er bij de Middagmededelingen over gehad: 'De stroom bloemen en kaartjes toont aan dat we ons ondanks onze verschillende achtergronden kunnen verenigen en elkaar kunnen steunen, niet als leerlingen, ouders, leerkrachten en leiding, maar als mensen. Hannah zou sprakeloos van vreugde zijn.' Ik wilde meteen weer weggaan, maar de meisjes hadden me gezien, zodat ik wel moest doorlopen.

'Ik wou dat we de kaarsen aan mochten steken.'

'Laat mij nou. Je gooit het hele ontwerp door de war, Kara.'

'Misschien moeten we ze maar gewoon aansteken. Voor háár, weet je wel?'

'Dat mag niet. Heb je juffrouw Brewster niet gehoord? Vanwege het brandgevaar.'

Het langste, bleke meisje plakte met plakband een grote kaart op de deur, met daarop een grote, goudkleurige zon en de tekst: 'Een ster is gedoofd...' Het andere, zwartharige meisje keek met licht gebogen knieën wantrouwig toe, met een nog grotere kaart, zelfgemaakt en met onbeholpen oranje letters: DIERBARE HERINNERINGEN. Rond de bloemen waren nog eens minstens vijftig kaarten gedrapeerd. Ik bukte zodat ik er een paar kon lezen.

'Rust in vrede. Liefs, de familie Frigg,' schreef de familie Frigg. 'C U N H E V N,' schreef Anoniem. 'In deze wereld vol religieuze haat en bruut geweld jegens onze medemens was jij een stralende ster,' schreef Rachid Foxglove. 'We zullen je missen,' schreven Amy Hempshaw en Bill Chews. 'Ik hoop dat je reincarneert als een zoogdier en dat onze wegen elkaar weer zullen kruisen, hopelijk snel, want als ik medicijnen ga studeren betwijfel ik of ik nog tijd voor je heb,' schreef Lin Xe-Pen. Sommige kaartjes waren bespiegelend ('Waarom?') of onschuldig oneerbiedig ('Het zou te gek zijn als je een teken kon geven waaruit blijkt dat er leven is na de dood, dat het niet alleen een eeuwigheid in een kist is, want als dat zo is hoeft het voor mij niet'). Op andere stonden kreten die geschikt waren voor Post-Its of om bij het wegrijden te roepen vanuit een open autoraampje ('Je was een fantastische lerares!!').

'Wil je onze condoleancekaart tekenen?' vroeg het donkerharige meisje me.

'Tuurlijk,' zei ik.

De binnenkant van de condoleancekaart was volgekrast met handtekeningen van leerlingen en had als tekst: 'We vinden troost in het besef dat je nu in een Betere Wereld bent.' Ik twijfelde even, maar het meisje stond te kijken, dus perste ik mijn naam tussen Charlie Lin en Millicent Newman.

'Dank je wel,' zei het meisje, alsof ik haar net voldoende geld voor een blikje fris had gegeven. Ze plakte de kaart op de deur.

Ik ging weer naar buiten en bleef voor de deur in de schaduw van een den staan tot ik ze zag weggaan. Ik ging weer naar binnen. Iemand (het donkerharige meisje, de zelfbenoemde Executeur van het H. Schneider Gedenkteken) had een groen plastic kleed onder de bloemen gelegd (alle stelen wezen dezelfde kant op) en er een klembord naast gezet met de tekst: 'Teken hier en noteer je bijdrage voor de Hannah Schneider Kolibrie-Tuin (minimumbijdrage vijf dollar).'

Eerlijk gezegd deed al het rouwbetoon me niet veel. Het voelde kunstmatig aan, alsof ze haar op de een of andere manier hadden ingepikt, gestolen, en vervangen door deze enge, glimlachende vreemde wier enorme geplastificeerde kleurenfoto nu op de grond stond met een niet-aangestoken kaars ernaast. De foto leek niet op haar; schoolfotografen gewapend met melkwitte lampen en vage witte achtergrondjes slaagden er opgewekt in om elk uniek kenmerk uit te vlakken en iedereen hetzelfde te laten lijken. Nee, de echte Hannah, de Hannah uit de film die soms wat te veel dronk, waardoor je haar behabandjes kon zien, werd tegen haar wil gevangengehouden door al die verwelkte anjers, scheve handtekeningen en sentimentele teksten als 'We missen je'.

Ik hoorde een deur dichtslaan en het ritmische geklik van vrouwenschoenen. Iemand deed de deur aan het eind van de gang open en liet hem dichtvallen. Een krankzinnig moment dacht ik dat het Hannah was; de slanke gestalte die naar me toe liep was helemaal in het zwart gekleed: een zwarte rok, een zwart mouwloos truitje, zwarte pumps – precies hetzelfde als die eerste keer dat ik haar zag, maanden daarvoor bij Fat Kat Foods.

Maar het was Jade.

Ze was bleek, broodmager en ze droeg haar blonde haar in een paardenstaart. Toen ze onder de tl-verlichting door liep lichtte de bovenkant van haar hoofd groenachtig op. Tijdens het lopen gleden er schaduwen over haar gezicht. Ze keek naar de grond. Toen ze me uiteindelijk zag kon ik zien dat ze zich wilde omkeren, maar ze bedwong zich. Het was niets voor Jade om zich terug te trekken, rechtsomkeert te maken, terug te krabbelen of zich te bedenken.

'Ik hoef niet met je te praten als ik niet wil,' zei ze toen ze halt hield bij de bloemen en kaarten. Ze bukte en inspecteerde ze met een zachte, ontspannen glimlach op haar gezicht, alsof ze een vitrinekast met dure horloges bekeek. Na een tijdje draaide ze zich om en keek me aan.

'Wou je daar de hele dag als een idioot blijven staan?'

'Nou, ik…' begon ik.

'Want ik ben niet van plan om het uit je te trekken.' Ze legde haar hand op haar heup. 'Aangezien je als een gestoorde stalker achter me aan hebt zitten bellen ging ik ervan uit dat je iets zinnigs te melden had.'

'Dat is ook zo.'

'Wat dan?'

'Ik snap niet waarom iedereen kwaad op me is. Ik heb niets misdaan.'

Geschokt sperde ze haar ogen open. 'Hoe is het mogelijk dat je niet doorhebt wat je hebt gedaan?'

'Wat heb ik dan gedaan?'

Ze deed haar armen over elkaar. 'Als je dat zelf niet weet, ga ik het je ook niet vertellen.' Ze draaide zich om en ging verder met het inspecteren van de kaarten. Even later zei ze: 'Ik bedoel, je verdween *expres* zodat zij je moest gaan zoeken. Alsof het een of ander idioot spelletje was. Nee, beweer maar niet dat je nodig moest, want die rol wc-papier zat nog in de rugzak van Hannah, oké? En toen… Nou ja, we weten niet wat je hebt gedaan. Maar het ene moment zat Hannah nog lachend bij ons en even later hing ze dood aan een boom. En daar heb jij mee te maken.'

'Ze gaf me een seintje dat ik het bos in moest gaan. Het was haar idee.'

Jade trok een ongelovig gezicht. 'Wanneer was dat?'

'Bij het kampvuur.'

'Niet waar. Ik was erbij. Ik herinner me niet dat ze…'

'Alleen ik heb het gezien.'

'Komt dat even goed uit.'

'Ik ging weg. Ze kwam achter me aan. We liepen een minuut of tien, ze stopte en vertelde dat ze me iets moest vertellen. Een geheim.'

'O, wat was het voor geheim? Dat ze dode mensen kon zien?'

'Dat heeft ze me nooit verteld.'

'O, god.'

'Iemand volgde ons. Ik heb hem niet duidelijk gezien, maar ik geloof dat hij een bril had, en toen – dit deel snap ik niet – ging ze achter hem aan. Ze zei dat ik moest blijven waar ik was. Dat was de laatste keer dat ik haar zag.' (Dat was natuurlijk een leugentje om bestwil, maar ik had besloten om het feit dat ik Hannah dood had gezien uit mijn verhaal te schrappen. Het was een soort blindedarm: een nutteloos orgaan dat kon gaan ontsteken en dus chirurgisch verwijderd kon worden zonder een ander stukje verleden aan te tasten.)

Jade keek me sceptisch aan. 'Ik geloof je niet.'

'Het is de waarheid. Herinner je je die sigarettenpeuk die Lu vond? Er was iemand geweest.'

Ze keek me met grote ogen aan en schudde daarna haar hoofd. 'Volgens mij heb jij een behoorlijk probleem.' Ze liet haar tas op de grond vallen, op de zijkant. Er gleden twee boeken uit, *The Norton Anthology of Poetry* (Ferguson, Salter, Stallworthy, uitg. 1996) en *How to Write a Poem* (Fifer, 2001). 'Je bent wanhopig. En een zielige stumper. Het kan ons niet schelen met wat voor rotsmoes je aankomt zetten, het zal ons worst zijn. Het is afgelopen.'

Ze wachtte tot ik zou protesteren, kreunend op mijn knieën zou vallen, maar ik kon het niet. Ik voelde dat het onmogelijk was. Ik dacht aan wat Pap ooit eens had gezegd: dat sommige mensen bij hun geboorte al hun antwoorden klaar hebben en dat het zinloos is om te proberen ze iets nieuws bij te brengen. 'Ze zijn gesloten, ondanks het feit dat ze hun deuren om elf uur openen, van maandag tot en met vrijdag,' zei Pap. En pogingen om hun denkwijze te veranderen, iets uit te leggen, in de hoop dat ze proberen om jouw kant van het verhaal te aanvaarden, waren slopend, want het maakte niet de geringste indruk en na afloop deed het alleen maar pijn. Het was alsof je een gevangene in een extra beveiligde inrichting was die wilde weten hoe de handdruk van een bezoeker voelde (zie *Leven in duisternis*, Cowell, 1967). Hoe wanhopig graag je het ook wilde weten, je handpalm tegen het glas drukte op de plek waar de bezoeker er aan de andere kant zijn hand tegenaan hield, je zou dat gevoel nooit kennen, niet voordat je werd vrijgelaten.

'We geloven niet dat je psychotisch bent of zo, of een van de broers Menendez,' zei Jade. 'Je hebt het waarschijnlijk niet met opzet gedaan. Maar toch. We hebben het erover gehad en we hebben besloten dat als we eerlijk tegenover onszelf zijn, we het je niet kunnen vergeven. Ik bedoel, ze is dood. Misschien dat dat voor jou niets voorstelt, maar voor ons betekent dat heel veel. Milton en Charles hielden van haar. Leulah en ik waren weg van haar. Ze was als een zus voor ons...'

'Dat is groot nieuws,' onderbrak ik haar. (Ik kon er niets aan doen, ik was een dochter van Pap en dus moest ik wel in het geweer komen tegen hypocrisie en onzinverhalen.) 'Het laatste wat ik hoorde is dat je het idee had dat ze je een afkeer van ijs met stukjes chocola had aangepraat. Je was ook bang dat ze lid van de Manson-familie was.'

Jade keek zo woedend dat ik me afvroeg of ze me op het linoleum zou gooien en mijn ogen zou uitkrabben. In plaats daarvan trok ze haar lippen samen en kreeg ze de kleur van gazpacho. Ze zei in korte afgemeten woorden: 'Als je zo stom bent dat je niet snapt waarom we zo vreselijk van streek zijn heeft verder praten geen zin. Je hebt geen idee wat we hebben doorgemaakt. Charles ging over de rooie en viel van een rots. Lu en Nigel werden hysterisch. Zelfs Milton stortte in. *Ik* was degene die iedereen in veiligheid heeft gebracht, maar ik ben er nog steeds door getraumatiseerd. We dachten dat we doodgingen, net als de mensen in die film die vastzitten in de Andes en gedwongen worden om elkaar op te eten.'

'*Alive*. Het was een boek voordat het werd verfilmd.'

Haar ogen werden groot. 'Denk je dat het een grapje is? Snap je het dan niet?'

Ze wachtte, maar ik snapte het inderdaad niet. Echt niet.

'Doet er ook niet toe,' zei ze. 'Hou op met naar mijn huis te bellen. Mijn moeder vindt het vervelend om met je te moeten praten en smoesjes te verzinnen.'

Ze bukte, pakte haar tas en hing hem over haar schouder. Ze streek nuffig haar haar naar achteren, met de hooghartigheid van Zij Die het Toneel Verlaten; zich er terdege van bewust dat velen haar waren voorgegaan, miljoenen jaren lang en om miljoenen verschillende redenen, en nu was het haar beurt om het toneel te verlaten en dat wilde ze met verve doen. Met een strakke glimlach raapte ze *The Norton Anthology of Poetry* en *How to Write a Poem* op en borg ze zorgvuldig op in haar tas. Ze snoof, trok haar zwarte truitje recht (alsof ze zojuist de eerste reeks sollicitaties bij de Firma WatDanOok had afgerond) en liep de gang uit. Ik kon zien dat ze overwoog om bij het elitegroepje van Zij Die het Toneel Verlaten te gaan, een select gezelschap dat bestaat uit de strikt onsentimentelen en de keiharden: Zij Die Nooit Omkeken. Maar ze bedacht zich.

'Weet je,' zei ze zachtjes terwijl ze zich omdraaide. 'Niemand van ons snapte er iets van.'

Ik keek haar aan, onverklaarbaar bang.

'Waarom *jíj*? Waarom wilde Hannah je deel laten uitmaken van ons groepje? Ik wil niet vervelend zijn, maar we konden je vanaf het begin al niet *uitstaan*. We noemden je Duif. Omdat je je zo gedroeg: een gore duif die wanhopig tussen iedereen zijn voeten door op zoek is naar kruimeltjes. Maar zij was dol op je. "Blue is geweldig. Je moet haar een kans geven. Ze heeft het niet makkelijk gehad." Ja, hoor. Het klopte gewoon niet. Nee, je leidt een of ander vreemd onwezenlijk bestaan met je briljante vader over wie je maar door blijft mekkeren alsof hij de Verlosser is. Maar nee. Iedereen vond me gemeen en bevooroordeeld. Maar nu is het te laat en is zij dood.'

Ze zag hoe ik keek en deed een *Ha*. Zij Die het Toneel Verlaten moeten een *Ha* doen, een kort lachje dat deed denken aan het Game Over bij videospelletjes en schrijfmachinebelletjes.

'De ironie van het leven,' zei ze.

Ze duwde de deur aan het eind van de gang open en heel even werd ze verlicht door een gele lichtbundel en werd haar smalle, opgerekte schaduw naar me toe gegooid als een sleepkabel, maar toen stapte ze door de opening en sloeg de deur dicht, en was ik weer alleen met de anjers. ('Als je zulke bloemen aan iemand geeft, kun je net zo goed dode bloemen geven,' zei Pap.)

The Big Sleep

D e volgende dag, zaterdag 10 april, stond er in de *Stockton Observer* eindelijk een kort artikel over de bevindingen van de lijkschouwer.

OPHANGING VROUW
GEVAL VAN ZELFMOORD

De dood van de 44-jarige Hannah Louise Schneider uit Burns County is volgens de Gerechtelijk Patholoog-Anatoom een geval van zelfmoord. De doodsoorzaak luidt dan ook 'verstikking door ophanging'.

'Er is geen bewijs voor een misdrijf gevonden,' verklaarde rechter van instructie Joe Villaverde gisteren.

Volgens Villaverde zijn er geen sporen van drugs, alcohol of andere giftige stoffen in het lichaam aangetroffen. De verwondingen wijzen op zelfmoord.

'Ik baseer mijn bevindingen op het sectierapport en het door het bureau van de sheriff en de onderzoeksinstanties verzamelde bewijsmateriaal,' aldus Villaverde.

Het lichaam van Schneider werd op 28 maart hangend aan een stuk elektriciteitssnoer aangetroffen in de buurt van Schull's Cove in het Great Smoky Mountains National Park. Ze maakte met zes leerlingen van een middelbare school een kampeeruitstapje. De zes leerlingen werden ongedeerd teruggevonden.

'Dit kan niet waar zijn,' zei ik.

Pap keek me bezorgd aan. 'Kindje...'

'Ik word niet goed. Ik kan hier niet meer tegen.'

'Misschien hebben ze gelijk. Je weet nooit met...'

'*Ze hebben het fout!*' schreeuwde ik.

Pap was zo goed om met me mee te gaan naar het bureau van de sheriff. Het was een verrassing dat hij toegaf aan mijn bizarre, nukkig gestelde eis. Ik neem aan dat hij medelijden met me had, dat hij had gezien hoe bleek ik de laatste tijd was, dat ik nauwelijks een hap door mijn keel kon krijgen, niet kon slapen, als een junk die hard aan zijn dosis toe is van de trap af rende om het nieuws van vijf uur te zien, hoe ik met een transatlantische vertraging van vijf seconden reageerde op alle vragen, zowel de normale als de existentiële. Hij was ook bekend met het gezegde 'Als je kind met de koppigheid van een fundamentalistische bijbelverkoper uit Indiana gegrepen is door een idee, riskeer je je leven als je haar of hem daarvan af wilt brengen' (zie *De opvoeding van het hoogbegaafde kind*, Pennebaker, 1998, blz. 232).

We vonden het adres op internet, stapten in de Volvo en reden in drie kwartier naar het bureau in het kleine bergstadje Bicksville, ten westen van Stockton. Het was een zonnige, heldere dag en het grauwe politiebureau lag als een uitgeputte lifter langs de kant van de weg.

'Wil je in de auto wachten?' vroeg ik aan Pap.

'Nee, ik ga wel met je mee.' Hij hield *Narcisme en cultuurverlamming in de VS* van D.F. Young (1986) omhoog. 'Ik heb wat lichte lectuur meegenomen.'

'Pap?'

'Ja, kindje.'

'Laat mij het woord doen.'

'O. Zoals je wilt.'

Het politiebureau van Sluder County bestond uit een enkele kale ruimte die leek op het primatenverblijf van een gemiddelde dierentuin. Binnen het beschikbare budget was al het mogelijke gedaan om de tien tot twaalf politiemensen die er waren ondergebracht te laten denken dat ze zich in hun natuurlijke omgeving bevonden (rinkelende telefoons, bruingrijze wanden van gasbetonblokken, dode planten met bladeren die leken op de gekrulde lintjes op een verjaarscadeau, gammele archiefkasten die als footballspelers naast elkaar achter in de ruimte waren opgesteld, politie-insignes die als mosselen op hun vaalbruine overhemden zaten). Ze kregen aangepast voedsel (koffie en donuts) en ruim voldoende speelmogelijkheden (draaistoelen, zenderapparatuur, wapens en een aan het plafond opgehangen tv-toestel waarop onvaste beelden van de Weerzender te zien waren). Desondanks hing er onmiskenbaar een kunstmatige en apathische sfeer over het geheel. Iedereen hield zich onledig met de rituelen van de wetsdienaar, de strijd om het bestaan was niet langer een directe bron van zorg. 'Hé Bill!' riep een van de mannen achterin bij de waterkoeler. Hij hield een tijdschrift omhoog. 'Moet je de nieuwe Dakota zien.' 'Die ken ik al,' zei Bill, comateus starend naar zijn blauwe computerscherm

Pap ging met onverholen weerzin op de enige vrije stoel voor in de ruimte zitten, naast een dikke, verlepte vrouw in een opzichtig haltertopje en met blote voeten. Haar haar was zo rigoureus gebleekt dat het de kleur van chips had gekregen. Ik liep naar de man achter de balie die in een tijdschrift zat te bladeren en op een roerstokje kauwde.

'Ik wil graag het hoofd van het rechercheteam spreken als hij of zij beschikbaar is,' zei ik.

'Huh?'

Hij had een plat, rood gezicht dat, als je zijn vergeelde borstelsnorretje buiten beschouwing liet, deed denken aan de zool van een grote voet. Hij was kaal. Het grootste deel van zijn schedel was bespikkeld met dikke sproeten. Op het naamplaatje onder zijn insigne stond A. BOONE.

'Degene die de dood van Hannah Schneider heeft onderzocht,' zei ik. 'De lerares van St. Gallway.'

A. Boone bleef op zijn roerstokje kauwen en staarde me aan. Hij was wat Pap doorgaans een 'machtzwelger' noemde, iemand die op een zeker moment een marginale hoeveelheid macht toebedeeld kreeg en die zo hardnekkig koesterde dat hij of zij er onredelijk lang op kon teren.

'Waarover wil je brigadier Harper spreken?'

'Er is een ernstige beoordelingsfout gemaakt bij de zaak,' zei ik met veel gezag. Het was in grote lijnen hetzelfde wat inspecteur Ranulph Curry verkondigde bij het begin van hoofdstuk 79 in *De signatuur van de mot* (Lavelle, 1911).

A. Boone noteerde mijn naam en zei dat ik maar even moest plaatsnemen. Ik ging op de stoel van Pap zitten en hij ging naast een dode plant staan. Met een blik van geveinsde interesse en bewondering (wenkbrauwen omhoog, mondhoeken omlaag) gaf hij me de *Sheriff Starr Bulletin*, het winternummer, jaargang 2, aflevering 1, die hij van het mededelingenbord achter hem had losgehaald, samen met een kleine sticker van een Amerikaanse adelaar die een iriserende traan plengde (Amerika, Verenigd in de Strijd). In de nieuws-brief op pagina 2, het Activiteitenverslag (tussen 'Beroemd/Berucht' en 'Wist u Dat...') las ik dat rechercheur Fayonette Harper in de afgelopen vijf maan-den het grootste aantal arrestaties van het hele korps had verricht. Onder haar aanhoudingen bevonden zich Rodolpho Debruhl, GEZOCHT wegens moord; Lamont Grimsell, GEZOCHT wegens beroving; Kanita Kay Davis, GE-ZOCHT wegens bijstandsfraude, diefstal en heling; en Miguel Rumolo Cruz, GEZOCHT wegens verkrachting en crimineel afwijkend gedrag. (In tegen-stelling tot agent Gerard Coxley, die het laagste aantal arrestaties had ver-richt: alleen Jeremiah Golden, GEZOCHT wegens het onrechtmatig gebruik van een motorvoertuig.)

Brigadier Harper was ook te zien op een zwart-witfoto op pagina vier van het Sluder County Sheriff Dept. Honkbalteam. Ze stond helemaal aan de rechterkant, een vrouw met een forse haakneus, en alle andere gelaatstrek-ken waren er dicht tegenaan gekropen alsof ze zich wilden warmen in haar poolwitte gezicht.

Vijfentwintig, misschien dertig minuten later, zat ik naast haar.

❖

'Het verslag van de patholoog-anatoom klopt niet,' zei ik met gezag terwijl ik mijn keel schraapte. 'Het was geen zelfmoord. Ik was namelijk bij Hannah Schneider voordat ze in het bos verdween. Ik weet dat ze niet van plan was om zelfmoord te plegen. Ze zei dat ze zou terugkomen. En ze loog niet.'

Rechercheur Fayonette Harper kneep haar ogen tot spleetjes. Met haar zoutbleke huid en borstelige lavakleurige haar bood ze van dichtbij geen al te aangename aanblik; het was elke keer weer een forse dreun en een schop voor je hoofd, hoe vaak je ook naar haar keek. Ze had brede, deurklinkachtige schouders en haar bovenlijf bewoog synchroon met haar hoofd, alsof ze een stijve nek had.

Als het politiebureau van Sluder County het primatenverblijf van een ge-middelde dierentuin was, dan was brigadier Harper overduidelijk de eenza-me aap die had besloten om alle twijfel van zich af te zetten en te werken alsof haar leven ervan afhing. Ik had al geconstateerd dat ze haar ogen dichtkneep bij alles en iedereen, niet alleen bij mij en A. BOONE toen hij me naar haar bu-reau achter in de ruimte bracht ('Oké,' zei ze met een strak gezicht toen ik ging zitten, haar versie van 'hallo?'), maar ze keek ook met toegeknepen ogen naar haar papierbakje met het opschrift OPBERGEN, het afgeragde rubber stressballetje naast haar toetsenbord, het bordje boven haar computer-scherm met de tekst KIJK ALS JE KUNT ZIEN EN NEEM WAAR ALS JE KUNT KIJKEN, en zelfs naar de twee fotolijstjes op haar bureau, de een met een foto van een middelbare vrouw met vlaskleurig haar en een ooglap, de andere met een foto van haarzelf en wat vermoedelijk haar man en dochter waren; ze flankeerden haar als twee boekensteunen met hun identieke lange gezich-ten, kastanjebruine haar en kaarsrechte gebit.

'En waarom denk je dat?' vroeg brigadier Harper. Haar stem was mono-toon en laag, een combinatie van steengruis en een hobo (zo stelde ze vragen, zonder de moeite te nemen om haar stem aan het eind omhoog te laten gaan).

Ik herhaalde het merendeel van wat ik agent Coxley op de Spoedeisende Hulp van het Sluder County Hospital had verteld.

'Ik wil niet onbeleefd zijn,' zei ik, 'of de gesystematiseerde procedures van de wetshandhaving zoals u die vermoedelijk al jaren met succes hanteert in twijfel trekken, maar volgens mij heeft agent Coxley niet alles opgeschreven wat ik hem heb verteld. Ik ben heel pragmatisch ingesteld. Als er ook maar de geringste kans was dat de conclusie van zelfmoord juist was, zou ik dat ac-cepteren. Maar het is gewoon onmogelijk. Om te beginnen werden we, zoals ik al heb verteld, gevolgd toen we het kampeerterrein verlieten. Ik weet niet door wie, maar ik hoorde hem. Wij allebei. En bovendien *gedroeg* Hannah zich helemaal niet zo. Ze was niet neerslachtig, in elk geval niet op dat moment. Ik moet toegeven dat ze af en toe wel haar buien had, maar wie heeft die niet? En toen ze bij me wegging gedroeg ze zich volkomen rationeel.'

Brigadier Harper had geen spier vertrokken. Het pijnlijke besef drong tot me door (met name door de manier waarop haar ogen geleidelijk afdwaal-den, om na een door mij wat heftiger uitgesproken woord ineens weer terug te keren naar mijn gezicht) dat ze mijn slag al vaker had meegemaakt. Huis-vrouwen, drogisten, mondhygiënistes, bankemployees, ze hadden onge-twijfeld ook allemaal hun zaak bepleit, met gebalde vuisten, met parfum dat zuur was gaan ruiken, eyeliner die remsporen had getrokken rond hun ogen. Ze zaten op het puntje van dezelfde ongemakkelijke rode stoel waar ik nu op zat (die onscherpe, non-figuratieve afdrukken op de achterkant van je benen achterliet) en ze huilden, zwoeren op een hele reeks Bijbels (de eigentijdse, moderne en de geïllustreerde gezinseditie) en graven (Oma, Papsie, jongge-storven Archie) dat hoe de aanklacht tegen hun allerliefste Rodolpho, La-mont, Kanita Kay en Miguel ook luidde, het allemaal leugens waren, grove leugens.

'Ik weet natuurlijk hoe dit klinkt,' zei ik, en ik probeerde de vertwijfelde wanhoop uit mijn stem te weren. (Het drong langzaam tot me door dat briga-dier Harper niet deed aan vertwijfelde wanhoop, en ook niet aan knagende verlangens, verlammende onzekerheden, knagende schuldgevoelens of on-herstelbaar gebroken harten.) 'Maar ik weet zeker dat ze is vermoord. Ik weet het gewoon. En ze heeft er recht op dat wij uitzoeken wat er echt is gebeurd.'

Harper krabde bedachtzaam in haar nek (zoals mensen doen wanneer ze het volstrekt oneens met je zijn), boog zich naar de linkerkant van haar bu-reau, trok een la open, kneep haar ogen tot spleetjes en haalde er een groene, twee centimeter dikke map uit. Op het etiket stond 5509-SCHN.

'Nou,' zei ze met een zucht, en ze legde de map met een klap op haar schoot, 'we hebben een verklaring gevonden voor het feit dat je iemand dacht te horen.' Ze bladerde door de inhoud – gekopieerde, getypte formulieren, het letterkorps te klein om te kunnen lezen – tot ze bij eentje stopte en de tekst doornam. 'Matthew en Mazula Church,' las ze langzaam met een frons, 'en George en Julia Varghese, twee stellen uit Yancey County, kampeerden rond dezelfde tijd als jij en je metgezellen in het gebied. Ze pauzeerden om onge-veer zes uur een uurtje op Sugartop Summit, waarna ze besloten om door te lopen naar Beaver Creek, vier kilometer verderop, waar ze om halfnegen aan-kwamen. Matthew Church bevestigde dat hij in de omgeving naar brandhout op zoek was toen zijn zaklantaarn de geest gaf. Rond elf uur slaagde hij erin om hun kamp terug te vinden, waarna ze naar bed gingen.' Ze keek me aan. 'Beaver Creek is nog geen halve kilometer van de plek waar we haar lichaam hebben gevonden.'

'Heeft hij gezegd dat hij Hannah en mij heeft gezien?'

Ze schudde haar hoofd. 'Niet met zoveel woorden. Hij zei dat hij herten had gehoord. Maar hij had drie biertjes op, dus heb ik mijn twijfels bij wat hij heeft gezien of gehoord. Het is een wonder dat hij niet ook is verdwaald. Maar waarschijnlijk hebben jullie hem horen ronddolen door het struikgewas.'

'Draagt hij een bril?'

Ze dacht even na. 'Volgens mij wel.' Ze fronste en speurde de tekst af. 'Ja, hier staat het. Gouden montuur. Hij is bijziend.'

Door de manier waarop ze dat laatste zei, *bijziend*, kreeg ik het gevoel dat ze loog, maar toen ik voorzichtig wat meer rechtop ging zitten en probeerde te kijken waar ze las, sloeg ze het dossier dicht en glimlachte ze; haar dunne, ge-kloofde lippen schoven weg van haar tanden als het zilverpapier van een reep chocola.

'Ik heb zelf ook gekampeerd,' zei ze. 'En daarginds heb je geen idee *wat* je eigenlijk ziet. Je hebt haar aan die boom zien hangen, hè?'

Ik knikte.

'Onze hersenen verzinnen dingen uit zelfbescherming. Vier op de vijf getuigen zijn volstrekt onbetrouwbaar. Ze vergeten dingen. Of ze denken later dat ze dingen hebben gezien die er niet waren. Het getuigentrauma. Ik neem getuigenverklaringen mee in mijn onderzoek, maar als puntje bij paaltje komt kan ik alleen afgaan op wat ik voor me zie. De feiten.'

Ik had niet de pest aan haar omdat ze me niet geloofde. Ik begreep het wel. Door alle anderen, de Rodolpho's, Lamonts, Kanita Kays, Miguels en andere delinquenten die ze op heterdaad had betrapt in hun vuile ondergoed, terwijl ze met een bakje Coco Puffs tekenfilms zaten te kijken, ging ze ervan uit dat ze alles wist wat er in de wereld te weten viel. Ze had de organen, de ingewanden, het binnenste van Sluder County gezien en dus kon niemand haar iets vertellen wat ze nog niet wist. Ik kon me de ergernis hierover van haar man en dochter voorstellen, maar waarschijnlijk accepteerden ze het, hoorden ze haar aan bij het avondeten met hamlappen en doperwten, zwijgzaam knikkend, bemoedigend glimlachend. Ze keek naar ze en hield van ze, maar ze voelde ook dat er een kloof tussen hen gaapte. Zij leefden in een Droomwereld, een wereld van huiswerk, keurig kantoorgedrag en onschuldige melksnorren. Maar zij, Fayonette Harper, leefde in de Realiteit. Ze kende het reilen en zeilen, het klappen van de zweep, de donkerste, volkomen beschimmelde hoekjes.

Ik wist niet wat ik verder nog kon zeggen, hoe ik haar kon overtuigen. Ik overwoog om op te staan, de rode stoel opzij te smijten en 'Dit is een grof schandaal!' te roepen, net als Pap toen hij bij de bank een stortingsbewijs invulde en alle tien pennen op de balie het niet meer deden. Dan verscheen er altijd vanuit het niets een man van middelbare leeftijd, ritssluitingen dichttrekkend, knopen dichtend, overhemden instoppend, sprietjes haar van zijn voorhoofd vegend.

Brigadier Harper voelde mijn frustratie; ze boog zich naar voren en raakte de bovenkant van mijn hand aan, waarna ze abrupt weer achterover ging zitten. Het was bedoeld als een troostend handgebaar, maar het had meer weg van het inwerpen van een muntje in een fruitmachine. Het was duidelijk dat brigadier Harper zich geen raad wist met Tederheid of Vrouwelijkheid. Ze ging ermee om als met truien vol tierelantijntjes die iemand haar voor haar verjaardag had gegeven en die ze niet wilde dragen maar ook niet kon weggooien.

'Ik waardeer je moeite,' zei ze, en haar whiskeykleurige ogen tastten zoekend mijn gezicht af. 'Je weet wel. Dat je hierheen bent gekomen. Dat je per se met me wilde praten. Daarom vond ik het goed. Ik hóéfde niet met je te praten. De zaak is gesloten. Ik mag er alleen met de directe familie over praten. Maar je bent hierheen gekomen omdat het je dwarszat, en dat is sympathiek van je. Dat zien we veel te weinig. Maar ik zal er geen doekjes om winden. We koesteren geen twijfels rond de dood van je vriendin, Hannah Schneider. En hoe sneller je dat accepteert, hoe beter.'

Zonder verder iets te zeggen boog ze zich over haar bureau en pakte ze een blanco vel papier en een balpen. In vijf minuten had ze vier kleine, gedetailleerde tekeningen gemaakt.

(Ik heb vaak aan dat moment teruggedacht, vol ontzag voor de simpele genialiteit van brigadier Harper. Nam iedereen maar stilletjes pen en papier ter hand om zijn gelijk te bewijzen in plaats van zijn toevlucht te nemen tot harde woorden en agressieve daden. Het was choquerend overtuigend. Helaas wist ik deze schat niet op waarde te schatten en dacht ik er niet aan om de tekening bij vertrek mee te nemen. Derhalve heb ik mijn eigen versie van haar tekeningen moeten maken, die dusdanig precies waren dat ze, bedoeld of onbedoeld, zowaar een beetje op Hannah leken (afbeelding 26.0).

'Dit zijn de sporen die op een lichaam achterblijven wanneer het om moord gaat,' zei brigadier Harper, wijzend naar de twee tekeningen rechts op het papier. Ze keek me aan. 'Die kun je niet namaken. Stel dat je iemand wilt wurgen. Dan laat je een rechte streep achter van hier tot hier, net als bij deze tekening. Stel het je maar voor. De handen. Of je doet het met een touw. Hetzelfde resultaat. Doorgaans is er ook sprake van blauwe plekken of kraakbeenfracturen omdat de dader door de adrenaline meer geweld gebruikt dan nodig is.'

Ze wees naar de twee tekeningen aan de linkerkant.

'En zo ziet het eruit wanneer iemand zelfmoord pleegt. Zie je? Het touw is een omgekeerde v door de hangende positie, het touw wordt omhooggetrokken. Meestal zijn er geen sporen van een worsteling op de handen, vingernagels of hals, tenzij de persoon in kwestie zich halverwege bedacht. Soms proberen ze zich te bevrijden vanwege de gruwelijke pijn. De meeste mensen doen het verkeerd, snap je? Bij een echte ophanging, zoals vroeger, viel je eerst twee tot drie meter recht omlaag en ging het touw dwars door je ruggengraat. Maar bij de gemiddelde zelfmoord springen ze van een stoel en zit het touw aan een plafondbalk of een haak gebonden, waardoor je maar een halve meter valt. Dat is niet voldoende om de ruggengraat te breken, dus sterf je de verstikkingsdood. Dat duurt een paar minuten. Zo heeft je vriendin Hannah het gedaan.'

SUICIDE   MURDER

LIGATURE MARK : INVERTED **V**   LIGATURE MARK : STRAIGHT ━

AFBEELDING 26.0

'Kun je iemand vermoorden en toch een omgekeerde v krijgen?'

Brigadier Harper leunde achterover in haar stoel. 'Het is mogelijk. Maar onwaarschijnlijk. Misschien als het slachtoffer bewusteloos is. Dat je hem zo opknoopt. Of als je hem verrast. Daarvoor moet je een geoefend huurmoordenaar zijn, zoals in de film.' Ze grinnikte en wierp me toen een achterdochtige blik toe. 'Maar zo is het níét gegaan, hoor je me?'

Ik knikte. 'Ze heeft een stuk elektriciteitssnoer gebruikt?'

'Dat is redelijk gebruikelijk.'

'Maar toen ik bij haar was had ze geen snoer bij zich.'

'Waarschijnlijk zat het in haar heuptasje. Er zat verder alleen een kompas in.'

'En een zelfmoordbriefje?'

'Dat heeft ze niet achtergelaten. Niet iedereen doet dat. Mensen zonder familie laten meestal geen briefje achter. Ze was tenslotte een wees. Opgegroeid in het Horizon House, een weeshuis in New Jersey. Ze had verder niemand. Ook vroeger niet.'

Ik was zo verbijsterd dat ik niet meteen iets kon zeggen. Net als bij een onverwacht resultaat bij Natuurkunde-practicum haalde dit mijn hele beeld van Hannah onderuit. Natuurlijk had ze ons nooit iets over haar verleden verteld (afgezien van een paar anekdotes die ze ons voorhield als worstjes voor een stel hongerige honden alvorens ze weg te grissen), en toch was ik ervan uitgegaan dat haar jeugd een aaneenschakeling was geweest van zeilboten, buitenhuizen aan het meer en paarden, een vader met een vestzakhorloge, een moeder met knokige handen die nooit de deur uit ging zonder zich op te maken (een jeugd die in mijn hoofd gek genoeg die van mijn eigen moeder overlapte).

Ik had zo'n verleden toch niet uit mijn duim gezogen? Of wel? Nee, zoals Hannah een sigaret aanstak, met haar profiel pronkte als met een kostbare vahze, ontspannen onderuit kon zitten, de manier waarop ze terloops haar woorden koos alsof ze schoenen uitzocht – deze details wezen erop, hoe zijdelings ook, dat ze van gegoede komaf was. Bovendien was er de eindeloze retoriek bij Hyacinth Terrace geweest – '*Het duurt jaren om van die conditionering af te komen. Ik heb het mijn hele leven geprobeerd*' –, woorden die symptomatisch waren voor 'Wachtkamerrechtschapenheid', maar ook voor wat Pap 'Opgeblazen Miljardairsschuldgevoel', altijd 'morsig en van korte duur' noemde. En zelfs in Cottonwood, toen Hannah na Doc kamer 22 van het Country Styles Motel binnenging, had ze net zo goed een La Scala-operaloge voor Mozarts *Cosi Fan Tutte* (1790) kunnen betreden, zo recht was haar rug, zo'n rijkeluishoek maakte haar kin.

Brigadier Harper vatte mijn zwijgen op als een nukkige erkenning. 'Ze heeft al eerder een poging gedaan,' ging ze verder. 'Op precies dezelfde manier. Met een verlengsnoer. In het bos.'

'Ik keek haar aan. 'Wanneer?'

'Kort voordat ze wegging uit het tehuis. Toen ze achttien was. Ze was bijna dood geweest.'

Harper leunde met een ernstige blik in haar ogen naar voren, zodat haar grote gezicht vijftien centimeter van het mijne zweefde. 'Zo' – ze boog nog een stukje naar voren, haar stem klonk hees – 'ik heb je meer dan genoeg verteld. En je móét naar me luisteren. Ik heb keer op keer gezien hoe mensen kapotgingen aan dit soort dingen. En dat is nergens goed voor. Want het betrof niet eens hunzelf. Het was iets tussen die persoon en God. Dus ga naar huis, ga verder met je leven en denk er niet meer aan. Ze was je vriendin en je wilde haar helpen. Maar het is zo klaar als een klontje dat ze het al de hele tijd van plan was. En ze wilde dat jullie zessen erbij waren. Begrijp je?'

'Ja.'

'Iemand die een stel onschuldige kinderen zoiets aandoet is het niet waard dat je je daarover zo van streek maakt, begrepen?'

Ik knikte.

'Mooi.' Ze schraapte haar keel, pakte het dossier van Hannah en liet het in de la glijden.

Even later liepen Pap en ik naar de auto. De ondergaande zon hing zwaar boven Main Street en maakte een composthoop van de papperige schaduwen die van de hete auto's langs het trottoir af gleden, en van de spichtige verkeersborden en de fiets die dood op zijn zijkant lag, vastgeketend aan een bankje.

'Is het nu weer goed?' vroeg hij opgewekt. 'Zaak gesloten?'

'Ik weet het niet.'

'Hoe deed die grote rooie tegen je?'

'Ze was wel aardig.'

'Zo te zien hadden jullie best een geanimeerd gesprek.'

Ik haalde mijn schouders op.

'Weet je, ik heb nog nooit een vrouw gezien met zulk obsceen oranje haar. Denk je dat het op natuurlijke wijze in die wortelkleur uit haar schedeldak groeit of dat ze een speciaal soort kleurspoeling gebruikt in de hoop dat het mensen tijdelijk verblindt? Dan is het een doelbewust gekozen politiewapen tegen de zedelozen en verdorvenen.'

Hij probeerde me aan het lachen te maken, maar ik hield mijn hand boven mijn ogen en wachtte tot hij het portier opendeed.

Justine

De herdenkingsdienst voor Hannah die op vrijdag 16 april werd gehouden was een schertsvertoning. De ceremonie was op St. Gallway, dus er was geen kist. Op dinsdag, toen Havermeyer de datum van de dienst aankondigde (en zei dat we na afloop vrij hadden, een Hannah-feestdag) maakte hij verder op epiloog- of nawoordtoon bekend dat Hannah in New Jersey was begraven. (Een somber makend vooruitzicht. Ik had Hannah nog nooit iets over New Jersey horen zeggen.)

En dus waren alleen wij er die dag, de leerlingen, het personeel, gekleed in aardtinten, het St. Gallway Koorgenootschap (zeventien verveelde kinderen die onlangs het woord 'genootschap' achter hun naam hadden geplakt om het geheel een wat exclusiever tintje te geven) en de parttime-geestelijke van St. Gallway, die niet de eerwaarde Johnson, dominee Johnson of evangelist Johnson was, maar de identiteitsloze *meneer* Johnson. Er werd gezegd dat hij theologie had gestudeerd, maar niemand wist als wat. Hij was een geestelijke van een onbepaalde stroming, een waarheid die hij van rector Havermeyer verborgen moest houden en waar hij zelfs niet naar mocht verwijzen tijdens de vrijdagochtenddienst, om de enige leerling (Cadence Bosco) wiens ouders mormonen waren niet voor het hoofd te stoten. In de toelatingsbepalingen van St. Gallway, *Beter onderwijs, betere toekomst*, werd de uit baksteen opgetrokken kapel beschreven als een 'heiligdom', formeel niet gekoppeld aan een bepaald geloof (hoewel er tijdens de feestdagen wel 'vrijzinnige boodschappen' werden verkondigd). Het was simpelweg een 'godshuis'. Voor welke god precies was onduidelijk. Ik betwijfel of zelfs *meneer* Johnson het wist. Meneer Johnson droeg geen wit boordje, maar kaki broeken en poloshirts met korte mouwen in bosgroen en koningsblauw, wat hem de uitstraling van een golf-caddy gaf. En als hij over een Hogere Macht sprak gebruikte hij woorden als 'voldoening', 'vernieuwend' en 'openbarend'. Het was iets wat je door 'zware

tijden' heen hielp, wat 'voor iedereen mogelijk was met een beetje hard werken, vertrouwen en volharding'. God was een reis naar Cancún.

Ik zat bij de laatstejaars, op de tweede rij, en ik staarde naar het stuk dat ik
had meegenomen, *Maan voor de misbedeelden* (O'Neill, 1943), om elk oogcontact met de Bluebloods te vermijden. Afgezien van Jade en Nigel (die door zijn
moeder op een ochtend vlak voor onze Volvo werd afgezet – waarna ik mijn
rugtas open en dicht had geritst tot hij in Hanover was verdwenen), had ik de
anderen geen enkele keer gezien.

Ik hoorde flarden roddelpraatjes: 'Ik begrijp niet wat ik ooit in Milton heb
gezien,' zei Macon Campins bij Engels. 'Bij Biologie zat ik naast hem en hij
heeft niets aantrekkelijks meer.' 'Om precies die reden heeft Joalie het met
hem uitgemaakt,' zei Engella Grand. Bij de Ochtendmededelingen en tussen
de middag (gelegenheden waarbij ik hoopte dat ik een steelse blik op hen kon
werpen, zoals Pap en ik een keer naar binnen hadden gegluurd bij de caravan
van 's Werelds Kleinste Man-Vrouw bij het Screamfest Fantasy Circus) waren
ze nergens te bekennen. Waarschijnlijk hadden hun ouders een regeling met
meneer Butters getroffen en bezochten ze alle vijf heftige ochtend- en mid-
dagsessies traumaverwerking met Deb Cromwell. Deb, een kleine vrouw met
een gele gelaatskleur, traag in haar bewegingen en overdadig in haar woord-
gebruik (een wandelende punt camembert), die zich volledig had geïnstal-
leerd in Hanover lokaal 109, met een hele reeks affiches en instructiemate-
riaal. Onderweg naar Wiskunde zag ik in het voorbijgaan, tenzij Mirtha
Grazeley er naar binnen was gewandeld (waarschijnlijk per ongeluk; ze
scheen regelmatig andere vertrekken in Hanover, inclusief het herentoilet, te
verwarren met haar kamer), dat Deb er altijd helemaal alleen zat en zich onledig hield met het doorbladeren van haar eigen folders over depressiviteit.

Op de verhoging achter ons begon het Koorgenootschap te zingen, 'All
Glory, Laud and Honor', en de Bluebloods ontbraken nog steeds. Ik begon net
te denken dat ze opnieuw waren gestrand in het kantoor van Deb Cromwell,
die ze probeerde te overtuigen van de voldoening die Zelfacceptatie en Loslâ-
ten gaven, toen Deb zelf, een glimlach op haar gezicht gekleefd, zich de kapel
binnenhaastte met juffrouw Jarvis, de schoolverpleegster, en zich liet zakken op het uiteinde van de bank waar Havermeyer en zijn vrouw Gloria zaten.
Gloria was zo grotesk zwanger dat het leek alsof ze met een rotsblok aan de
grond genageld zat.

Toen hoorde ik iemand naar lucht happen – het was Donnamara Chase,
die achter me zat; ze had vlugzout nodig – en het merendeel van de school, inclusief een paar leerkrachten, draaide zich om om het vijftal naar binnen te

zien schrijden, achter elkaar en vol van zichzelf (zie *Abbey Road*, The Beatles, 1969). Ze waren van top tot teen in het zwart gekleed. Milton en Nigel zagen eruit als ninja's (eentje xs, de ander xl); Leulah, in een lange chiffon jurk met een hoge kraag, had iets weg van een vampier. Jade plagieerde schaamteloos Jackie Kennedy bij de begrafenis van John op Arlington (een reusachtige zonnebril op haar hoofd en een klassieke zwartleren handtas vervingen de sluier en John-John). Charles was de gehavende olifant die de achterhoede vormde. Hij was ook in het zwart, maar het enorme gipsverband om zijn linkerbeen (van zijn enkel tot boven zijn dij) stak naar voren als een reusachtige ivoren slagtand. Toen hij op zijn krukken naar voren strompelde, starend naar de grond, ziekelijk bleek en mager, zijn gezicht nat van het zweet (goudkleurig haar dat in O's over zijn voorhoofd hing als zompige tortellini in een schaal) voelde ik me misselijk – niet omdat ik niet bij hen hoorde of niet ook in het zwart gekleed was (ik had niet nagedacht bij wat ik moest aantrekken; ik droeg een stom kort ding met bloemetjes), maar omdat hij er volkomen anders uitzag dan de eerste keer dat ik hem had gezien, toen hij in de herfst bij de Ochtendmededelingen op mijn schouder had getikt. Hij was een ander mens. Als hij ooit een *Goodnight Moon* (Brown, 1947) was geweest, was hij nu *Where the Wild Things Are* (Sendack, 1963).

De Bluebloods wrongen zich op de rij voor me.

'We zijn hier vandaag bijeen op deze geheiligde plek om te rouwen en te danken,' begon meneer Johnson vanaf de kansel. Hij likte over zijn lippen terwijl hij even stilhield om naar zijn papieren te kijken. (Hij likte altijd over zijn lippen; ze waren net chips: zout en verslavend.) 'Sinds onze geliefde Hannah ons ruim drie weken geleden heeft verlaten, hebben er door onze gemeenschap lovende woorden geklonken, woorden vol warmte en genegenheid, verhalen hoe ze ons leven in zowel grote als kleine dingen heeft beïnvloed. We zijn hier bijeen om dank te betuigen dat we gezegend mochten zijn met zo'n buitengewone lerares en vriendin. We spreken onze dank uit voor haar vriendschap, haar menselijkheid en haar hartelijkheid, haar moed bij tegenslag, en de overweldigende vreugde die ze zovelen schonk. Het leven is eeuwig en liefde is blijvend, de dood is slechts een horizon en een horizon is slechts de grens van ons blikveld.'

Johnson ging eindeloos door, hij gaf elk derde deel van de gemeente met de mechanische precisie van een sprinklerinstallatie een gelijke hoeveelheid oogcontact. Waarschijnlijk had hij daar een cursus voor gevolgd, Hoe Houd ik een Gedenkwaardige Rede, met de uitgangspunten Geef Iedereen een Gevoel van Betrokkenheid en Roep bij Iedereen een Gevoel van Saamhorigheid en Universele Menselijkheid op. Zijn toespraak was niet vreselijk, hij was alleen niet echt toepasselijk voor Hannah. Hij wemelde van frases als Ze Bracht Licht en Ze Zou Hebben Gewild, maar er werd niets gezegd over haar echte leven, een leven waar Havermeyer en de rest van de staf nu doodsbenauwd voor waren, alsof ze heimelijk asbest hadden ontdekt in Elton House of dat Christian Gordon, de kok van St. Gallway, hepatitis A had. Ik kon bijna het formulier op de lessenaar zien met (*Hier Naam Overledene Invullen*) (zie: www.123eulogy.com, 8).

Na afloop barstte het Koorgenootschap lichtelijk vals los in 'Come Down O Love Divine', en liepen de banken leeg. De leerlingen lachten, maakten hun dassen los en trokken hun paardenstaarten strak. Ik wierp een laatste verstolen blik op de Bluebloods, ontzet door hoe bewegingloos ze daar zaten, hoe onaangedaan hun gezichten waren. Ze hadden geen enkele keer iets gefluisterd of hun gezicht vertrokken tijdens de toespraak van Johnson, hoewel Leulah, alsof ze voelde dat mijn ogen op haar gericht waren, haar strakke gezicht een keer abrupt naar mij had gewend tijdens de psalmlezing door Eva Brewster, haar kaken strak op elkaar geklemd, en me recht had aangekeken. (Maar meteen daarop was ze veranderd in een van die Snelweg-Raamstaarders; Pap en ik haalden ze onderweg in de Volvo vaak genoeg in, en ze keken altijd langs ons heen naar iets wat onmetelijk veel interessanter was dan onze gezichten: het gras, reclameborden, de lucht.)

Toen Havermeyer over het gangpad wegliep met een vreugdeloze lodenpijpglimlach op zijn gezicht en Gloria waggelend naast hem, gevolgd door meneer Johnson, zo opgewekt als Fred Astaire bij een foxtrot met een 'mieterse meid' ('Have a Great Day Everybody!' zong hij) stonden de Bluebloods zonder iets te zeggen één voor één op, hun kin in precies dezelfde stand als die van Hannah wanneer ze met haar wijnglas in haar hand de salsa danste op 'Fever' van Peggy Lee (of bij het eten, wanneer ze deed alsof ze belangstellend luisterde naar een van hun langdradige verhalen), paradeerden door het gangpad en verdwenen in het nuchtere daglicht.

Ik was vergeten tegen Pap te zeggen dat we maar een halve dag hadden, dus haastte ik me door Hanover naar de telefoon.

'Olijfje,' hoorde ik achter me roepen. 'Wacht.'

Het was Milton. Ik keek niet echt uit naar een praatje met hem – je wist nooit wat voor beledigingen je over je heen kon krijgen, opgeroepen door die slappe herdenkingsdienst –, maar ik dwong mezelf om niet te wijken. 'Trek nimmer terug, tenzij de dood onafwendbaar is,' schreef Nobunaga Kobayashi in *Hoe word ik een shogun-sluipmoordenaar* (1989).

'Ha,' zei hij met een van zijn trage glimlachjes.

Ik knikte alleen maar.

'Hoe is het?'

'Grandioos.'

Hierop trok hij zijn wenkbrauwen op en stak zijn grote handen in zijn zakken. En zoals altijd wachtte hij doodgemoedereerd voordat hij iets zei. De Ming-dynastie kwam tot bloei en raakte in verval tussen het eind van de ene zin en het begin van de volgende.

'Ik moet met je praten,' zei hij.

Ik zei geen woord. Laat de grote ninja maar praten. Laat hem maar schooien naar een paar zinnen.

'Tja.' Hij zuchtte. 'Het wil er bij mij niet in dat ze zelfmoord heeft gepleegd.'

'Niet slecht, Man van Weinig Woorden. Waarom knoop je geen strop in die mening en kijk je of hij sterk genoeg is om jezelf aan op te hangen?'

Hij keek verbaasd, zelfs overdonderd. Volgens Pap was het bijna onmogelijk om in dit wansmakelijke tijdsgewricht iemand te overdonderen, deze tijd waarin 'kinky seks doodgewoon was', 'een potloodventer in een regenjas in een park net zo slaapverwekkend was als een maïsveld in Kansas', maar volgens mij was het me dit keer gelukt – echt. Hij was natuurlijk niet gewend aan mijn stoere-cowboytoon. Hij was natuurlijk niet gewend aan de *nieuwe* Blue, Blue de Veroveraar, de 'Hondo', Koning van de Pecos, Blue Steel, de ongetemde 'Born to the West' Blue, de Trefzekere Texaanse, de Lady uit Louisiana die schoot vanaf de heup, hoog in het zadel zat, in haar eentje de zonsondergang tegemoet reed. (Het was duidelijk dat hij nooit *Grit* (Reynolds, 1974) had gelezen. Het was wat Buckeye Birdie tegen Shortcut Smith had gezegd.)

'Zullen we hier als de sodemieter vandaan gaan?' vroeg Milton.

Ik knikte.

❖

Ik vermoed dat iedereen zijn/haar Sesam, Open U heeft, zijn/haar Abracadabra of Hocus-Pocus, het speciale woordje, voorval of onverwachte signaal dat je geheel van je stuk brengt en zorgt dat je blijvend of voor korte tijd opeens uit de losse pols reageert, in strijd met de verwachting. Zonwering wordt opgetrokken, een deur gaat krakend open, een willekeurige knul verandert van een Kneus in een Kanjer. En de Hocus-Pocus van Milton, zijn Moedersleutel, blijkt een zinnetje uit de universele toespraak van meneer Johnson te zijn, een toespraak die Pap 'even memorabel als een betonnen muurtje' zou noemen, 'kenmerkend voor de ansichtkaartenplatitudes die onze politici en officiële woordvoerders tegenwoordig graag bezigen. Als ze iets zeggen komen er geen echte woorden uit, maar zonovergoten zomermiddagen met een aangenaam briesje en Tjirpende Kuifmeesjes die je het liefst aan gort zou schieten.'

'Toen hij zei dat Hannah "als een bloem" was,' zei Milton, 'als een roos en zo, toen was ik best ontroerd.' Zijn zware rechterarm rolde als een boomstam over het stuur toen hij de Nissan tussen de andere auto's uit manoeuvreerde en naar de uitgang van het parkeerterrein reed. 'Ik kon niet kwaad blijven vanwege wat er is gebeurd, zeker niet op mijn meisje, Olijfje. Ik heb geprobeerd uit te leggen dat jij er niets aan kon doen, maar ze zien het niet allemaal even helder.'

De glimlach op zijn gezicht leek op zo'n vikingschip in een pretpark; hij zeilde over zijn gezicht omhoog, bleef een paar seconden hangen en zwaaide daarna weer omlaag. Liefde, of eigenlijk dweperij ('Kies bij het tot uitdrukking brengen van je gevoelens je woorden met net zoveel zorg als bij je dissertatie,' zei Pap) was een van die nutteloze onevenwichtige emoties. Na alles wat er was gebeurd dacht ik dat ik echt niets meer voor Milton voelde, niet meer; ik nam aan dat mijn gevoelens de straat uit waren gegaan. Maar door die glimlach waren ze weer terug, die oude, kleffe gevoelens kwamen weer de weg af zwalken, en ik stond bij het busstation om ze op te wachten met hun groezelige mouwloze T-shirt, cowboyhoed en angstwekkende, soepele spierbundels.

'Ik moest van Hannah met jou naar haar huis gaan als we terug waren van het kamperen. We kunnen er nu heen, als je dat aankunt.'

Ik keek hem verbaasd aan. 'Wat?'

Hij liet mijn reactie minstens dertig seconden spartelen voordat hij antwoord gaf.

'Weet je nog dat Hannah met elk van ons afzonderlijk praatte toen we die berg op wandelden?'

Ik knikte.

Toen zei ze het. Ik herinnerde het me pas een paar dagen geleden weer. En nu...'

'Wat zei ze?'

'"Neem Blue mee naar mijn huis als jullie terug zijn. Alleen jij en Blue." Ze herhaalde het drie keer. Weet je nog hoe opgefokt ze die dag deed? Dat ze iedereen liep te commanderen, dat gebrul op die berg? Toen ze het zei, herkende ik haar nauwelijks. Ze was heel anders. Hoe dan ook, ik deed er maar een beetje lacherig over en zei dat ik het niet snapte, dat ze je altijd kon uitnodigen. Ze gaf geen antwoord, ze herhaalde alleen wat ze had gezegd. "Ga met Blue naar mijn huis als jullie terug zijn. Dan snap je het wel." Ik moest het beloven en ik mocht niets tegen de anderen zeggen.'

Hij zette de radio uit. Zijn mouwen waren opgerold, als hij schakelde zag je de teentjes van zijn getatoeëerde engel, als de rand van een schelp die uit het zand stak.

'Wat zo gek was,' ging hij verder met zijn buffelstem, 'was dat ze *jullie* zei. "Als *jullie* terug zijn." Niet als *we* terug zijn. Ik heb veel nagedacht over dat *jullie*. Dat kan maar één ding betekenen: dat ze helemaal niet van plan was om met ons terug te komen.'

'Ik dacht dat jij niet geloofde dat het zelfmoord was.'

Het leek alsof hij dat even moest laten bezinken, hij kneep zijn ogen dicht tegen de zon en deed de zonneklep omlaag. We reden intussen op de grote weg, door het volle zonlicht en de verwrongen schaduwen van de bomen die in het gelid langs de weg stonden, hun takken omhooggeheven alsof ze het antwoord op een belangrijke vraag wisten en hoopten dat zij het mochten zeggen. De Nissan was oud en als Milton schakelde hoorde je een gekraak als van zo'n uitgewoond motelbed waar je muntjes in moet gooien, zo'n bed dat ik zelf nooit had gezien, maar Pap beweerde dat hij er in Noord-Tsjaad binnen anderhalve kilometer zeven had geteld. ('Ze hebben geen stromend water en geen toilet, maar wees maar niet bang, ze hebben wel zoemende bedden.')

'Ze nam duidelijk afscheid bij die gesprekken,' zei hij, en hij schraapte zijn keel. 'Ze zei tegen Leulah dat een mens nooit bang moest zijn om zijn haar af te knippen. En tegen Jade zei ze dat een dame zelfs een dame moet blijven als ze haar zwarte jurkje uittrekt – wat dat ook moge betekenen. Ze zei tegen Nigel dat hij zichzelf moest zijn, en iets over behang. "Neem net zo vaak als je wilt nieuw behang, het maakt geen reet uit wat het kost. Jij bent degene die er moet wonen." En voordat ze dat over jou zei, zei ze tegen mij: "Je kunt zelfs astronaut worden. Misschien loop je straks wel op de maan." En tegen Charles – niemand weet wat ze tegen Charles heeft gezegd. Hij verdomt het te vertellen. Jade denkt dat ze heeft opgebiecht dat ze van hem hield. Wat heeft ze tegen jou gezegd?'

Ik gaf geen antwoord, natuurlijk omdat Hannah *niets* tegen me had gezegd, geen enkel bemoedigend woord, hoe raadselachtig of bizar het ook zou hebben geklonken (geen kwaad woord over Milton, maar eerlijk gezegd leek hij me geen astronautentype; het was gevaarlijk voor iemand met zo'n postuur om gewichtloos door een Spaceshuttle te zweven).

'Ik wil niet geloven dat het zelfmoord was,' ging hij peinzend verder, 'omdat ik me dan heel stom voel. Maar achteraf passen de stukjes wel in elkaar. Ze was altijd alleen. Dat kapsel. En wat er gebeurde met die vent, Smoke. Plus haar voorkeur voor truckers die bij Stucky's eten. Het was er allemaal. Glashelder. En wij zagen het niet. Hoe is het mogelijk?'

Hij keek me vragend aan, maar ik had ook geen pasklaar antwoord. Ik zag hoe zijn ogen langs mijn jurk gleden en ergens in de buurt van mijn blote knieën stopten.

'Heb je enig idee waarom ze wilde dat ik met jou naar haar huis ging? Alleen?'

Ik haalde mijn schouders op, maar door de manier waarop hij het zei vroeg ik me af of Hannah na mijn onbeholpen poging om haar aan Pap te koppelen (let wel, dat was vóór Cottonwood geweest; na Cottonwood had ik min of meer besloten dat ze om gezondheidsredenen niet echt Paps type was) ze iets terug wilde doen en besloten had om Milton deze seksueel getinte vraag in zijn borstzak te stoppen, zodat we ergens tijdens de oerknal-nasleep van het kampeeruitje (een eenvoudig wetenschappelijk principe: na een explosie volgt een nieuw begin) bij elkaar zouden zijn, alleen, in haar huis. Misschien had ze via Lu of Jade lucht gekregen van mijn obsessie, of had ze het zelf gemerkt aan mijn vreemde manier van doen bij het eten. (Het zou me niets verbazen als ik de hele herfst en winter als een nerveus vogeltje aan tafel had gezeten: als hij zich ook maar even verroerde schrok ik op.)

'Ik hoop dat ze een koffer met geld voor je heeft achtergelaten,' zei Milton met een lome glimlach. 'En dat je hem met mij deelt als ik aardig tegen je ben.'

We kwamen in de buurt van het huis van Hannah, we gleden langs de weilanden, de zwijgende schuren, de paarden die als mensen bij een bushalte stonden te wachten (de zon had hun hoeven vastgekleefd aan het gras), de gekronkelde boom, het kleine heuveltje waar Jade altijd vol gas gaf zodat de Mercedes over de top vloog en onze maag zich omkeerde als een pannenkoek. Ik deed Milton verslag van de gebeurtenissen op de berg. (Net als bij Jade liet ik het deel weg waarin ik Hannah dood had gevonden.)

Toen hij vroeg wat Hannah me volgens mij had willen vertellen, waarom ze stiekem met me het bos in was gegaan, loog ik dat ik geen flauw idee had. Het was niet echt een leugen. Ik wist het echt niet. Maar ik had wel het oneindige aantal mogelijkheden in kaart gebracht, in het holst van de nacht, tot in het kleinste detail, in de bibliotheekstilte van mijn kamer, aan mijn Citizen Kane-bureau (gauw het licht uit als Pap de trap op kwam sluipen om te controleren of ik sliep).

Na die inventarisatie had ik geconcludeerd dat er bij dit mysterie twee mogelijkheden waren. (Exclusief de mogelijkheid die Milton zojuist had aangedragen, dat Hannah me een paar halfslachtige afscheidsboodschappen had willen meegeven – dat ik ooit op Mars zou wandelen, of dat ik niet moest aarzelen om mijn huis in woeste kleuren over te schilderen omdat het nu eenmaal mijn huis was – oudbakken, muffe-toastjeszinnen die ze net zo goed tijdens het wandelen tegen me had kunnen zeggen. Nee, ik moest er wel van uitgaan dat Hannah me iets heel anders had willen vertellen, belangrijker dan alles wat ze de Bluebloods had ingefluisterd.)

De eerste mogelijkheid was dat Hannah me iets had willen bekennen. Een aantrekkelijk idee als je dacht aan haar hese stem, haar ogen die als motten heen en weer vlogen, haar haperend uitgesproken zinnen, alsof de elektriciteit steeds aan en uit werd geschakeld. En wát ze wilde bekennen had van alles kunnen zijn, variërend van grof tot geschift – bijvoorbeeld haar voorliefde voor Cottonwood, of een kortstondige affaire met Charles, of dat ze er op de een of andere manier in was geslaagd om Smoke Harvey te vermoorden, of misschien had ze (nog zo'n wilde beschuldiging van Jade, uit alle macht met een putter weggeslagen en daarna prompt weer vergeten toen ze naar de kleedkamer liep voor haar rekoefeningen) een geheim verbond met de Mansons. (Ik was overigens nog steeds in het bezit van *Merel zingt in het holst van de nacht* (Ivys, 1985) van Hannah, het lag in de onderste la van mijn bureau. Mijn hart sloeg een paar keer over toen ik tijdens het studie-uur toevallig had opgevangen dat Dee vertelde dat Hannah bij Filmkunde had gevraagd of iemand een boek van haar bureau had weggenomen. 'Iets over vogels,' had Dee schouderophalend gezegd.)

Als deze hypothese juist was – dat Hannah een geheim had willen onthullen –, kon ik alleen maar veronderstellen dat ze mij had uitverkoren boven Jade of Leulah omdat ik zo ongevaarlijk leek. Misschien had ze ook voorvoeld dat ik alles van Scobel Bedlows jr. had gelezen, alles wat hij had geschreven over oordelen; in het kort kwam het erop neer dat je niet mocht oordelen zolang 'de verwoesting naar binnen was gericht, op jezelf, nooit op andere mensen of dieren' (zie *Tot steen*, Bedlows, 1968). Hannah leek ook te weten hoe Pap in elkaar zat, en misschien had ze doorgehad dat ik behoorlijk vergevensgezind was, dat ik mijn tekortkomingen behandelde als zwervers die ik slapend voor de voordeur aantrof: ik nam ze mee naar binnen, misschien had je wel iets aan ze.

De tweede mogelijkheid, duidelijk de meest zorgwekkende, was dat Hannah een geheim had willen onthullen dat helemaal om mij draaide.

Ik was de enige van ons groepje die niet na een stormachtig gezinsleven was aangespoeld en daarna door Hannah was gejut. Ik was nooit weggelopen met een of andere oude Turk, ik had nooit geprobeerd om mijn armen om het lijf van een trucker te slaan (en gemerkt dat mijn ene hand niet bij de andere kon), ik had nooit een black-out overgehouden aan het leven op straat, een ouder gehad die verslaafd was of in een extra beveiligde gevangenis zat. Toch vroeg ik me af of Hannah een geheim wist waaruit bleek dat ik een van hen was.

Stel dat Pap in het echt niet mijn vader was, bijvoorbeeld? Dat hij me had gevonden als een muntje op straat? Dat Hannah mijn echte moeder was en me had laten adopteren omdat eind jaren tachtig niemand wilde trouwen; iedereen wilde rolschaatsen en met schoudervullingen lopen? Of dat ik een tweelingzus had die Sapphire heette en die alles was wat ik niet was – beeldschoon, sportief, grappig, zongebruind en met een zorgeloze lach, niet gezegend met een osmium-vader (het zwaarste bekende metaal), maar een lithium-moeder (het lichtste) die niet moest sloven als een dolende hoogleraar en schrijver, maar die gewoon serveerster in Reno was?

Zulke neurotische gedachten dwongen me meer dan eens om de trap af te rennen naar Paps werkkamer en stilletjes zijn aantekeningen te doorzoeken, zijn onvoltooide artikelen en verbleekte aantekeningen voor *De ijzeren greep*, om de foto's te bekijken: die van Natasha aan de piano en die van haar en Pap, buiten op het gras voor een badmintonnet, rackets in hun handen en hun armen verstrengeld, met kleren en een gezichtsuitdrukking waaruit het net leek alsof het 1946 was en ze een Wereldoorlog hadden overleefd in plaats van het jaar dat het in werkelijkheid was geweest, 1986, en dat ze de Brat Pack en Weird Al moesten zien te overleven. Die broze foto's schermden mijn verleden af, onwrikbaar en ondoordringbaar. Ik had Pap weleens voorzichtig wat aftastende vragen gesteld, waarop hij met een lach had gereageerd.

Pap over Geheime Bastaardbroers of -zussen: 'Heb je soms *Jude the Obscure* zitten lezen?'

Milton kon verder geen licht laten schijnen over dit raadsel: waarom Hannah mij eruit had gepikt, waarom ik niet bij hen was geweest toen Charles probeerde om een uitstekende rots te beklimmen om de richting te bepalen, in de hoop een elektriciteitsmast of een lichtreclame van Motel 6 te ontwaren, en 'in een soort Grand Canyon tuimelde en zo hard begon te gillen dat we dachten dat hij werd gevild'. Toen ik Milton de rest van mijn verhaal had verteld, waarbij ik een beetje was afgedwaald naar mijn confrontatie met Jade in Loomis, schudde hij alleen maar verbijsterd zijn hoofd en zei niets.

Op dat moment reden we de verlaten oprit van Hannahs huis op.

Bij gebrek aan een beter plan – tot mijn schaamte afgekeken van *Zonder enig bewijs*, Jazlyn Bonnoco (1989); ik opperde dat Hannah misschien wilde dat we zochten naar een aanwijzing in haar huis, een schatkaart, oude chantagebrieven of frauduleuze documenten, 'iets waardoor we meer te weten komen over het kampeeruitje of haar dood,' legde ik uit – besloten we om zo discreet mogelijk haar bezittingen door te pluizen. Milton las mijn gedachten: 'Zullen we beginnen met de garage?' (Ik vermoedde dat we allebei bang waren om het huis binnen te gaan, uit angst dat we daar een spookversie van haar tegen het lijf zouden lopen.) De houten garage voor één auto met een krakkemikkig dak en gore ramen stond op veilige afstand van het huis. Hij leek op een reuzenluciferdoosje dat te lang in iemands zak had gezeten.

Ik had me zorgen gemaakt over de dieren, maar volgens Milton waren Jade en Lu, die eigenlijk hadden gehoopt dat zij ze konden overnemen, erachter gekomen dat Richard, een van Hannahs collega's van het asiel, ze onder zijn hoede had genomen. Hij woonde op een lamafokkerij in Berdin Lake, ten noorden van Stockton.

'Triest hoor,' zei Milton, en hij duwde de zijdeur van de garage open. 'Nu loopt het net zo met ze af als met die hond.'

'Welke hond?' vroeg ik met een blik op de voordeur van Hannahs huis toen ik achter hem aan naar binnen liep. Er zat geen POLITIE NIET BETREDEN-afbakeningslint voor de deur en niets wees erop dat er iemand binnen was geweest. 'Old Yeller?'

Hij schudde zijn hoofd en deed het licht aan. Het tl-licht stroomde door de hete, rechthoekige ruimte. Er was niet eens genoeg ruimte voor twee banden, laat staan voor een hele auto, wat verklaarde waarom Hannah de Subaru altijd voor het huis neerzette. Bergen meubilair – afgebladderde lampen, gehavende leunstoelen, vloerkleden, stoelen – nog afgezien van de kartonnen dozen en allerlei kampeerspullen – waren harteloos op elkaar gekwakt als lijken in een open graf.

'Je weet wel,' zei Milton terwijl hij om een van de dozen heen stapte. 'In de *Odyssee*. Die op zijn baasje blijft wachten.'

'Argos?'

'Ja. Arme Argos. Hij gaat toch dood?'

'Wil je ophouden? Ik word er...'

'Wat?'

'Treurig van.'

Hij haalde zijn schouders op. 'Let maar niet op mij.'

We begonnen te spitten.

En hoe langer we groeven, in rugzakken, dozen, kleerkasten en leunstoelen (Milton was nog steeds gefixeerd op zijn 'koffer vol geld'-idee, hoewel hij inmiddels had besloten dat Hannah de ongemerkte biljetten ook in stoelzittingen en donzen kussens had kunnen stoppen), hoe meer het zoeken (Milton en ik, gecast als nogal onwaarschijnlijke hoofdpersonen) iets spannends kreeg.

Al speurend tussen de stoelen en lampen gebeurde er iets: ik zag mezelf meer en meer als een vrouw die Slim heette, of Irene of Betty, een vrouw die kokerrokken droeg en van die puntbeha's, met een zigzaghaarlok over een van haar ogen. Milton was de gedesillusioneerde zware jongen met een gleufhoed, bebloede knokkels en een kort lontje.

'Zo, eens even kijken of het gekke mens niets voor ons heeft achtergelaten,' zei Milton opgewekt terwijl hij een oranje kussen fileerde met het Zwitserse zakmes dat hij een uur eerder had gevonden. 'De onderste steen boven. Want ik wil niet dat het een film van Oliver Stone wordt.'

Ik knikte en maakte een oude kartonnen doos open. 'Als je eindigt als een geruchtmakend raadsel,' zei ik, 'heb je het niet langer zelf voor het zeggen. Iedereen pikt je in en verandert je in wat zij willen. Je wordt hun doel.'

'Mm-mm,' zei hij. Hij staarde nadenkend naar de schuimvlokken 'Ik heb de pest aan open eindes. Net als bij Marilyn Monroe. Wat is daar gebeurd? Was ze iets op het spoor en moest de president haar het zwijgen opleggen? Dat is idioot. Dat mensen zomaar een leven kunnen nemen, alsof...'

'Alsof het gratis fruit is.'

Hij glimlachte. 'Ja. Maar misschien wás het wel een ongeluk. Was het zo voorbestemd. Mensen gaan dood. Het had net zo goed de hoofdprijs in de loterij of een gebroken been kunnen zijn. Of misschien vond ze dat het allemaal geen zin meer had. Iedereen heeft weleens zulke gedachten, maar misschien vond zij dat ze er iets mee moest doen. Eens en voor altijd. Heeft ze zich ertoe gedwongen. Omdat ze vond dat het haar verdiende loon was. En misschien besefte ze twee tellen later dat ze het mis had en probeerde ze het terug te draaien. Maar toen was het al te laat.'

Ik keek hem aan, onzeker of hij het over Marilyn of over Hannah had.

'Zo gaan die dingen.' Hij legde het kussen aan de kant, pakte een asbak, draaide hem om en keek naar de onderkant. 'Je weet nooit of het een samenzwering was of dat het gewoon ging zoals het moest gaan, een... weet ik veel, een...'

'Een haarbalspeldbocht van het leven.'

Zijn mond stond open, maar hij ging niet verder, kennelijk gevloerd door een Pap-isme dat ik altijd nogal irritant had gevonden (het was een zinnetje dat je kon aantreffen in zijn *IJzeren greep*-aantekeningen als je geduldig genoeg was om zijn handschrift te ontcijferen). Hij wees naar me.

'Dat heb je goed gezegd, Olijfje. Heel goed.'

Ik ging kriskras heen en weer, maakte een omweg en verdwaalde in het verleden.

Na twee uur zoeken hadden we geen *directe* aanwijzingen gevonden, maar hadden Milton en ik wel allerlei verschillende Hannahs opgegraven – zussen, nichten, tweelingzussen en stiefkinderen van de Hannah die we hadden gekend. Je had Haight Asbury Hannah (oude platen van Carol King en Bob Dylan, een hasjpijp, tai chi-brochures, een verbleekt kaartje van een of andere vredesbijeenkomst in het Golden Gate Park op 3 juni 1980), Stripper Hannah (bij het doorzoeken van die doos voelde ik me nogal ongemakkelijk, maar Milton haalde beha's tevoorschijn, bikini's, een onderjurk met zebrastrepen en nog een paar dingen waar je een handleiding voor nodig had om ze in elkaar te zetten), en Handgranaat Hannah (legerkistjes, nog meer messen), en Vermiste Personen Obsessie Hannah (de map met kopieën van krantenartikelen die Nigel had gevonden, maar hij had gelogen dat het 'minstens vijftig' pagina's waren en het waren er maar negen). Maar de winnaar voor mij was Madonna Hannah, die als een *material girl* opdook uit een doorgezakte kartonnen doos.

Onder een verschrompelde basketbal en tussen flesjes nagellak, dode spinnen en andere troep vond ik een verkleurde foto van Hannah met kort, stekelig rood haar. Ze had ook glimmend paarse oogschaduw op, helemaal tot haar wenkbrauwen. Ze stond op een podium te zingen, met een microfoon in haar hand, in een geel plastic minirokje, een panty met groene en witte stippen en een zwart korset dat van vuilniszakken of gebruikte autobanden gemaakt leek. Ze zong, haar mond stond wijd open – je had er zo een kippenei in kunnen laten verdwijnen.

'Godsamme,' zei Milton terwijl hij naar de foto keek.

Ik draaide hem om, maar er stond niets op de achterkant, geen datum.

'Dat is haar toch?' vroeg ik.

'Zeker weten, zeg. Shit.'

'Hoe oud denk je dat ze daar is?'

'Achttien? Twintig?'

Zelfs met het jongensachtige rode haar, de clowneske make-up en half-dichte ogen door de kwade blik op haar gezicht was ze nog steeds knap. (Dat heb je met Ware Schoonheid: die is net als Teflon onaantastbaar.)

Nadat ik de foto had gevonden zei Milton dat het huis aan de beurt was.

'Gaat het, Olijfje? Doe je nog mee?'

Hij wist dat er reservesleutels onder de pot met geraniums op de veranda lagen, en toen hij de sleutel in het nachtslot stak, bracht hij zijn hand opeens naar achteren en vond mijn pols. Hij kneep erin en liet weer los (een nietszeggend gebaar dat je maakt met een stressballetje; desondanks sprong mijn hart op, slaakte het een geagiteerd kreetje en viel het flauw).

We slopen naar binnen.

Gek genoeg was het niet eng – helemaal niet. Sterker nog: tijdens Hannahs afwezigheid had het huis de eerbiedwaardige kenmerken van een verdwenen beschaving gekregen. Het was Machu Pichu, een stukje van het oude rijk van de Parthen. Zoals sir Blake Simbel schrijft in *Onder het blauw* (1989), waarin hij de Mary Rose-opgravingen beschrijft, waren verdwenen beschavingen nooit beangstigend, maar juist fascinerend, 'terughoudend en vol raadselen, een zachtaardig testament van het geduld van de aarde en van voorwerpen met de mens' (blz. 92).

Nadat ik een boodschap voor Pap had ingesproken dat ik een lift naar huis had gekregen kamden we de woonkamer uit. In sommige opzichten was het alsof ik alles voor de eerste keer zag, want zonder de afleiding van Nina Simone of Mel Tormé, zonder Hannah zelf die rondgleed in haar versleten kleren,

424

kon ik de dingen echt zien: in de keuken het lege notitieblok en de balpen (met het opschrift BOCA RATON in vervaagde gouden lettters) onder de telefoon uit de jaren zestig (dezelfde plek en hetzelfde soort notieblok als waarop Hannah *Valerio* zou hebben geschreven, maar er waren geen spannende afdrukken achtergebleven die ik met een zacht potlood zichtbaar kon maken, zoals detectives op tv altijd zo efficiënt doen). In de eetkamer, de kamer waar we zo vaak hadden gegeten, bevonden zich voorwerpen die zowel Milton als ik nooit eerder had gezien: in de grote vitrinekast van hout en glas achter de stoelen van Nigel en Jade lagen twee afzichtelijke porseleinen zeemeerminnen en een hellenistisch terracotta vrouwenbeeldje van vijftien centimeter hoog. Ik vroeg me af of Hannah ze pas een paar dagen voor het kampeeruitje cadeau had gekregen, maar gezien de dikke stoflaag moesten ze er al maanden hebben gestaan.

In de videorecorder in de woonkamer zat een film, *L'Avventura*. Hij was helemaal teruggespoeld.

'Wat is dat?' vroeg Milton.

'Een Italiaanse film,' zei ik. 'Hannah behandelde hem in haar filmklas.' Ik gaf hem de video en pakte de doos die eenzaam op de salontafel lag. Ik bekeek de achterkant.

'Laventure?' vroeg Milton onzeker. Hij staarde met een scheve mond naar de video. 'Waar gaat hij over?'

'Over de verdwijning van een vrouw,' zei ik. Mijn woorden bezorgden me een lichte rilling.

Milton knikte en gooide met een teleurgestelde zucht de video op de bank.

We doorzochten de overgebleven kamers beneden, maar deden geen opzienbarende vondsten – geen muurschilderingen van bizons, geen oerrunderen of herten van vuursteen, hout of been, geen boeddhabeeldjes, geen kristallen relieken of spekstenen doosjes uit de Maurya-dynastie. Milton opperde dat Hannah misschien een dagboek had bijgehouden, dus gingen we naar boven.

Haar slaapkamer zag er nog net zo uit als de laatste keer dat ik hem had gezien. Milton controleerde haar nachtkastje en toilettafel (hij vond mijn *Liefde in tijden van cholera* (Márquez, 1985), die Hannah had geleend en nooit had teruggegeven) en ik werkte snel de badkamer en de kast af, waarbij ik de dingen vond die Nigel en ik boven water hadden gehaald: de negentien flesjes met pillen, de ingelijste kinderfoto's, zelfs de messencollectie. Het enige wat ik niet kon vinden was die andere schoolfoto, die van Hannah en dat andere meisje in schooluniform. Hij lag niet op de plek waar Nigel hem volgens mij had gelaten: in de Evan Picone-schoenendoos. Ik zocht in nog een paar dozen op de plank, maar na de vijfde gaf ik het op. Of Nigel had hem ergens anders gelaten, of Hannah had hem elders opgeborgen.

'Ik heb het gehad,' zei Milton. Hij ging op de grond tegen de rand van het bed zitten, vlak naast waar ik zat. Hij boog zijn hoofd naar achteren, zodat het zich hooguit twee centimeter van mijn blote knie bevond. Een zwarte haarlok gleed van zijn bezwete voorhoofd en raakte mijn knie. 'Ik kan haar ruiken. Dat parfum van haar.'

Ik keek omlaag naar hem. Hij leek op Hamlet. Niet de Hamlet die verleidde met zijn taalgebruik, de Hamlet die met zijn gedachten bij het aanstaande zwaardgevecht was of bij welk woord benadrukt moest worden (*naar* het nonnenklooster, naar het *nonnen*klooster), niet de Hamlet die zich afvraagt of zijn tuniek goed zit en of ze hem achter in de zaal wel kunnen verstaan. Ik bedoel de Hamlet die zich begint af te vragen of hij degene moet zijn, of *niet* zijn, die getekend is door de Ellebogen van het Leven, de Stoten onder de Gordel, de Kopstoten en Beten in het Oor, degene die na het vallen van het doek nauwelijks nog kan praten, eten of zijn make-up kan verwijderen met zalf en dotten watten. Hij gaat naar huis en staart langdurig naar de muur.

'Wat een zootje,' zei hij bijna onverstaanbaar tegen de plafondlamp. 'Laten we maar naar huis gaan en er niet meer aan denken. Het is mooi geweest.'

Ik liet mijn hand van mijn knie glijden, zodat hij de zijkant van zijn gezicht raakte. Het voelde klam aan, de vochtigheid van kelders. Zijn ogen vonden direct die van mij en ik moet een Sesam Open U-blik in mijn ogen hebben gehad, want hij pakte me direct vast en trok me op zijn schoot. Zijn grote, klamme handen bedekten als een koptelefoon de zijkanten van mijn hoofd. Hij zoende me alsof hij in een vrucht beet. Ik beantwoordde zijn zoen, waarbij ik me voorstelde dat ik in perziken en pruimen hapte – of nectarines, ik weet het niet. Ik geloof dat ik ook gekke geluiden maakte (zilverreiger, fuut). Hij pakte mijn schouders vast alsof ik de zijkant van een kermisattractie was en hij er niet uit wilde vallen.

Volgens mij gebeurden zulke dingen regelmatig bij opgravingen.

Ja, ik durf er heel wat om te verwedden dat behoorlijk wat heupen, knieën, voeten en billen langs graftombes in de Vallei der Koningen hebben geschuurd, langs restanten van haardsteden in de Nijlvallei, Azteken-drinkbekers op een eiland in het Texcoco-meer, en dat er heel wat vluggertjes hebben plaatsgevonden tijdens rookpauzes bij Babylonische opgravingen en op veenlijkonderzoekstafels.

Want na het inspannende werk met troffel en houweel heb je je bezwete metgezel uit bijna elke mogelijke hoek gezien (90, 60, 30, 1), en ook onder diverse lichtomstandigheden (zaklantaarn, zon, maan, halogeen, vuurvlieg) en opeens word je overvallen door het gevoel dat je die persoon begrijpt, zoals je begrijpt dat door de vondst van de onderkaak met een volledig stel tanden van *Proconsul Africanus* niet alleen de Geschiedenis van de Menselijke Evolutie herzien moet worden en iets gedetailleerder in kaart is gebracht, maar ook dat je naam vanaf dat moment naast die van Mary Leakey zal prijken. Ook jij zult wereldfaam krijgen. Ook jou zal gesmeekt worden om lange verhandelingen te schrijven voor *Archaeological Britain*. Je hebt het idee dat de persoon naast je een handschoen is die jij binnenstebuiten hebt gekeerd, je kunt alle draadjes zien, de gescheurde voering, het gaatje in de duim.

Niet dat we Het deden, hoor, dat we nonchalant rechttoe-rechtaan de liefde bedreven zoals alle rusteloze Amerikaanse pubers (zie 'Is uw twaalfjarige een seksmaniak?', *Newsweek*, 14 augustus 2000). Maar we trokken wel onze kleren uit en rolden als een stel boomstammen over elkaar. Zijn engeltatoeage zei gedag tegen heel wat sproeten op mijn arm, rug en zij. Onze nagels maakten per ongeluk krassen, we waren onbeholpen en slecht op elkaar afgestemd. (Niemand heeft het ooit over onbarmhartige verlichting en het ontbreken van sfeermuziek.) Toen hij boven op me lag zag hij er kalm en nieuwsgierig uit, alsof hij aan de rand van een zwembad naar iets glinsterends op de bodem lag te staren en overwoog of hij erin zou duiken.

Nu is het moment om een stom maar vaststaand feit aangaande deze ontmoeting te onthullen. Na afloop, toen ik naast hem op het bed van Hannah lag, mijn hoofd op zijn schouder, mijn magere, witte arm rond zijn hals, en hij zei, terwijl hij het zweet van zijn voorhoofd veegde: 'Is het hier nou zo allejezus heet of ligt het aan mij?', en ik antwoordde zonder na te denken: 'Dat komt door mij', toen voelde ik me gewoon – nou ja, *fantastisch*. Alsof hij mijn Amerikaan in Parijs was, mijn roverhoofdman. ('Jonge liefde komt als rozenblaadjes,' schrijft Georgie Lawrence in zijn laatste bundel, *Zo poëtisch* (1962), 'en verzwindt als een bliksemflits.')

'Vertel eens over het straatleven,' zei ik zacht, starend naar het witte plafond. Meteen daarna kreeg ik het doodsbenauwd: het was eruit gegliptals een bootje waarop mensen zich in de tijd van Victoria met hun parasols lieten voortdobberen, en hij had niet direct antwoord gegeven, dus ik had het overduidelijk verpest. Dat was de ellende met de Van Meers: ze wilden altijd meer, ze wilden dieper graven, nog smeriger worden, hun hengel blijven uitgooien in de rivier, steeds maar weer, zelfs als ze alleen maar dode vissen vingen.

Maar toen antwoordde hij geeuwend: 'Het straatleven?'

Hij ging niet verder, dus slikte ik, met mijn hart op het puntje van zijn stoel.

'Ik bedoel... toen je lid was van die... *bende* – je hoeft er niet over te praten als je niet wilt.'

'Met jou wil ik over alles praten,' zei hij.

'O. Nou... Je bent toch van huis weggelopen?'

'Nee. Jij?'

'Nee.'

'Ik wilde het vaak genoeg, maar ik heb het nooit gedaan.'

Ik was in de war. Ik had gerekend op ogen die wegkeken, woorden die in zijn keel bleven steken als muntjes in een kapotte munttelefoon.

'Maar hoe kom je dan aan die tatoeage?' vroeg ik.

Hij trok zijn rechterschouder naar voren en keek ernaar met omlaaghangende mondhoeken. 'Mijn oudere broer, die klojo van een John. Op zijn achttiende verjaardag namen hij en zijn vrienden me mee naar een tatoeagestudio. Een vreselijke tent. We lieten allebei een tatoeage zetten, alleen heeft hij me vreselijk genaaid, want die klotesalamander van hem is *zo groot*' – hij gaf met zijn vingers de afmetingen van een bosbes aan – 'en hij haalde mij over om dit monsterachtige ding te nemen. Je had het gezicht van mijn moeder moeten zien.' Hij moest grinniken bij de herinnering. 'Ik heb haar nog nooit zo hels gezien. Het was echt *klassiek*.'

'Maar hoe oud ben je dan?'

'Zeventien.'

'Niet eenentwintig?'

'Nee, tenzij ik in coma heb gelegen.'

'Je hebt nooit op straat gezworven?'

'Hè?' Zijn gezicht vertrok alsof hij in de zon keek. 'Ik doe al geen oog dicht op die rottige bank bij Jade. Ik wil in mijn eigen bed, mijn rugvriendelijke matras, of hoe dat ook heet. Maar waarom vraag je dat allemaal?'

'Maar Leulah,' drong ik aan – de woorden schoten mijn mond uit, vastbesloten om doel te treffen. 'Op haar dertiende is ze weggelopen met een Turkse wiskundeleraar. Hij werd gearresteerd in Florida en hij moest naar de gevangenis.'

'Wát?'

'En de ouders van Nigel zitten in de gevangenis. Daarom heeft hij iets met misdaadverhalen en heeft hij iets pathologisch – hij kent geen schuldgevoel. En Charles is geadopteerd...'

'Dat meen je niet.' Hij ging overeind zitten en keek me aan alsof ik *loco* was.

'Nigel is heel gevoelig. Hij voelt zich nog steeds rot omdat hij vorig jaar die knul heeft laten barsten, hoe heet hij ook weer, hij zit naast je bij de Ochtend-mededelingen, en nog wat, Charles is níét geadopteerd.'

Ik fronste, ik voelde die vage irritatie van wanneer een verhaal in een rod-delblad gelogen bleek te zijn. 'Hoe weet je dat? Misschien heeft hij het je nooit verteld.'

'Heb je zijn moeder weleens ontmoet?'

Ik schudde van nee.

'Ze zouden broer en zus kunnen zijn. En de ouders van Nigel zitten níét in de gevangenis. Godsamme. Wie heeft je dat wijsgemaakt?'

'En zijn échte ouders dan?'

'Zijn échte ouders hebben die pottenbakkerij – Diana en Ed.'

'Ze zijn niet veroordeeld omdat ze een agent hebben neergeschoten?'

Bij die laatste vraag proestte Milton het uit (ik had nog nooit iemand het zien uitproesten, maar daar bracht Nigel nu verandering in), maar toen hij zag dat ik het meende en niet zo'n klein beetje van streek was – het bloed gloeide in mijn wangen; ik weet zeker dat ik zo rood als een kreeft was –, zakte hij achterover en rolde hij naar me toe, zodat het bed kreunde en zijn volle lip-pen, wenkbrauwen en het puntje van zijn neus (met daarop een nogal stoere zomersproet) een paar centimeter van de mijne waren verwijderd.

'Wie heeft je die flauwekul verteld?'

Toen ik niets zei, floot hij.

'Hij is niet goed wijs, wie het ook is.'

Quer pasticciaccio brutto de Via Merulana

'Ik geloof niet in gekte,' merkt lord Brummel droogjes op aan het eind van het Vierde Bedrijf in *Een damesallegaartje* (1898), het alleraardigste toneelstuk van Wilden Benedict over de seksuele verdorvenheid van de gegoede burgerij in Engeland. 'Het is te onbeschaafd.'

Ik was het met hem eens.

Ik geloofde in gekte door armoede, gekte door drugs en ook in Dictator Debiliteit en Slagveld Syndroom (met de tragische ondergroepen Kanonnen Koorts en Napalm Neurose). Ik kon zelfs het bestaan bevestigen van Kassa Kolder, die plotseling kan optreden bij een gewone, bescheiden klant die achter iemand staat met vijfenzeventig incourante producten die geen van alle zijn geprijsd. Maar dat Hannah gek was wilde er bij mij niet in, hoewel ze er wel het kapsel voor had, ze al dan niet zelfmoord had gepleegd, ze wel of niet met Charles naar bed was geweest, ze vreemde mannen had opgepikt en ze schaamteloos leugens in elkaar had geflanst over het rimpelloze verleden van de Bluebloods.

Ik werd duizelig als ik erover nadacht, want het was een klassieke truc geweest; zij was de meest gehaaide flessentrekker uit de geschiedenis geweest en ik het makkelijke doelwit, de onnozele hals, het nietsvermoedende casino.

'Als Jade ook maar tien meter in een aftandse tientonner heeft gereden ben ik de reïncarnatie van Elvis,' zei Milton toen hij me naar huis bracht.

Natuurlijk vond ik mezelf een sufferd dat ik haar had geloofd. Het was waar. Jade zette geen stap als er geen bont, zijde of Italiaans kwaliteitsleer bij betrokken was. Oké, ze verdween weleens in het invalidentoilet met mannen die het uiterlijk van een hoogbejaarde Buick hadden, maar dat was nu eenmaal haar idee van een kick, haar lijntje cocaïne in de vorm van een beurt van vijftien minuten. Ze zou met geen van hen het parkeerterrein af rijden, laat staan de zonsondergang tegemoet. Ik was ook volledig voorbijgegaan aan haar volslagen gebrek aan verantwoordelijkheidsgevoel. Het vak Geschiedenis laten vallen kostte haar al moeite. 'Ik kan niet tegen die papierwinkel,' zei ze, waarbij de papierwinkel bestond uit een velletje papier waarop drie dingen moesten worden ingevuld.

Toen ik tegenover Milton toegaf dat Hannah me die verhalen had verteld, verklaarde hij haar rijp voor het gekkenhuis.

'Ik snap wel dat je haar geloofde,' zei hij toen hij de Nissan voor mijn voordeur parkeerde. 'Als ze mij dat verhaal over mezelf had verteld, dat ik bij een bende had gezeten – of voor mijn part dat mijn ouders buitenaardse wezens waren –, had ik het waarschijnlijk geloofd. Ze maakte alles levensecht.' Hij klemde zijn vingers om het stuur. 'Dat was het dus. Hannah was niet goed snik. Wie had dat kunnen denken? Waarom zou iemand anders de moeite nemen om die flauwekul te verzinnen?'

'Ik weet het niet,' zei ik somber bij het uitstappen.

Hij wierp me een kus toe. 'Zie ik je maandag? Jij. Ik. Een film.'

Ik knikte en glimlachte. Hij reed weg.

Maar toen ik de trap naar mijn slaapkamer op liep, drong tot me door dat als er iemand rijp was voor het gekkenhuis, dat niet Hannah Schneider was. Nee, het zou eerder Meikever Kelsea Stevens zijn, die ik in de badkamer betrapte terwijl ze in gesprek was met haar spiegelbeeld ('Je ziet er fantástisch uit. Nee, jíj ziet er fantastisch uit. Nee, jíj zie... Hoe lang sta je daar al?'), of zelfs Meikever Phyllis Mixer, die haar schichtige Standaard Poedel bejegende alsof het haar negentigjarige grootmoeder was ('Hupsakee. Grote Meid. Heb je last van de zon? Niet? Wat wil je voor middageten? O, je wilt mijn boterham'). En die arme Meikever Vera Strauss, die, zoals Pap en ik later te weten kwamen, al sinds jaar en dag manisch was – achteraf bezien had ze inderdaad geschifte trekjes: haar ogen lagen diep in haar gezicht en als ze tegen je praatte had dat iets beangstigends, alsof ze zich richtte tot een spook of klopgeest die vlak achter je rechterschouder zweefde.

Nee, ondanks de overvloed aan bewijzen van het tegendeel weigerde ik te geloven dat dat de uitweg uit de doolhof was: dat Hannah gewoon zo gek als een deur was geweest. Elke zichzelf respecterende hoogleraar zou zo'n werkstuk direct terzijde schuiven als een leerling zo'n slecht beredeneerd en afgezaagd betoog durfde in te leveren. Nee, ik had *De terugkeer van de getuige* (Hastings, 1974) én het vervolg gelezen, en ik had Hannah gezien; ik had gezien hoe ze zelfverzekerd dat pad tegen de berg op liep (met onmiskenbare opgewektheid) en ze had op die bergtop met overtuiging staan roepen, níet wanhopig (er zit een wereld van verschil in timbre tussen die twee emoties).

Er moest een andere reden zijn.

In mijn slaapkamer deed ik mijn rugzak af en haalde uit mijn jurk en schoen de spullen die ik had meegepikt uit het huis van Hannah. Ik wilde niet dat Milton wist dat ik dingen had meegenomen. Ik voelde me behoorlijk ongemakkelijk door de manier waarop mijn brein functioneerde. 'Moet je haar eens zien rondsnuffelen, Olijfje heeft haar snuffelneus op, dat is het betere snuffelwerk, kindje,' had hij maar liefst zes keer gezegd, en elke keer klonk het minder leuk. Dus toen we in de Nissan stapten had ik gezegd dat ik mijn ketting met geboortesteen op de werkbank in de garage had laten liggen (ik heb nog nooit een ketting met geboortesteen gehad), en terwijl hij wachtte had ik de dingen bij elkaar gegraaid die ik al apart had gelegd in een doos ergens achter in een hoek. Ik had de dunne map met artikelen over vermiste personen in mijn jurk gepropt zodat hij rond mijn middel zat, de foto van Hannah met popster-stekelhaar in mijn schoen gestopt, en toen ik weer instapte en hij vroeg of ik mijn ketting had gevonden, had ik gegrijnsd en gedaan alsof ik hem in het voorvak van mijn rugzak opborg. (Hij was niet echt opmerkzaam; ik zat er de hele terugweg bij alsof ik op een stel dennenappels zat en hij merkte niks.)

Ik knipte mijn bedlamp aan en sloeg de map open.

De schok waarmee een en ander tot me doordrong werd niet veroorzaakt door de spitsvondigheid of genialiteit van het geheel, maar doordat het zo vreselijk voor de hand lag. Ik kon mezelf wel schieten dat ik het niet eerder had doorzien. Ik las eerst de krantenartikelen (Hannah was kennelijk naar de bibliotheek gegaan en had fotokopieën gemaakt van korrelige microfiches): twee uit de *Stockton Observer* van 19 september 1990 en 2 juni 1979, 'Zoektocht naar vermiste rugzaktoerist gestart', en 'Elfjarig meisje uit Roseville ongedeerd teruggevonden'; eentje uit *The Knoxville Press*, 'Vermist meisje herenigd met vader, moeder in hechtenis'; eentje uit de *Pineville Herald-Times* uit Tennes-see, 'Vermiste jongen als prostitué geëxploiteerd'; en tot slot 'Vermiste vrouw opgespoord in Vermont, gebruikte valse naam', uit de *Huntley Sentinel*.

Daarna las ik de laatste pagina, het fragment uit het verhaal over Violet May Martinez, die op 29 augustus 1985 was verdwenen in de Great Smoky Mountains.

97.

Er ontbrak iemand uit de groep. Violet was in geen velden of wegen te bekennen.

Mike Higgis zocht het parkeerterrein af en informeerde bij

mensen die er stonden, maar niemand had haar gezien. Na een uur nam hij contact op met de parkleiding, die onmiddellijk een zoektocht organiseerde in het gebied van Blindman's Bald tot Burnt Creek. De vader en zus van Violet werden op de hoogte gesteld en zij brachten kleren van Violet, zodat de speurhonden haar geur konden herkennen.

Drie Duitse herders volgden onmiddellijk haar spoor naar een plek aan een verharde weg op twee kilometer afstand van de plek waar Violet het laatst was gezien. De weg liep naar de US-441, een van de uitvalswegen van het park.

De vader van Violet, Roy jr., kreeg van ranger Bruel te horen dat dat kon betekenen dat Violet zich naar die plek had begeven en daar was opgepikt door iemand in een voertuig. Het was ook mogelijk dat ze tegen haar wil was meegenomen.

Roy jr. wees het idee dat Violet haar verdwijning had geënsceneerd van de hand. Ze had geen creditcard of legitimatiebewijs bij zich. Voorafgaand aan het uitstapje had ze geen geld van haar rekening gehaald. Ze verheugde zich ook op haar aanstaande zestiende verjaardag, een week later in Roller-Skate America.

Roy jr. bracht de politie wel op het spoor van een mogelijke verdachte. De 24-jarige Kenny Franks, die in januari 1985 op vrije voeten kwam na een gevangenisstraf wegens mishandeling en diefstal te hebben uitgezeten, had Violet in het winkelcentrum gezien en was verliefd op haar geworden. Hij was gezien bij haar school, Besters High, en hij had haar bestookt met telefoontjes. Roy jr. had de politie ingeschakeld en Kenny liet haar vervolgens met rust, maar volgens zijn vrienden was hij nog steeds door haar geobsedeerd.

'Violet zei dat ze niets van hem moest hebben, maar ze droeg nog steeds de ketting die hij haar had gegeven,' vertelde haar beste vriendin Polly Elms.

De politie onderzocht de mogelijkheid of Kenny Franks de hand had in haar verdwijning, maar volgens getuigen had hij op 25 augustus de hele dag als hulpkelner gewerkt in de Stagg Mill Bar & Grill. Daarom werd hij buiten verdenking gesteld. Drie weken later verhuisde hij naar Myrtle Beach, South Carolina. De politie onderzocht of hij in contact stond met Violet, maar daar is nooit enig bewijs voor gevonden.

Een Laatste Raadsel

De zoektocht naar Violet werd op 14 september 1985 gestaakt. Ondanks de inzet van 812 mensen, onder wie parkmedewerkers, Rangers, de Nationale Garde en de FBI werden er geen verdere aanknopingspunten rond haar verdwijning gevonden.

Op 21 oktober 1985 probeerde een zwartharige vrouw in de Jonesville Nations Bank in Jonesville met een cheque die was uitgeschreven op de naam Trixie Peanuts geld van Violets rekening op te nemen. Nadat de bankmedewerker de vrouw had verteld dat de cheque eerst moest worden nagetrokken, vertrok ze. Toen de medewerker een foto van Violet werd getoond kon hij niet bevestigen dat zij de vrouw was. De vrouw is nooit meer in Jonesville gezien.

Volgens Roy jr. had zijn dochter nooit enige reden gehad om zomaar te verdwijnen. Haar vriendin Polly dacht daar anders over.

'Ze zei altijd dat ze Besters en haar doopsgezinde omgeving vreselijk vond. Ze haalde altijd goede cijfers, dus was ze in staat om het zo te organiseren dat iedereen dacht dat ze dood was. Dan zouden ze haar niet langer zoeken en hoefde ze nooit meer terug te komen.'

Zeven jaar later denkt Roy jr. nog dagelijks aan zijn dochter.

'Ik heb het in handen van God gelegd. "Vertrouw in alles op de Heer,"' citeert hij uit Spreuken 3:5, 6, '"en verlaat u niet op uw eigen inzicht."'

Alle artikelen in de map gingen niet alleen over vermiste personen, maar ook over verdwijningen die in scène leken te zijn gezet – zoals het artikel in de *Huntley Sentinel*, waarin verslag werd gedaan van de verdwijning van een tweeënvijftigjarige vrouw, Ester Sweeney uit Huntley, New Mexico, getrouwd met haar derde echtgenoot, Milo Sweeney. Ze had een schuld van meer dan 800.000 dollar aan achterstallige belastingen en creditcardrekeningen. De politie was uiteindelijk tot de slotsom gekomen dat ze haar eigen huis overhoop had gehaald, het keukenraam had ingeslagen en haar eigen rechterarm had verwond om een bloedspoor in de hal te kunnen achterlaten, zodat het leek op een gewelddadige inbraak. Ze werd drie jaar later getraceerd in Winooski, Vermont, waar ze onder een valse naam leefde met een vierde echtgenoot.

De andere artikelen waren specifieker; ze gingen over de werkwijze van de politie, een ontvoering in een nationaal park en de procedure bij een zoektocht. In het artikel over de vermiste rugzaktoerist stond hoe de Nationale Garde te werk ging bij het afzoeken van het Yosemite National Park: 'Nadat de rangers de vrijwilligers hadden gecontroleerd op hun fysieke conditie, kreeg elke groep op basis van coördinaten een bepaalde sector van Glacier Point toegewezen om grondig te doorzoeken.'

Ik kon er met mijn verstand niet bij. En toch was het niet zo bijzonder; volgens de *Almanak van vreemde Amerikaanse gewoonten, afwijkend gedrag* (uitg. 1994) zette één op de 4932 inwoners van de vs zijn eigen ontvoering of dood in scène.

Hannah Schneider was niet van plan geweest om te sterven, maar om te verdwijnen.

Hannah had ietwat willekeurig (haar werk was allesbehalve onberispelijk geweest; als het om haar doctoraalscriptie was gegaan zou haar studiebegeleider haar op de vingers hebben getikt vanwege haar gemakzucht) deze artikelen als onderzoeksmateriaal verzameld voordat ze aan de haal ging, de kuierlatten nam, de plaat poetste, haar vroegere leven elimineerde zoals een huurmoordenaar een verklikker.

Anjelica Soledad de Crespo, een pseudoniem voor de drugs smokkelende heldin uit de aangrijpende en waargebeurde beschrijving van het pan-Amerikaanse narcoticakartel door Jorge Torres, *De zucht naar weelde* (2003), had genoeg van *la vida de las drogas* en had voor zichzelf een vergelijkbare dood in gedachten gehad. Zij was naar La Gran Sabana in Venezuela gegaan en zou bij een driehonderd meter hoge waterval in de diepte zijn gestort. Negen maanden voor dat zogenaamde ongeluk was een boot met negentien Poolse vakantiegangers hetzelfde lot beschoren geweest – drie slachtoffers waren nooit teruggevonden door de onderstroom aan de voet van de waterval die de lichamen in een dodelijke greep hield tot ze tot flarden waren vermalen en door de krokodillen waren verorberd. Anjelica werd binnen achtenveertig uur dood verklaard. In werkelijkheid was ze uit haar bootje geglipt en naar de duikuitrusting gezwommen die op een gunstig gelegen rotspartij voor haar klaarlag. Ze had zich in de uitrusting gehesen en was onder water zes kilometer stroomopwaarts gezwommen waar ze werd opgewacht door haar knappe minnaar Carlos, afkomstig uit El Silencio in Caracas, in zijn imponerende zilverkleurige Hummer. Ze waren naar een onbewoonde streek van het Amazonegebied in Guyana gevlucht, waar ze tot op de dag van vandaag leven.

Ik staarde naar het plafond en probeerde elk detail van die nacht terug te halen. Hannah had tijdens het avondeten dikkere kleding aangetrokken. Toen ze me in het bos achternakwam, had ze een heuptasje om. Toen ik haar moest volgen had ze precies geweten waar ze heen ging, haar optreden was resoluut en ze had regelmatig de kaart en haar kompas geraadpleegd. Ze was van plan geweest om me iets te vertellen, een soort bekentenis te doen, waarna ze me zou achterlaten. Met behulp van haar kompas zou ze naar een van tevoren gepland pad zijn gelopen dat naar een van de secundaire uitvalswegen van het park leidde. Daarvandaan zou ze naar een kampeerterrein aan de US 441 zijn gegaan, waar een auto op haar wachtte (misschien wel Carlos in zijn zilverkleurige Hummer). Tegen de tijd dat wij waren gered en zij als vermist was opgegeven – een tijdspanne van minstens vierentwintig uur, waarschijnlijk langer gezien de weersomstandigheden – was zij een paar staten verder, misschien zelfs in Mexico.

Misschien was de onbekende die we hadden gehoord geen echte onbekende geweest. Misschien was het Hannahs Carlos geweest (haar *Valerio*) en waren het besluipen, het 'Ik ben over vijf minuten terug', het 'Blijf hier', in scène gezet; misschien was ze *van plan geweest* om achter hem aan te gaan en samen het pad te zoeken, de weg, de auto, Mexico, margarita's, fajita's. In dat geval zou ik nadat ik was gevonden de autoriteiten vertellen dat iemand ons had gevolgd, en wanneer er geen spoor van Hannah was gevonden en de Duitse herders haar spoor hadden gevolgd tot een nabijgelegen weg, net als bij Violet Martinez, zou de politie ervan uitgaan dat ze was ontvoerd of haar iets anders was overkomen, of dat ze van plan was geweest om te verdwijnen. In dat geval zouden ze weinig ondernemen, tenzij ze werd GEZOCHT wegens het een of ander. (Rechercheur Harper had niet de indruk gewekt dat Hannah een strafblad had. En ik kon er alleen maar van uitgaan dat ze geen banden had met de misdaadfamilies Bonanno, Gambino, Genovese, Lucchese of Colombo.)

Wat ze had gedaan was natuurlijk harteloos: mij opzettelijk achterlaten in het donker, maar wanhopige mensen deden zonder veel gewetensbezwaren allerlei onfrisse dingen (zie *Hoe overleef ik de staatsgevangenis van Angola, Louisiana*, Glibb, 1979). Desondanks was ze niet geheel zelfzuchtig geweest. Voordat ze wegging had ze me de zaklantaarn en de kaart gegeven en gezegd dat ik niet bang hoefde te zijn. Tijdens de wandeling over de Bald Creek Trail had ze niet alleen vier of vijf keer op de kaart aangegeven waar we waren, maar ook gezegd dat Sugartop Summit op zes kilometer van de hoofdweg van het park lag, de US 441.

Als ik erachter kon komen waarom Hannah haar leven achter zich had willen laten, kon ik er ook achter komen wie haar had vermoord. Want het was een vakkundige liquidatie geweest, uitgevoerd door iemand die thuis was in lijkschouwingen, want hij had geweten hoe je wurgsporen eruit kon laten zien alsof het om zelfmoord ging. Hij had van tevoren de ideale plek voor de moord uitgezocht, de kleine, ronde open plek, dus hij wist dat ze ervandoor wilde gaan en via welk pad ze de auto wilde bereiken. Misschien had hij wel een nachtkijker gebruikt of camouflagekleding gedragen, zoals ik in het winkelkarretje van Andreo Verduga in de Wal-Mart in Nestles, Missouri had gezien, ShifTbush™ Camouflagekleding, Herfstmix, 'de verwezenlijking van elke jagersdroom' – en 'op slag onzichtbaar in een bosomgeving' was hij op een boomstronk of een andere stevige verhoogde positie gaan staan, stilletjes wachtend op haar komst, het elektriciteitssnoer met strop al klaar, vastgebonden aan een boom. Toen ze voorbij kwam strompelen, op zoek naar *hem* – want ze had geweten wie hij was – had hij de lus over haar hoofd gegooid en het andere eind zo strak aangetrokken dat ze de lucht in werd getild. Ze had geen tijd gehad om te reageren, om te schoppen of te schreeuwen, om haar laatste gedachten te ordenen. ('Zelfs de duivel verdient een laatste overpeinzing,' schreef William Stoneley in *Asgrauwe gezichten* (1932).)

Toen ik de gebeurtenissen in gedachten de revue liet passeren begon mijn hart te bonzen. Misselijkmakende rillingen kropen over mijn armen en benen, en plotseling plofte nog één detail voor mijn voeten, als een kanarie met loodvergiftiging, als een bokser die was gevloerd door een stiekeme rechtse op zijn kin.

Hannah had Milton geïnstrueerd om mij naar haar huis te brengen, niet om voor koppelaarster te spelen (hoewel dat misschien wel had meegespeeld, gezien de filmposters in haar klaslokaal), maar zodat ik, als eeuwige piekeraar en nieuwsgierig aagje, wat speurwerk zou verrichten: *'Je bent zo opmerkzaam; er ontgaat jou niets,'* had ze die avond bij haar thuis gezegd. Ze had haar dood niet voorzien, dus was ze ervan uitgegaan dat na haar verdwijning, als de zoektocht niets had opgeleverd, de Bluebloods en ik zouden achterblijven met de kwellende vraag wat er met haar was gebeurd, een vraag die een mens tot waanzin kon drijven, tot godsdienstfanaat kon maken, een mens kon reduceren tot een tandeloze, maïs pellende hobbelpaard-mountie. Dus het was de bedoeling geweest dat Milton en ik iets zouden ontdekken, iets wat eenzaam op die ongebruikelijk opgeruimde salontafel lag (een salontafel die altijd schuilging onder asbakken, luciferboekjes, *National Geographics* en reclamedrukwerk), iets om ons gerust te stellen, het einde van haar verhaal: *L'Avventura.*

Mijn hoofd tolde. Want het was zo chic, ja, het was *briljant, très* schneideresque: ongelooflijk precies en tegelijk prachtig onopvallend. (De persoonlijke noot zou zelfs de goedkeuring van Pap kunnen wegdragen.) Het was grandioos omdat eruit bleek dat het zo gepland was; er bleek een raffinement uit waar ik Hannah niet toe in staat had geacht. Ze was schandelijk mooi; oké, ze kon goed naar je luisteren en wonderwel goed de rumba dansen met een glas wijn in haar hand; ze kon ook mannen oppikken alsof het rondslingerende sokken waren, maar dat iemand zo'n subtiel einde van haar leven ten uitvoer kon brengen – of in elk geval haar leven zoals iedereen op St. Gallway het kende –, dat was wat anders, heel spectaculair maar ook triest, want dit fluisterstille einde, dit elegante vraagteken was haar ontnomen.

Ik probeerde mezelf tot bedaren te brengen en rationeel te denken. ('Emotie, en dan met name opwinding, is de aartsvijand van gedegen speurwerk,' zei inspecteur Peterson in *Tussen zes planken* (Lazim, 1980))

L'Avventura, het lyrische meesterwerk in zwart-wit uit 1960 van Michelangelo Antonioni, was toevallig een van de lievelingsfilms van Pap, en dus had ik hem in de loop der jaren maar liefst twaalf keer gezien. (Pap had een zwak voor alles wat Italiaans was, inclusief rondborstige vrouwen met weelderige haardossen en Marcello Mastroianni's zijdelingse blikken, schouderschokjes, knipogen en steelse glimlachjes die hij vrouwen die over de Via Veneto flaneerden als overrijpe kerstomaten toewierp. Als Pap in een mediterrane bourbonstemming was speelde hij zelfs scènes uit *La Dolce Vita* na, met raak getypeerde smoezelige Italiaanse flair: '*Tu sei la prima donna del primo giorno della creazione, sei la madre, la sorella, l'amante, l'amica, l'angelo, il diavolo, la terra, la casa...*')

De eenvoudige plot van de film gaat als volgt:

een lid van de beau monde, Anna, maakt met haar vrienden een boottochtje voor de kust van Sicilië. Op een onbewoond eiland gaan ze aan land om te zonnebaden. Anna gaat een stukje lopen en verdwijnt. Haar verloofde Sandro en haar beste vriendin zoeken eerst het eiland af en vervolgens heel Italië, in navolging van een reeks aanwijzingen die niets opleveren, maar er bloeit wel een romance op tussen de twee. Op het eind van de film is de verdwijning van Anna nog even raadselachtig als op de dag van haar verdwijning. Het leven gaat door – in dit geval een leven vol lege lust en materiële uitspattingen – en Anna is allesbehalve vergeten.

Hannah had gehoopt dat ik deze film zou vinden. Ze had gehoopt – nee, *geweten* – dat ik de overeenkomsten tussen Anna's mysterieuze verdwijning en de hare zou zien. (Zelfs hun namen waren bijna identiek.) En ze had erop vertrouwd dat ik het de anderen zou vertellen, niet alleen dat haar vertrek gepland was geweest, maar ook dat ze wilde dat we doorgingen met ons leven, met het blootsvoets dansen met een wijnglas in de hand, met het schreeuwen vanaf een bergtop ('Doorgaan met "leven op zijn Italiaans,"' zei Pap graag, hoewel het door zijn Zwitserse komaf bijna onmogelijk was om zijn eigen motto op te volgen).

'L'Avventura,' zei Pap, 'heeft het soort open einde waar het merendeel van het Amerikaanse publiek net zo op zit te wachten als op een wortelkanaalbehandeling, niet alleen omdat ze alles verafschuwen wat aan de verbeelding wordt overgelaten – we hebben het tenslotte over het land waar het lycra is uitgevonden –, maar ook omdat het een zelfingenomen, zelfverzekerde natie is. Ze wéten wat het gezinsleven inhoudt. Ze wéten wat goed en fout is. Ze weten wie God is – een groot aantal van hen maakt dagelijks een praatje met de man. En de gedachte dat niemand van ons echt iets weet – niet over het leven van onze vrienden of verwanten, zelfs niet over onszelf – is iets waar ze liever niet rechtstreeks mee worden geconfronteerd, ze schieten zichzelf nog liever een kogel door hun arm. Ik persoonlijk vind het fantastisch om niet te weten, om afstand te nemen van onze zwakke pogingen om dingen onder controle te hebben. Als je je armen ten hemel heft en "Wie weet?" zegt, kun je genieten van het pure geschenk dat het leven is, net als de *paparazzi*, de *puttane*, de *cognoscenti*, de *tappisti*...' (Op dit punt draaide ik Pap altijd weg, want als hij zo in het Italiaans bezig was, was hij net een Hell's Angel op een Harley; hij vond het heerlijk om hard te gaan en een hoop herrie te maken zodat iedereen op straat hem nakeek.)

Het was intussen over zessen. De zon liet zijn greep op het grasveld verslappen en op de vloer van mijn slaapkamer waren grillige donkere schaduwen neergezonken als de levenloze lichamen van met arsenicum vergiftigde magere weduwes. Ik liet me van het bed rollen en legde de map en de punkrock-foto van Hannah in de onderste la van mijn bureau (waar ik ook haar Charles Manson-paperback bewaarde). Ik overwoog even om Milton te bellen en hem alles te vertellen, maar toen hoorde ik de Volvo de oprit op draaien. Vlak daarna kwam Pap de hal binnen.

Toen ik beneden kwam, stond hij bij de voordeur, die hij nog niet had dichtgedaan omdat hij de voorpagina van de Zuid-Afrikaanse *Cape Daily Press* stond te lezen.

'Dat menen jullie niet,' mompelde hij vol walging, 'stelletje ongeorganiseerde stumpers – wanneer zal die waanzin – nee, die houdt nooit op, pas als jullie voldoende scholing – maar het kan wel, er zijn wel gekkere dingen gebeurd...' Hij keek me met een somber gezicht aan, waarna hij zijn blik weer op

het artikel vestigde. 'Ze slachten steeds meer opstandelingen af in de Democratische Republiek Congo, liefje, zo'n vijfhonderd...'

Hij keek me opnieuw aan, dit keer geschrokken. 'Wat is er? Je ziet er doodmoe uit.' Hij fronste. 'Kun je nog steeds niet slapen? Ik heb zelf ook behoorlijk
lang last gehad van slapeloosheid, op Harvard in '74...'

'Ik heb nergens last van.'

Hij wilde me tegenspreken, maar hij bedacht zich. 'Maakt niet uit!' Hij
glimlachte en vouwde zijn krant dicht. 'Weet je nog wat we morgen gaan
doen, of ben je vergeten wat we morgen bij wijze van dagje uit gaan doen?
Naar het fantastische Lake Pennebaker!'

Ik was het inderdaad vergeten; Pap had het uitstapje gepland alsof het de
eerste expeditie naar de Zuidpool van kapitein Scott betrof, waarbij ook nog
even de Noor Amundsen moest worden afgetroefd. (In ons geval hoopte Pap
de pensionado's te snel af te zijn, zodat we vooraan stonden bij de waterfietsen en een picknicktafel in de schaduw konden bemachtigen.)

'Een tochtje op het meer.' Hij gaf me een kus op mijn wang, pakte zijn tas
en liep de hal in. 'Ik kijk er echt naar uit, helemaal omdat we nog net de Pio-
niersmarkt mee kunnen pikken. We kunnen allebei wel een middagje in de
zon gebruiken om de ellendige toestanden in de wereld even te vergeten –
hoewel ik als ik al die campers zie besef dat ik niet meer in Zwitserland ben.'

Things Fall Apart

O p maandagochtend had ik nog steeds geen oog dichtgedaan. Ik had zaterdagnacht en het grootste deel van zondag doorgebracht met het lezen van alle 782 bladzijden van *Als sneeuw voor de zon* (Buddel, 1980), de biografie van Boris en Bernice Pochechnik, een Hongaars zwendelaarsechtpaar dat met de verfijnde choreografie en sierlijkheid van *Het zwanenmeer* door het Bolsjoi Ballet zo'n negenendertig keer hun dood en wedergeboorte onder een valse naam in scène had gezet. Ik had ook nog een keer de verdwijningsstatistieken in de *Almanak van vreemde Amerikaanse gewoonten* (editie 1994) doorgenomen, waardoor ik te weten kwam dat weliswaar twee van elke negenendertig volwassenen die met de noorderzon vertrokken dat uit 'pure verveling' deden (99,2 procent van hen was getrouwd, de 'verveling' werd veroorzaakt doordat de wederhelft zijn of haar 'glans had verloren'), 21 van de 39 gingen ertoe over omdat 'de grond hun te heet onder de voeten werd, ze voelden de hete adem van het gezag in hun nek'; het waren misdadigers – kruimeldieven, oplichters, fraudeurs en dieven. (Elf van de 39 deden het vanwege drugsverslaving, 3 van de 39 omdat ze 'ertoe gedwongen werden' en moesten vluchten voor de Italiaanse of Russische mafia, en 2 om onbekende redenen.)

Ik las ook *De geschiedenis van het lynchen in het Amerikaanse Zuiden* (Kittson, 1966), en in dat boek deed ik mijn grootste ontdekking: een zeer effectieve manier van ophangen die eerst populair was onder eigenaars van slaven in Georgia en later weer opdook bij de wederopstanding van de Ku Klux Klan in 1915, naar verluidt uitgevonden door Rechter Charles Lynch in eigen persoon, met de bijnaam 'De Vliegende Waterjuffer' vanwege 'het snelle omhoog schieten van het lichaam wanneer het de lucht in wordt getrokken' (blz. 213). 'Deze methode bleef lang populair vanwege de eenvoudige uitvoering,' schrijft auteur Ed Kittson op pagina 214. 'Een man met voldoende spierkracht kon iemand eigenhandig ophangen, zonder hulp van anderen. De strop en de katrol zijn met enige oefening snel te vervaardigen: een schuif-knoop die onder spanning strak komt te staan, doorgaans een dubbele marl-steek, rond een stevige boomtak. Wanneer het slachtoffer eenmaal één tot anderhalve meter in de lucht is gehesen, afhankelijk van de speling, wordt de knoop strakgetrokken en blijft deze vastzitten als een wurgstrik. Alleen al in 1919 zijn er op deze wijze zo'n negenendertig ophangingen uitgevoerd.' Op de begeleidende illustratie was een ansichtkaart van een lynchpartij te zien – 'gebruikelijke souvenirs in het Zuiden van Weleer' – en op de rand stond ge-schreven: '1917, Melville, Mississippi: Onze Vliegende Waterjuffer/ zijn li-chaam verheft zich, zijn ziel gaat naar de hel' (blz. 215).

Gestimuleerd door deze verhelderende ontdekking blies ik tijdens het tweede studie-uur Operatie Barbarossa uit mijn geschiedenisboek *Ons leven, onze tijden* (Clanton, 2001) af en koos ik in plaats daarvan *Doodsvoorschriften* (Lee, 1987), een groezelige kleine paperback die ik uit de boekenkast van Pap had meegenomen, geschreven door Franklin C. Lee, een van de beste privédetectives van Los Angeles, waarin ik tijdens het eerste studie-uur was begonnen. ('Blue! Waarom zit je daar zo achterin?' had juffrouw Simpson zichtbaar ontstemd tijdens Engels gevraagd; 'Omdat ik een *moord* moet oplossen, juf-frouw Simpson, omdat niemand anders van zijn luie kont wil komen om het voor me te doen,' had ik willen schreeuwen – wat ik natuurlijk niet had ge-daan; ik had gezegd dat de zon op het bord weerkaatste en dat ik het daardoor op mijn gewone plek niet goed kon zien.) Dee en Dum waren bij de Hambone Bestseller Verlanglijst net begonnen met hun dagelijkse roddelrondje, aan-gespoord door hun handlanger, Sibley 'Neusje' Hemmings – meneer Fletcher met *De ultieme kruiswoordomnibus* (Johnson, 2000) kneep wederom een oogje dicht – en ik stond net op het punt om naar ze toe te lopen en te zeggen dat ze hun klep moesten houden (onvoorstelbaar, de daadkracht die je krijgt bij het oplossen van een misdrijf) toen ik stiekem begon mee te luisteren naar wat ze zeiden.

'Ik hoorde in de lerarenkamer Evita Perón tegen Martine Filobeque zeggen dat de conclusie dat Hannah Schneider zelfmoord heeft gepleegd kant noch wal raakt,' meldde Neusje. 'Ze zei dat ze zeker wist dat Hannah geen zelf-moord heeft gepleegd.'

'En verder?' vroeg Dee met haar ogen achterdochtig dichtgeknepen.

'Niks. Ze zagen me staan bij het kopieerapparaat en dat was het eind van het gesprek.'

Dee haalde haar schouders op, keek ongeïnteresseerd en bestudeerde rustig haar nagelriemen.

'Ik word doodziek van dat gezeur over Hannah Schneider,' zei ze. 'Doorgeschoten media-aandacht.'

'Ze is ruim over haar houdbaarheidsdatum heen,' voegde Dum er met een knik aan toe.

'Trouwens, toen ik mijn moeder vertelde wat voor films we bij haar te zien kregen, films die streng verboden voor ons waren en nooit op het programma hadden gestaan, kreeg ze zowat een rolberoerte. Ze zei dat het mens duidelijk van de ratten besnuffeld was, volstrekt schizofreen...'

'Gestoord,' vertaalde Dum. 'Er zat een steekje aan los...'

'Tuurlijk. Ma wilde al een klacht bij Havermeyer indienen, maar toen zei ze dat de school al genoeg ellende heeft gehad. Het aantal toelatingsaanvragen loopt steeds verder terug.'

Neusje trok haar neus op. 'Wil je dan niet weten waar Eva Brewster het over had? Ze weet vast een geheim.'

Dee zuchtte. 'Het zal wel iets in de trant zijn dat Schneider zwanger was van meneer Fletcher.' Ze keek op en wierp een blik op de arme, nietsvermoedende kale man voor in het lokaal. 'Het zou een kermisattractie zijn geworden,' giechelde ze. 'De eerste levende kruiswoordomnibus ter wereld.'

'Als het een jongen was geworden, zouden ze hem *Sunday Times* hebben genoemd,' zei Dum.

De tweeling proestte het uit van het lachen en ze gaven elkaar een high five.

Na school keek ik buiten bij Elton hoe Perón naar het parkeerterrein liep (zie 'Vertrek uit Madrid, 15 juni 1947', *Eva Duarte Perón*, East, 1963, blz. 334). Ze droeg een korte, donkerpaarse jurk met bijpassende pumps en een witte maillot, en ze had een grote stapel kartonnen mappen in haar armen. Rond haar middel zat een levenloze beige trui geknoopt die op het punt stond om af te zakken. Een van de mouwen sleepte over de grond als een gijzelaar die tegen zijn wil wordt meegevoerd.

Ik was een beetje bang, maar desondanks liep ik naar haar toe. ('Blijf die hoertjes onder druk zetten,' zegt privéspeurneus Rush McFadds tegen zijn partner in *In beton gegoten* (Bulke, 1948).)

'Juffrouw Brewster.'

Ze was het soort vrouw dat zich niet omdraaide als iemand haar naam riep, maar onverstoorbaar doorging, alsof ze een bagagewagentje voortduwde in de hal van een luchthaven.

'Juffrouw Brewster!' Ik haalde haar in bij haar auto, een witte Honda Civic. 'Kan ik u even spreken?'

Ze sloeg het portier naar de achterbank dicht, waar ze de mappen had neergelegd, opende het bestuurdersportier en streek haar mangokleurige haar uit haar gezicht.

'Ik ben al te laat voor mijn spinning-les,' zei ze.

'Het is zo gebeurd. Ik wil het weer goedmaken.'

Haar blauwe ogen boorden zich in de mijne. (Waarschijnlijk dezelfde intimiderende blik waarop ze kolonel Juan vergastte toen hij, net als die andere slappe Argentijnse bureaucraten niet erg enthousiast reageerde op haar nieuwste, fantastische idee, een gezamenlijke Perón-Perón-lijst voor de verkiezingen van 1951.)

'Moet dat eigenlijk niet andersom zijn?' vroeg ze met één opgetrokken wenkbrauw.

'Maakt niet uit. Ik wou vragen of u me ergens mee kunt helpen.'

Ze keek op haar horloge. 'Ik heb nu geen tijd. Ik moet naar fitness.'

'Het heeft niets met mijn vader te maken, als u dat soms denkt.'

'Waarmee dan wel?'

'Hannah Schneider.'

Ze zette grote ogen op. Kennelijk lag dat onderwerp nog gevoeliger dan Pap. Ze duwde haar portier verder open, zodat het mijn arm raakte.

'Dat zijn dingen waar je maar niet over in moet zitten,' zei ze. Worstelend met de paarse jurk, die het effect van een servetring op haar benen had, liet ze zich op de bestuurdersstoel zakken. Ze zocht tussen haar sleutels (de sleutelhanger was een roze konijnenpootje) en stak er snel eentje in het contactslot, alsof ze iemand een mes tussen de ribben duwde. 'Kom morgen maar even langs. Kom 's ochtends maar even naar mijn kamer. Ik heb nu geen tijd, ik moet weg.' Ze boog naar voren en probeerde het portier dicht te trekken, maar ik verroerde me niet. Het portier sloeg tegen mijn knieën.

'Hé,' zei ze.

Ik gaf geen krimp. ('Al moeten ze bevallen, je laat een getuige er niet tussenuit knijpen,' beveelt rechercheur Frank Waters van de politie van Miami zijn onervaren partner Melvin in *Bevallig bedrog* (Brown, 1968). 'Je laat je niet afschepen. Geen uitstel. Geef ze geen tijd om na te denken. Als je een getuige verrast stuurt hij zonder dat hij er erg in heeft zijn moeder de bak in.')

'Godsamme, wat mankeert jou?' vroeg Evita geïrriteerd, en ze liet het portier los. 'Waarom *kijk* je... hoor eens, er zal nog wel vaker iemand doodgaan. Je bent pas zestien. Als je man ervandoor is en jij blijft zitten met drie kinderen, de hypotheek en je hebt ook nog eens suikerziekte, dan kun je altijd bij me aankloppen. Probeer door de bomen het bos te zien. Zoals ik al zei kunnen we er morgen over praten, als je wilt.'

Ze probeerde het nu op de vriendelijke toer: ze glimlachte en haar stem krulde aan het eind als cadeaulint.

'U hebt het enige tastbare dat ik van mijn moeder had kapotgemaakt,' zei ik. 'Dan zouden er best wel vijf minuutjes vanaf mogen kunnen.' Ik keek naar mijn schoenen en probeerde er ellendig en *melancólica* uit te zien. Evita reageerde alleen op de *descamisados*, zonder een fatsoenlijke draad aan hun lijf. Alle anderen maakten deel uit van de oligarchie en mochten daarom gevangen worden gezet, op de zwarte lijst komen en worden gemarteld.

Ze reageerde niet meteen. Ze verschoof op haar stoel, het vinyl onder haar kreunde. Ze trok de zoom van haar paarse jurk over haar knieën.

'Ik was wezen stappen met de meiden,' zei ze op zachte toon. 'Ik had een paar kamikazes gedronken in de El Rio en toen moest ik aan je vader denken. Het was niet mijn bedoeling...'

'Ik begrijp het. Wat weet u over Hannah Schneider?'

Ze trok een scheef gezicht. 'Niets.'

'Maar volgens u heeft ze geen zelfmoord gepleegd.'

'Dat heb ik nooit gezegd. Ik heb geen flauw idee wat er is gebeurd.' Ze keek me aan. 'Je bent een raar kind, weet je dat? Weet *pa* dat je mensen probeert te intimideren met je vragen?'

Toen ik geen antwoord gaf keek ze weer op haar horloge, mompelde iets over spinnen (op de een of andere manier wist ik dat er geen spinning-les was, geen fitness, maar ik had belangrijker dingen te doen). Ze maakte het handschoenenvakje open en haalde er een pakje Nicorette kauwgom uit. Ze stak er twee in haar mond, zwaaide haar benen uit de auto en sloeg ze met veel vertoon over elkaar, alsof ze net aan de bar in de El Rio was gaan zitten. Haar benen waren net twee enorme witte zuurstokken.

'Ik weet hetzelfde als jij: zo goed als niets. Het leek me alleen niets voor haar. Zelfmoord, en dan helemaal door je op te hangen – pillen, daar zou ik misschien nog in kunnen komen – maar ophangen...'

Ze zweeg een tijdje en staarde over het parkeerterrein naar de andere hete auto's.

'Een paar jaar terug was er een jongen,' zei ze langzaam terwijl ze me aankeek. 'Howie Gibson IV. Ging gekleed alsof hij premier moest worden. Waarschijnlijk kon hij er zelf niets aan doen. Hij was de vierde, en iedereen weet dat vervolgfilms het nooit zo goed doen in de bioscoop. Na twee maanden van het eerste semester vond zijn moeder hem hangend aan een haak die hij aan het plafond van zijn slaapkamer had bevestigd. Toen ik ervan hoorde' – ze slikte, sloeg haar benen over elkaar en zette ze weer naast elkaar – 'was ik heel verdrietig. Maar ik was niet verbaasd. Zijn vader, de derde, ook al geen kaskraker, kwam hem na school altijd ophalen in een grote zwarte auto, en Howie ging altijd achterin zitten, alsof zijn vader zijn privéchauffeur was. Ze wisselden nooit een woord. En zo reden ze weg.' Ze snoof. 'Nadat het was gebeurd maakten we zijn kluisje open, en aan de binnenkant van de deur zaten allerlei dingen geplakt, tekeningen van duivels en omgekeerde kruisen. Eerlijk gezegd had hij best talent, maar qua onderwerpkeuze zou hij niet gauw kaarten voor Hallmark ontwerpen. Ik wil maar zeggen: er waren bepaalde aanwijzingen. Ik ben geen deskundige, maar zelfmoord komt niet uit de lucht vallen.'

Ze zweeg weer en keek naar de grond en naar haar paarse pumps.

'Ik zeg niet dat Hannah niet de nodige problemen had. Soms bleef ze overwerken terwijl daar helemaal geen reden voor was – Filmkunde, wat moet je daarvoor doen, je doet de DVD erin. Ik had het idee dat ze bleef omdat ze met iemand wilde praten. En inderdaad, ze zat vol muizenissen. Bij het begin van elk schooljaar zou het ook haar laatste worden. "Dan knijp ik ertussenuit, Eva. Ik ga naar Griekenland." "Wat ga je daar doen?" vroeg ik dan. "Van mezelf houden," zei ze dan. Ja, hoor. Je moet bij mij niet aankomen met die zelfhulpflauwekul. Ik heb nooit iets gezien in al die zweverige boeken. Ben je de veertig gepasseerd en heb je nog steeds geen vrienden gemaakt of iets belangrijks gepresteerd? Ben je nog steeds de arme vader en niet de rijke vader? Dan heb ik helaas slecht nieuws voor je: het zal er ook niet meer van komen.' Eva moest even lachen, maar de lach begon opeens onhandig te fladderen in haar mond en vloog weg. Ze snoof opnieuw en misschien staarde ze hem wel na, of keek ze naar de lucht en de zon die met een paar wolkenflarden tussen de bomen verborgen zat.

'Er waren nog meer dingen,' ging ze verder, met open mond kauwend op de Nicorette. 'Toen ze in de twintig was is er iets vreselijks gebeurd, iets met een man, haar vriend – ze ging er nooit op door, maar ze zei wel dat er geen dag voorbijging dat ze zich niet schuldig voelde over wat ze had gedaan – wat het ook was. Dus ze had inderdaad verdriet, en ze was onzeker, maar ook ijdel. En ijdele mensen verhangen zich niet. Ze klagen, ze zeuren, ze maken een hoop kabaal, maar ze knopen zichzelf niet op. Omdat ze er dan niet uitzien.'

Ze lachte weer, dit keer was het een brutaal lachje, eentje dat ze vast gebruikte voor de radio-soap *Oro Blanco*, een lach waarmee ze schrijvers met worstvingers uit radioland intimideerde, generaals met een dikke nek, *com-padres* met vleeswangen. Ze blies een kauwgomballonnetje en liet het met een smakkend geluid ploffen tussen haar tanden.

'Maar wie ben ík? Wie zal zeggen wat zich allemaal in iemands hoofd af-speelt? Begin december vroeg ze een week vrij om naar Virginia te gaan, naar de familie van de man die toen bij haar thuis is verdronken.'

'Smoke Harvey?'

'Heette hij zo?'

Ik knikte en toen herinnerde ik me iets. 'Ze had u toch ook uitgenodigd voor dat feest bij haar thuis?'

'Welk feest?'

'Dat aan de gang was toen hij verdronk.'

Ze schudde onzeker haar hoofd. 'Nee, ik hoorde het pas later. Ze was be-hoorlijk van streek. Ze zei dat ze er 's nachts niet van kon slapen. Hoe dan ook, uiteindelijk is ze niet gegaan. Ze zei dat ze zich te schuldig voelde om die mensen onder ogen te komen, dus misschien voelde ze zich wel schuldiger dan ik dacht. Ik probeerde haar duidelijk te maken dat je jezelf moet verge-ven. Ik moest een keer op de kat van de buren passen toen zij naar Hawaï gin-gen – zo'n langharig geval, rechtstreeks weggelopen uit een kattenvoerrecla-me. Het mormel háátte me. Elke keer als ik de garage binnenkwam om hem eten te geven sprong hij tegen de hordeur en bleef hij daar als een stuk klitten-band hangen. Op een keer drukte ik per ongeluk op de knop van de garage-deur. Hij stond nog geen tien centimeter open of het beest schoot als een ra-ket naar buiten. Ik heb uren buiten gezocht, maar ik kon hem niet vinden. Toen de buren een paar dagen later terugkwamen vonden ze hem geplet op de weg, pal voor hun huis. Klopt, het was mijn schuld. Ik heb me er een tijdje vre-selijk om gevoeld. Had zelfs nachtmerries waarin het beest me hondsdol achternazat – rode ogen, klauwen, de hele mikmak. Maar het leven gaat door, weet je. Je moet verder.'

Misschien had het te maken met haar buitenechtelijke geboorte en haar armoedige jeugd in Los Toldos, het trauma dat ze op haar vijftiende Agustín Magaldi naakt had gezien, het gesloof om kolonel Juan tot grote politieke hoogte te doen stijgen, de werkdagen van vierentwintig uur bij het *Secretaría de Trabajo* en de *Partido Peronista Feminino*, het plunderen van de schatkist, het volstouwen van haar kasten met Dior – maar met het verstrijken der jaren was haar leven uiteindelijk volledig geplaveid. Natuurlijk moesten er ergens onder het wegdek barstjes zitten waarin een piepklein zaadje van een appel, peer of vijg kon ontkiemen, maar die minuscule scheurtjes werden constant opgespoord en gevuld.

'Kop op, meisje. Maak het jezelf niet zo moeilijk. Volwassenen zitten ingewikkeld in elkaar. Ik ben de eerste om dat toe te geven. We zijn slordig. Maar dat heeft niets met jou te maken. Je bent jong. Geniet ervan zolang het kan. Want straks wordt het pas echt lastig. Blijven lachen, dat is het beste wat je kunt doen.'

Ik ergerde me altijd graag aan volwassenen die dachten dat ze het Leven in een Notendop voor je konden vangen, het je konden aanreiken in een jampotje, een oogdruppelaar, een plastic sneeuwbol – de droom van iedere verzamelaar. Pap had natuurlijk zijn theorieën, maar hij poneerde ze altijd met de stilzwijgende aantekening dat het niet per se oplossingen waren, slechts losjes te gebruiken *suggesties*. Zoals hij maar al te goed wist was elk van zijn hypothesen hooguit bruikbaar voor een fractie van het Leven in plaats van voor alles, en dan ook nog eens met mate.

Eva keek weer op haar horloge. 'Het spijt me, maar nu wil ik toch echt naar mijn spinning-les.' Ik knikte en stapte opzij zodat ze haar portier kon dichtdoen. Ze startte de motor en glimlachte naar me alsof ik een tolbeambte was die de slagboom moest opendoen zodat zij kon doorrijden. Maar ze reed niet meteen achteruit haar parkeervak uit. Ze zette de radio aan op een of ander druk popdeuntje en na een paar tellen graven in haar handtas draaide ze haar raampje omlaag.

'Hoe is het trouwens met hem?'

'Met wie?' vroeg ik, hoewel ik het wel wist.

'Je pa.'

'Geweldig.'

'O ja?' Ze knikte en probeerde achteloos en ongeïnteresseerd te kijken. Toen richtte ze haar blik weer op mij. 'Vergeet die dingen die ik over hem zei maar. Het was niet waar.'

'Het geeft niet.'

'Het geeft wel. Zulke dingen hoef je niet te horen. Het spijt me.' Ze keek me vluchtig aan, haar ogen gingen over mijn gezicht alsof het een klimrek was. 'Hij houdt van je. Heel veel. Ik weet niet of hij het zelf in de gaten heeft, maar het is wel zo. Meer dan van... hoe zal ik het noemen, zijn politieke geneuzel. We waren een keer uit eten en toen kregen we het over jou. Hij zei dat jij het mooiste was wat hem ooit was overkomen.' Ze glimlachte. 'En dat meende hij.'

Ik knikte en deed alsof ik gebiologeerd was door haar linkervoorwiel. Om de een of andere reden praatte ik niet graag over Pap met willekeurige mensen met nectarinekleurig haar die als een straalbezopen automobilist heen

en weer zwalkten tussen beledigingen, complimenten, loze kreten en me-
degevoel. Met zulke mensen over Pap praten was net zoiets als praten over
ingewanden in de Victoriaanse Tijd: ongepast en vulgair, een uitstekende
reden om dergelijke mensen bij volgende sociale gelegenheden en bals te negeren.

Ze zuchtte gelaten toen ik niets zei, een van die handdoek-in-de-ring-re-
acties van volwassenen waaruit viel op te maken dat ze niets van tieners begrepen en ze dolblij waren dat die tijd achter hen lag. 'Nou, hou je haaks,
meid.' Ze draaide het raampje omhoog, maar stopte weer. 'En probeer zo af en
toe iets te eten – nog even en je bent onzichtbaar. Neem een stuk pizza. En niet
meer piekeren over Hannah Schneider,' voegde ze eraan toe. 'Ik weet niet wat
er met haar is gebeurd, maar ik weet wel dat ze zou willen dat jij gelukkig
werd, oké?'

Ik glimlachte stijfjes toen ze naar me zwaaide, achteruitreed (haar remmen protesteerden alsof ze werden gemarteld) en het parkeerterrein af
scheurde in haar witte Honda, de limousine waarin ze door de armste, naar
varkensmest stinkende *barrios* werd gereden, minzaam wuivend naar de
hongerige, enthousiaste mensen op straat.

Ik had tegen Pap gezegd dat hij me niet meer van school hoefde te halen. Toen
Milton me vrijdag naar huis bracht hadden we afgesproken dat we na school
bij zijn kluisje op elkaar zouden wachten, en intussen was ik een halfuur te
laat. Ik rende de trap op naar de tweede verdieping van Elton, maar afgezien
van Dinky en Mr. Ed 'Favio' Camonetti, die in de deuropening van het lokaal
Engels stonden, was de gang leeg. (Aangezien veel mensen dol zijn op pikan-
te bijzonderheden hier even in het kort: Favio was de meest begeerde leer-
kracht van St. Gallway. Hij had een gebronsd, Rock Hudson-achtig gezicht en
was getrouwd met een mollige, onopvallende vrouw die altijd een schort om
had en van mening leek te zijn dat hij inderdaad reuze sexy was, hoewel ik
persoonlijk vond dat zijn lichaam gelijkenis vertoonde met een stiekem lek
geprikte rubberboot.) Toen ik langsliep, hielden ze op met praten.

Ik liep naar Zorba (waar Amy Hempshaw en Bill Chews verstrengeld waren in een omhelzing) en daarna naar het parkeerterrein voor de leerlingen.
Miltons Nissan stond nog steeds op zijn vaste plek, dus ging ik naar de kantine, en toen ik hem daar niet zag naar het Hypocrisie-steegje in de kelder van
Love. Dat was het middelpunt van de zwarte markt van St. Gallway, waar Mil-

ton en Charles het soms aanlegden met leerlingen die driftig handelden in illegale toetsen, examenopgaven, aantekeningen van hoogbegaafde leerlingen en scripties, en seksuele gunsten verleenden voor de nieuwste versie van de *Bedriegersbijbel*, een anonieme handleiding van 543 pagina's over hoe je je met succes door St. Gallway kon sjoemelen, ingedeeld op leraar, onderwerp, methode en middelen. (Een paar titels: 'Een Eigen Kamer: De Make-up Test', 'Toy Story: De Schoonheid van de TI-82 en het Timex Datalink Horloge', 'Kleine Handgeschreven Juweeltjes op je Schoenzolen'.) Ik liep door de donkere gang, tuurde door de kleine, rechthoekige raampjes van de zeven muziekruimtes en zag donkere figuren die gehurkt in hoeken zaten, op pianokrukjes en achter muziekstandaards (niemand bespeelde een muziekinstrument, tenzij je lichaamsdelen meetelt). Milton was er niet bij.

Ik besloot om de open plek achter de aula van Love te proberen; Milton ging daar weleens heen om een joint te roken. Ik rende de trap weer op, door de Donna Faye Johnson Kunstgalerij (de moderne kunstenaar en oud-leerling Peter Rocke '87 zat nog helemaal in zijn Modderperiode en niets wees erop dat hij daar spoedig uit zou komen), door de achterdeur met het UITGANG-bordje, over het parkeerterrein met de gehavende Pontiac die bij de vuilcontainer stond (het verhaal ging dat hij van een vroegere leraar was die schuldig was bevonden aan het verleiden van een leerling) en holde tussen de bomen door.

Ik zag hem bijna meteen.

Hij had een marineblauwe blazer aan en leunde tegen een boom.

'Ha!' riep ik.

Hij glimlachte, maar toen ik dichterbij kwam drong het tot me door dat hij niet glimlachte omdat hij mij zag, maar vanwege iets waarover ze praatten, want de anderen waren er ook: Jade zat op een dikke afgevallen tak, Leulah op een steen (ze hield haar gevlochten haar vast alsof het het trekkoord van een parachute was), Nigel zat naast haar en Charles zat op de grond; zijn dikke, witte gipsverband stak als een schiereiland naar voren.

Ze zagen me. Miltons glimlach gleed van zijn gezicht als een nat geworden pleister. Ik wist meteen dat ik een boyband was, een hoe-heet-het, de geboren idioot. Hij zou hetzelfde gaan doen als Danny Zuko in *Grease* toen Sandy hem gedag zei waar de T-Birds bij waren, als mevrouw Robinson toen ze Elaine vertelde dat ze Benjamin niet had verleid, als Daisy toen ze Tom met het karakter van een zure kiwi boven Gatsby verkoos, een selfmade man, een man vervuld met dromen, die er niet mee zat om een stapel overhemden door de kamer te gooien als hij daar zin in had.

Mijn hart sloeg een paar keer over. Mijn benen werden week.

'Kijk eens wie we daar hebben,' zei Jade.

'Hallo, Kots,' zei Milton. 'Hoe is het ermee?'

'Wat heeft zij hier te zoeken?' vroeg Charles. Ik keek hem aan en zag tot mijn verbazing dat zijn gezicht louter en alleen door mijn aanwezigheid de kleur van een Tropische brandmier had gekregen (zie *Insecten*, Powell, 1992, blz. 91).

'Hallo,' zei ik. 'Ik zie jullie nog…'

'Wacht even.' Charles was op zijn goede been gaan staan en hobbelde moeizaam in mijn richting omdat Leulah een van zijn krukken had. Ze reikte hem aan, maar hij pakte hem niet. Hij strompelde liever, net als sommige oorlogsveteranen, alsof er meer glorie te behalen viel met de strompel, de sukkelgang, het trekkebenen.

'Ik wil even met haar *praten*,' zei hij.

'Verspilde moeite,' zei Jade, terwijl ze een trekje van haar sigaret nam.

'Nee, het is geen verspilde moeite.'

'Charles,' waarschuwde Milton.

'Je bent een waardeloze trut, weet je dat?'

'Godsamme,' zei Nigel met een grijns. 'Maak je niet druk.'

'Ik maak me wel druk. Ik ga die trut vermoorden.'

Hoewel zijn gezicht knalrood was en zijn ogen uitpuilden als die van een boomkikker, had hij maar één been tot zijn beschikking, dus was ik niet bang toen hij me vuil aankeek. Ik wist heel goed dat ik hem eenvoudig omver kon duwen en ervandoor kon gaan voordat de anderen me te grazen konden nemen. Tegelijkertijd was het heel verwarrend dat ik de reden was waarom zijn gezicht vertrokken was als dat van een baby in de verloskamer; waarom zijn ogen zo waren samengeknepen dat ze leken op de spleetjes in een collectebus voor Kinderen met Hersenverlamming. Even dacht ik dat ik *inderdaad* Hannah had vermoord, dat ik schizofreen was en onder invloed van de slechte Blue was geweest, de genadeloze Blue, de Blue die harten uitrukte en ze nuttigde als ontbijt (zie *The Three Faces of Eve*). Alleen dat kon de reden zijn waarom hij me zo haatte, waarom zijn gezicht zo gehavend en verkreukeld was, en zo hobbelig als een zandweg.

'Wil je haar vermoorden en de rest van je leven in de gevangenis doorbrengen?' vroeg Jade.

'Slecht plan,' zei Nigel.

'Dan kun je beter een huurmoordenaar inschakelen.'

'Ik doe het wel,' zei Leulah, terwijl ze haar hand opstak.

Jade drukte haar sigaret uit tegen de zool van haar schoen. 'We kunnen haar ook stenigen, zoals in dat korte verhaal. Als alle inwoners van het stadje dichterbij komen en ze begint te gillen.'

'"The lottery,"' zei ik onwillekeurig (Jackson, 1948). Maar ik had het beter niet kunnen zeggen, want Charles begon te tandenknarsen en stak zijn kaak nog verder naar voren, zodat ik de minieme spleetjes tussen de tanden in zijn onderkaak kon zien, een klein wit hekje. Ik voelde zijn kokend hete adem tegen mijn voorhoofd.

'Weet je wel wat je me hebt aangedaan?' Zijn handen beefden en bij het woordje 'aangedaan' schoot er een vlokje speeksel uit zijn mond, dat ergens tussen ons in op de grond terechtkwam. 'Je hebt me kapotgemaakt...'

'Charles,' zei Nigel waarschuwend en hij ging achter hem staan.

'Doe niet zo stom,' zei Jade. 'Als je haar iets aandoet zorgt ze dat je van school wordt getrapt. Daar zorgt haar supervader wel voor.'

'Je hebt mijn been op drie plekken gebroken,' zei Charles. 'Je hebt mijn hart gebroken.'

'*Charles...*'

'Ik zou je echt het liefst vermoorden. Je aan je ondankbare kleine nekje opknopen en je voor dood achterlaten.' Hij slikte hoorbaar. Het klonk als een steen die in een vijver plonsde. Tranen bestormden zijn rode ogen. Eentje stortte zich over de muur en liet zich over zijn gezicht naar beneden glijden. 'Net zoals jij met haar hebt gedaan.'

'Jezus, Charles.'

'Hou op.'

'Ze is het niet waard.'

'Precies. Ze kan niet zoenen.'

Er viel een stilte, en toen begon Jade te lachen.

'O nee?' Charles hield direct op met huilen. Hij haalde zijn neus op en veegde met zijn hand over zijn ogen.

'Waardeloos. Alsof je een tonijn zoent.'

'*Tonijn?*'

'Of een sardientje. Een garnaal. Ik weet het niet meer. Ik heb geprobeerd om het te verdringen.'

Mijn adem stokte. Het bloed stroomde naar mijn gezicht, alsof hij niet iets had gezegd, maar me in mijn gezicht had geschopt. En ik wist dat dit zo'n moment in het leven was dat je het Congres moest toespreken, dat je Jimmy Stewart moest nadoen. Ik moest ze laten zien dat ze niet te maken hadden met een aangeslagen, angstige natie, maar met een ontwaakte reus. Maar ik kon niet terugslaan met een simpele kruisraket. Het moest een *Little Boy* zijn, een *Fat Man*, een reusachtige bloemkoolwolk (omstanders zouden later beweren dat ze een tweede zon hadden gezien) met verkoolde lichamen, de kalkachtige smaak van kernfusie in de mond van de piloten. Naderhand zou ik misschien spijt hebben, het onvermijdelijke 'Mijn God, wat heb ik gedaan?' denken, maar dat had nog nooit iemand weerhouden.

Pap had een klein zwart boekje op zijn nachtkastje, *Woorden van een glimworm* (Punch, 1978), waar hij 's avonds weleens zijn toevlucht toe nam als hij moe was en naar iets zoets hunkerde, zoals sommige vrouwen naar pure chocola kunnen hunkeren. Het was een boekje met de sterkste citaten ter wereld. Ik kende de meeste. 'Geschiedenis is een reeks leugens waarover men het in grote lijnen eens is,' zei Napoleon. 'Leid me, volg me, maar loop me niet voor de voeten,' zei generaal George Patton. 'Op het podium vrij ik met vijfentwintigduizend mensen en vervolgens ga ik in mijn eentje naar huis,' klaagde Janice Joplin met een wazige blik en verwarde haren. 'Ga naar de hemel voor het klimaat en naar de hel voor het gezelschap,' zei Mark Twain.

Ik keek Milton aan. Hij durfde me niet aan te kijken, hij drukte zich tegen de stam van de boom alsof hij wilde dat die hem zou opeten.

'"We zijn allemaal wormen,"' zei ik voorzichtig, '"maar ik weet dat ik een glimworm ben."'

'Hè?' vroeg Jade.

Ik draaide me om en liep weg.

'Wat was dat nou?'

'Dat is wat je noemt *het moment kiezen.*'

'Zag je dat? Ze is volslagen bezeten.'

'Ga bij een exorcist langs!' riep Charles en hij lachte, het geluid van een stroom rinkelende gouden munten, en de bomen namen het geluid op met hun perfecte akoestiek en lieten het door de lucht zweven.

Op het parkeerterrein kwam ik meneer Moats tegen die met een stapel boeken onder zijn arm op weg was naar zijn auto. Hij keek verschrikt toen hij me tussen de bomen vandaan zag komen, alsof hij dacht dat ik de geest van El Greco was.

'Blue Van Meer?' riep hij onzeker, maar ik glimlachte niet en ik zei niets. Ik was al begonnen te rennen.

The Nocturnal Conspiracy

Het was een van de grootste schandalen in het Leven: dat je moest ervaren dat een van de ergst mogelijke beledigingen was om te horen te krijgen dat je waardeloos zoende.

Je zou denken dat het erger was om te worden uitgemaakt voor Verrader, Huichelaar, Secreet, Hoer of welk ander verachtelijk wezen dan ook, of nog erger: voor Goed Gek, Deurmat, Achterhaald, een Gluiperd. Ik vrees dat je zelfs beter af was als 'niks waard in bed', want iedereen heeft weleens een slechte dag, een dag waarop zijn/haar gedachten van de hak op de tak springen, en zelfs kampioensrenpaarden als Couldn't be Happier, die in 1971 zowel de Derby als de Preakness won, kon opeens als hekkensluiter over de streep gaan, zoals bij de Belmont Stakes. Maar om waardeloos te zoenen, een tonijn te zijn, dat was het ergste wat er was, want dat hield in dat je geen enkele passie kende, en zonder passie kon je net zo goed dood zijn.

Ik liep naar huis (6,6 kilometer), onderweg steeds die vernederende opmerking herhalend (in slowmotion, zodat ik in gedachten kleine cirkeltjes kon trekken rond elke verprutste worp, vasthouden, tackle en persoonlijke fout). Op mijn kamer gaf ik me over aan zo'n huilbui die je doorgaans bewaart voor het overlijden van een familielid, een dodelijke ziekte of het einde van de wereld. Ik huilde ruim een uur mijn kussen nat terwijl de duisternis bezit nam van mijn kamer en de avond naderbij kroop en voor het raam hurkte. Ons huis, het overdadige, lege Armor Street 24, leek op me te wachten zoals vleermuizen op de duisternis wachten, een orkest op een dirigent. Het wachtte tot ik was gekalmeerd en de draad weer oppikte.

Ik liet me met een hoofd vol watten en rode ogen van het bed glijden, liep de trap af en luisterde de boodschap van Pap over een etentje met Arnie Sanderson af, haalde de chocoladetaart van de Stonerose Bakery die Pap een paar dagen geleden had gekocht (als onderdeel van de 'beur Blue een beetje op'-

campagne) uit de koelkast, pakte een vork en liep ermee naar mijn kamer.

'We sluiten de avond af met een nieuwsbericht,' zong de denkbeeldige Cherry Jeffries in mijn hoofd. 'Niet de politie, niet de Nationale Garde, parkwachters, K-9, de FBI, CIA, het Pentagon, geen geestelijken, helderzienden, handlezers, dromenvangers, superhelden, marsmannetjes, zelfs geen reis naar Lourdes, maar gewoon een dapper meisje uit de streek heeft de moord op de vierenveertigjarige Hannah Louise Schneider opgelost, wier dood nog vorige week door de politie van Sluder County ten onrechte werd beschouwd als zelfmoord. De intelligente leerling van St. Gallway in Stockton, juffrouw Blue Van Meer, die beschikt over een IQ waar je steil van achteroverslaat, te weten 175, liet zich niet van de wijs brengen door leraren, leerkrachten en vaders toen ze een reeks subtiele aanwijzingen ontwarde die naar de echte moordenaar van de vrouw leidden, die nu in afwachting van zijn proces in hechtenis zit. Juffrouw Van Meer, die gekscherend de Sam Spade van de school wordt genoemd, is intussen niet alleen een veelgevraagde gast in het praatprogrammacircuit, van Oprah en Leno tot *The Today Show* en *The View*, en siert deze maand ook het omslag van *Rolling Stone*, maar ze is ook uitgenodigd op het Witte Huis voor een diner met de president, die haar ondanks haar prille leeftijd van zestien jaar heeft gevraagd om als ambassadeur van de VS te fungeren tijdens een Goodwill-reis langs tweeëndertig landen om te pleiten voor vrede en vrijheid. En dit alles aan de vooravond van haar toelating tot Harvard, deze herfst. Is dat niet geweldig, Norvel? Norvel?'

'O, eh... zeker.'

'Dat toont nog maar eens aan dat deze wereld niet helemaal reddeloos verloren is. Want er lopen echte helden rond en dromen kunnen echt uitkomen.'

Ik had geen andere keus dan te doen wat inspecteur Curry deed toen hij bij een van zijn onderzoeken vastliep, zoals op blz. 512 van *De hoogmoed van de eenhoorn* (Lavelle, 1901), wanneer 'elke deur gesloten blijft en elk venster stevig vergrendeld, waardoor het kwaad verhuld wordt waarop we, mijn zeer gewaardeerde Horace, rusteloos onze ontmoedigde aandacht moeten richten, zoals de magere straathond door de stad zwerft, afval doorspit op zoek naar een stukje schapenvlees dat een onoplettende koopman of klant onderweg naar huis achteloos heeft laten vallen. Maar er is hoop! Want bedenk, mijn beste, dat niets de uitgehongerde hond ontgaat. Keer bij twijfel terug naar het slachtoffer. Hij zal je de weg wijzen.'

Ik pakte een felroze aantekenpapiertje en maakte een lijstje van de vrienden van Hannah, de paar namen die ik wist. Je had de overleden Smoke Harvey en zijn familie die in Findley, West Virginia, woonde, en de man uit het dierenasiel, Richard nog wat, die op de lamafokkerij woonde, en Eva Brewster, Doc, de andere mannen uit Cottonwood (hoewel ik niet zeker wist of ze aangemerkt konden worden als vrienden, eerder als kennissen).

Alles in aanmerking genomen was het maar een schamel lijstje.

Desondanks besloot ik, een beetje aanmatigend, bovenaan te beginnen, met een familielid van Harvey. Ik rende naar de werkkamer van Pap, zette zijn laptop aan en tikte de naam van Smoke in bij People Search van Worldquest.

Er waren geen gegevens over hem. Maar er waren wel vijfennegentig andere Harveys, en er stond een Ada Harvey in Findley bij de advertentie-link, www.gaatjegeenmoeraan.com. Ik herinnerde me dat Ada een van de dochters van Harvey was; Hannah had het tijdens een etentje in Hyacinth Terrace over haar gehad. (Ik wist het nog omdat haar naam de titel was van een van de lievelingsboeken van Pap, *Ada* (1969).) Als ik het luttele bedrag van 89,99 dollar overmaakte aan de website kreeg ik niet alleen de beschikking over Ada's telefoonnummer, maar ook haar adres, achtergrondgegevens, antecedentenonderzoek, strafbladgegevens en een satellietfoto. Ik rende naar boven naar de slaapkamer van Pap en pakte een van zijn mastercards uit zijn nachtkastje. Ik besloot om het verschuldigde bedrag voor haar telefoonnummer te betalen.

Ik liep terug naar mijn kamer. Ik maakte een lijst met uitgewerkte vragen op drie andere kaartjes, elk met het keurige opschrift AANTEKENINGEN IN DE ZAAK-H. SCHNEIDER. Nadat ik de vragen drie of vier keer had overgelezen ging ik terug naar de werkkamer, haalde de dop van de fles vijftien jaar oude George T. Stagg-bourbon van Pap, nam een teug uit de fles (Ik voelde me nog niet helemaal thuis in het speurwerk, en welke detective zocht nooit eens steun bij de alcohol?) en liep terug naar mijn kamer om alles nog even op een rijtje te zetten. 'Jullie moeten je dat bed waar het lijk op ligt voor de geest halen en je handelwijze daarop baseren, dames,' eiste rechercheur Buddy Mills van zijn relatief onervaren eenheid die alleen maar uit mannen bestond in *De laatste hakbijlmoord* (Nubbs, 1958).

Ik draaide het nummer. Bij de derde keer overgaan nam een vrouw op.

'Hallo?'

'Ik ben op zoek naar Ada Harvey.'

'Spreekt u mee. Met wie spreek ik?'

Het was zo'n griezelige, Zuidelijke slavenhoudersstem: zangerig, opvliegend en merkwaardig bejaard (rimpelig en beverig, ongeacht de leeftijd van de betrokkene).

'Hallo, ik heet Blue Van Meer en ik...'

'Bedankt, maar ik ben niet geïnteresseerd.'

'Dit is geen telemarketing.'

'Nee, dank u vriendelijk.'

'Ik ben een vriendin van Hannah Schneider.'

Ik hoorde haar naar adem happen, alsof ik een injectienaald in haar arm had gestoken. Ze zweeg. Vervolgens hing ze op.

Verbaasd drukte ik op de herhaaltoets. Ze nam meteen op – ik hoorde een tv, een herhaling van een soap, een vrouw, 'Blaine', en toen 'hoe kón je?', en Ada Harvey gooide zonder iets te zeggen de hoorn op de haak. Bij de vierde poging ging de telefoon vijftien keer over voordat het bandje met de telefoniste meldde dat de persoon in kwestie niet bereikbaar was. Ik wachtte tien minuten, nam een paar happen chocoladetaart en probeerde het voor de vijfde keer. Ze nam meteen op.

'Hoe durft u. Als u niet ophoudt, bel ik de politie.'

'Ik ben geen vriendin van Hannah Schneider.'

'Niet? Wie bent u dan wel?'

'Ik ben een leer... Ik ben privédetective,' voegde ik er haastig aan toe. 'Ik werk voor' – ik keek naar mijn boekenkast en mijn blik viel op *Anoniem* (Felm, 2001) en *De derde partij* (Grono, 1995) – 'een derde partij die liever anoniem wil blijven. Misschien kunt u me helpen met een paar vragen. Het is zo gebeurd.'

'Ben je een privédetective?'

'Ja.'

'Dan loopt Onze-Lieve-Heer in een kniebroek en op golfschoenen. Hoe oud ben je? Je klinkt als iemand die nauwelijks droog is achter zijn oren.'

Pap zei dat je een hele hoop kon opmaken uit iemands telefoonstem, en aan die van haar te horen was ze begin veertig en droeg ze platte leren schoenen met kleine kwastjes, kwastjes die als minivegers over haar voeten veegden.

'Ik ben zestien,' bekende ik.

'En voor wie zei je dat je werkte?'

Het was niet verstandig om te blijven liegen; zoals Pap zei: 'Kindje, elke gedachte van jou klinkt door in je stem alsof het een reusachtig billboard is.'

'Voor mezelf. Ik ben een leerling van St. Gallway, waar Hannah lesgaf. Het spijt me dat ik loog, maar ik was bang dat u weer zou ophangen en ik...' Wanhopig staarde ik naar mijn aantekeningen. 'U bent mijn enige aanknopingspunt. Ik heb uw vader op de avond van zijn dood ontmoet. Hij leek me een boeiend mens. Ik vind het heel erg wat er is gebeurd.'

Het was een smerige zet om iemands overleden familieleden erbij te slepen om te krijgen wat je wilde – als iemand iets zei over de dood van Pap zou ik alles spuien –, maar het was mijn enige kans; het was duidelijk dat Ada twijfelde tussen verder luisteren en ophangen en de hoorn naast de haak leggen.

'Aangezien,' ging ik onzeker verder, 'uw vader en de rest van uw familie ooit met Hannah bevriend waren, hoopte ik...'

'*Bevriend?*' Ze spuwde het woord uit alsof het een ranzige avocado was. 'We waren níét bevriend met dat mens.'

'Neem me niet kwalijk. Ik dacht...'

'Dan had u het mis.'

Als haar stem voorheen iel en poedelachtig was geweest, was hij nu een rottweiler. Ze zweeg. Ze was wat in de misdaadwereld bekendstond als een 'ijzeren tante'.

Ik slikte. 'Aha. Dus, mevrouw Harvey...'

'Ik heet Ada Rose Harvey Lowell.'

'Mevrouw Lowell. U kende Hannah Schneider helemaal niet?'

Ze bleef opnieuw zwijgen. Haar woonkamer was het doelwit van een reclamespotje voor auto's. Haastig krabbelde ik 'Geen?' bij mijn aantekeningen onder vraag 4: 'Wat was de aard van uw relatie met Hannah Schneider?' Ik wilde net doorgaan met vraag 5: 'Was u op de hoogte van haar voorgenomen kampeeruitstapje?', toen ze zuchtte en antwoordde, op onbuigzame toon.

'Je hebt geen idee wat ze was,' zei Ada.

Nu viel ik stil, want dat was zo'n dramatische opmerking uit een sf-film, als een van de personages de ander vertelt dat ze te maken hebben met 'iets dat niet van deze wereld afkomstig is'. Mijn hart dreunde als een voodoo begrafenismars in New Orleans.

'Wat weet je wél?' vroeg ze een beetje ongeduldig. 'Is er iets wat je wél weet?'

'Ik weet dat ze lerares was,' probeerde ik voorzichtig.

Dat leverde een zuur 'ha' op.

'Ik weet dat uw vader, Smoke, een financier in ruste was, en...'

'Mijn vader was onderzoeksjournalist,' verbeterde ze me (zie 'Zuidelijke trots', *Moon Pie en verdoemenis*, Wyatt, 2001). 'Hij is achtendertig jaar lang bankier geweest voordat hij kon stoppen met werken en zich aan zijn grote passies kon wijden. Schrijven en misdaad.'

'Hij heeft toch een boek geschreven? Een detectiveroman?'

'*Het Doloroso-Verraad* was geen detectiveroman. Het ging over illegale vreemdelingen bij de grens van Texas en de corruptie en drugssmokkel die daar spelen.' (Ze kneep het woord 'illegaal' fijn tot *illaal*.) 'Het was een groot succes. Hij kreeg de sleutel van de stad.' Ze snufte even. 'Wat nog meer?'

'Ik weet dat uw vader is verdronken bij het huis van Hannah.'

Ze moest opnieuw naar adem snakken. Dit keer klonk het alsof ik haar voor het oog van honderd toeschouwers een klap in haar gezicht had gegeven. 'Mijn vader is níét' – haar stem was beverig en schril, het geluid van een kunstnagel over een panty – 'ik... *Heb je enig benul wie mijn vader was?*'

'Neem me niet kwalijk. Ik wilde niet...'

'Toen hij *vier* was is hij op zijn driewieler aangereden door een vrachtwagen met oplegger. Tijdens zijn diensttijd in Korea heeft hij zijn rug gebroken. Hij zat vast in een auto die van de Feather Bridge stortte en pas daarna klom hij er net als in de film door het raampje uit. Hij is twee keer gebeten – een keer door een dobermann en een keer door een ratelslang, en hij is een keer bijna gegrepen door een haai, voor de kust van Way Paw We in Indonesië, alleen had hij een documentaire over haaien gezien en wist hij nog dat je ze een dreun op hun neus moest geven als er eentje op je af komt, alleen hebben de meeste mensen daar het lef niet voor. Smoke wél. En nu wil jij beweren dat de combinatie van zijn medicijnen en een borrel hem de das om heeft gedaan? Om van over je nek te gaan. Hij slikte die dingen al een halfjaar en je merkte niets aan hem, *punt uit.* Je kon die man drie keer door zijn hoofd schieten en dan ging hij nog gewoon door – neem dat maar van mij aan.'

Tot mijn schrik brak haar stem – en zo te horen waren de stukken niet meer te lijmen. Ik wist het niet zeker, maar het klonk alsof ze huilde: een vreselijk, ingehouden hikkend geluid dat opging in het geroezemoes en de muzak van de soap, zodat je geen onderscheid kon maken tussen haar tragiek en die op tv. Het was heel goed mogelijk dat zij net 'Travis, ik ga er niet omheen draaien door te zeggen dat ik niets voor je voel' had gezegd in plaats van de vrouw op tv, en het was ook heel goed mogelijk dat de vrouw op tv en niet Ada huilde vanwege haar overleden vader.

'Het spijt me,' zei ik. 'Ik ben alleen een beetje in de war.'

'Ik doorzag het allemaal pas later,' snufte ze.

Ik wachtte tot ze de brokstukken van haar stem weer een beetje bij elkaar had.

'Wat doorzag u pas later?'

'Weet je wie de Nachtwakers zijn?' vroeg ze. 'Natuurlijk niet. Je hebt er vast al moeite mee om je eigen naam te onthouden.'

'Dat weet ik wel. Mijn vader is hoogleraar politicologie.'

Ze was verrast, of misschien opgelucht. 'O?'

'Het was een stel radicalen,' zei ik. 'Maar afgezien van een paar kleine incidenten begin jaren zeventig weet niemand zeker of ze wel echt hebben bestaan. Ze waren meer een mooie gedachte, vechten tegen de hebzucht, dan iets bestaands.' Ik citeerde stukjes uit 'Een korte geschiedenis van de Amerikaanse revolutionairen' (zie Van Meer, *Federal Forum*, jaargang 23, nummer 9, 1990).

'Een paar kleine incidenten,' herhaalde Ada. 'Precies. Dus je weet van Gracey.'

'Hij was de oprichter. Maar hij is toch dood?'

'In tegenstelling tot de andere betrokkenen,' zei Ada langzaam, 'is George Gracey het enige bekende lid. En hij wordt nog steeds gezocht door de FBI. In '70... nee, '71 heeft hij een senator uit West Virginia vermoord, met een staafbom in zijn auto. Een jaar later heeft hij een gebouw in Texas opgeblazen. Vier doden. Ze hadden beelden van hem, dus hebben ze een compositietekening van hem gemaakt, maar hij was van de aardbodem verdwenen. In de jaren tachtig was er een explosie in een rijtjeshuis in Engeland. Zelfgemaakte explosieven. Het gerucht ging dat hij er woonde, dus veronderstelde men dat hij dood was. De schade was zo enorm dat ze de lichamen niet aan de hand van het gebit konden identificeren. Zo doen ze dat, weet je: aan de hand van tandartsgegevens.'

Ze slikte en zweeg even.

'De vermoorde senator was senator Michael McCullough, de oom van Dubs aan moederskant, mijn oudoom. Het gebeurde in Meade, twintig minuten van Findley. Toen we klein waren zei Dubs het om de haverklap: "Al moet ik ervoor naar het eind van de wereld om die smeerlap voor de rechter te krijgen." Toen Dubs verdronk geloofde iedereen het verhaal van de politie: dat hij te veel had gedronken en dat het een ongeluk was. *Ik* weigerde om het te geloven. Ik bleef nachten achtereen op om zijn aantekeningen door te nemen, ook al foeterde Archie me uit en zei hij dat ik niet goed wijs was. Maar toen ontdekte ik hoe het allemaal in elkaar stak. Ik liet het aan Archie en Cal zien. En zíj wist het natuurlijk. Ze wist dat we haar op het spoor waren. We hadden de FBI erbij gehaald. Daarom heeft ze zichzelf opgehangen. Ze kon kiezen tussen de dood en de gevangenis.'

Ik was met stomheid geslagen. 'Ik begrijp het niet.'

'*De nachtelijke samenzwering*,' zei Ada zachtjes.

Het volgen van haar logica was net zoiets als met het blote oog proberen om de baan van een elektron rond de nucleus te volgen.

'Wat is *De nachtelijke samenzwering*?'

'Zijn volgende boek. Het boek over George Gracey waar hij mee bezig was.

Dat moest de titel worden en het zou een bestseller worden. Smoke had hem namelijk opgespoord, weet je. Vorig jaar mei. Op een paradijselijk eilandje dat Paxos heet. Hij leefde er als god in Frankrijk.'

Ze haalde beverig adem. 'Je hebt geen idee hoe het voelde toen de politie belde en ons vertelde dat onze vader, die we twee dagen daarvoor nog bij de doop van Chrysanthemum hadden gezien, er niet meer was. Uit ons midden was weggerukt. We hadden de naam Hannah Schneider zelfs nog nooit gehoord. We dachten eerst dat het die luidruchtige gescheiden vrouw was die de Rider's Club als penningmeester wilde, maar dat was Hannah *Smithers*. Toen dachten we dat het misschien ging om het nichtje van Gretchen Peterson, waar Dubs mee naar de benefietbijeenkomst van Marquis Polo was geweest, maar dat was Lizzie Sheldon.' Ada had haar verhaal intussen van elke interpunctie en een flink aantal pauzes ontdaan; de woorden hamerden in de hoorn. 'Twee dagen later zag Cal de foto waar ik de politie om had gevraagd en wat denk je? Hij herinnerde zich dat hij haar met Dubs had zien praten bij de Handy Pantry, in juni, toen ze terugkwamen van de Auto Show 4000 – een maand nadat Dubs was teruggekomen van Paxos. Cal vertelde dat Dubs bij de Handy Pantry naar binnen was gegaan om kauwgom te kopen en toen was die vrouw komen aanzeilen – en Cal heeft een fotografisch geheugen. "Zij was het," zei Cal. Lang. Donker haar. Een gezicht in de vorm van zo'n doos bonbons die je op Valentijnsdag krijgt, en Dubs was dol op Valentijnsdag. Ze vroeg de weg naar Charleston en ze bleven zo lang aan de praat dat Cal hem moest gaan halen. En dat was het. Toen we de spullen van Dubs uitzochten kwamen we in zijn agenda haar telefoonnummer tegen. Uit zijn telefoongegevens bleek dat hij haar minstens één of twee keer per week belde. Ze wist namelijk hoe ze het moest aanpakken. Na mijn moeder is er nooit meer iemand geweest – ik praat nog steeds over hem in de tegenwoordige tijd. Archie wil dat ik daarmee ophoud.'

Ze zweeg, haalde weer diep adem en ging verder. Terwijl ze praatte zag ik zo'n piepklein spinnetje voor me, zo eentje die zijn web niet in een logisch hoekje maakt, maar in een enorme lege ruimte, zo groot dat er met gemak twee Afrikaanse olifanten in passen. Pap en ik hadden een keer op de veranda van ons huis in Howard, Louisiana, zitten kijken, en hoe vaak de wind de bevestigingsdraden ook losrukte, hoe vaak het web ook overhoop werd geblazen en zich niet staande kon houden tussen de denkbeeldige pijlers, de spin ging onverdroten verder, klom omhoog met een draad achter zich aan, tandzijde in de wind. 'Ze brengt logica in de wereld,' zei Pap. 'Ze probeert hem zo goed en zo kwaad als het kan bij elkaar te binden.'

'We snappen nog steeds niet hoe ze het voor elkaar heeft gekregen,' ging Ada verder. 'Mijn vader woog honderdtwintig kilo. Het moet vergif zijn geweest. Ze heeft hem ergens mee tussen zijn tenen geïnjecteerd, cyaankali misschien. De politie hield natuurlijk bij hoog en bij laag vol dat ze alles hadden onderzocht en niets hadden kunnen ontdekken. Maar een ander mogelijkheid zie ik niet. Hij hield van een goed glas whiskey, daar zal ik geen doekjes om winden. En hij had natuurlijk zijn medicijnen.'

'Wat voor medicijnen waren dat?' vroeg ik.

'Minipress. Tegen hoge bloeddruk. Dokter Nixley zei dat je er niet bij moest drinken, maar dat had hij al eerder zonder problemen gedaan. Hij was zelfs helemaal naar huis gereden na de benefietbijeenkomst van de King of Hearts, toen hij er net mee was begonnen, en ik was erbij toen hij thuiskwam. Er was niks met hem aan de hand. En als ik had gedacht dat het niet goed met hem was had ik een rel geschopt. Niet dat hij zou hebben geluisterd.'

'Maar Ada' – ik sprak zachtjes, alsof we in een bibliotheek waren – 'volgens mij kan Hannah nooit...'

'Gracey stond in contact met haar. Hij gaf haar opdracht om Smoke te vermoorden. Net zoals bij die anderen. Zij was de verleidster.'

'Maar...'

'Zij was *de ander*,' onderbrak ze me. 'Behalve die *ene* andere. Het andere lid. Heb je wel geluisterd?'

'Maar ik weet dat ze geen misdadiger was. Ik heb hier met een rechercheur gesproken...'

'Hannah Schneider was niet haar echte naam. Ze had hem gepikt van een of andere vermiste vrouw die was opgegroeid in een tehuis in New Jersey. Ze leefde al jaren onder die naam. Haar echte naam was Catherine Baker en ze werd door de FBI gezocht voor het doodschieten van een politieman. Tussen zijn ogen, twee keer. Ergens in Texas.' Ze schraapte haar keel. 'Smoke herkende haar niet omdat niemand precies wist hoe Baker eruitzag. Helemaal nu niet. Ze hebben een stel oude getuigenverklaringen, een compositietekening van twintig jaar oud – in de jaren tachtig had iedereen idiote kapsels en zag iedereen er raar uit, je kent die overjarige hippies wel. En op die tekening was ze blond. En had ze blauwe ogen. Smoke hád die tekening van haar, bij de rest van de spullen over George Gracey. Maar dat heb je met die dingen – het had een tekening van míj kunnen zijn, weet je. Van wie dan ook.'

'Kunt u me kopieën van zijn aantekeningen sturen? Voor mijn onderzoek?'

Ada haalde haar neus op, en hoewel ze er niet echt mee instemde gaf ik haar toch mijn adres. We zwegen allebei een tijdje. Ik hoorde de eindtune van de soap en een nieuwe reclameboodschap.

'Ik wou dat ik erbij was geweest,' zei ze zacht. 'Ik heb een zesde zintuig voor zulke dingen. Als ik was meegegaan naar die autotentoonstelling, had ik kunnen meegaan toen hij die kauwgom ging kopen. Dan had ik gezien wat ze van plan was. Langsparaderen in een strakke spijkerbroek, zonnebril, net doen alsof het een toevallige ontmoeting was. Cal durft te zweren dat hij haar een paar dagen eerder ook heeft gezien, toen hij en Smoke bij de supermarkt krabbetjes moesten halen. Volgens hem liep ze langs met haar lege winkel-wagentje, opgedirkt alsof ze uitging, en ze had Cal recht in zijn gezicht aan-gekeken, net een grijnzende duivel. Maar je weet zulke dingen natuurlijk nooit zeker. Het kan er op zondag hartstikke druk zijn.'

'Wat zei u?' vroeg ik zachtjes.

Ze stopte met praten. Kennelijk was ze geschrokken door de verandering in mijn stem.

'Ik zei dat je die dingen nooit zeker weet,' zei ze aarzelend.

Zonder na te denken hing ik op.

Che Guevara Talks to Young People

De Nachtwakers hebben altijd gebruikgemaakt van een aantal verschillende namen – *Nächtlich*, of 'Nachtelijk,' in het Duits, en ook *Nie Schlafend*, oftewel 'Nooit Slapend'. In het Frans heten ze *Les Veilleurs de la Nuit*. Het aantal leden tijdens hun vermoedelijke bloeiperiode, van 1971 tot 1980, is niet bekend; volgens sommigen ging het om vijfentwintig mannen en vrouwen, over Amerika verspreid; volgens anderen waren het er wereldwijd meer dan duizend. Wat de waarheid ook is – en misschien komen we die helaas nooit te weten –, de beweging, waar vandaag de dag met meer enthousiasme over wordt gefluisterd dan tijdens de hoogtijdagen (intikken op internet levert meer dan honderdduizend vermeldingen op), de huidige populariteit als deels les uit het verleden, deels verzinsel, is een eerbetoon aan het Vrijheidsideaal, een droom over het bevrijden van alle mensen, ongeacht hun ras of geloof, een droom die, hoe versplinterd en cynisch de moderne maatschappij ook wordt, nooit zal verdwijnen.

> Van Meer,
> '*Nächtlich*: populaire mythen over de vrijheidsstrijd',
> *Federal Forum*, jaargang 10, nummer 5, 1998

Pap had me geleerd om sceptisch te zijn, pas overtuigd als 'de feiten als revuedanseressen keurig naast elkaar staan', en dus had ik Ada Harvey niet geloofd totdat ze het voorval bij de supermarkt had beschreven (of misschien iets eerder, bij 'de strakke spijkerboek' en 'de zonnebril'); toen had het geklonken alsof ze het niet over Smoke en Cal bij de supermarkt had gehad, maar over Pap en mij bij de Fat Kat in september, toen ik op de diepvriesafdeling Hannah voor het eerst had gezien.

Alsof dat nog niet genoeg was om me stil te krijgen, was ze doorgegaan op de Zuidelijke toer, compleet met een grijnzende duivel. En als iemand met zo'n vet Zuidelijk accent het over de duivel had, wist je meteen dat diegene meer wist dan jij – zoals Yam Chestley schreef in *Dixiecraten* (1979): 'Over twee dingen hoef je het Zuiden niets meer te leren: maïs en satan' (blz. 166). Toen ik had opgehangen in mijn kamer, die gevuld was met op stalactieten lijkende schaduwen, staarde ik naar mijn haastige aantekeningen in de haiku-stijl van agent Coxley (NACHTWAKERS CATHERINE BAKER GRACEY).

Mijn eerste gedachte was dat Pap ook dood was.

Hij was ook het doelwit van Catherine Baker geweest, want hij was ook met een boek over Gracey bezig geweest (dat was de logische verklaring waarom Hannah ons net zo had benaderd als Smoke Harvey), of, als hij niet aan een nieuw boek zat te werken ('Ik weet niet of ik de energie heb voor weer een boek,' had Pap in een bourbonstemming toegegeven, een droevige bekentenis die hij nooit overdag deed), een of ander artikel, essay of lezing, zijn eigen *Nachtelijke Samenzwering*.

Dat was het. Ik rende door de kamer om de plafondlamp aan te doen en gelukkig waren de schaduwen net zo snel verdwenen als zwarte jurken die uit de mode waren in een warenhuis – ik herinnerde mezelf eraan dat Hannah dood was (het petitfourtje aan waarheid waar ik zeker van was) en dat Pap veilig met professor Arnie Sanderson in de Piazza Pitti zat, een Italiaans restaurant in het centrum van Stockton. Desondanks voelde ik de behoefte om zijn schuurpapierstem te horen, zijn 'Stel je niet zo belachelijk aan, kindje', Ik rende naar beneden, vloog door de *Gouden Gids* en belde het restaurant. (Pap had geen gsm; 'Moet ik vierentwintig uur per dag bereikbaar zijn, zeven dagen per week, net als een of andere onderbetaalde sukkel die bij de klantenservice werkt? Heel fijn, maar toch maar niet.') De gastvrouw had hem binnen een minuut gevonden; maar weinig mensen droegen in de lente Iers tweed.

'Kindje?' Hij was geschrokken. 'Wat is er gebeurd?'

'Niets. Nou ja, van alles. Alles in orde?'

'Natuurlijk. Wat is er?'

'Niks.' Er kwam een paranoïde gedachte bij me op. 'Is Arnie Sanderson te vertrouwen? Misschien kun je je eten maar beter niet uit het oog verliezen. Sta niet op om naar het toilet te gaan.'

'Wát?'

'Ik heb de waarheid over Hannah Schneider ontdekt. Volgens mij weet ik waarom ze is vermoord, of waarom ze zelfmoord heeft gepleegd. Daar ben ik nog niet helemaal uit, maar ik weet wel *waarom*.'

Pap zweeg, natuurlijk niet alleen omdat hij die naam al zo vaak had moeten horen, maar ook omdat hij absoluut niet overtuigd was. Niet dat ik hem dat *kwalijk* nam; mijn ademhaling was die van een krankzinnige, mijn hart ging tekeer als een dronkenlap in een cel – alles bij elkaar niet echt een toonbeeld van precisie en rijp beraad.

'Liefje,' zei hij zachtjes, 'ik heb eerder vandaag *Gejaagd door de wind* thuis neergelegd. Misschien moet je daar maar naar gaan kijken. Neem een stuk van die chocoladetaart. Ik ben over hooguit een uur thuis.' Hij begon aan een nieuwe zin, iets wat begon met 'Hannah', maar dat woord maakte yogakronkels in zijn mond zodat het eruit kwam als 'hand'; hij leek bang om haar naam uit te spreken, uit angst dat het me zou aanmoedigen. 'Weet je zeker dat alles goed met je is? Ik kan ook nu naar huis komen.'

'Nee, alles is goed,' zei ik snel. 'We praten wel verder als je thuis bent.'

Ik hing op (volledig gerustgesteld; de stem van Pap was als ijs op een verstuikte enkel). Ik pakte mijn aantekeningen en rende naar de keuken om koffie te zetten. ('Ervaring, intellectuele bekwaamheid, sporenonderzoek, vingerafdrukken, voetafdrukken – natuurlijk zijn die belangrijk,' schreef agent Christina Vericault op blz. 4 van *Het laatste uniform* (1998). 'Maar het belangrijkste ingrediënt bij het oplossen van een misdrijf is een fijngemalen French Roast of een Colombian Blend. Als die ontbreken wordt er geen moord meer opgelost.') Nadat ik nog een paar details uit het gesprek met Ada Harvey had opgeschreven liep ik naar de werkkamer van Pap en deed het licht aan.

Pap had maar een relatief kort stuk over de Nachtwakers geschreven, dat was gepubliceerd in 1998, '*Nächtlich*: populaire mythes over de vrijheidsstrijd.' Zo af en toe, zoals bij zijn lezingen over de Burgeroorlog, voegde hij literatuurlijsten met iets uitgebreider commentaar over hun methodiek toe, een essay uit *Anatomie van het materialisme* van Herbert Littleton (1990), 'De nachtwakers en mythische principes van veranderingen in de praktijk'. Zonder al te veel moeite traceerde ik ze op de boekenplank (Pap kocht altijd vijf exemplaren van elke *Federal Forum* waarin hij voorkwam, net als een naar publiciteit hunkerend sterretje wanneer haar foto de rubriek 'Op stap in de stad' in de *Sterrenweek* sierde).

Ik ging met de twee artikelen aan het bureau van Pap zitten. Links van zijn laptop lagen een hoge stapel aantekeningen en verschillende opgevouwen buitenlandse kranten. Nieuwsgierig bladerde ik ze door, mijn ogen moesten even wennen aan zijn prikkeldraadhandschrift. Jammer genoeg hadden ze niets te maken met de Nachtwakers of de verblijfplaats van George Gracey (waardoor het parallel liep met het verhaal van Smoke). In plaats daarvan gingen ze over de *cause célèbre* van Pap: ongeregeldheden in de Democratische Republiek Congo en andere Midden-Afrikaanse landen. 'Wanneer houdt bloedvergieten op?' luidde het krom vertaalde commentaar in de *Afrikaan News*, de kleine politieke krant uit Kaapstad. 'Waar is Kampioen van Vrijheid?'

Ik legde de kranten opzij (in hun oorspronkelijke volgorde; Pap rook het wanneer er in zijn paperassen was gesnuffeld zoals een hond angst kan ruiken) en begon mijn geordende onderzoek naar de Nachtwakers (*Mai addormentato*, zoals ze in het Italiaans werden genoemd en klaarblijkelijk 決して眠った in het Japans). Ik las eerst het artikel van Pap in *Federal Forum*. Daarna nam ik het langdradige hoofdstuk 19 uit het boek van Littleton door. Tot slot zette ik Paps laptop aan en zocht op internet naar de groepering.

In de jaren na 1998 was het aantal pagina's waarin naar de radicalen werd verwezen enorm toegenomen; de 100.000 waren er nu 500.000. Ik bekeek er zoveel mogelijk waarbij ik geen enkele bron uitsloot vanwege vooringenomenheid, romantisering of zelfs giswerk ('Binnen vooroordelen ontstaan allerlei opmerkelijke waarheden,' zei Pap): encyclopedieën, historische teksten, politieke websites, linkse weblogs, communistische en neomarxistische sites (een favoriet, www.thehairyman.com – een verwijzing naar het leeuwachtige uiterlijk van Karl Marx), samenzwerende en anarchistische sites, sites over kartels, sektes, heldenverering, broodje-aapverhalen, georganiseerde misdaad, Orwell, Malcolm X, Erin Brockovich, en iets uit Nicaragua, de Kampioenen van Che. De groepering leek een beetje op Greta Garbo toen die net een punt achter haar carrière had gezet: mysterieus, onmogelijk te traceren en iedereen wilde meeliften met haar succes.

Toen ik klaar was, waren mijn ogen rood en was mijn keel droog. Ik was uitgeput, en toch – wanstaltig energiek, onvoorspelbaar als de felgroene glazenmaker die bij Lake Pennebaker Pap in het haar was gevlogen, waarna die schreeuwend en dansend als een marionet dwars door een gezelschap seniele bejaarden stormde die allemaal een gele zonneklep droegen die sprekend leek op de gele stralenkrans waarmee Jezus op fresco's uit de vijftiende eeuw werd afgebeeld.

Mijn opwinding kwam niet alleen voort uit het feit dat ik nu zoveel over de Nachtwakers wist dat ik er een lezing in Pap-stijl over kon houden, met een stem die als een vloedgolf de slordig gekamde hoofden van zijn studenten overspoelde, en ook niet omdat de informatie van Ada Harvey heroïsch overeind was gebleven bij grondiger bestudering, net als de Engelse blokkade tegen de Duitsers bij de eerste slag om de Atlantische Oceaan in de Eerste

Wereldoorlog. Mijn vreugde werd ook niet veroorzaakt doordat Hannah Schneider – alles wat ze had gedaan, haar vreemde gedrag, haar leugens – plotseling vanuit de grond onder mijn voeten was opgerezen zoals de buitenste stenen sarcofaag van farao Heteraah-mes toen Carlson Quay Meade zich in 1927 een weg baande door een donkere, verborgen mummiekamer hoog op de hellingen van de Vallei der Koningen. (Voor de allereerste keer kon ik neerhurken, mijn olielamp naast het puntgave gezicht van Hannah plaatsen en alle hoeken en vlakken ervan tot in detail in me opnemen.)

Het was ook iets anders, iets wat Pap een keer had gezegd nadat hij had verteld over de laatste uren van Che Guevara. 'Er gaat iets bedwelmends uit van de droom van vrijheid en degenen die daar hun leven voor op het spel hebben gezet – vooral in deze zure en sombere tijden waarin de mensen nauwelijks in staat zijn om zich uit hun leunstoel te hijsen om de deur open te doen voor de pizzabezorger, laat staan voor een roep om vrijheid.'

Ik had het *opgelost*.

Ik kon het niet geloven. Ik had de waarde van zowel x als y gevonden (met de onmisbare hulp van Ada Harvey; ik was niet zo ijdel als veel toegepast wiskundigen die per se in hun eentje in de annalen van de geschiedenis opgetekend wilden worden). En ik voelde zowel angst als ontzag – wat Einstein had ervaren nadat hij in 1905 in Bern midden in de nacht was ontwaakt uit een nachtmerrie waarin hij had gezien hoe twee pulserende sterren tegen elkaar waren gebotst waardoor vreemde golven in de ruimte waren ontstaan – een beeld waar zijn Algemene Relativiteitstheorie uit zou voortkomen.

'Het was *das meist beängstigende* en *schönste* dat *Ich* ooit gezien heb,' zei hij.

Ik liep weer naar Paps boekenkast. Dit keer haalde ik de beschouwing van kolonel Helig over moord van de plank, *Idyllische en onzichtbare intriges* (1889). Ik bladerde erdoorheen (het was zo oud dat bladzij 1 tot en met 22 uit de kaft dwarrelden), zoekend naar passages die de laatste restjes licht konden werpen op de wijdvertakte waarheid die ik had blootgelegd, deze verrassende – en overduidelijk verraderlijke – Nieuwe Wereld.

Het meest verrassende inzicht in het functioneren van de Nachtwakers (een voorval waarin Pap het bewijs zou zien van 'het potentieel van een legende die als een regenjas ten goede kan worden gebruikt, tegen de regen, en ten kwade, door er met niks eronder door een park te rennen en kinderen angst aan te jagen') bood een verhaal over www.rebels.net/nw, waarin werd verteld hoe twee middelbare scholieren uit een rijke buurt in Houston op 14 januari 1995 samen zelfmoord hadden gepleegd. Een van hen, een dertienjarig meisje, had een afscheidsbrief geschreven – te lezen op de website. In stijve letters had ze op beangstigend lieflijk briefpapier (roze, regenbogen) geschreven: 'Hierbij maken we in naam van de Nachtwakers een eind aan ons bestaan om onze ouders te laten zien dat er bloed aan hun geld kleeft. Dood aan alle criminele oliemagnaten.'

De maker van de site (als je 'Over Randy' aanklikte kreeg je een spichtig uitgevoerde, langharige mammoet van onbestemde leeftijd te zien, met een serieuze, rode mond die dichtgeritst over zijn gezicht lag) beklaagde zich erover dat het 'erfgoed' van de Nachtwakers op dergelijke wijze werd misbruikt, want 'nergens in hun manifest staat dat je jezelf van kant moet maken als je rijk bent. Het zijn strijders tegen kapitalistisch wangedrag, geen geschifte leden van de Manson-familie.' 'Dood aan alle schoften' stond met bloed geschreven op de voordeur van Cielo Drive (zie *Merel zingt in het holst van de nacht: het leven van Charles Milles Manson*, Ivys, 1985, blz. 226).

Volgens de meeste bronnen had Randy gelijk; nergens in het manifest van *Nächtlich* werd opgeroepen om onder wat voor omstandigheden ook zelfmoord te plegen. Sterker nog: er wás helemaal geen geschreven manifest van de groepering, geen vlugschriften, brochures, geluidsfragmenten of heftig geformuleerde intentieverklaringen over hun bedoelingen (een keuze die Pap buitengewoon sluw vond: 'Als rebellen nooit laten weten wie ze zijn, weten hun vijanden nooit zeker tegen wie ze vechten'). Het enige bewijs op papier van het bestaan van de groepering was een enkel blocnotevelletje dat van George Gracey zou zijn, gedateerd 9 juli 1971, de datum waarop de Nachtwakers het levenslicht zagen – althans in de ogen van de natie, de politie en de FBI. (Het was geen met blijdschap ontvangen geboorte; het establishment had zijn handen al vol aan de Weather Underground, de Zwarte Panters, Studenten voor een Democratische Samenleving en nog een stel 'hallucinerende hippiekwakzalvers', zoals Pap ze noemde.)

Op die dag in 1971 had in Meade, West Virginia, een politieagent het blocnotevelletje gevonden. Het zat op een telefoonpaal geplakt die drie meter van de plek stond waar de witte Cadillac Fleetwood 75 van senator Michael McCullough in een rijke woonwijk die bekendstond als Marlowe Gardens, was geëxplodeerd. (Senator Michael McCullough was ingestapt en direct gedood door de ontploffing.)

Het enige manifest van de Nachtwakers was te lezen op www.mindfucks. net/gg (en Gracey was geen spellingwonder geweest): 'vandaag sterft een gewetenloos en bezeterig man', – het was waar, in elk geval in letterlijke zin; McCullough had klaarblijkelijk honderdvijftig kilo gewogen en hij leed aan scoliose – 'een man die rijk wordt door het lijden van vrouwen en kinderen, een hebzuchtig mens. En dus zullen ik en mijn vele medestanders de Nachtwakers vormen, die dit land en de wereld zullen verlossen van de kapitalistische hebberigheid die het leven minacht, de democrasie ondermijnt, de mensen blinddoekt waardoor ze in duisternis moeten leven.'

Pap en Herbert Littleton trachtten de oogmerken van de Nachtwakers te doorgronden die vielen op te maken uit de aanslag in 1971 en het daaropvolgende opblazen van een kantoorgebouw in het centrum van Houston op 29 oktober 1973. Volgens Littleton was senator McCullough het slachtoffer van een aanslag geworden vanwege zijn betrokkenheid bij een gifschandaal in 1966. Shohawk Industries, een fabriek waar textiel werd vervaardigd, had meer dan zeventig ton giftig afval illegaal in de Pooley-rivier in West Virginia gestort, en tegen 1965 viel er een aanzienlijke stijging van het aantal kankergevallen onder het armere deel van de bevolking van de kleine, verpauperde mijnstadjes Beudde en Morrisville te constateren. Toen het schandaal aan het licht kwam had de toenmalige gouverneur McCulllough uiting gegeven aan zijn woede en ontsteltenis, en dankzij zijn geruchtmakende en dappere mandaat om de rivier ongeacht het prijskaartje (wat het de belastingbetaler zou gaan kosten) schoon te maken, had hij in het daaropvolgende verkiezingsjaar een zetel in de Senaat veroverd (zie 'Gouverneur McCullough bezoekt vijfjarig leukemiepatiëntje', *Anatomie*, Littleton, blz. 193).

Maar in 1989 onthulde Littleton dat McCullough niet alleen op de hoogte was geweest van de lozingen en de gevolgen voor de stroomafwaarts gelegen plaatsen, maar ook dat hij riant beloond was voor zijn zwijgen, met een bedrag dat werd geschat tussen de 500.000 en 750.000 dollar.

De aanslag van 1973 in Houston illustreerde volgens Pap de vastberadenheid van de Nachtwakers om een oorlog te beginnen tegen 'de kapitalistische hebzucht en uitbuiting in de wereld'. Het doel was niet langer een enkel iemand, maar het hoofdkantoor van Oxico Oil & Gas (OOG). George Gracey, die zich voordeed als onderhoudstechnicus, had een explosief op basis van ammoniumnitraat en huisbrandolie op de verdieping van de directie verborgen; op beelden van een beveiligingscamera was te zien hoe hij 's ochtends vroeg het gebouw uit was gehinkt, in het gezelschap van twee anderen die bivakmaskers droegen onder hun conciërgepetten – een ervan was vermoedelijk een vrouw. Bij de explosie kwamen drie directieleden om het leven, onder wie de reeds lang in functie zijnde directeur en bestuursvoorzitter Carlton Ward.

Volgens Littleton was de aanslag het gevolg van het fiat dat Ward in 1971 had verleend aan een geheim kostenbesparingsproject voor het raffinageproces van Oxico in Zuid-Amerika. Het voorstel behelsde dat Oxico zou ophouden met het verwerken van de reststoffen van de olieproductie in de raffinaderijen van Equador, wat lekkages en zware vervuiling van het milieu tot gevolg zou hebben, maar wel een besparing van drie dollar per vat opleverde – een daad 'die illustratief was voor de schandelijke onverschilligheid over het verlies van mensenlevens ten gunste van de winstmarges'. In 1972 werd de drinkwatervoorziening van 30.000 mannen, vrouwen en kinderen welbewust vergiftigd met afvalwater van het boorproces; en in 1989 werden vijf inheemse stammen niet alleen geconfronteerd met een enorme stijging van het aantal kankergevallen en ernstige geboorteafwijkingen, maar werden ze ook met uitsterven bedreigd (zie 'Meisje zonder benen', *Anatomie*, Littleton, blz. 211).

De aanslag in Houston markeerde een ommezwaai in de tactiek van de Nachtwakers. Volgens Pap 'eindigde toen de realiteit van de drammerige radicalen en begon de legende'. De moord op de leiding van Oxico had een ontmoedigend effect op de sekte; die leidde niet tot aanpassingen aan het raffinagebeleid in Zuid-Amerika, maar alleen tot scherpere beveiliging van de gebouwen; onderhoudstechnici moesten zich onderwerpen aan steeds grondiger antecedentenonderzoek, velen van hen verloren hun baan; en bij de explosie was ook een onschuldige secretaresse, een moeder van vier kinderen omgekomen. Gracey moest ondergronds gaan. De voorlaatste keer dat hij werd gesignaleerd was in november 1973, een maand na de bomaanslag in Houston; hij werd gezien in het gezelschap van een 'onbekend donkerharig meisje van tussen de dertien en veertien jaar oud, in Berkley in Californië, in een cafetaria in de buurt van de universiteit'.

Als de Nachtwakers ooit zichtbaar aanwezig waren geweest – al was het alleen maar door hun gebruik van explosieven –, in januari 1974 besloten Gracey en de twintig tot vijfentwintig andere leden om hun acties geheel onzichtbaar uit te voeren, volgens Pap 'zonder toeters en bellen'. De meeste revolutionairen (zelfs Che) zouden zo'n strategie onverstandig en zelfondermijnend vinden – 'Wat is een burgeroorlog als die niet openlijk wordt uitgevochten, oorverdovend en kleurrijk, zodat de massa's aangemoedigd worden om de wapens op te nemen?' betoogt Lou Swann, Paps naïeve collega aan Harvard, de schrijver van het positief ontvangen *IJzeren handen* (1999); 'Die titel heeft hij voor mijn neus weggekaapt,' schreef Pap bitter – maar het was in feite een strategische zet die volgens Pap slim en zeer geraffineerd was. In zijn artikelen over rebellie voert Pap aan: 'Als vrijheidsstrijders worden gedwongen om geweld te gebruiken, moeten ze dat in stilte doen om op de lange termijn effectief te kunnen zijn' (zie 'Angst in Kaapstad', Van Meer, *Federal Forum*, jaargang 19, nummer 13). (Dit was niet Paps eigen idee; hij had het gepikt van *La Grimace* (Anonyme, 1824).)

De daaropvolgende drie jaar gingen de Nachtwakers inderdaad zo te werk; ze herstructureerden, trainden en rekruteerden in stilte. 'Het aantal leden verdrievoudigde niet alleen in Amerika, maar overal,' meldde een Nederlandse theoreticus die een website met de naam 'De Echte Waarheid' beheerde. Naar alle waarschijnlijkheid vormden ze een complex web, een mysterieus netwerk met Gracey in het midden, omringd door andere 'denkers', zoals ze werden genoemd, en hieromheen, aan de buitenkant van dit labyrint, zaten talloze ondergeschikte leden – waarvan het overgrote deel Gracey of elkaar zelfs nooit ontmoette.

'Niemand weet wat de meeste leden van plan waren,' schreef Randy op www.goodrebels.net.

Ik had wel zo mijn vermoedens. Charlie Quick in *Krijgsgevangenen: waarom in Zuid-Amerika de democratie niet beklijft* (1971) (een regelmatig voorkomende titel in de syllabus van Pap) had het over een noodzakelijke 'draagtijd', een periode waarin het zijn voordelen had als een potentiële vrijheidsstrijder niets deed behalve 'zoveel mogelijk over zijn vijand te weten komen – inclusief wat hij at bij het ontbijt, welke aftershave hij gebruikte, het aantal haren op zijn linker grote teen'. Misschien was dat de opdracht van de leden: het verzamelen (met de precisie en het geduld van het verzamelen van vlinders, zelfs de zeldzame, schuwe soorten) van persoonlijke informatie over de mensen die Gracey tot hun doelwit had bestempeld. Hannah had blijk gegeven van deze aandacht voor detail toen ze het in Hyacinth Terrace had over de familie Harvey; ze kende het Burgeroorlog-verhaal van zijn huis, Moeraspoort, en bijzonderheden van mensen die ze nooit had ontmoet, waarschijnlijk zelfs nooit had *gezien*. Misschien was Gracey als Gordon Gekko ('Schei uit met informatie naar me toe sturen en begin met het verzamelen ervan') en waren de ondergeschikten allemaal Bud Fox's ('Hij lunchte bij La Cirque met een groep goedgeklede, zwaargebouwde accountants').

(Nadat ik deze speculaties bij mijn aantekeningen had gevoegd las ik verder.)

Tijdens deze periode stapte de groepering ook af van de te in het oog lopende en niet-productieve Groepsbijeenkomsten – in maart 1974 had de politie bijna een inval gedaan tijdens een bijeenkomst in een leegstaande loods in

Braintree, Massachusetts – en werd overgegaan op heimelijkere, beter verborgen 'één op één'-bijeenkomsten. Volgens www.livinoffthegrid.net/gracey begonnen deze bijenkomsten doorgaans 'in een wegrestaurant, chauffeurscafé of lokale kroeg en werden ze voortgezet in een Holiday Inn of een ander goedkoop motel – zodat het er voor een buitenstaander op leek dat het ging om een willekeurig rendez-vous, een stiekeme affaire', die derhalve 'volstrekt onopvallend' was. (Natuurlijk kon ik wel juichen toen ik dit las, maar ik bleef geconcentreerd verder lezen.)

Volgens www.historytheydonttellyou.net/nachtlich deden er begin 1978 geruchten de ronde over een nieuwe, stille aanwezigheid van de Nachtwakers toen bestuursvoorzitter Peter Fitzwilliam van Cottonwell Industries om het leven kwam bij een door kortsluiting veroorzaakte brand op zijn twintig hectare grote landgoed in Connecticut. Fitzwilliam was betrokken geweest bij verboden overnamegesprekken met Sav-mart, de discountwinkelketen. Na zijn dood liepen de onderhandelingen vast en in oktober 1980 moest Cottonwell (wiens producten volgens de mensenrechtenorganisatie Global Humanitarian Watch onder de meest gruwelijke omstandigheden in Indonesië werden geproduceerd) uitstel van betaling aanvragen. Hun aandelen waren geen cent meer waard.

In 1982 stonden de radicalen van Gracey – die nu bewust opereerden onder de naam *Nie Schlafend* (en volgens www.mayhem.ru, ook проснитесь в ноче, Russisch voor 'wakker tijdens de nacht') weer volop in de belangstelling bij talloze linkse tijdschriften en tijdschriften met Complottheorieën (*De Vrije Mens* en eentje met de titel *Hersenspoelen*) toen de vier senior managers die direct verantwoordelijk waren voor de ontwikkeling en verkoop van de Ford Pinto binnen een tijdsbestek van drie maanden om het leven kwamen. Twee van hen stierven aan een plotselinge hartstilstand (een van hen, Howie McFarlin, was een gezondheidsfreak en sportfanaat), een andere overleed door een zelf per ongeluk afgevuurde kogel door het hoofd, en de laatste, Mitchell Cantino, verdronk in zijn eigen zwembad. Bij de lijkschouwing van Cantino werd een alcoholpromillage van 2,5 vastgesteld en in zijn bloed werden sporen van een grote dosis methaqualon aangetroffen, een kalmerend middel dat zijn arts hem had voorgeschreven voor zijn slapeloosheid en angstaanvallen. Hij lag in scheiding met de vrouw met wie hij tweeëntwintig jaar getrouwd was geweest, en zij vertelde de politie dat hij had toegegeven dat hij al een halfjaar een verhouding had met een andere vrouw.

'Hij vertelde dat ze Catherine heette en dat hij hopeloos verliefd op haar was. Ik heb haar nooit gezien, maar ik weet dat ze blond was. Toen ik naar huis ging om een paar spullen op te halen, vond ik blonde haren in mijn kam,' vertelde de ex van Cantino de politie (zie www.angelfire.com/save-ferris8os/pinto).

Volgens de politie was de verdrinking een ongeluk. Er werden geen aanwijzingen gevonden dat Catherine of iemand anders op de avond van Cantino's dood in het huis aanwezig was geweest.

In deze periode, 1983-1987, begon Catherine Baker – of in elk geval haar mythe, gestalte te krijgen. Op talloze sites werd naar haar verwezen als 'de Doodshoofdvlinder', of *Die Motte*, zoals ze op een anarchistische site uit Hamburg werd genoemd (zie www.anarchieeine.de). (Klaarblijkelijk hadden alle leden een bijnaam. Gracey was Nero. Anderen (van wie nooit iemand in verband is gebracht met een bestaand persoon, waardoor er geen enkele overeenstemming over bestaat) heetten Bull's-Eye, Mohave, Socrates en Franklin.) In de verhalen van Pap en Littleton komt de Mot nauwelijks voor; in Littletons stuk wordt ze in een voetnoot genoemd en Pap heeft het alleen tegen het einde even over haar, als hij het heeft over de 'invloed van het vrijheidssprookje, wanneer mannen en vrouwen die strijden tegen het onrecht eigenschappen van filmsterren en striphelden toegewezen krijgen'. Ik kon alleen maar aannemen dat deze omissie voortkwam uit het feit dat Gracey 'echt' was, zijn identiteit was vastgesteld en bewezen – hij was van Turkse komaf, was na een niet nader omschreven ongeval aan zijn heup geopereerd, waardoor zijn linkerbeen iets korter was dan het rechter –, terwijl het leven van Catherine Baker meer haarspeldbochten, achterdeurtjes, vaagheden en doodlopende modderige voetsporen bevatte dan de plot van een film noir.

Sommigen beweerden (www.geocities.com/revolooshonlaydees) dat ze nooit formeel met de Nachtwakers in verband was gebracht, en dat het feit dat de plaats waar George Gracey voor het laatst was gesignaleerd en de plek waar ze haar eigen brute misdrijf had begaan binnen twee uur (en zevenendertig kilometer) van elkaar lagen gewoon toeval was en derhalve een door de FBI te snel getrokken conclusie van 'banden met extremisten'.

Er was met geen enkele zekerheid te zeggen of de blondine die op 19 september 1987 werd gezien in het gezelschap van Gracey op een parkeerterrein van Lord's Drugstore in Ariel, Texas, *dezelfde* vrouw was als degene die door een agent staande werd gehouden op een verlaten zijweg van Highway 18 bij Vallermo. De vierenvijftigjarige agent Baldwin Sullins liet de blauwe Mercury Cougar uit 1968 stoppen en gaf aan de meldkamer door dat het ging om een routinestop vanwege een kapot achterlicht. Toch moet iets ongebruikelijks hem ertoe hebben gebracht om de vrouw te laten uitstappen (volgens www.copkillers.com/cbaker87 had hij gevraagd of hij even in de kofferbak mocht kijken, waarin Gracey lag), en toen ze gekleed in haar blauwe spijkerbroek en zwarte T-shirt was uitgestapt, had ze een RG.22 tevoorschijn gehaald, beter bekend als Saturday Night Special of Junk Gun, en hem twee keer door het hoofd geschoten.

(Ik had gehoopt dat Ada Harvey dit deel van het verhaal had aangedikt; ik had liever een Per Ongeluk Overgehaalde Trekker of een Verschoven Veiligheidspal gehad, maar helaas deed Ada niet aan dergelijke verfraaiingen.)

Agent Sullins had voordat hij uitstapte het kenteken van de Mercury Cougar doorgegeven, en de auto stond op naam van ene Owen Tackle uit Los Ebanos in Texas. Al snel bleek dat Tackle de auto drie maanden eerder had verkocht via Reece's Cars-for-Less in Ariel, en dat een lange blonde vrouw die gebruikmaakte van de naam Catherine Baker de auto de dag ervoor met contant geld had gekocht. Vlak voordat de fatale schoten werden gelost was er een Lincoln Continental voorbijgereden, en op grond van de verklaring van de bestuurder – de drieënvijftigjarige Shirley Lavina – was er een compositietekening van Catherine Baker gemaakt, de enige bekende afbeelding van haar.

(De korrelige compositietekening staat op www.americanoutlaws.net/deathmoth, en Ada Harvey had gelijk: die leek absoluut niet op Hannah Schneider. Sterker nog: het had net zo goed de poedel van Meikever Phyllis Mixer kunnen zijn.)

Er waren nog honderden andere bijzonderheden over *Die Motte* (volgens www.members.aol/smokefilledrooms/moth leek ze op Betty Page, terwijl op www.ironcurtain.net werd beweerd dat sommige mensen haar aanzagen voor Kim Basinger), en door deze details – nog afgezien van de schokkende terugkeer van de 'Lord's Drugstore' (waar Jade volgens Hannah door de politie was aangehouden na haar zogenaamde uitstapje) – was ik even bang dat ik uit puur ongeloof van mijn stokje zou gaan. Maar ik dwong mezelf om door te gaan, met ongekende onverstoorbaarheid en daadkracht, zoals die verzuurde Engelse oude vrijster Mary Kingsley (1862-1900), de eerste vrouwelijke ontdekkingsreiziger, die zonder met haar ogen te knipperen de van krokodillen vergeven Ogooué op was gereisd om kannibalisme en polygamie te bestuderen.

Sommige bronnen hielden vol dat Catherine Baker van Engels-Franse komaf was (zelfs Equadoriaans; volgens www.amigosdaliberdade.br was haar tweelingzusje gestorven aan maagkanker die was veroorzaakt door het door Oxico vervuilde water, wat haar ertoe had gebracht om zich aan te sluiten bij de groepering), maar volgens de hardnekkigste en minst weersproken verhalen ging het om de dertienjarige Catherine Baker die tijdens de zomer van 1973 door haar ouders in New York als vermist was opgegeven. Ze was ook 'bijna zeker' het 'onbekende donkerharige meisje van tussen de dertien en veertien jaar oud' dat in november van datzelfde jaar in het gezelschap van Gracey in Berkley was gezien, een maand na de bomaanslag in Houston.

Volgens www.wherearetheynow.com/felns/cb3 waren de ouders van de verdwenen Catherine Baker astronomisch rijk geweest. Haar vader was een Lariott, een afstammeling van Edwards P. Lariott, de Amerikaanse kapitalist en oliemagnaat die ooit de op een na rijkste man van de Verenigde Staten (en aartsvijand van John D. Rockefeller) was geweest, en haar opstandige karakter en ontgoocheling over het leven thuis en een kinderlijke verliefdheid op Gracey (die ze volgens sommigen tijdens de winter van 1973 op dertienjarige leeftijd in New York had ontmoet) hadden haar ertoe gebracht om te vluchten uit haar leven 'vol kapitalistische privileges en excessen', en nooit meer terug te keren.

Voor mij leek deze exclusieve opvoeding heel wat beter om de ranke schouders van Hannah te passen dan de versie van rechercheur Harper, dat ze een wees was geweest en was grootgebracht in het Horizon House in New Jersey – het verschil tussen een bontstola en een windjack. Als ik Ada Harvey moest geloven (en tot nu toe was er geen aanleiding om dat niet te doen), had Fayonette Harper de vergissing begaan om het leven van Hannah Schneider de Vermiste te onderzoeken, de wees met wier identiteit Catherine Baker aan de haal was gegaan (de jas die ze had aangetrokken en waarmee ze zonder blikken of blozen zonder te betalen de winkel uit was gelopen). Desondanks kon ik de speculaties van Ada helaas niet onomstotelijk tot feit of fictie bestempelen; het zoeken naar 'Hannah Schneider' en 'Vermiste Personen' leverde geen enkele treffer op, iets wat ik in eerste instantie vreemd vond, tot ik me herinnerde wat Hannah die avond bij haar thuis zelf had gezegd: '*Weglopers en wezen, ze worden ontvoerd, vermoord – ze verdwijnen uit de officiële archieven. Ze laten alleen een naam achter en zelfs die wordt uiteindelijk vergeten.*'

Dat was ook gebeurd met degene wier naam ze had aangenomen.

Bij het lezen van de schokkende details van het leven van Catherine Baker (www.greatcommierevolt.net/women/baker zat bijzonder degelijk in elkaar, met een bibliografie en verwijzingen naar andere bronnen) haastten mijn gedachten zich als een boodschappenjongen terug naar dat gesprek met haar, toen ik alleen bij haar thuis was geweest; ik haalde elk woord, elke gezichtsuitdrukking en gebaar weer boven, en toen ik die fragmentarische vracht aan mijn voeten had neergegooid (iets met *nacht*, politieman, Verdwenen), draaide ik me om en rende ik terug om nog meer op te halen.

Volgens Hannah waren de verhalen over de Bluebloods waar geweest, terwijl ze tussen de vele zuchten en sigaretten in werkelijkheid haar eigen verleden had beschreven. Ze had elk van hen een stukje van haar eigen levensverhaal toebedeeld, die met een onzichtbare applicatiesteek op ze vastgenaaid, en opgesierd met een paar onjuiste, barokke details ('prostituee, junk, blackouts') om mij van de wijs te brengen, het moest zo ongelooflijk klinken dat het wel waar moest zijn.

Het was háár vader geweest, niet die van Jade, *'een oliemagnaat, dus het bloed van duizenden mensen kleefde aan zijn handen'*. En zij was degene die van huis was weggelopen, van New York naar San Francisco. Die reis van zes dagen 'had haar leven een nieuwe wending gegeven'. Op haar dertiende was zij en niet Leulah ervandoor gegaan met een Turkse man ('knap en hartstochtelijk' was hij volgens haar geweest). En niet Milton maar zij had ergens in willen geloven, iets waaraan ze zich kon vastgrijpen. Ze was niet bij een 'bende' gegaan, maar 'iets *nachtelijks'* – de Nachtwakers.

Ze had de moord op de agent uit haar eigen verleden geknipt en aan de ouders van Nigel vastgeniet alsof ze papieren popjes aankleedde.

'De beslissende momenten in je leven spelen zich binnen een paar seconden af, volkomen onverwachts,' had ze piekerend gezegd (zó piekerend dat ik had kunnen weten dat ze het alleen maar over zichzelf kon hebben, een van de uitgangspunten voor Paps theorie over het Levensverhaal: 'Een mens bewaart Het Gepeins, De Sombere Blik en de Heathcliff-achtige neerslachtigheid altijd voor zijn eigen verhaal, nooit voor dat van een ander – het narcisme dat uit de westerse cultuur druipt als olie uit een Edsel.')

'Sommige mensen halen de trekker over,' had Hannah gezegd (met een onmiskenbaar sombere gezichtsuitdrukking), *'en alles valt in duigen. Andere mensen lopen hard weg.'*

De vooraanstaande criminoloog Matthew Namode schreef in *Stikken in stilte* (1999) dat individuen die een zeer traumatiserende ervaring meemaken – een kind dat een ouder heeft verloren, een man die één keer een zwaar misdrijf heeft begaan – 'vaak bewust of onbewust geobsedeerd zijn door een enkel woord of beeld dat direct terug te voeren is naar het incident' (blz. 249). 'Ze herhalen het wanneer ze nerveus zijn of tijdens hun slaap, ze krabbelen het gedachteloos op een velletje papier, krassen het op een vensterbank of in het stof op een boekenplank; vaak is het zo'n vaag woord dat een buitenstaander onmogelijk kan weten welk gruwelijk leed eraan ten grondslag ligt' (blz. 250). In het geval van Hannah was het allesbehalve een vaag woord: Leulah had het woord gezien waarmee Hannah onbewust de blocnote naast de telefoon had volgeschreven, maar door de haast waarmee Hannah het weggriste had Leulah het verkeerd gelezen. Er had niet 'Valerio' gestaan, maar 'Vallermo', het plaatsje in Texas waar Hannah iemand had vermoord. (Het was Hannahs Rosebud geweest, haar grootste geheim, terwijl ze had gehoopt dat ze eraan kon ontsnappen en er niet naar hoefde terug te keren.)

En toen – ik was intussen niet meer te stuiten, als ze me op een atletiekbaan hadden neergezet had ik een hele rits records verbrijzeld, bij het hoogspringen zou ik zo hoog zijn gekomen dat de toeschouwers zouden zweren dat ik vleugels had – had ik de waarheid ontdekt achter het kampeerverhaal dat Hannah ons had verteld.

Heupletsel, heupoperatie, 'het ene been korter dan het andere': de man wiens leven ze bij dat kampeeruitje had gered, de man die zijn heup had gebroken, was George Gracey. Hij had zich verborgen gehouden in de Adirondacks. Of misschien had ze dat gedeelte verzonnen; misschien had hij zich ergens langs de Appalachian Trail verborgen gehouden, of zelfs de Great Smokies, net als de Duivelse Drie uit *Ontsnapt* (Pillars, 2004). Misschien was Hannah daardoor zo'n doorgewinterde bergbeklimmer geworden: zij had hem voedsel en andere benodigdheden gebracht, zij had hem in leven gehouden. En nu zat hij op Paxos, een eiland voor de westkust van Griekenland, en dat was het land waar Hannah volgens Eva Brewster aan het begin van elk schooljaar van zei dat ze daar zo graag naartoe wilde, om 'van zichzelf te houden'.

Maar waarom had ze me haar levensverhaal zo versluierd verteld? Waarom had ze in Stockton gewoond en niet in Griekenland met Gracey? En waar hield *Nächtlich* zich tegenwoordig mee bezig, als ze zich al ergens mee bezighielden? (Het oplossen van misdaadvragen was net zoiets als je huis proberen te bevrijden van ongedierte: je helpt er eentje om zeep en er komen er zes voor in de plaats.)

Misschien had Hannah het me verteld omdat ze dacht dat ik als enige van de Bluebloods in staat was om het raadsel van haar leven te doorgronden (Jade en de anderen waren niet systematisch genoeg; zo had Milton de hersens – en ook de lichaamsbouw – van een stamboekstier). '*Over tien jaar – dan komt het moment dat je moet beslissen,*' had Hannah gezegd. Klaarblijkelijk wilde ze dat iemand de waarheid wist, maar niet nu – later, na haar geënsceneerde verdwijning. De avond dat ik bij haar op de stoep had gestaan had ze ongetwijfeld alles over Ada Harvey geweten, en had het haar niet lekker gezeten wat die ellendige en vasthoudende Zuidelijke schone (die koste wat kost de dood van haar pappie wilde wreken) allemaal kon ontdekken en kon doorvertellen aan de FBI: wie Hannah in werkelijkheid was en wat ze had misdaan.

Gracey en zij konden om veiligheidsredenen niet bij elkaar zijn; ze werden nog steeds gezocht, en dus was het van cruciaal belang dat er geen enkel contact was en ze zich niet op hetzelfde continent bevonden. Of hun verhouding was uitgedoofd als een theelichtje; 'De uiterste houdbaarheidsdatum van ware liefde is vijftien jaar,' had drs. Wendy Aldridge geschreven in *De waarheid omtrent Tot de dood ons scheidt* (1999). 'Daarna heb je een flinke dosis conserveermiddel nodig, en die kan je gezondheid schaden.'

De overheersende gedachte erachter was dat *Nächtlich* nog steeds springlevend was. (Littleton steunde deze visie, maar hij had geen bewijzen. Pap was sceptischer.) 'Door hun bezielende wervingsstrategie,' schreef Guillaume op www.hautain.fr, 'hebben ze meer leden dan ooit tevoren. Maar je kunt je niet bij ze aanmelden. Zo blijven ze onzichtbaar. Ze kiezen jóú. Zíj beslissen of je geschikt bent.' In november 2000 had een van de spilfiguren bij een boekhoudschandaal, Mark Lecinque, zich in zijn huis twintig minuten ten noorden van Baton Rouge opgehangen. Aan zijn voeten lag een geladen pistool met een magazijn waarin één kogel ontbrak. Zijn schijnbare zelfmoord zorgde voor een schok, want Lecinque en zijn advocaten hadden bij een televisie-interview een hautaine en onaantastbare indruk gemaakt. Dus algauw deed het gerucht de ronde dat zijn dood een wraakactie van *Les Veilleurs de Nuit* was geweest.

In andere landen was ook sprake van vergelijkbare heimelijke eliminaties van hoge pieten, magnaten, industriëlen en corrupte ambtenaren. De anonieme hoofdredacteur van www.newworldkuomintang.org schreef dat er tussen 1980 en nu meer dan 330 vooraanstaande mensen in 39 landen, waaronder Saudi-Arabië (gezamenlijk waren ze goed voor een vermogen van 400 miljard dollar) door toedoen van de Nachtwakers 'stilletjes en efficiënt uit de weg waren geruimd'. Hoewel het onduidelijk was of de onderworpenen en onderdrukten profijt hadden van dergelijke plotselinge sterfgevallen, zorgde het op z'n minst voor paniek bij bedrijven en zagen ze zich genoodzaakt om intern schoon schip te maken in plaats van zich te richten op de landen en mensen die ze in hun zucht naar winst konden opofferen. Veel medewerkers klaagden over de sterk afnemende productiviteit in de jaren na de dood van de bestuurder of van enkele commissarissen – sommigen hadden het over een 'niet-aflatende bureaucratische nachtmerrie'. Het was nagenoeg onmogelijk om opdrachten uitgevoerd te krijgen of iemand een definitieve beslissing te laten nemen, want voor het kleinste plan moesten managers van een eindeloze hoeveelheid afdelingen akkoord gaan. Sommige websites, vooral in Duitsland, suggereerden dat leden van *Nächtlich* als supervisor werkzaam waren bij deze megaconglomeraten, en dat het hun taak was om de stroperigheid in de besluitvorming in stand te houden met behulp van een enorme papierwinkel, eindeloze controles en administratieve rompslomp. Op die manier gingen er dag in dag uit miljoenen verloren en 'werd het bedrijf van binnenuit uitgehold' (zie www.verschworung.de/firmaalptraume).

Ik wilde graag geloven dat *Nächtlich* nog steeds actief was, want dat hield in dat Hannah bij haar maandelijkse uitstapje naar Cottonwood niet, zoals wij hadden gedacht, mannen had verzameld alsof het blikjes waren die ze wilde recyclen. Nee, het waren van tevoren geplande ontmoetingen geweest, besloten bijeenkomsten die moesten lijken op groezelige affaires, terwijl het in werkelijkheid ging om een platonische uitwisseling van belangrijke informatie. En misschien was het Doc wel geweest, lieve Doc met zijn gezicht als een reliëfkaart en schuifhekbenen, die Hannah op de hoogte had gebracht van de recente activiteiten en het onderzoekswerk van Smoke Harvey en had dat rendez-vous in de eerste week van november Hannah doen besluiten dat hij uit de weg moest worden geruimd. Als ze de schuilplaats van haar vroegere geliefde op Paxos, zijn *sanctum sanctorum*, in stand wilde houden had ze geen keus.

Maar hoe had ze het gedaan?

Over die vraag had Ada Harvey zich vergeefs het hoofd gebroken, maar na het lezen over de andere *Nächtlich*-moorden kon ik die vraag met mijn ogen dicht beantwoorden (en met wat hulp van *Idyllische en onzichtbare intriges* van Connault Helig (1889).)

Als de geruchten klopten maakten de Nachtwakers net als bij hun onzichtbaarheidsstrategie van na januari 1974 gebruik van soortgelijke niet te traceren moordpraktijken. In hun repertoire moest net zoiets als 'De Vliegende Waterjuffer' voorkomen, zoals beschreven in *De geschiedenis van het lynchen in het Amerikaanse Zuiden* (Kittson, 1966). (Volgens mij was Mark Lecinque uit Baton Rouge op die manier vermoord, aangezien zijn dood ook was afgedaan als een geval van zelfmoord.) Ze moesten ook gebruikmaken van een andere, nog waterdichtere methode, een procedure die is beschreven door Connault Helig, de Londense chirurg die door een verbijsterd politiekorps was ingeschakeld om het lichaam van Mary Kelly te onderzoeken, het vijfde en laatste slachtoffer van Leren Voorschoot, beter bekend als Jack the Ripper. De gerenommeerde, maar verlegen arts en wetenschapper beschrijft in hoofdstuk 3 wat hij beschouwt als 'de enige feilloze heimelijke executiemethode ter wereld' (blz. 18).

Feilloos omdat het technisch gesproken geen moord was, maar een uitgekiende reeks fatale omstandigheden. Het plan werd niet door één persoon uitgevoerd, maar door een 'syndicaat van tussen de vijf en dertien gelijkgestemde geesten', die elk op de uitgekozen dag onafhankelijk van elkaar een taak uitvoerden die hun door de centrale planner, 'het brein' (blz. 21) was toegewezen. Los van elkaar waren deze taken legaal, zelfs gewoon, maar samengevoegd in een kort tijdbestek brachten ze een 'volstrekt dodelijke situatie teweeg waarin het aanstaande slachtoffer maar één keus had: sterven' (blz. 22). 'Alle betrokkenen werken alleen,' schrijft hij op blz. 21. 'Hij kent de gezichten, taak en zelfs het uiteindelijke doel van degenen waarmee hij opereert niet. Deze onwetendheid is essentieel, want gebrek aan kennis is zijn grootste deugd. Alleen het brein is van het eerste moment tot de uitvoering op de hoogte van het doel.'

Voor het effectief vaststellen van het 'meest geschikte vergif' voor het 'afmaken' was een uitgebreide kennis van het doen en laten van het slachtoffer noodzakelijk (blz. 23-25). Elke bezitting, zwakte, lichamelijke handicap of bijzondere eigenschap van het ten dode opgeschreven individu kwam in aanmerking: een gekoesterde wapencollectie, de steile trap voor een rijtjeshuis in Belgravia (die op een kille ochtend in februari gevaarlijk glad kan zijn), een algemeen bekende voorliefde voor opium, de vossenjacht op een schichtig paard, het optrekken met zieke zwervers onder krakkemikkige bruggen of de eenvoudigste van allemaal: de door de huisarts voorgeschreven dagelijkse dosis medicijnen – alle middelen die tegen de prooi werden ingezet moesten van hem of haar afkomstig zijn, zodat zelfs 'de meest kundige en doorgewinterde onderzoeker van oordeel zou zijn dat het om een ongeval ging' (blz. 26).

Zo had Hannah het gedaan – of liever: zo hadden zij het gedaan. Ik ging ervan uit dat ze op het gekostumeerde feest niet alleen had gewerkt, maar dat ze hulp had gehad van een paar andere engerds van wie de meesten ook nog heel handig een masker konden dragen – misschien Elvis: Aloha from Hawaii, hij had er achterbaks en verdacht uitgezien; of de astronaut die Nigel en ik tegen de Chinese vrouw in het gorillapak Grieks hadden horen praten. ('Het lidmaatschap beperkte zich niet alleen tot Amerika, maar strekte zich uit over de hele wereld,' meldde Jacobus op www.deechtewaarheid.nl.)

'De hoofdpersoon, die we vanaf dit moment Een zullen noemen, prepareert de dag voor de betreffende dag het gif,' schrijft Helig op blz. 31.

Hannah was Een geweest. Ze had aangepapt met Smoke en uitgezocht wat zijn gif was: zijn medicijnen tegen hoge bloeddruk, Minipress, en zijn lievelingsdrank, Jameson, Bushmills of misschien Tullamore Dew. ('Hij hield wel van een goed glas whiskey, daar zal ik geen doekjes om winden,' had Ada gezegd.) Op www.drugdata.com las ik dat Minipress 'niet samenging met de consumptie van alcohol', het kon leiden tot duizeligheid, desoriëntatie en zelfs bewusteloosheid. Hannah had voor het middel gezorgd, of misschien had ze het al in huis; misschien waren die negentien medicijnflesjes in haar nachtkastje niet voor haar bestemd, maar voor haar moordklusjes. Ze maalde een vastgestelde hoeveelheid fijn (precies even groot als de dagelijkse dosis, zodat de bij de lijkschouwing gevonden dosis bij gebrek aan andere sporen van een misdrijf eenvoudig te verklaren was; de lijkschouwer zou ervan uitgaan dat het slachtoffer het medicijn abusievelijk twee keer had genomen). Ze loste het middel op in een glas drank en gaf het hem bij zijn aankomst op het feest.

'Een,' schrijft Helig op blz. 42, 'is verantwoordelijk voor het op zijn gemak stellen van het slachtoffer en zorgt ervoor dat dat niet alert is. Het kan goed van pas komen als Een extra aantrekkelijk en charmant is.'

Ze waren op de trap langs Nigel en mij gelopen, waren naar haar slaapkamer gegaan om wat te praten en kort daarna had Hannah zich even geëxcuseerd, misschien onder het voorwendsel dat ze nog een drankje voor ze ging halen. Ze had beide glazen meegenomen, had ze in de keuken afgespoeld zodat het enige belastende bewijsmateriaal verdwenen was – en zo 'Het Eerste Bedrijf', zoals Helig het noemde, afgerond. De rest van de avond keerde ze niet meer naar hem terug.

Het Tweede Bedrijf bestond uit de schijnbaar toevallige estafette die 'de persoon met zachte hand naar zijn levenseinde begeleidt' (blz. 51). Hannah moest hebben geweten dat Smoke een olijfgroen Sovjet-legeruniform zou dragen, zodat de betrokkenen niet alleen wisten hoe hij eruitzag, maar ook naar welk kostuum ze moesten uitkijken. Twee, Drie, Vier en Vijf (ik wist niet precies hoeveel het er waren) verschenen op van tevoren vastgestelde locaties, benaderden hem, stelden zich voor, gaven hem nog een drankje en praatten onvermoeibaar door, terwijl ze hem uit de slaapkamer leidden, de trap af, naar het terras, waarbij elk van hen open, onderhoudend en ogenschijnlijk aangeschoten was. Misschien dat een of twee van hen mannen waren, maar het merendeel bestond uit vrouwen. (Ernest Hemingway, die niet veel op had met het schone geslacht, schreef: 'Een jongedame met fraaie ogen en een bekoorlijke glimlach kan een oude man zo ongeveer alles laten doen' (blz. 278, *Dagboeken*, Hemingway, 1947).)

Deze zorgvuldig gechoreografeerde estafette ging zo'n twee uur door, totdat Smoke aan de rand van het zwembad was beland, met een rood en gezwollen gezicht, zijn ogen gefixeerd op de schilden, engelvleugels en rugvinnen om hem heen, zodat hij niet meer oplette waar hij stond. Zijn hoofd zat vol watten. Dat was het moment waarop Zes, die staand in een groepje tegen hem aan botste zodat hij zijn evenwicht verloor, viel en Zeven – Zeven moest een van de ratten zijn geweest die aan het volleyballen waren –, Zeven zorgde ervoor dat Smoke machteloos was, of hield zijn hoofd onder water, waarna het lichaam naar het diepe deel van het zwembad werd geduwd en daar werd achtergelaten.

'En zo sterft het slachtoffer en is het Tweede Bedrijf voltooid, het meest opmerkelijke bedrijf van onze kleine tragedie' (blz.68). Het Derde Bedrijf begint op het moment dat het lichaam wordt ontdekt en eindigt ermee dat alle betrokkenen 'verdwijnen als de verwelkte bladeren van een dode bloem' (blz. 98).

Nadat ik dit laatste bij mijn aantekeningen (die intussen twaalf A4'tjes vulden) had gevoegd, wreef ik in mijn ogen, gooide mijn pen neer en drukte mijn hoofd tegen de rugleuning van Paps bureaustoel. Het huis was stil. De duisternis kleefde als een flinterdunne nachtjapon tegen de ruit van het eenzame raam bij het plafond. De met hout betimmerde wand waar de zes vlinderkasten van mijn moeder hadden gehangen, staarde me uitdrukkingloos aan.

De herinneringen aan Smoke Harvey tijdens zijn gang over het gekostumeerde feest en zijn Lange Reis naar de Dood wierpen een smet op de verborgen strijd tegen hebzucht.

Dat was de ellende met een nobel streven, het goedkope speeltje bij hun Happy Meal; er kwam onvermijdelijk een moment waarop ze niet meer te onderscheiden waren van hun vijand, een moment waarop ze zelf datgene werden waartegen ze vochten. Vrijheid, Democratie – de ronkende woorden die de mensen met hun vuist in de lucht uitriepen (of met een sullige blik fluisterden) – waren beeldschone postorderbruidjes uit een ver land, en hoe lang je ook wilde dat ze bleven, als je echt goed naar ze keek (als je je niet langer zweverig voelde in hun nabijheid), zag je dat ze nooit écht in jouw wereld thuishoorden; ze kenden nauwelijks de taal of de gebruiken. De overgang van theorie naar praktijk verliep slordig, hooguit zwak.

'Net zoals een imponerend personage in een boek nooit intelligenter mag zijn dan de onbeduidende schrijver,' had Pap geschreven in zijn verhandeling

Zwitserland, het ingesloten land: ze zijn alleen maar aardig en neutraal omdat ze klein zijn en geen macht hebben, 'mag geen enkele regering groter zijn dan zijn regeerders. En vooropgesteld dat we op korte termijn niet worden aangevallen door Kleine Groene Mannetjes – hoewel dat niet eens zo heel erg zou zijn, als ik de *New York Times* mag geloven –, zullen deze regeerders nooit meer dan gewone stervelingen zijn, mannen en vrouwen, schattige kleine paradoxen, altijd in staat tot verrassend mededogen, altijd in staat tot verrassende wreedheid. U zou ervan staan te kijken – communisme, kapitalisme, socialisme, totalitarisme – om welk *isme* het ook gaat, dat doet er niet eens zoveel toe; er is altijd dat wankele evenwicht tussen de menselijke extremen. En zo leiden we ons leven; we maken weloverwogen keuzes over waar we in geloven en houden ons daaraan. Meer zit er niet achter.'

Het was twaalf over negen en Pap was nog steeds niet thuis.

Ik zette zijn computer uit en legde *Federal Forum* en de andere boeken terug op de boekenplank. Ik pakte mijn aantekeningen, deed het licht uit en ging naar mijn kamer. Ik gooide de papieren op mijn bureau, pakte een zwarte trui uit mijn kast en trok hem aan.

Ik wilde nog een keer naar het huis van Hannah. Niet morgen, niet in het harde daglicht waarin alles doodsloeg, belachelijk werd, maar *nu*, nu de waarheid nog niet was weggekropen. Ik was nog niet klaar. Ik kon nog niemand vertellen over mijn theorie. Ik moest meer hebben, tastbare bewijzen, feiten, papieren, brieven – Minipress in een van die negentien medicijnflesjes bijvoorbeeld, een foto waarop Hannah en George Gracey hand in hand stonden, of een artikel uit de *Vallermo Daily*, 'Agent doodgeschoten, vrouw Gevlucht', van 20 september 1987 –, iets, ongeacht wat, wat Hannah Schneider onlosmakelijk verbond aan Catherine Baker, aan Smoke Harvey, aan de Nachtwakers. *Ik* geloofde het allemaal, natuurlijk. Ik wíst dat Hannah Schneider Catherine Baker was geweest, net zoals ik zeker wist dat een schildpad vijfhonderd kilo zwaar kon worden (zie Lederschildpad, *Encyclopedie der levende wezens*, vierde druk). Ik was met haar in haar woonkamer en op die berg geweest, ik had minutieus de door haar uitgestrooide kruimels van haar Levensverhaal bijeengeraapt. Ik had geweten dat ze een schaduwkant had waarin iets prachtigs en uitzonderlijks huisde, en nu was het er eindelijk, kwam het eindelijk uit de schemering tevoorschijn.

Maar wie zou me geloven? Mijn overtuigingskracht was de laatste tijd bedroevend laag. (Ik zou een waardeloze missionaris zijn.) De Bluebloods dachten dat ik Hannah had vermoord, rechercheur Harper dacht dat ik getraumatiseerd was door de gebeurtenis en Pap leek doodsbang dat ik langzaam gek aan het worden was. Nee, de rest van de wereld, inclusief Pap, had bewijzen nodig om ergens in te geloven (net zo'n crisis als waarmee de katholieke kerk met zijn snel slinkende aanhang werd geconfronteerd), en níét het soort bewijzen die als een vage schaduw de deur uit glipten, een kuchje op de trap, de snel vervliegende geur van parfum, maar bewijzen als een zwaargebouwde Russische schooljuffrouw die in een zee van licht staat (en weigert te wijken): drie onderkinnen, woest grijs haar (nauwelijks in toom gehouden door haarspelden), een enorme oranje rok (waaronder een volwassen orang-oetan zich moeiteloos kon schuilhouden) en een knijpbrilletje.

Ik moest en zou het bewijs vinden.

Maar toen ik mijn schoenveters had dichtgeknoopt, hoorde ik de Volvo de oprit op rijden – een streep door de rekening. Pap zou me op dit tijdstip nooit naar het huis van Hannah laten gaan, en tegen de tijd dat ik alles had uitgelegd, tegen de tijd dat ik al zijn koppige, hardnekkige vragen had gepareerd (om Pap van iets nieuws te overtuigen moest je toegerust zijn als God in Genesis), zou de zon hoog aan de hemel staan en zou ik me voelen alsof ik net de aanval van een reuzenoctopus had afgeslagen. (Ik moet ook toegeven dat ik toch bang was, hoewel ik dacht dat ik voldoende bewijzen had dat, in tegenstelling tot de Constante van Boltzmann, het getal van Avogadro, de Kwantumveldtheorie en Kosmische Inflatie, mijn wankele premisse binnen vierentwintig uur uit elkaar kon vallen. Ik moest in actie komen.)

Ik hoorde Pap de voordeur binnenkomen en zijn sleutels op tafel gooien. Hij neuriede – volgens mij was het 'I Got Rhythm'.

'Lieverd?'

Mijn ogen schoten koortsachtig door de kamer. Ik rende naar een raam, trok het schuifje los en schoof het geheel met al mijn kracht omhoog (het was sinds de regering-Carter niet meer open geweest), en opende daarna het roestige luik. Ik stak mijn hoofd naar buiten en keek omlaag. In tegenstelling tot in een klef familiedrama op televisie stond er geen eik met ladderachtige takken, geen lattenwerk, geen plantenrek of handig geplaatst hekwerk – alleen een twee etages hoge diepte, een smalle richel boven de erker in de eetkamer en een paar iele klimopranken die als haren op een trui krampachtig houvast zochten.

Pap luisterde de boodschappen op het antwoordapparaat af, die van hemzelf over het etentje met Arnie Sanderson, daarna die van Arnold Schmidt van de *New Seattle Journal for Foreign Policy*, die slissend de laatste vier cijfers van zijn telefoonnummer mompelde.

'Ben je boven, lieverd? Ik heb wat te eten meegenomen uit het restaurant.'

Ik deed snel mijn rugzak om, zwaaide een been uit het raam en daarna het andere, onhandig balancerend op mijn ellebogen. Ik bleef even hangen en keek naar de struiken een heel eind onder me, in het besef dat dit heel goed mijn dood kon worden, of dat ik in elk geval mijn armen of benen kon breken, misschien zelfs mijn rug, waarna ik de rest van mijn leven verlamd zou blijven – en hoe zou ik dán misdaden moeten oplossen, welke Grote Levensvragen zou ik dan nog kunnen beantwoorden? Het was zo'n moment waarop je je diende af te vragen of het het allemaal wel waard was, en dus deed ik dat ook: ik dacht aan Hannah en Catherine Baker, en aan George Gracey. Ik stelde me Gracey voor op Paxos, gebruind, met een margarita in zijn hand bij een reusachtig zwembad, in de verte de jadekleurige zee, met een stel slanke meiden als selderiestengels op een dipschaaltje om hem heen gedrapeerd. Wat leken Jade en Milton ver weg, net als St. Gallway en zelfs Hannah zelf – haar gezicht vervaagde al als een reeks jaartallen die ik voor een geschiedenistoets in mijn hoofd had gestampt. Wat voel je je eenzaam en belachelijk als je uit een raam bungelt. Ik haalde diep adem, deed mijn ogen open – ik was niet het type dat zijn ogen sloot, niet meer. Als dit het laatste moment was voor mijn totale verlamming, voordat alles overhoop werd gegooid, dan wilde ik het zien: de uitgestrekte duisternis, het bevende gras, het licht van de koplampen van langsrijdende auto's dat door de takken sneed.

Ik liet los.

'Good Country People'

Het stukje dak dat als een pony stijf van de haarlak boven de erker van de eetkamer uitstak brak mijn val, en hoewel mijn hele linkerzij geschaafd was door de muur van het huis en de rododendrons waarin ik terecht was gekomen, kon ik redelijk ongehavend opstaan en mezelf afkloppen. Nu had ik natuurlijk een auto nodig (als ik door de voordeur naar binnen zou sluipen om de sleutels van de Volvo te pakken liep ik het risico dat ik Pap tegen het lijf zou lopen) en de enige plek die me te binnen schoot, de enige die me zou kunnen helpen, was Larson van het tankstation.

Drie kwartier later liep ik de Food Mart binnen.

'Kijk eens wie er is opgestaan uit de dood,' klonk het via de intercom. 'Ik dacht al dat je een auto had gekocht. Dat je me niet meer aardig vond.'

Hij sloeg zijn armen over elkaar en knipoogde naar me vanachter het kogelvrije glas. Hij droeg een zwart T-shirt met afgeknipte mouwen waarop CAT! CAT! stond. Naast het rek met batterijen zat zijn nieuwe vriendin, een mager blondje, in een kort rood jurkje chips te eten.

'*Señorita*,' zei hij. 'Ik heb je gemist.'

Ik liep naar hem toe.

'Wat is er aan de hand? Waar was je al die tijd? Je breekt mijn *corazón*.'

De magere keek me sceptisch aan en likte het zout van haar vingers.

'Hoe gaat het op school?' vroeg hij.

'Goed,' zei ik.

Hij knikte en hield een boek omhoog, *Spaans leren* (Berlitz, 2000). 'Ik ben ook druk aan het leren. Ik heb iets bedacht om het te maken in de filmwereld. Als je hier blijft, moet je helemaal onderaan beginnen, veel te veel concurrentie. Als je naar het buitenland gaat, ben je een kanjer van een vis in een klein vijvertje. Ik ga naar Venezuela. Ik heb gehoord dat ze daar acteurs nodig hebben.'

'Je moet me helpen,' zei ik gehaast. 'Kan ik je auto nog een keer lenen? Je krijgt hem binnen drie of vier uur terug, dat beloof ik. Het is een noodgeval en...'

'Typisch *chica*. Komt alleen langs als ze iets nodig heeft. Kan niet bij haar paps terecht, want daar heeft ze bonje mee – zeg maar niks. Ik herken de *símbolos*. De tekenen.'

'Het heeft niets met mijn vader te maken. Het gaat om iets op school. Heb je gehoord van die lerares die dood is? Hannah Schneider?'

'Zelfmoord,' zei de magere tussen chipskruimels door.

'Tuurlijk,' zei Larson knikkend. 'Ik moest er al aan denken. Ik vroeg me af hoe het met je paps was. Mannen treuren anders dan vrouwen. Voordat hij met de noorderzon vertrok had mijn vader iets met Tina die bij Hair Fantasy werkte, nog geen week nadat mijn stiefmoeder aan een hersentumor was gestorven ging hij al met haar uit. Ik kon hem wel wurgen. Maar volgens hem verwerkten mensen hun verdriet op verschillende manieren, meer niet. Je moet het rouwproces nemen zoals het is. Dus je kunt het je vader niet kwalijk nemen als hij straks weer met iemand thuiskomt. Ik weet gewoon dat het hem raakt. Ik krijg hier heel wat mensen over de vloer, van allerlei slag, en ik pik ware liefde er net zo makkelijk uit als ik er een acteur uit pik die het niet in zich heeft, die alleen zijn tekst voorleest.'

'Over wie heb je het?'

Hij lachte. 'Je vader.'

'Mijn vader.'

'Hij zal er behoorlijk kapot van zijn.'

Ik staarde hem aan. 'Hoezo'

'Nou, als je vriendin opeens dood is...'

'Zijn *vriendin*?'

'Tuurlijk.'

'Hannah Schneider?'

Hij keek me aan.

'Maar ze kenden elkaar nauwelijks.' Zo gauw als ik het had gezegd, klonk het zinnetje heel erg broos. Het verschrompelde en viel uit elkaar als een nat geworden papieren wikkel van een rietje.

Larson zweeg. Hij keek onzeker, hij voelde dat hij het verkeerde trappenhuis binnen was gestapt, maar hij kon niet beslissen of hij moest doorlopen of teruggaan.

'Waarom dacht je dat ze samen iets hadden?' vroeg ik.

'Door de manier waarop ze naar elkaar keken,' zei hij na een ogenblik. Hij leunde naar voren, zodat zijn voorhoofd vol zomersproeten vlak bij het glas kwam. 'Ze kwam hier een keer naar binnen terwijl hij in de auto zat te wachten. Ze lachte naar me. Kocht maagpastilles. Een andere keer betaalden ze de benzine met een creditcard. Zonder uit te stappen. Maar ik zag haar wel. En een tijdje daarna stond haar foto in de krant. Ze was knap, zo'n gezicht vergeet je niet.'

'Weet je het zeker? Was het geen kleine vrouw met geeloranje haar?'

'Die heb ik ook wel gezien. Met die geschifte blik in haar blauwe ogen. Nee. Zij stond in de krant. Donker haar. Zag eruit alsof ze niet van hier was.'

'Hoe vaak heb je ze gezien?'

'Twee, misschien drie keer.'

'Ik kan niet... ik moet...' Mijn stem klonk bang, ik zocht naar woorden.

'Neem me niet kwalijk,' wist ik uit te brengen. En op dat moment werd de toch al niet erg aantrekkelijke omgeving van het tankstation nog onaantrekkelijker. Ik draaide me om omdat ik Larson niet meer kon aankijken, alles om me heen zag er vlekkerig en onscherp uit (of anders was er iets grondig mis met de gravitatievelden). Bij het omdraaien maaide ik met mijn linkerarm het rek met wenskaarten omver en daarna botste ik tegen de Magere aan, die was opgestaan om een beker gloeiend hete koffie ter grootte van een flinke baby te pakken. De koffie spatte over ons heen (de Magere riep dat haar benen waren verbrand), maar ik hield niet in om mijn excuses aan te bieden; ik zwalkte verder, mijn voet kwam tegen het rek met brillenkettingen en luchtverfrissers, de deur ging open en eindelijk voelde ik de avondlucht op mijn gezicht. Misschien riep Larson me iets achterna, 'Bereid je maar voor op de waarheid', met zijn kettingzaagaccent – maar misschien waren het wel de piepende remmen van de auto's die me al claxonnerend probeerden te ontwijken, of het waren mijn eigen woorden die door mijn hoofd tolden.

Der Prozess

P ap was in de bibliotheek.

      Hij was niet verbaasd om me te zien – maar eigenlijk was Pap nooit verbaasd, hooguit die ene keer dat hij vooroverboog om de chocoladebruine poedel van Meikever Phyllis Mixer te aaien en het mormel omhoogsprong om hem in zijn gezicht te bijten en hem ternauwernood miste.

Ik staarde hem vanuit de deuropening aan, niet in staat om iets te zeggen. Hij stopte zijn leesbril in zijn brillenkoker met het air van een vrouw die met parels speelt.

'Ik neem aan dat je niet naar *Gejaagd door de wind* hebt gekeken,' zei hij.

'Hoe lang heb je een verhouding met Hannah Schneider gehad?' vroeg ik.

'Een verhouding?' Hij fronste.

'Lieg maar niet. Je bent samen met haar gezien.' Ik wilde nog meer zeggen, maar mijn stem weigerde dienst.

'Liefje?' Hij boog een stukje naar voren in zijn stoel, alsof hij me beter wilde kunnen zien, alsof ik een interessant principe uit de Conflictbeheersing was die op het bord uitgeschreven stond.

'Ik walg van je,' zei ik met trillende stem.

'Pardon?'

'*Ik walg van je!*'

'Grote genade,' zei hij glimlachend. 'Dat is een onverwachte wending. Nogal belachelijk.'

'*Ik ben niet belachelijk! Jij bent belachelijk!*' Ik draaide me om, graaide een willekeurig boek uit de boekenkast achter me en gooide het in zijn richting, hard. Hij weerde het af met zijn arm. Het was *Portret van de kunstenaar als jongeman* (Joyce, 1916) en het viel opengeslagen aan zijn voeten op de grond. Ik pakte meteen een ander boek, *Inaugurele toespraken van de presidenten van de Verenigde Staten* (uitgave Bicentennial, 1989).

Pap staarde me aan. 'Beheers je in godsnaam een beetje, zeg.'

'Je bent een leugenaar! Een monster!' schreeuwde ik al gooiend. *'Ik walg van je!'*

Hij wist ook dat boek af te weren. 'Het gebruik van het zinnetje, "*ik walg van je*",' zei hij bedaard, 'is niet alleen onjuist, maar ook...'

Ik gooide *Twee steden* (Dickens, 1859) naar zijn hoofd. Hij ontweek het, dus graaide ik meer boeken bij elkaar, zoveel als ik kon vasthouden, als een dolgedraaide, uitgehongerde vrouw die in een cafetaria zoveel mogelijk eten bij elkaar probeert te graaien.

The Strenuous Life (Roosevelt, 1900), *Grasbladen* (Whitman, 1891), *Neerslag uit het paradijs* (Fitzgerald, 1920), een buitengewoon zware, groene, gebonden uitgave – *A Description of Elizabethan England* (Harrison, 1577), geloof ik. Een spervuur van boeken vloog in zijn richting. Hij wist de meeste te ontwijken, alleen *Elizabethan England* raakte zijn rechterknie.

'Je bent een gestoorde leugenaar! Een onmens!'

Ik gooide *Lolita* (Nabokov, 1955).

'Ik hoop dat je een langzame en pijnlijke dood sterft.'

Pap weerde de boeken af met zijn armen en soms zijn benen, maar hij stond niet op en probeerde niet om me tegen te houden. Hij bleef in zijn leesstoel zitten.

'Beheers je een beetje,' zei hij. 'Doe niet zo vreselijk dramatisch. Het is geen miniserie op AB...'

Ik slingerde *De kern van de zaak* (Greene, 1948) in de richting van zijn buik, en *Common Sense* (Paine, 1776) naar zijn gezicht.

'Vind je dit nodig?'

Ik gooide *Four Texts on Socrates* (West, 1998). Ik pakte *Het paradijs verloren* (Milton, 1667).

'Dat is een zeldzame uitgave,' zei Pap.

'Dan hoop ik dat deze je dood wordt!'

Pap zuchtte en beschermde zijn gezicht. Hij ving het boek met zijn handen, sloeg het dicht en legde het netjes op het bijzettafeltje. Onmiddellijk gaf ik *Rip van Winkle & the Legend of Sleepy Hollow* (Irving, 1819) een slinger en trof hem in zijn zij.

'Als je even kalmeert en je gedraagt als een weldenkend mens, ben ik wellicht bereid om je te vertellen hoe ik de uiterst onevenwichtige juffrouw Schneider heb leren kennen.'

Vertoog over de ongelijkheid (Rousseau, 1754) raakte zijn linkerschouder.

'Blue, alsjeblieft. Kom tot bedaren. Dit is erger voor jou dan voor mij. Moet je jezelf zien...'

Een *Ulysses* (Joyce, 1922) in groot font, achterwaarts gegooid na *The King James Bible* als afleidingsmanoeuvre, was te snel voor zijn duik opzij en raakte hem tegen de zijkant van zijn gezicht, dicht bij zijn linkeroog. Hij voelde waar de rug van het boek hem had geraakt en bekeek zijn hand.

'Ben je er klaar mee je vader te bestoken met de westerse literaire geschiedenis?'

'Waarom heb je gelogen?' Mijn stem was schor. 'Waarom moet je elke keer weer tegen me liegen?'

'Ga zitten.' Hij bewoog in mijn richting maar ik zette me schrap door een gehavende *How the Other Half Lives* (Riis, 1890) naar zijn hoofd te gooien. 'Als je wat rustiger wordt, bespaar je jezelf de ellende van een hysterische aanval.' Hij pakte het boek uit mijn hand. Het zachte plekje onder zijn oog – ik weet niet hoe het heet – bloedde. Ik zag een kraaltje bloed glinsteren. 'Rustig aan...'

'Niet van onderwerp veranderen,' zei ik.

Hij ging terug naar zijn stoel.

'Zul je nou redelijk zijn?'

'Jij moet redelijk zijn,' riep ik, maar niet meer zo hard als eerst omdat mijn keel zeer deed.

'Ik begrijp wat je op dit moment denkt...'

'Elke keer als ik ergens heen ga, hoor ik weer iets van anderen. Dingen die jij me niet hebt verteld.'

Pap knikte. 'Ik begrijp het volkomen. Bij wie was je vanavond?'

'Ik onthul mijn bronnen niet.'

Hij zuchtte en vormde met zijn handen een volmaakte torenspits. 'Het is heel simpel. Die keer dat ze jou thuisbracht stelde jij ons weer aan elkaar voor. Dat was ergens in oktober, toch? Weet je nog?'

Ik knikte.

'Kort daarna belde ze me. Ze zei dat ze zich zorgen over jou maakte. Zoals je weet ging het toen niet al te best tussen jou en mij, dus was ik bezorgd en zei ik ja toen ze me uitnodigde voor een etentje. Ze koos een nogal overdreven chic restaurant, Hyacinth nog wat, en tijdens het zevengangendiner stelde ze dat het een buitengewoon goed idee zou zijn als jij naar een kinderpsycholoog zou gaan om wat onverwerkte dingen rond je overleden moeder te kunnen afsluiten. Ik was natuurlijk hels. Waar haalde het mens het lef vandaan? Maar toen ik thuiskwam en jou zag – je haar in de kleur van veldspaat – begon ik me af te vragen of ze misschien gelijk had. Ja, het was een idiote, zelfs *beledigende* gedachte, maar het was iets waar ik wel constant mee bezig was: hoe ik jou zonder moeder moest opvoeden. Je zou kunnen zeggen dat het mijn achilleshiel was. Dus ben ik nog twee keer met haar uit eten gegaan om te bespreken wat de mogelijkheden waren als jij naar iemand toe ging. Maar op het laatst kwam ik tot de conclusie dat niet jij hulp nodig had, maar zíj. En snel ook.' Pap zuchtte. 'Ik weet dat je haar graag mocht, maar ze stond niet bepaald stevig in haar schoenen. Daarna belde ze me een paar keer op mijn werk. Ik vertelde dat jij en ik wat dingen hadden uitgepraat en dat het prima ging. En dat accepteerde ze. Kort daarna gingen we naar Parijs. Daarna heb ik niet meer van haar gehoord. Tot ze zelfmoord pleegde. Tragisch, maar ik was niet echt verbaasd.'

'Wanneer heb je haar die Barbaresco Orientals gestuurd?'

'Ik... Die wát?'

'Het is overduidelijk dat je die niet voor Janet Finnsbroke uit het paleozoïcum kocht. Ze waren voor Hannah Schneider.'

Hij staarde me aan. 'Ja. Ik... Ik wilde niet dat je...'

'Je was toen stapelverliefd op haar,' onderbrak ik hem. 'Ontken het maar niet. Zég het gewoon.'

Pap lachte. 'Niet echt.'

'Niemand koopt Barbaresco Orientals voor iemand op wie hij niet verliefd is.'

'Bel het *Guinness Book of Records* dan maar. Dan ben ik de eerste.' Hij schudde zijn hoofd. 'Dat heb ik je verteld: ik had met haar te doen. Na een van de etentjes heb ik haar bloemen gestuurd, nadat ik haar – nogal rechtstreeks – had verteld hoe ik over haar dacht: dat ze zo'n wanhopig geval was dat vergezochte theorieën over anderen bij elkaar fantaseerde, en ongetwijfeld ook over zichzelf – als tijdverdrijf omdat hun eigen leven zo saai is. Zulke mensen vinden zichzelf belangrijker dan ze eigenlijk zijn. Als je zegt wat je denkt – iemand de waarheid vertelt, of jouw versie daarvan –, valt dat nooit in goede aarde. En wordt er iemand gekwetst. Weet je nog wat ik altijd zei over de waarheid, dat die in een lange, zwarte jurk in de hoek staat, voetjes bij elkaar, hoofd gebogen?'

'Het eenzaamste meisje dat erbij is.'

'Precies. In tegenstelling tot wat iedereen denkt wil niemand iets met haar te maken hebben. Ze trekt je alleen meer mee omlaag. Iedereen danst liever met iemand die net iets knapper, net iets gezelliger is. Dus heb ik haar bloemen gestuurd. Ik wist niet eens wat voor bloemen. Ik heb de bloemist gevraagd om iets uit te zoeken...'

'Het waren lelies. Barbaresco Orientals.'

Pap glimlachte. 'Dan weet ik het nu.'

Ik zei niets. Door de plek waar Pap zat, met zijn rug naar de lamp, zag zijn gezicht er oud uit. Getekend. Er liepen lijntjes naar zijn ogen en over zijn gezicht en zijn handen, alsof hij vol kleine scheurtjes zat.

'Dus jij was degene die haar die avond belde,' zei ik.

Hij keek me aan. 'Hè?'

'Die avond dat ik wegliep en naar haar ging. Jij belde haar.'

'Wie?'

'Hannah Schneider. Ik was daar toen ze werd gebeld. Ze zei dat het Jade was, maar dat was niet zo. Jij was het.'

'Ja,' zei hij zachtjes, en hij knikte. 'Dat zou kunnen. Ik heb haar gebeld.'

'Zie je wel? Je hebt een relatie met alles erop en eraan met haar en je...'

'*Waarom denk je dat ik haar belde?*' riep Pap. 'Die halvegare was mijn enige houvast! Van al die andere vage types waarmee je bevriend was wist ik geen naam of telefoonnummer. Toen ze vertelde dat je net bij haar op de stoep stond wilde ik je meteen komen halen, maar zij kwam weer met zo'n halfzacht psychoanalytisch plan, en aangezien ik, zoals we vanavond uitgebreid hebben vastgesteld, nogal een kluns ben als het om mijn dochter gaat, ging ik akkoord. "Laat haar maar even. Ik praat wel met haar. Vrouwen onder elkaar." Godsamme. Als er één concept in de westerse cultuur is waar veel te veel belang aan wordt gehecht, dan is het wel *praten*. Is iedereen die simpele uitdrukking vergeten die ik o zo verhelderend vind: praatjes vullen geen gaatjes?'

'Waarom heb je het niet verteld?'

'Ik denk omdat ik me schaamde.' Pap keek naar de vloer, naar het boekenslagveld. 'En je was druk bezig met je aanvraag voor Harvard. Ik wilde je niet van streek maken.'

'Misschien zou ik niet van streek zijn geweest. Misschien ben ik nu wel meer van streek.'

'Oké, het was geen geweldige beslissing, maar toen leek het me de beste. Hoe dan ook, Hannah Schneider is verleden tijd. Moge ze rusten in vrede. Het schooljaar is bijna voorbij.' Pap zuchtte. 'Het was wel een jaar dat we niet licht zullen vergeten, hè? Stockton is absoluut het meest theatrale plaatsje waar we ooit hebben gewoond. Alle ingrediënten voor een goed verhaal zijn aanwezig. Meer passie dan *Peyton Place*, meer frustratie dan Yoknapatawpha County. En op het gebied van bizarre elementen steekt het Macondo naar de kroon. Er zit seks in, zonde, en dat pijnlijkste ingrediënt van allemaal: jeugdige teleurstelling. Je bent klaar, liefje. Je hebt je ouwe pa niet meer nodig.'

Mijn handen waren koud. Ik liep naar het gele bankstel voor het raam en ging zitten.

'We zijn nog niet klaar met Hannah Schneider,' zei ik. 'Je hebt daar bloed zitten.' Ik wees het hem aan.

'Dus je hebt me geraakt,' zei hij schaapachtig en hij voelde aan zijn gezicht. 'Was het de bijbel of *Een Amerikaanse tragedie?* Dat wil ik wel graag weten, om symbolische redenen.'

'Bij Hannah Schneider is er meer aan de hand.'

'Misschien moet het gehecht worden.'

'In het echt heette ze Catherine Baker. Ze was een voormalig lid van de Nachtwakers. Ze heeft een agent vermoord.'

Mijn woorden sneden als een geest door Pap heen; niet dat ik ooit een geest door iemand heen heb zien snijden, maar alle kleur trok uit zijn gezicht – het vloeide eruit als water uit een emmer. Hij staarde me met een leeg gezicht aan.

'Ik maak geen grapje,' zei ik. 'En als je iets kwijt wilt over je eigen betrokkenheid, rekrutering, moord, of het opblazen van een van je kapitalistische Harvard-collega's, dan zou ik het nu maar doen, want ik kom er toch wel achter. Ik laat me niet weerhouden.' De vastberadenheid in mijn stem verraste Pap, maar mij nog meer; het was net of mijn stem sterker was dan ikzelf. Hij wierp zich op de grond en wees mij de weg.

Paps ogen vernauwden zich. Hij keek alsof hij plotseling geen idee had wie ik was. 'Maar die hebben nooit bestaan,' zei hij langzaam. 'Niet in de afgelopen dertig jaar. Ze zijn een verzinsel.'

'Dat is niet gezegd. Kijk maar op internet.'

'O, internet,' onderbrak Pap. 'De betrouwbaarste bron die er is. Als we die deur openzetten kunnen we ons ook schrap zetten voor de komst van Elvis, levend en wel, pop-ups – ik snap niet waarom je over de Nachtwakers begint. Heb je in mijn oude lezingen zitten spitten, *Federal Forum...?*'

'De oprichter, George Gracey, leeft nog. Hij woont op Paxos. Afgelopen herfst is er een man die Smoke Harvey heette in het zwembad bij Hannah verdronken. Hij had hem opgespoord en...'

'O ja,' knikte Pap, 'ik weet nog dat ze daarover zat te jammeren – nog een reden waarom ze ze niet meer allemaal op een rijtje had.'

'Nee,' zei ik. 'Zij heeft hem vermoord. Omdat hij onderzoek deed voor een boek over Gracey. Hij ging hem ontmaskeren. Hen allemaal. De hele organisatie.'

Pap trok zijn wenkbrauwen op. 'Het is duidelijk dat je niet bepaald stil hebt gezeten. Ga verder.'

Ik aarzelde; Burt Towelson schreef in *Guerrilla Girls* (1986) dat je om de integriteit van een onderzoek te waarborgen heel goed moest opletten met wie je sprak over de angstaanjagende feiten die opdoken; maar als ik Pap niet kon vertrouwen, kon ik niemand vertrouwen. Hij keek me aan zoals hij me al talloze keren had aangekeken, zoals de keren dat we mijn stelling voor een komende scriptie door zaten te nemen: geïnteresseerd, maar de kans was klein dat ik hem perplex deed staan. Dus leek het onvermijdelijk dat ik mijn theorie voor hem moest ontvouwen, mijn Grote Complottheorie. Ik begon met hoe Hannah haar eigen aftocht had georganiseerd vanwege wat Ada Harvey wist, hoe ze me *L'Avventura* had toegespeeld, 'de Vliegende Waterjuffer', het gekostumeerde feest, de door Connault Helig beschreven eliminatietechniek die was gebruikt om Smoke Harvey te vermoorden, hoe Hannahs verhaal over de achtergrond van de Bluebloods parallel liep aan het levensverhaal van Catherine Baker, haar interesse voor vermiste personen en tot slot mijn telefoongesprek met Ada Harvey. In het begin keek Pap me aan alsof ik niet goed snik was, maar naarmate mijn betoog vorderde hing hij steeds meer aan mijn lippen. Sterker nog: ik had Pap niet meer zo gefascineerd gezien sinds hij de *New Republic* van juni 1999 in handen had gekregen waarin bij de ingezonden brieven zijn uitvoerige, spottende reactie op een artikel stond onder de titel 'Little Shop of Horrors: de geschiedenis van Afghanistan'.

Toen ik klaar was, rekende ik op een spervuur van vragen, maar hij bleef één, misschien wel twee minuten bedachtzaam zwijgen.

Hij fronste. 'Maar wie heeft die arme juffrouw Schneider vermoord?'

Vanzelfsprekend kwam Pap met die ene vraag waar ik hooguit een rammelend antwoord op had. Ada Harvey dacht dat Hannah zelfmoord had gepleegd, maar aangezien ík die onbekende door het bos had horen lopen, vermoedde ik dat iemand van *Nächtlich* het had gedaan; Hannah was door het vermoorden van die agent een risicofactor geworden en omdat Ada de FBI had gebeld waardoor Hannah gepakt kon worden, liepen Gracey en de hele groepering gevaar. Maar al die dingen wist ik niet zeker, en zoals Pap zei moest je nooit 'als een kapotte vuilniszak met gissingen lopen strooien'.

'Dat weet ik niet zeker,' zei ik.

Hij knikte en zei verder niets.

'Heb je recent nog over *Nächtlich* geschreven?' vroeg ik.

Hij schudde zijn hoofd. 'Nee. Hoezo?'

'Weet je nog hoe we Hannah hebben ontmoet? Ze was in de Fat Kat supermarkt en later verscheen ze weer in de schoenenwinkel.'

'Ja,' zei hij na een korte pauze.

'Ada Harvey vertelde dat haar vader Hannah op dezelfde manier had leren kennen. Ze had de hele ontmoeting gepland. Dus was ik bezorgd dat jij het volgende slachtoffer zou worden, dat je weer iets had geschreven...'

'Liefje,' onderbrak Pap me, 'hoe vleiend ik het ook zou vinden als juffrouw Baker mij als doelwit had uitverkoren – ik ben nog nooit iemands doelwit geweest –, er bestáán geen Nachtwakers, niet meer. Zelfs de meest relaxte politiek theoretici beschouwen ze als een verzinsel. En wat is een verzinsel? Een kussen tussen ons en de wereld. Onze wereld is een wreed harde vloer – *dodelijk* om op te moeten slapen. Bovendien is dit niet het tijdperk van de revolutionairen, maar van de isolationisten. De mens van nu wil zich niet verenigen, maar zich afzonderen van de anderen, ze de grond in trappen, zoveel mogelijk poen bij elkaar graaien. Je weet ook dat de geschiedenis zich herhaalt, en we zijn de eerstkomende tweehonderd jaar nog niet toe aan een nieuwe revolutie, zelfs geen stille. Maar ik herinner me ook een gedegen artikel waarin stond dat Catherine Baker een zigeunerin uit Parijs was, dus hoe spannend het ook lijkt, het is een beetje kort door de bocht om te beweren dat Schneider en Baker dezelfde waren. Kijk naar de rare manier waarop ze jou al die dingen heeft verteld. Hoe weet je dat ze niet gewoon een boek over de mysterieuze Catherine Baker heeft gelezen, zo'n boek dat je in één adem uitleest, en dat ze daarna haar fantasie de vrije loop heeft gelaten? Misschien wilde ze voordat ze zelfmoord pleegde dat je dacht, dat iederéén dacht dat dát haar leven was geweest, een leven vol spanning en hogere doelen: zij als Bonnie, en weet ik veel wie als Clyde. Zo zou ze eeuwig voortleven, *n'est-ce pas?* Ze zou een spannend Levensverhaal achterlaten, niet het saaie redactionele commentaar dat ze in werkelijkheid was. Zulke leugens verzinnen de mensen. En ze zijn geen cent waard.

'Maar de manier waarop ze Smoke leerde kennen dan?'

'Het enige wat we zeker weten is dat ze er genoegen in schiep om mannen op te pikken in een omgeving die te maken had met eten,' zei Pap met stelligheid. 'Ze zocht liefde tussen de diepvriesgroenten.'

Ik staarde hem aan. Hij had inderdaad op een paar minuscule puntjes gelijk. Op www.ironbutterfly.net beweerde de schrijver dat Catherine Baker een Franse zigeunerin was. En uit de affiches met smachtende vrouwen zou je inderdaad kunnen afleiden dat ze graag een wat spannender leven voor zichzelf wilde creëren. Zo had Pap toch een paar flinke gaten in mijn roeibootje met theorieën geprikt en het geheel er beschamend slecht ontworpen en weinig doordacht laten uitzien (zie 'De Lorean DMC-12', *Kapitalistische blunders*, Glover, 1988).

'Dus ik ben gek,' zei ik.

'Dat zeg ik niet,' zei hij scherp. 'Je theorie is inderdaad zeer uitvoerig. Vergezocht? Absoluut. Maar ook opmerkelijk. En behoorlijk spannend. Er gaat niets boven geruchten over stille revolutionairen om het bloed wat sneller te laten stromen.'

'Geloof je me?'

Hij zweeg en keek naar het plafond om dit te overwegen, zoals alleen Pap iets kon overwegen.

'Ja,' zei hij kortweg. 'Ik geloof je.'

'Echt?'

'Natuurlijk. Je weet dat ik een zwak heb voor het vergezochte en het bizarre. Het volstrekt gestoorde. Je moet nog een paar dingen bijschaven...'

'Ik ben niet gek.'

Hij glimlachte. 'Op het argeloze, ongeoefende oor zou je ietwat verward kunnen overkomen. Maar op een Van Meer? Een beetje gewoontjes.'

Ik sprong van de bank en omhelsde hem.

'En nu krijg ik een knuffel? Dus mag ik aannemen dat je me vergeeft dat ik niet heb verteld over mijn ondoordachte ontmoetingen met dat vreemde en onvoorspelbare mens dat we vanwege haar subversieve connecties vanaf nu Zwartbaard zullen noemen?'

Ik knikte.

'Goddank,' zei hij. 'Ik denk niet dat ik nog een Blitzkrieg met boeken had overleefd. Zeker niet met die uitgave van tien kilo van *Wereldberoemde redevoeringen* die nog in de kast staat. Heb je ergens trek in?' Hij streek het haar van mijn voorhoofd. 'Je bent te mager geworden.'

'Dat was vast wat Hannah me op die berg wilde vertellen. Weet je nog?'

'Ja. Hoe ga je je bevindingen wereldkundig maken? Schrijven we samen een boek met als titel *Notenmix: samenzweringen en anti-Amerikaanse dissidenten in ons midden* of *Calamiteitenleer voor gevorderden*? Het moet wel pakkend zijn. Of schrijf je een bestseller waarin alle namen zijn veranderd, met het spreekwoordelijke "gebaseerd op een waargebeurd verhaal" op de eerste bladzij, zodat het beter verkoopt? Dan doet straks het hele land het in zijn broek vanwege al die gestoorde activisten die als leraar op school werken en de geest van hun brave kindjes vergiftigen.'

'Ik weet het niet.'

'Ik heb een idee. Je schrijft het gewoon in je dagboek, een leuke anekdote voor je kleinkinderen als ze na je dood je bezittingen doorspitten, netjes opgeborgen in een antieke scheepskist. Ik zie ze al rond de eettafel zitten, op ongelovige toon mompelend: "Niet te geloven dat oma dat allemaal op de prille leeftijd van zestien jaar heeft uitgedacht." En via dat dagboek, dat op een veiling van Christie's voor maar liefst een half miljoen dollar zal worden verkocht, zal een verhaal over doodsangst in een klein plaatsje van mond tot mond gaan tot het een magische realiteit heeft gekregen. Er zal worden beweerd dat Blue Van Meer bij haar geboorte een varkensstaart had, dat de onevenwichtige juffrouw Schneider tot haar fanatisme werd gedreven door een liefde die eeuwenlang onbeantwoord bleef, een *Liefde in tijden van cholera*, en je vrienden, de Miltons en de Greens, zijn de revolutionairen die tweeëndertig gewapende opstanden beginnen en ze allemaal verliezen. En we mogen je vader niet vergeten. Wijs en moegestreden op de achtergrond, de *Generaal in zijn labyrint* op zijn zeven maanden durende reis over de rivier van Bogotá naar de zee.'

'We moeten naar de politie,' zei ik.

Hij grinnikte. 'Je maakt een geintje.'

'Nee. We moeten naar de politie. Meteen.'

'Waarom?'

'Dat moet gewoon.'

'Je denkt niet na.'

'Dat doe ik wel.'

Hij schudde zijn hoofd. 'Denk eens goed na. Stel dat er een kern van waarheid in zit. Je moet bewijzen hebben. Getuigenverklaringen van voormalige leden, manifesten, rekruteringsprocedures – die allemaal lastig te krijgen zullen zijn als je theorie over niet op te sporen moordtechnieken juist zijn. Wat belangrijker is: er is een inherent risico aan verbonden wanneer iemand met een beschuldigende vinger naar voren treedt. Heb je daar al over nagedacht? Het is reuzespannend om een theorie te bedenken, maar als er een kern van waarheid in zit, is het niet langer een spelletje *Rad van Fortuin*. Ik wil niet hebben dat je de aandacht op jezelf vestigt, vooropgesteld dat er iets van waar is, iets wat we vermoedelijk nooit zeker zullen weten. Naar de politie gaan is een dappere daad van dwazen, stommelingen – maar wat bereik je ermee? Dat de sheriff een leuk verhaal heeft bij de donuts?'

'Nee,' zei ik. 'Dat er levens kunnen worden gered.'

'Wat roerend. Wiens leven wil je redden?'

'Je kunt niet zomaar mensen vermoorden omdat het je niet aanstaat wat ze doen. Dan veranderen we in beesten. Zelfs als het ons nooit zal lukken, moeten we blijven zoeken naar...' Mijn stem stierf weg, want ik wist niet zo goed waar we naar moesten zoeken. 'Gerechtigheid,' zei ik zwakjes.

Pap lachte alleen maar. '"Gerechtigheid is een hoer die zich niet laat tillen en zelfs de armen hun schaamte laat afkopen." Karl Kraus. Oostenrijks schrijver.'

'"Al het goede is in één woord uit te drukken,"' zei ik. '"Vrijheid, gerechtigheid, eer, plicht, genade. En hoop." Churchill.'

'"Wanneer gij streeft naar gerechtigheid, zult gij meer gerechtigheid krijgen dan u verlangt." *De koopman van Venetië*.'

'"Gerechtigheid hanteert een grillig zwaard/ schenkt genade aan de enkele uitverkorene/ maar als de mens niet voor haar strijdt/ zal chaos uiteindelijk zijn deel zijn."'

Pap deed zijn mond open om iets te zeggen, maar hij zweeg met een frons. 'Mackay?'

'Gareth Van Meer. "De revolutie verraden." *Tijdschrift voor Buitenlandse Zaken*. Jaargang zes, aflevering negentien.'

Pap glimlachte, hield zijn hoofd naar achteren en liet een luid '*Ha!*' horen.

Ik was zijn '*Ha!*' even vergeten. Hij bewaarde het doorgaans voor besprekingen met een decaan, als een collega iets humoristisch of opmerkelijks zei en Pap lichtelijk van streek was omdat híj er niet op was gekomen, dus zei hij luid *Ha!*, deels om zijn ongenoegen tot uiting te brengen en deels om de aandacht van de aanwezigen weer op hem te vestigen. Maar nu, in tegenstelling tot die besprekingen met een decaan (als ik door een lichte verkoudheid niet naar school kon, mocht ik met Pap mee. Terwijl ik stil in een hoekje zat en alle opkomende niesbuien onderdrukte, luisterde ik naar de aanwezige academici met hun bleke huid en wijkende haarlijn die gewichtig spraken als de Ridders van de Ronde Tafel), zat Pap hier met grote tranen in zijn ogen, tranen die uit zijn ogen dreigden te glijden als verlegen meisjes in zwemkleding die hun handdoek lieten vallen om dan langzaam en beschaamd naar het zwembad te lopen.

Hij ging staan, legde even een hand op mijn schouder en liep naar de deur. 'Zo zij het, mijn kleine Gerechtigheidszoekster.'

Ik bleef even tegenover de lege stoel zitten, omringd door de boeken. Ze hadden allemaal een zwijgende, trotse standvastigheid over zich. Ze zouden zich niet laten vernietigen door een aanval op een eenvoudig mens, nee. Met uitzondering van *De kern van de zaak*, dat een pak losse bladzijden had uitgebraakt, waren ze allemaal intact, ze lagen opgewekt open en toonden hun inhoud. De zwarte woordjes vol wijsheid bleven onaangetast op hun plaats in keurige rijtjes, roerloos, aandachtig als leerlingen die zich niet van de wijs laten brengen door een ondeugend kind. Naast me lag *Common Sense* te pronken met zijn opengeslagen bladzijden.

'Schei uit met kniezen en kom hier,' riep Pap vanuit de keuken. 'Je moet wat eten als je ten strijde wilt trekken tegen radicalen met hun hangbuiken en hun flubberarmen. Volgens mij zijn de jaren niet ongemerkt aan ze voorbijgegaan, dus zou je ze te snel af moeten kunnen zijn.'

Paradise Lost

Voor het eerst sinds Hannahs dood slief ik de hele nacht aan één stuk door. Pap noemde zo'n slaap 'Slaap der Bomen', niet te verwarren met 'De Winterslaap' of 'De slaap der Doodvermoeide Honden'.

De Slaap der Bomen was de meest diepe en verkwikkende vorm van slapen. Er was alleen droomloze duisternis, een sprong vooruit in de tijd.

Ik merkte niets van de wekker die afging, en ik werd ook niet wakker van de Van Meer Vocabulaire-Wekroep onder aan de trap.

'Wakker worden, lieverd! Het woord van vandaag is *pneumokokken!*'

Ik opende mijn ogen. De telefoon ging. Volgens de wekker naast mijn bed was het zes over halfelf. Beneden werd het antwoordapparaat ingeschakeld.

'Meneer Van Meer, ik wilde u even laten weten dat Blue vandaag niet op school is verschenen. Kunt u ons even bellen waarom ze niet aanwezig is?' Eva Brewster dreunde het nummer van de administratie op en legde neer. Ik wachtte tot ik de voetstappen van Pap hoorde die naar de gang liep om te luisteren wie er had gebeld, maar ik hoorde alleen het gerinkel van bestek in de keuken.

Ik stapte uit bed, stommelde naar de badkamer en spatte wat water over mijn gezicht. In de spiegel zagen mijn ogen er ongewoon groot uit in mijn magere gezicht. Ik had het koud, dus trok ik het dekbed van mijn bed, sloeg het om me heen en ging naar beneden.

'Pap, heb je school al gebeld?'

Ik liep de keuken in. Er was niemand. Het gerinkel dat ik had gehoord werd veroorzaakt door de wind die via het open raam langs het metalen mobile boven het aanrecht streek. Ik deed het licht aan en riep naar beneden.

'Pap!'

Ik had altijd een hekel gehad aan een huis zonder Pap. Het voelde leeg als een conservenblik, een kaal omhulsel, een schedel in de woestijn op een schilderij van Georgia O'Keefe. Toen ik kleiner was, had ik een reeks technieken ontwikkeld om de werkelijkheid van een huis zonder Pap niet onder ogen te hoeven zien. Je had het 'Kijk Naar *General Hospital* met het Geluid Heel Hard' (onverwacht geruststellend, veel meer dan je zou denken) en Kijk Naar *It Happened One Night* (Clark Gable met ontbloot bovenlijf kan iedereen afleiden).

Het lateochtendlicht stroomde helder en meedogenloos naar binnen. Ik deed de koelkast open en zag met lichte verbazing dat hij vruchtensalade had gemaakt. Ik pakte er een druif uit en at hem op. Er stond ook lasagne, die hij had geprobeerd af te dekken met een te klein stuk aluminiumfolie; twee hoeken en een zijkant lagen bloot als onbedekte benen, armen en een hoofd die uit een winterjas staken. (Het lukte Pap nooit om de juiste lengte voor een stuk aluminiumfolie in te schatten.) Ik pakte nog een druif en belde naar zijn werk.

De assistente van Politieke Wetenschappen nam op.

'Hallo, is mijn vader in de buurt? Met Blue.'

'Hmm?'

Ik keek naar de klok. Hij had pas om halftwaalf een college. 'Mijn vader. Dr. Van Meer. Kan ik hem even spreken? Het is dringend.'

'Hij komt vandaag niet,' zei ze. 'Hij is toch naar dat congres in Atlanta?'

'Sorry?'

'Ik dacht dat hij naar Atlanta was, om in te vallen voor die man die een auto-ongeluk heeft gehad.'

'*Wat?*'

'Hij belde vanmorgen om een vervanger te vragen. Hij komt pas...'

Ik hing op.

'Pap!'

Ik gooide het dekbed neer, rende de trap af naar zijn werkkamer en deed het licht aan. Ik staarde naar zijn bureau.

Het was leeg.

Ik trok een la open. Er zat niets in. Ik trok er nog een open. Er zat niets in. Er stond geen laptop, er lag geen blocnote, geen agenda. Zijn mok was ook leeg, die waarin hij zijn vijf blauw en vijf zwart schrijvende pennen bewaarde, naast de groene bureaulamp van de aardige decaan van de Universiteit van Arkansas in Wilsonville, die ook was verdwenen. De smalle boekenplank naast het bureau was ook leeg, afgezien van vijf exemplaren van *Das Kapital* van Marx (1867).

Ik vloog de trap op, door de keuken, de gang door en rukte de voordeur open. De blauwe Volvo stationcar stond waar hij altijd stond: voor de garagedeur. Ik staarde ernaar, naar het saffierblauwe oppervlak en de roestplekken rond de wielkasten.

Ik ging weer naar binnen en rende naar zijn slaapkamer. De gordijnen waren open. Het bed was opgemaakt. Maar de oude schapenleren schoenen die hij had gekocht bij Bet-R-Shoes in Enola, New Hampshire, lagen niet gekapseisd onder de tv, en ze stonden ook niet onder de leunstoel in de hoek. Ik liep naar de kast en schoof de deur open.

Er hingen geen kleren.

Hij was leeg – afgezien van de klerenhangers die als vogeltjes aan hun stok hingen, schrikkerig als mensen te dicht bij de tralies kwamen om naar ze te kijken.

Ik ging naar zijn badkamer en deed het medicijnkastje open. Het was leeg. Net als de douche. Ik veegde langs de wand van het bad en voelde het randje vuil, de paar resterende waterdruppels. Ik keek naar de wastafel met een restje Colgate, een klein vlokje opgedroogd scheerschuim op de spiegel.

Hij wil zeker weer verhuizen, hield ik mezelf voor. *Hij is naar het postkantoor om een adreswijzigingsformulier te halen. Hij is naar de supermarkt voor verhuisdozen. Maar de stationcar wilde niet starten, dus heeft hij een taxi genomen.*

Ik ging naar de keuken en luisterde het antwoordapparaat af, maar daar stond alleen het bericht van Eva Brewster op. Ik zocht op het aanrecht naar een briefje, maar er lag niets. Ik belde opnieuw naar Barbara, de assistente van Politicologie, en deed alsof ik op de hoogte was van het congres in Atlanta; volgens Pap was Barbara 'een onstuitbare spraakwaterval die alleen wartaal uitkraamde'. (Hij noemde haar blijmoedig 'de Chaoot'.) Ik verzon van tevoren vlug een naam voor het congres, ik geloof dat ik het POBREA noemde, 'Politieke Organisatie voor het Bewaken van Rechten uit het Eerste Amendement', of iets van die strekking.

Ik vroeg of Pap een nummer had achtergelaten waar hij te bereiken was.

'Nee,' zei ze.

'Wanneer heeft hij je gebeld?'

'Hij heeft om zes uur vanmorgen een bericht ingesproken. Maar wacht, waarom...'

Ik hing op.

Ik sloeg het dekbed om me heen, zette de tv aan en keek naar Cherry Jeffries in een pakje dat de kleur van een verkeersbord had en met schoudervullingen die zo scherp waren dat je er een boom mee kon omhakken. Ik keek op de klok in de keuken en op de klok in mijn slaapkamer. Ik liep naar buiten en staarde naar de blauwe stationcar. Ik ging op de bestuurdersstoel zitten en draaide de contactsleutel om. Hij startte. Ik liet mijn handen over het stuur gaan, over het dashboard en staarde naar de achterbank alsof daar een aanwijzing te vinden was, een revolver, een kandelaar, stuk touw of steeksleutel, achteloos achtergelaten door mevrouw Peacock, kolonel Mustard of professor Plum, nadat Pap ermee was vermoord in de studeerkamer, serre of biljartkamer. Ik bestudeerde de Perzische tapijten in de hal op afwijkende schoenafdrukken. Ik controleerde de gootsteen en de vaatwasser, maar alle lepels, vorken en messen waren opgeruimd.

Ze waren hem komen halen.

Leden van *Nächtlich* waren 's nachts het huis binnengedrongen en hadden een zakdoek (met een rode geborduurde n in de hoek) met een verdovend middel op zijn nietsvermoedende snurkende mond gelegd. Hij had zich niet kunnen verzetten omdat Pap, hoewel hij lang en tanig was, geen vechterstype was. Pap verkoos het intellectuele debat boven fysieke strijd, hij meed sporten met lichamelijk contact en vond worstelen en boksen 'nogal potsierlijk'. En hoewel hij karate, judo en taekwondo wel kon waarderen, had hij nooit een enkele techniek geleerd.

Ze hadden mij natuurlijk willen meenemen, maar Pap had geweigerd: '*Nee! Neem mij in haar plaats!*' En dus had de Gemene – er was altijd een Gemene bij, eentje die geen enkel respect voor een mensenleven had en die de anderen afbekte – een pistool tegen zijn slaap geduwd en hem opgedragen om de universiteit te bellen. 'En ik zou maar zorgen dat het gewoon klinkt, anders jaag ik je dochter voor je ogen een kogel door haar kop.'

Daarna hadden ze Pap gedwongen om zijn spullen in de twee grote Louis Vuitton-plunjezakken te pakken die Meikever Eleanor Miles, achtendertig jaar, hem als aandenken aan haar (en haar puntige tanden) had gegeven. Want hoewel het 'revolutionairen' in de traditionele zin van het woord waren, waren ze geen barbaren, geen Zuid-Amerikaanse guerrilla's of moslimextremisten die niet vies waren van een onthoofding op zijn tijd. Nee, ze hielden vast aan de overtuiging dat elk mens, zelfs degenen die tegen hun wil werden vastgehouden tot aan bepaalde politieke eisen was voldaan, moesten kunnen beschikken over zijn/haar persoonlijke bezittingen, inclusief ribbroeken, tweedcolbertjes, wollen truien, Oxford-overhemden, scheerspullen, tandenborstels, zeep, tandzijde, crème tegen voetschimmel, Timexhorloges, gum-manchetknopen, creditcards, aantekeningen van lezingen en oude syllabi, aantekeningen voor *De ijzeren greep*.

'We willen dat het je aan niets ontbreekt,' zei de Gemene.

❖

's Avonds had hij nog steeds niet gebeld.

Er had niemand gebeld, behalve Arnold Lowe Schmidt van de *New Seattle Journal of Foreign Policy*, die het antwoordapparaat had verteld hoe teleurgesteld hij waf dat Pap zijn verfoek tot het fchrijven van een omflagartikel over Cuba had afgewefen, maar dat hij het tijdfchrift zeker in gedachten moeft houden voor het geval hij een 'perfect platform focht om fijn ideeën uit te dragen'.

Ik liep zeker twintig keer in het donker om het huis heen. Ik staarde naar de visloze visvijver. Ik ging weer naar binnen, keek op de bank naar Cherry Jeffries en prikte wat in de halflege schaal met fruit die mijn vader van de radicalen had mogen klaarmaken voordat ze hem wegvoerden.

'*Mijn dochter moet wat te eten hebben!*' had Pap gecommandeerd.

'Prima,' zei de Gemene. 'Als je maar opschiet.'

'Kan ik helpen met het snijden van de meloen?' vroeg een andere.

Ik pakte steeds de telefoon, staarde naar de hoorn en vroeg: 'Moet ik de politie bellen en hem als vermist opgeven?' Ik wachtte tot hij zou antwoorden met: 'Ja, Absoluut', 'Mijn Antwoord Is Nee', of: 'Concentreer Je En Vraag Het Nogmaals.' Ik zou het politiebureau van Sluder County kunnen bellen en tegen A. Boone zeggen dat ik rechercheur Harper wilde spreken. 'Kent u me nog? Ik ben bij u geweest vanwege Hannah Schneider. Nou, mijn vader is verdwenen. Ja, ik raak voortdurend mensen kwijt.' Ze zou binnen een uur voor de deur staan met haar pompoenhaar en haar gezicht met de kleur van geraffineerde suiker, en met samengeknepen ogen naar Paps lege leesstoel turen. 'Wat was het laatste wat hij tegen je zei? Komt er in de familie krankzinnigheid voor? Kun je bij iemand terecht? Een oom? Een oma?' Binnen vier uur zou ik mijn eigen groene map in de dossierkast naast haar bureau hebben, 5510-VANM. Er zou een artikel in de *Stockton Observer* verschijnen: 'Plaatselijke Leerling Engel des Doods, Getuige van Dood Lerares, Nu Vader Vermist.' Ik legde de telefoon neer.

Ik doorzocht opnieuw het huis, waarbij ik van mezelf niet mocht snotteren en niets over het hoofd mocht zien, het douchegordijn niet, of het kastje onder de wastafel met wattenstaafjes en wattenbolletjes, of zelfs de rol wc-papier waar hij misschien met een tandenstoker iets in had gekrast: *Ze hebben me meegenomen maak je geen zorgen.* Ik bekeek elk boek dat we de vorige avond weer terug op de plank hadden gezet, want misschien had hij wel een blocnotevelletje tussen de bladzijden geschoven met de tekst: *Ik zorg dat ik hieruit kom dat beloof ik je.* Ik hield ze allemaal op hun kop en schudde, maar er viel niets uit, alleen verloor *De kern van de zaak* nog een pak bladzijden. Ik zette de zoektocht voort tot de wekker naast Paps bed aangaf dat het al na tweeën was.

Ontkenning is net zoiets als Versailles; er zijn makkelijker dingen om in stand te houden. Er was een indrukwekkende hoeveelheid doorzettingsvermogen, puf, lef en gotspe voor nodig, iets waarover ik niet beschikte terwijl ik daar als een zeester met uitgestrekte ledematen op de zwart-witte tegelvloer van Paps badkamer lag.

Ik moest onder ogen zien dat ontvoering thuishoorde in dezelfde categorie als de Tandenfee, de Heilige Graal of een ander verzinsel dat in het leven was geroepen door mensen die zich tot tranen toe verveelden en in iets wilden geloven wat henzelf oversteeg. Hoe menslievend die radicalen ook waren geweest, ze zouden Pap nooit toestemming hebben gegeven om ál zijn persoonlijke bezittingen in te pakken, inclusief chequeboeken, creditcards en afschrijvingen, zelfs zijn lievelingsborduurwerkje van Meikever Dorthea Driser, het kleine, ingelijste 'Blijf Uzelven Trouw', dat rechts naast de telefoon in de keuken had gehangen, was weg. Ze zouden hem ook een halt hebben toegeroepen als Pap een halfuur de tijd had genomen om een zorgvuldige selectie te maken van de boeken die hij wilde meenemen: Maurice Giorodias' tweedelige uitgave van *Lolita* van Olympia Press uit 1955, *Ada of adoratie*, *Het paradijs verloren*, die ik niet van hem had mogen gooien, de volumineuze *Delovian: A Retrospective* (Finn, 1998), waarin Paps lievelingsschilderij stond met de toepasselijke titel *Secret* (zie blz. 391, 61, 1992, olieverf op doek). Ook verdwenen waren *La Grimace*, *Napoleons veroveringen*, *Voorbij goed en kwaad* en een fotokopie van 'In de strafkolonie' (Kafka, 1919).

Mijn hart bonsde. Mijn gezicht voelde strak en heet. Ik sleepte mezelf van de badkamervloer naar de sponsachtige vloerbedekking in de slaapkamer, het enige wat Pap vreselijk vond aan het huis – 'Het voelt alsof je op marshmallows loopt' – en begon te huilen, maar na een tijdje gaven mijn tranen er uit verveling of frustratie de brui aan, ze gooiden de handdoek in de ring en renden de set af.

Ik staarde alleen maar naar het slaapkamerplafond, dat bleek en kalm zijn mond hield. Ik viel door pure uitputting in slaap.

De daaropvolgende drie dagen zat ik in een hoekje gekropen op de bank voor Cherry Jeffries – ik probeerde me Paps laatste momenten in ons huis voor te stellen, ons geliefde Armor Street 24, het toneel van ons laatste jaar samen, ons laatste hoofdstuk voordat ik 'de wereld ging veroveren'.

Hij was een en al planning en berekening, met snelle blikken op zijn polshorloge, dat vijf minuten voorliep, stille stappen door de schemerige kamers. Hij was ook nerveus, een nervositeit die alleen ík zou opmerken; ik had die gezien vlak voor een nieuwe universiteit, voor aanvang van een nieuwe lezing (het nauwelijks merkbare trillen van vingers en duimen).

Het kleingeld rinkelde in zijn zak terwijl hij door de keuken liep en vervolgens de trap af naar zijn werkkamer. Hij deed maar een paar lampen in huis aan, zijn bureaulamp en de rode op het tafeltje naast zijn bed, die de kamer in bloedrode jamgloed zette. Hij was geruime tijd bezig met het bijeengaren van zijn spullen. De Oxford-overhemden op zijn bed, rood bovenop, daarna blauw, blauw met een patroontje, blauw en wit gestreept, wit, elk opgevouwen als een slapende vogel met diep weggestopte vleugels, en de zes setjes zilveren en gouden manchetknopen (waaronder natuurlijk zijn lievelingsstel, die in 24-karaat goud met de letters GUM erin gegraveerd, die hij voor zijn zevenenveertigste verjaardag had gekregen van Bitsy Plaster, tweeënveertig jaar, een foutje van de juwelier dat te wijten was aan het zwierige handschrift van Bitsy) als prijswinnende zaadjes opgeborgen in een vilten Tiffany-zakje. Daarnaast lagen zijn sokken als een kudde bijeengedreven schapen, zwart, wit, lang, kort, katoen, wol. Hij droeg zijn bruine lage schoenen (waarop hij kon rennen), het goudkleurige en het bruine tweedjasje (dat om hem heen hing als een oude, trouwe hond) en de oude kaki broeken die zo lekker zaten dat hij zei dat ze 'het meest ondraaglijke werk draaglijk maakten'. (Hij droeg ze bij het doorworstelen van 'zompige scriptiestellingen' en de onwelriekende moerassen van hun bewijsvoering die je onvermijdelijk aantrof bij het beoordelen van het werk van de studenten. Ze zorgden er ook voor dat hij zich niet schuldig voelde als hij een 6- naast de naam van het slachtoffer zette voordat hij gestaag verderging.)

Toen hij klaar was om de dozen en plunjebalen in de auto te zetten – ik weet niet wat er voor hem klaarstond; ik vermoedde een gewone taxi die bestuurd werd door een verweerde chauffeur met rimpelige handen die op het stuur trommelde met het Bluegrass-uurtje op de radio, wachtend tot dr. John Ray jr. het huis uit kwam, die dacht aan de vrouw, Alva of Dottie, die hij warm opgerold in bed had achtergelaten.

Toen Pap ervan overtuigd was dat hij niets had vergeten, toen alles weg was, liep hij terug naar binnen, naar mijn kamer. Hij deed geen licht aan en keek niet eens naar me terwijl hij mijn rugzak openmaakte en de blocnote bestudeerde waarop ik mijn bevindingen en theorieën had opgetekend. Toen hij klaar was, stopte hij mijn aantekeningen terug in de rugzak en hing hem aan de leuning van mijn bureaustoel.

Dat was de verkeerde plek. Daar had ik hem niet opgehangen; ik had er een vaste plek voor: op de grond aan het voeteneind van mijn bed. Maar hij had haast en hij hoefde zich niet langer druk te maken om zulke details. Die deden er nu niet meer toe. Hij glimlachte waarschijnlijk om de ironie van het geheel. Pap glimlachte op de meest onwaarschijnlijke momenten om de ironie van het geheel; maar misschien had hij daar dit keer geen tijd voor, want als hij verderging naar Lachen kwam hij misschien op die weg zonder bermen of afritten van het Gevoel terecht die je voor je het in de gaten had meevoerde naar Gesnotter en Tranen Met Tuiten, en hij had geen tijd voor die omweg. Hij moest het huis uit.

Hij keek naar me terwijl ik sliep, sloeg mijn gezicht op in zijn geheugen alsof het een passage uit een bijzonder boek was waarvan hij de essentie wilde onthouden voor het geval hij hem kon gebruiken tijdens een gedachtewisseling met een decaan.

Of – en ik mag graag denken dat dat het geval was – Pap raakte van streek toen hij naar me keek. Er staat in geen enkel boek te lezen hoe je naar je kind moet kijken als je voor altijd weggaat en het nooit meer zult zien (alleen nog stiekem misschien, na vijfendertig of veertig jaar, en zelfs dan alleen van grote afstand, door een verrekijker, een camera met telelens of op een satellietfoto van 89,99 dollar). Je komt waarschijnlijk dichtbij staan en probeert de exacte hoek van de neus met het gezicht te bepalen. Je telt de sproeten die je nooit eerder zijn opgevallen. En je telt ook de vage lijntjes op de oogleden en het voorhoofd. Je bekijkt de ademhaling, de vredige glimlach – en als die glimlach ontbreekt ga je voorbij aan de openstaande, piepende mond om de herinnering niet te verstoren. Je laat je waarschijnlijk ook een beetje meeslepen, je laat een straaltje maanlicht op het gezicht schijnen om het een zilveren glans te geven en de donkere kringen onder de ogen te verhullen, je laat lieve insecten tsjirpen – of beter nog: je laat een prachtige nachtvogel zingen – om de kille gevangenisstilte in de kamer te verzachten.

Pap sloot zijn ogen om zich ervan te verzekeren dat hij het uit het hoofd wist (veertig graden, zestien, drie, een, ademhaling ruisend als de zee, vredige glimlach, zilverkleurige ogen, enthousiaste nachtegaal). Hij trok het dekbed tot vlak bij mijn wang en kuste me op mijn voorhoofd.

'Je redt het wel, lieverd. Echt waar.'

Hij sloop mijn kamer uit, liep de trap af en naar buiten, naar de taxi.

'Meneer Ray?' vroeg de chauffeur.

'Dr. Ray,' zei Pap.

En toen was hij verdwenen.

The Secret Garden

De dagen schuifelden voorbij als anonieme schoolmeisjes. Ik registreerde de afzonderlijke gezichten niet, alleen het uniform dat ze gemeen hadden: dag en nacht, dag en nacht.

Ik had geen zin om te douchen of om verantwoord te eten. Ik lag vooral veel op de grond – kinderachtig, maar als je op de grond kunt liggen zonder dat iemand het ziet, reken dan maar dat je op de grond gaat liggen. Ik ontdekte ook het kortstondige, maar onmiskenbare genoegen van een hap Whitman-chocolade nemen om vervolgens het restant achter de bank in de bibliotheek te mikken. Ik las en las en las tot mijn ogen brandden en de woorden langsdobberden als vermicelli in de soep.

Ik spijbelde van school als een jochie met een rauwe stem en plakkerige handpalmen. In plaats daarvan las ik *Don Quixote* (Cervantes, 1605) – je zou denken dat ik meteen naar de videotheek zou gaan om een pornofilm te huren, of op z'n minst *Wild Orchid* met Mickey Rourke, maar helaas – en toen ik dat uit had een broeierige paperback met de titel *Zeg maar niets, liefste* (Esther, 1992), die ik jaren voor Pap verborgen had gehouden.

Ik dacht na over de dood – niet over zelfmoord, veel te theatraal –, maar meer in een soort onwillige erkenning, alsof ik de dood jarenlang met de nek had aangekeken en er nu bij gebrek aan beter gezelschap een gezellig praatje mee moest aanknopen. Ik dacht aan Evita, Havermeyer, Moats, Dee en Dum die gezamenlijk een nachtelijke zoektocht op touw zetten met zaklantaarns, olielampen, hooivorken en knuppels (als intolerante dorpelingen die op jacht gingen naar een monster) en hoe ze mijn levenloze lichaam hangend over de keukentafel zouden aantreffen, armen slap langs mijn lichaam, mijn gezicht omlaag, rustend op een opengeslagen exemplaar van *De kersentuin* van Tsjechov (1903).

Het lukte me ook niet om mezelf weer tot de orde te roepen zoals Molly

Brown had gedaan in die reddingsboot van de Titanic, of om een zinvolle hobby op te pakken zoals de Vogelman van Alcatraz. Ik dacht *Toekomst*, ik zag *Zwart Gat*. Ik was een onwillige klont spaghetti. Ik had geen vrienden, rijbewijs of overlevingsinstinct. Ik had zelfs geen spaarrekening, geopend door verstandige ouders zodat hun kleine met geld kon leren omgaan. Ik was minderjarig en dat zou ik nog een jaar blijven. (Mijn verjaardag was op 18 juni.) Ik was niet van plan om in een weeshuis terecht te komen, zo'n luchtkasteel onder leiding van een echtpaar van middelbare leeftijd, Bill en Bertha genaamd, die als een stel schietgrage cowboys met bijbels liepen te zwaaien en graag werden aangesproken met 'paps' en 'mams,' en wier grootste geluk eruit bestond mij, hun nieuwe kalkoen, vol te stoppen met alle toebehoren (koek, wilde groenten, notenpastei).

Zeven dagen na Paps vertrek begon de telefoon te rinkelen.

Ik nam niet op, maar ik stond met bonzend hart klaar bij het toestel voor het geval dat hij het was.

'Gareth, je zorgt hier voor aardig wat opschudding,' zei professor Mike Devlin. 'Ik ben benieuwd waar je uithangt.'

'Waar ben je in 's hemelsnaam mee bezig? Het verhaal doet hier de ronde dat je niet terugkomt,' zei dr. Elijah Masters, hoofd van de opleiding Engels en lid van de selectiecommissie voor Harvard. 'Ik hoop van ganser harte dat dat niet zo is. Zoals je weet moeten we nog een partijtje schaak afmaken en ik maak je helemaal in. Ik hoop niet dat je bent verdwenen om mij van het genoegen te beroven om "Schaakmat" te kunnen zeggen.'

'Dr. Van Meer, wilt u zo snel mogelijk de administratie bellen? Uw dochter Blue is intussen de hele week niet op school geweest. Als ze niet snel begint haar werk in te halen, is het nog maar de vraag of ze haar diploma haalt.'

'Dr. Van Meer, u spreekt met Jenny Murdoch. Ik zit op de voorste rij bij de werkgroep Democratische Patronen en Sociale Structuur. Ik vroeg me af of Solomon onze onderzoeksverslagen nu voor zijn rekening neemt, want hij stelt heel andere eisen. Volgens hem hoeven het maar zeven tot tien pagina's te zijn, maar in uw syllabus staat dat het er twintig tot vijfentwintig moeten zijn, dus niemand weet waar hij aan toe is. Enige toelichting zou bijzonder op prijs worden gesteld. Ik heb u ook een e-mail gestuurd.'

'Bel me zo snel mogelijk thuis of op mijn werk, Gareth,' zei decaan Kushner.

Ik had tegen Barbara, Paps assistente, gezegd dat ik het nummer op het congres waar hij te bereiken was verkeerd had opgeschreven en of ze het me meteen kon laten weten als ze wat van hem hoorde. Ze had nog steeds niet gebeld, dus belde ik haar.

'We hebben nog steeds niets van hem gehoord,' vertelde ze. 'Decaan Kushner krijgt zowat een hartaanval. Solomon Freeman moet de colleges van je vader overnemen. Waar ís hij toch?'

'Hij moest opeens naar Europa,' zei ik. 'Zijn moeder heeft een hartaanval gehad.'

'O jee,' zei Barbara. 'Wat erg. Komt ze er weer bovenop?'

'Nee.'

'Wat vreselijk. Maar waarom heeft hij niet…'

Ik hing op.

Ik vroeg me af of mijn lethargische toestand en mijn willoosheid voorboden van krankzinnigheid waren. Nog maar een week geleden leek zoiets me volkomen onwaarschijnlijk, maar ik moest denken aan de paar keer dat Pap en ik een vrouw waren tegengekomen die verwensingen mompelde alsof ze voortdurend niesde. Ik vroeg me af hoe ze zo was geworden, of het over haar was neergedaald als een debutante die op het bal dromerig een reusachtig trap af schrijdt of dat er opeens kortsluiting was ontstaan in haar hersenen, met onmiddellijke gevolgen, als bij een slangenbeet. Haar gezicht had de rode, rauwe kleur van afwashanden en de onderkant van haar voeten was pikzwart, alsof ze ze zorgvuldig in teer had gedoopt. Toen Pap en ik haar voorbijliepen hield ik mijn adem in en kneep ik in zijn hand. Hij kneep terug – onze stilzwijgende afspraak dat hij het nooit zover zou laten komen dat ik over straat zou dolen met een kapsel als een vogelnest, mijn kleren bevlekt met urine en vuil.

Nu kon ik zonder probleem over straat dolen met een kapsel als een vogelnest en kleren die bevlekt waren met urine en vuil. Het Doe-Niet-Zo-Belachelijk, het Hoe-Haal-Je-Het-In-Je-Hoofd was gebeurd. Ik kon mijn lichaam verkopen voor een diepvriesbroodje. Kennelijk had ik het helemaal mis gehad wat betreft krankzinnigheid. Het kon iedereen overkomen.

Ik heb slecht nieuws voor de liefhebbers van *Marat/Sade*. De uiterste houdbaarheidsdatum voor depressieve apathie bij een voor de rest gezond individu is tien, elf, hooguit twaalf dagen. Daarna komen de hersenen tot de ontdekking dat zo'n instelling net zo nuttig is als een eenbenige man bij een wedstrijdje kont-trappen en dat als je niet ophield om met molentjes te lopen, beren te zien, kloten te schieten, en de kuierlatten te nemen je het niet zou redden (zie *Even de geit verpinnen: populaire zegswijzen*, Lewis, 2001).

Ik werd niet gek. Ik werd pissig (zie 'Peter Finch', *Network*). Woede, en niet Abraham Lincoln, is de Grote Bevrijder. Het duurde niet lang voordat ik als een uitzinnige Jay Gatsby door het huis stormde, smijtend met kleren, borduurwerkjes van Meikevers, boeken en verhuisdozen met het opschrift DEZE KANT BOVEN, op zoek naar iets – voor mijn part iets kleins – waaruit ik kon opmaken waar hij heen was gegaan en waarom. Ik koesterde niet de hoop dat ik een Steen van Rosetta zou ontdekken, of een schriftelijke bekentenis van twintig kantjes die in mijn kussensloop zat, onder het matras, in de vriezer: '*Lieverd. Dus nu weet je het. Het spijt me, mijn kleine roze wolkje. Maar laat het me uitleggen. Waarom beginnen we niet in Mississippi...*' De kans was klein. Zoals mevrouw Mc Gillicrest, die feeks uit Alexandria Day met de lichaamsbouw van een pinguïn, onze klas triomfantelijk meedeelde: 'in het echte leven zul je nimmer een deus ex machina tegenkomen, dus kun je maar beter je eigen plan trekken.'

De schok van Paps verdwijning ('schok' was te zacht uitgedrukt; het was verbijstering, een donderslag, ontsteltenis – verdondernis), het feit dat hij me zonder blikken of blozen had belazerd, vernacheld, geflest (ook weer niet sterk genoeg – verflesnacheld), mij, mij, míj, zijn dochter, iemand die, om dr. Luke Ordinote te citeren, 'onwaarschijnlijk sterk en scherpzinnig' was, iemand wie volgens Hannah Schneider 'niets ontging', was zo onwaarschijnlijk, zo pijnlijk, zo onmogelijk (onpijnlijk) dat ik nu inzag dat Pap een waanzinnige was, een genie en een bedrieger, een zwendelaar, een gladjanus, de Grootste Mooiprater Aller Tijden.

Pap staat tot geheimen als Beethoven staat tot symfonieën, herhaalde ik stilletjes voor mezelf. (Het was de eerste in een reeks grimmige uitspraken die ik die week zou bedenken. Als je zo verflesnacheld bent slaan je hersens op tilt, en als een en ander weer is opgestart val je terug op onverwachte, rudimentaire kaders, waarvan er een leek op de hoofdbrekende 'Schrijversanalogieën' die Pap tijdens onze reizen door het land bedacht.

Maar Pap was geen Beethoven. Hij was zelfs geen Brahms.

Het was jammer dat Pap geen ongeëvenaarde meester van het mysterieuze was, want je kon wel achterblijven met een stel duistere, onbegrijpelijke vragen – die je naar eigen goeddunken kon invullen omdat je er toch geen cijfer voor kreeg –, maar het was veel erger om achter te blijven met een stel zeer verontrustende antwoorden.

Mijn speurtocht door het huis leverde geen noemenswaardige bewijzen op, alleen artikelen over onlusten in westelijk Afrika en *Angola vanbinnen bezien* (Peter Cower, 1980), dat in de gleuf tussen Paps bed en zijn nachtkastje was gevallen (nuttelozer bewijsmateriaal was nauwelijks mogelijk) en drie-duizend dollar in contanten, strak opgerold in de IK DENK AAN JE-mok van Meikever Penelope Slate op de koelkast (Pap had het daar met opzet voor me achtergelaten, we gebruikten die mok altijd voor los kleingeld). Elf dagen na zijn vertrek liep ik naar de weg om de post te halen: een boekje met kortings-bonnen, twee kledingcatalogi, een aanvraagformulier voor een creditcard op naam van de heer Meery von Gare (leen nu tegen 0% rente) en een dikke enve-lop geadresseerd aan mej. Blue Van Meer, geschreven in statig handschrift, het handschrift waarbij je trompetgeschal hoort en een koets getrokken door edele paarden ziet.

Ik scheurde hem meteen open en haalde er een dik pak papier uit. In plaats van een kaart met plaatsen in Zuid-Amerika waar mensen nog steeds als sla-ven werden uitgebuit inclusief reddingsinstructies of de unilaterale Onaf-hankelijkheidsverklaring van Pap ('Wanneer de loop der gebeurtenissen het noodzakelijk maakt dat een vader de ouderlijke banden met zijn dochter ver-breekt...'), zat er een kort briefje met monogram met een paperclip op het bo-venste vel.

'Je had hierom gevraagd. Ik hoop dat je er iets aan hebt,' had Ada Harvey geschreven, en daarna had ze met sierlijke letters haar naam onder de initia-len gezet.

Ondanks het feit dat ik de hoorn op de haak had gegooid en zonder enig ex-cuus haar woorden had afgekapt als een sushi-kok die een paling van zijn kop ontdoet, had ze gedaan wat ik had gevraagd: me het onderzoeksmateriaal van haar vader gestuurd. Ik rende met de papieren terug naar huis en onderweg begon ik te huilen, vreemde condenstranen die spontaan op mijn gezicht verschenen. Ik ging aan de keukentafel zitten en begon de stapel zorgvuldig door te nemen.

Het handschrift van Smoke Harvey deed een beetje aan dat van Pap den-ken: minuscule lettertjes, voortgejaagd door een meedogenloze noord-oostenwind. De man had in de rechterbovenhoek van elke bladzij in hoofd-letters DE NACHTELIJKE SAMENZWERING geschreven. Op de eerste bladzijden werd de geschiedenis van de Nachtwakers uit de doeken gedaan, de vele namen en vermoedelijke werkwijze (ik vroeg me af hoe hij aan zijn in-formatie was gekomen, want hij verwees niet naar Paps artikel of het boek van Littleton), gevolgd door zo'n dertig pagina's over Gracey, waarvan het grootste deel nauwelijks leesbaar was (Ada had een kopieerapparaat gebruikt dat brede bandensporen over het papier had getrokken): 'van Griekse af-komst, *niet* Turks', 'op 12 februari 1944 in Athene geboren, moeder Grieks, vader Amerikaans', 'Redenen van radicalisme onbekend'. Ik las verder. Er zaten kopieën van oude krantenartikelen uit West Virginia en Texas over de twee bekende bomaanslagen bij, 'Senator gedood, vredesfanatici verdacht', 'Bomaanslag Oxico, vier doden, zoektocht naar nachtwakers', een artikel uit *Life* van december 1978, 'Het einde van het activisme', over het uiteenvallen van de Weather Underground, Studenten voor een Democratische Samenleving en andere dissidente politieke organisaties, een paar stukken over COINTELPRO en andere kunstgrepen van de FBI, een klein artikeltje uit Californië, 'Radicaal gesignaleerd bij drogist', en daarna een nieuwsbrief van de politie van Houston, gedateerd 15 november 1987, Vertrouwelijk, Alleen voor Politiegebruik, GEZOCHT DOOR PLAATSELIJKE EN FEDERALE POLITIE, aanhoudingsbevel ingediend bij Harris County Sheriff, Sectie Aanhoudingsbevelen, Bell 432-6329...

Mijn hart stond stil.

Ik werd aangestaard door 'Gracey, George I.R. 329573. Man, Blank, 43, 220, Zwaargebouwd. Fed. Aanhoudingsbevel 78-3298. Tatoeages op rechterborstkas. Loopt mank. Verdachte wordt aangemerkt als zijnde gewapend en gevaarlijk' – Baba au Rhum (afbeelding 35.0).

Toegegeven, op de politiefoto had Servo een volle staalwolbaard en een snor die allebei hun best deden om zijn ronde gezicht weg te boenen, en de foto (een stilstaand beeld van een beveiligingscamera) was in vaag zwart-wit. Maar Servo's gloeiende ogen, zijn liploze mond die leek op de spleet in een Kleenex-doos waar geen Kleenex in zat, de manier waarop zijn kleine hoofd oprees tussen zijn imposante schouders... Er was geen vergissing mogelijk.

'Hij loopt al zijn hele leven mank,' had Pap in Parijs tegen me gezegd. 'Al toen we op Harvard zaten.'

Ik griste het vel naar me toe, waar ook de tekening van Catherine Baker op stond die ik op internet had gezien. ('De Federale Autoriteiten en de politie van Harris County vragen het publiek om hulp bij het verkrijgen van informatie die leidt tot de inhechtenisneming van deze personen...' stond er op de volgende pagina.) Ik vloog naar mijn kamer, rukte de la van mijn bureau open en zocht tussen oud huiswerk, aantekeningen en repetities tot ik de instapkaarten van Air France had gevonden, briefpapier van het Ritz en een velletje waarop Pap het telefoonnummer van Servo en van zijn gsm had gekrabbeld toen ze samen naar La Sorbonne waren gegaan.

Na de nodige verwarring – landnummers, eentjes en nullen die werden omgedraaid – lukte het me om het mobiele nummer foutloos in te toetsen. Ik hoorde het geruis en gekraak van een nummer dat niet langer in gebruik was.

AFBEELDING 35.0

Toen ik het nummer thuis draaide kreeg ik na heel veel '¿Como?' en '¿Qué?' van een geduldige Spaanse vrouw te horen dat het appartement geen privéverblijf was, *no*, maar dat het per week te huur was via Go Chateaux, Inc. Ze verwees me naar de vakantiewebsite en een 800-nummer (zie 'ILE-297', www.gochateaux.com). Ik belde het reserveringsnummer en kreeg van een hoffelijke meneer te horen dat het appartement al sinds de oprichting van het bedrijf in 1981 niet als privéverblijf in gebruik was geweest. Daarna probeerde ik los te peuteren wat hij wist over degene die de woning tijdens de week van 26 december gehuurd, maar ik kreeg te horen dat Go Chateaux geen informatie over de huurders mocht verstrekken.

'Heb ik u bij dit gesprek voldoende geïnformeerd?'

'Het is een kwestie van leven of dood. Er worden mensen vermoord.'

'Heb ik al uw vragen naar tevredenheid beantwoord?'

'*Nee.*'

'Bedankt voor uw telefoontje.'

Ik hing op en bleef een tijdje op de rand van mijn bed zitten, verbouwereerd door de blasé reactie van de middag. Op z'n minst had de hemel moeten opensplijten als een bouwvakkersdecolleté; uit de geschroeide boomtoppen had rook moeten opkringelen – maar nee hoor, de middag was een futloze tiener, een verlopen del in een kroeg, dof geworden klatergoud. Mijn ontdekking was míjn probleem; het had niets te maken met de slaapkamer, met het licht dat als een beschonken muurbloempje in een vormeloze glitterjurk tussen de radiator en de boekenkast hing, de schaduwen die als stompzinnige zonnebaders over de grond verspreid lagen. Ik herinnerde me hoe ik Servo's wandelstok had opgeraapt nadat hij van de toonbank bij een *boulangerie* was gerold, waarbij de stok op de zwarte schoen van een vrouw achter hem was beland. Ze snakte naar adem en kreeg een knalrood hoofd, alsof ze de kop van jut op de kermis was. De knop van de wandelstok, in de vorm van een zeearend, was warm en klef van de vlezige handpalm van Servo. Toen ik de stok terugglegde zei hij over zijn linkerschouder, alsof hij er haastig wat zout overheen wierp: 'Hmm, merci beaucoup. Ik moet hem eigenlijk aanlijnen, hè?' Het had geen zin om mezelf verwijten te maken dat ik alle stukjes van de puzzel van zijn leven niet eerder in elkaar had gepast (hoeveel mannen met een heupblessure kende ik? *Niet één, behalve Servo*, was het beschamende antwoord), en ik moest natuurlijk (met tegenzin) denken aan iets wat Pap had gezegd: 'Een verrassing is zelden een vreemde, het is meestal een anonieme patiënt die de hele tijd tegenover je in de wachtkamer heeft zitten lezen, zijn gezicht verborgen achter een tijdschrift, maar met zijn feloranje sokken vol in het zicht, net als zijn gouden zakhorloge en rafelige broek.'

Maar als Servo George Gracey was, wat was Pap dan?

Servo staat tot Gracey als Pap staat tot... Opeens kwam het antwoord uit zijn schuilplaats kruipen; het wierp zich op de grond, smeekte om vergiffenis en bad dat ik het niet levend zou villen.

Ik sprintte naar mijn bureau, pakte mijn aantekeningen en spitte door de bladzijden op zoek naar de bijnamen die ik lukraak had neergepend, en ergens weggekropen onder aan bladzij 4 vond ik ze: Nero, Bull's-Eye, Mohave, Socrates en Franklin. Alles was nu opeens glashelder. Pap was Socrates, volgens www.looseyourrevolutioncherry.net ook wel bekend als de Denker – natuurlijk moest hij Socrates zijn – wie anders? Marx, Hume, Descartes, Sartre, niet één van die bijnamen was goed genoeg voor Pap ('achterhaalde, zielige krabbelaars') en hij zou nog liever sterven dan de naam Plato te hanteren ('zwaar overgewaardeerd als logicus'). Ik vroeg me af of een van de Nachtwakers met de bijnaam was gekomen; nee, het was waarschijnlijker dat Pap hem zelf terloops had geopperd bij Servo voor aanvang van een bespreking. Pap stond niet bekend om zijn subtiele manier van doen. Als het om Gareth ging, was hij net zo subtiel als een broodmagere chique dame die moest lunchen in een footballtrui. Mijn ogen vlogen over de woorden die ik zelf zo netjes had opgeschreven: 'In januari 1974 veranderde de tactiek van de groepering van prominent aanwezig naar onzichtbaar.' In januari 1974 was Pap in dienst getreden bij de Kennedy School of Government van Harvard; in maart 1974 had de politie bijna een inval gedaan op een bijeenkomst van de Nachtwakers in een leegstaand pand in Braintree in Massachusetts; Braintree lag op nog geen halfuur van Cambridge, dus waren de Nachtwakers minder dan een halfuur van Pap verwijderd geweest – in het bestek van ruimte en tijd een alleszins logische kruising van twee wegen.

Waarschijnlijk had Paps toetreding tot de Nachtwakers geleid tot hun strategiewijziging. Twee van zijn lievelingsverhandelingen voor *Federal Forum* (hij kreeg er nog af en toe fanmail over) waren 'Blind dates: voordelen van een stille burgeroorlog' en 'Oproer in het informatietijdperk', en het was een belangrijk thema dat als basis had gediend voor zijn veelgeprezen Harvard-dissertatie uit 1978, *De vloek van de vrijheidsstrijder: misvattingen rond guerrilla-oorlogvoering en Revolutie in de Derde Wereld.* (Het was ook de reden waarom hij Lou Swann een 'ordinaire broodschrijver' noemde.) En dan had je ook nog het duidelijke moment van zijn Ommekeer, een moment waarover hij in een bourbonstemming liefdevol praatte (alsof het een vrouw was die hij op een station had gezien, een vrouw met zijdeachtig haar die haar hoofd vlak tegen de ruit hield, zodat Pap een wolkje zag waar haar mond zich moest bevinden), toen hij bij een demonstratie in Berlijn op de schoenveter van Benno Ohnesorg was gaan staan en de onschuldige student was doodgeschoten door de politie. Toen besefte hij dat 'de man die het niet langer accepteert en protesteert, de eenling die *nee* zegt, zal worden gekruisigd'.

'Dat was bij wijze van spreken mijn bolsjewistische moment,' zei Pap. 'Toen ik besloot om het Winterpaleis te bestormen.'

Toen ik mijn toekomstige leven in kaart bracht, was ik er op de een of andere manier in geslaagd om een heel continent te vergeten (zie *Antarctica: de koudste plek op aarde*, Turg, 1987). *'Jij vindt het best als je je maar achter je lessenaar kunt verstoppen,'* had ik Servo tegen Pap horen roepen. Servo was de 'puber met hormoonproblemen', Pap was de theoreticus. (Eerlijk gezegd had Servo de spijker op de kop geslagen; Pap hield er niet van om met zijn handen in het afwaswater te zitten, en hij wilde al helemaal geen bloed aan zijn handen.) En Servo betaalde Pap ongetwijfeld goed voor zijn getheoretiseer. Hoewel Pap sinds jaar en dag de armoede predikte, kon hij het als puntje bij paaltje kwam breed laten hangen als de Kublai Kahn met een overdadig huis als

Armor Street 24, overnachtingen in het Ritz en het laten transporteren van een honderd kilo zwaar antiek bureau van 17.000 dollar en er ook nog over liegen. Zelfs zijn bourbon, George T. Stagg, was volgens *Stuart Mill's drankbijbel* (editie 2003) 'de Bentley onder de bourbons'.

Had ik ze in Parijs betrapt toen ze ruziemaakten over Hannah Schneider of het groeiende probleem van Ada Harvey? *Overdreven hysterisch, probleem, Simone de Beauvoir* – het gesprek dat ik had opgevangen was net een koppige ezel: het kwam slechts met tegenzin weer terug. Ik moest het inpalmen en overreden, terugkrijgen in mijn hoofd, dus tegen de tijd dat ik de flarden van het gesprek in het gareel had gebracht voor inspectie, wist ik net zo weinig als toen ik begon. Mijn hoofd voelde alsof het met een lepel was uitgehold.

Na de eerste schok schilferde mijn vroegere leven – volgepropt met lange autoreizen, sonnetmarathons, bourbonstemmingen en opmerkelijke citaten van mensen die dood waren – met verassend gemak af.

Ik stond ervan te kijken hoe helder ik me voelde, hoe onverstoorbaar. Als Vivien Leigh alleen al door op de set van *Elephant Walk* te komen (een film waar buiten de nakomelingen van Peter Finch nog nooit iemand van heeft gehoord) overvallen werd door hallucinaties en hysterische aanvallen die slechts te verhelpen waren met elektroshocktherapie, ijskompressen en een dieet van rauwe eieren, dan was het niet meer dan logisch of zelfs onontkoombaar dat ik een vorm van dementie zou ontwikkelen vanwege het feit dat mijn leven een Trompe-l'Oeil was geweest, Gonzo-journalistiek, *The $64.000 Question*, de Zeemeermin van Fiji, een dagboek van Hitler, Milli Vanilli (zie hoofdstuk 3, 'Miss O'Hara', *Gekwelde godinnen: filmdiva's en hun levende demonen*, Lee, 1973).

Maar na mijn socratische openbaring waren de daaropvolgende waarheden die ik ontdekte niet meer zo verbijsterend. (Net als bij een creditcard is er een grens aan de mate waarin je verflesnacheld kunt worden.)

In de tien jaar waarin we door het land hadden gereisd had Pap zich niet zozeer beziggehouden met mijn opvoeding als wel met een intensieve wervingscampagne voor de Nachtwakers. Pap was hun invloedrijke PZ-manager geweest, met een stem die betoverend was als die van de Sirenen, en waarschijnlijk was hij direct verantwoordelijk geweest voor de 'inspirerende werving', zoals die door Guillaume wordt beschreven op www.hautain.fr. Het was de enige logische verklaring: alle hoogleraren die in de loop der jaren waren komen eten, de stille jongemannen die gebiologeerd luisterden als Pap zijn Bergrede hield, zijn verhaal van Tobias Jones de Verdoemde, zijn Determinatietheorie – *'Je hebt wolven en je hebt ingelegde garnalen,'* zei hij bij zijn confronterende verkooppraatje –, maar het waren niet alleen geen hoogleraren, ze bestonden niet eens.

Er was geen hardhorende dr. Luke Ordinote die aan het hoofd van de Afdeling Geschiedenis van de Universiteit van Missouri in Archer stond. Er was geen Professor Taalkunde Mark Hill met amandelvormige ogen. Er was wél een Dierkundeprofessor Mark Hubbard, maar daar kon ik niet mee praten omdat hij al twaalf jaar met sabbatical in Israël zat om de bedreigde Kleine trap te bestuderen, *Tetrax tetrax*. Maar het griezeligst was dat er geen professor Arnie Sanderson was die Drama en De Wereldgeschiedenis van het Theater doceerde, waar Pap een onstuimig etentje in Piazza Pitti mee had gehad op de avond dat Eva Brewster de vlindercollectie van mijn moeder had verwoest, net als op de avond van zijn verdwijning.

'Hallo?'

'Hallo. Ik ben op zoek naar een toegevoegd hoogleraar die in de herfst van 2001 op de Opleiding Engels doceerde. Zijn naam is Lee Sanjay Song.'

'Hoe was de naam?'

'Song.'

Er volgde een korte stilte.

'Er heeft hier niemand met die naam gewerkt.'

'Ik weet niet zeker of het fulltime of parttime was.'

'Dat snap ik, maar er is niemand...'

'Misschien is hij vertrokken? Naar Calcutta verhuisd? Timboektoe? Misschien is hij overreden door een bus.'

'Pardon?'

'Neem me niet kwalijk. Is er misschien iemand anders die het zou kunnen weten?'

'Ik sta al negenentwintig jaar aan het hoofd van de Opleiding Engels en ik kan u verzekeren dat er nooit iemand is geweest met de naam Song. Het spijt me dat ik u niet van dienst kan zijn, juffrouw...'

Ik vroeg me natuurlijk ook af of Pap een namaakprofessor was geweest. Ik had hem een paar keer een college zien geven, maar er waren aanzienlijk meer colleges waar ik niet bij was geweest. En als ik niet met eigen ogen het piepkleine kantoortje had gezien dat Pap zijn 'kooi', zijn 'kerker' had genoemd, zijn 'en zij denken dat ik hier in deze catacomben ideeën kan opdoen om de kleurloze jongeren van dit land te inspireren' – was het misschien net zo als met die boom die omviel in het bos: dat het nooit was gebeurd.

Op dit terrein tastte ik volledig in het duister. Jan en alleman had van Pap gehoord, inclusief een paar net ingehuurde afdelingssecretaresses. Het leek wel alsof Pap overal een Gele Klinkerweg vol bewonderaars achterliet.

'Hoe is het met die ouwe?' informeerde decaan Richardson van de Universiteit van Arkansas in Wilsonville.

'Uitstekend.'

'Ik heb me regelmatig afgevraagd wat er van hem was geworden. Ik moest laatst nog aan hem denken toen ik in *Proposals* een artikel van Virginia Summa tegenkwam waarin het Midden-Oostenbeleid de hemel in werd geprezen. Ik kon Gareth bijna horen huilen van het lachen. Nu ik erover nadenk, ik heb al een tijdje geen artikel meer van hem gezien. Het valt zeker niet mee tegenwoordig. De dissidenten, de non-conformisten, de mensen die hun eigen weg gaan en hun mond roeren vinden niet meer zo makkelijk als vroeger een platform.'

'Hij redt zich aardig.'

Als een van de hoeken van je bestaan is aangetast door een angstaanjagende hoeveelheid woekerende slijmzwammen, zit er niets anders op dan het geheel meedogenloos in het licht te zetten (van die lampen die ze in legbatterijen gebruiken) en elk hoekje op handen en voeten grondig schoon te schrobben. Dus was het noodzakelijk om nog een griezelige mogelijkheid te onderzoeken: stel dat de Meikevers geen Meikevers waren, maar Nachtpauwogen (*Graellsia isabellae*), de fraaiste vlindersoort van Europa? Stel dat zij net als de nephoogleraren talentvolle mensen waren die Pap zorgvuldig had geselecteerd voor de Nachtwakers? Stel dat ze alleen maar deden alsof er een grote affiniteit met Pap was, zoals lithium zich verbindt met fluor (zie *De vreemde aantrekkingskracht van tegengestelde ionen*, Booley, 1975)? Ik wilde dat het waar was; ik wilde mijn bootje langszij het hunne kunnen leggen, ze redden van hun verlepte Kaapse viooltjes en telefoontjes met beverige stem, van hun lauwe levenloze water zonder riffen, papegaaivissen of maanvissen (en al helemaal geen zeeschildpadden). Pap had ze gestrand in hun bootje achtergelaten, maar ik zou ze hun vrijheid hergeven, ze het ruime sop laten kiezen met een sterke passaatwind. Ze zouden verdwijnen naar Casablanca, naar Bombay, naar Rio (iedereen wilde naar Rio verdwijnen), en nooit heeft iemand meer iets van ze gehoord of gezien, het poëtische lot waarvan ze alleen maar konden dromen.

Ik begon mijn onderzoek door Inlichtingen te bellen en het nummer te vragen van Meikever Jessie Rose Rubiman, die nog steeds in Newton, Texas, woonde, en nog steeds erfgename was van Rubiman Vloerbedekking: 'Noem zijn naam nog één keer en ik... Weet je? Ik loop nog steeds met het idee om uit te zoeken waar hij woont, dan sluip ik een keertje 's nachts zijn slaapkamer binnen en snijd ik zijn dingetje eraf. Die vuile smeerlap heeft niet beter verdiend.'

Ik besloot mijn onderzoek door Inlichtingen te bellen en het nummer van Meikever Shelby Hollow te vragen: 'Nachtwakers? Wacht even – spreek ik met een beveiligingsbedrijf?'

Tenzij Meikevers vaardige actrices waren in de traditie van Davis en Diettrich (geschikt voor A-films, niet voor B- of C-films), leek het duidelijk dat Hannah Schneider de enige nachtvlinder was die door deze klamme nacht dwarrelde en bij elke buitenlamp en lantaarnpaal als een gestoorde kamikazepiloot achtjes draaide en zich zelfs niet liet verjagen als ik alle lampen uitdeed en haar negeerde.

Dat was het verontrustende van deze hele verdwijningsaffaire: dat je verstoken was van iemand om mee te praten en je gedachten alle vrijheid van de wereld hadden; ze konden dagen ronddolen zonder iemand tegen te komen. Ik kon ermee leven dat Pap zichzelf Socrates noemde. Ik kon ook met de Nachtwakers leven, elk gerucht over hun doen en laten najagen als een privé-detective die wanhopig op zoek is naar de vermiste schone. Ik kon er zelfs mee leven dat Servo en Hannah minnaars waren geweest (zie 'Afrikaanse eiereten-de slang', *Encyclopedie der levende wezens*, vierde druk). Ik kon me zo voorstellen dat Baba au Rhum niet altijd een spraakwaterval was geweest die voortdurend 'hmm' zei; in de piekharige zomer van 1973 was hij ongetwijfeld een boeiende rebel geweest (of hij leek net genoeg op Poe om de dertienjarige Catherine te doen besluiten dat zij voor eeuwig zijn Virginia wilde zijn).

Wat er bij mij níét in wilde, waar ik met het blote oog niet naar kon kijken, was *Pap* met Hannah. Ik merkte naarmate de dagen voorbijgleden dat ik die gedachte telkens wegstopte, ik bewaarde hem als een oma voor een Speciale Gelegenheid die nooit zou komen. Ik probeerde met wisselend succes afleiding te zoeken (níét met een boek of een toneelstuk, en inderdaad: Keats reciteren was een idioot plan, net zoiets als bij een aardbeving je toevlucht zoeken in een roeiboot), maar met tv, aftershave- en kledingreclames, melodrama's op prime time met gebronsde mensen die Brett heetten en verkondigden dat 'het tijd was om de rekening te vereffenen'.

Ze waren verdwenen. Het waren reusachtige specimens met gespreide vleugels in glazen vitrines in schemerige, verlaten ruimtes. Ik kon ze bestuderen en mezelf voor mijn hoofd slaan omdat hun overduidelijke overeenkomsten me nooit eerder waren opgevallen: hun ontzagwekkende grootte (immers grote persoonlijkheden), felgekleurde achtervleugels (onder alle omstandigheden verdacht), hun ontstaan als larve (respectievelijk wees, arm klein rijk meisje), het feit dat ze alleen 's nachts actief waren (hun eind in raadselen gehuld), de grenzen van hun verspreidingsgebied onbekend.

Als een man zich zo nadrukkelijk neerbuigend als Pap over een vrouw uitliet ('gewoontjes', 'zonderling en nukkig', 'sentimenteel', had hij haar genoemd), stond er achter het gordijn van die hevige afkeer bijna altijd een gloednieuwe Minnares geparkeerd, groot, glanzend en onpraktisch (voorbestemd om binnen een jaar afgedankt te worden). Het was een oeroud trucje, eentje waar ik nooit in had mogen tuinen na het lezen van alles van Shakespeare, inclusief de latere romantische werken, en de definitieve biografie van Cary Grant, *De onwillige minnaar* (Murdy, 1999).

VLINDERS BREEKBAAR. Waarom zag ik die oude verhuisdoos voor me als ik mezelf dwong om aan Pap en Hannah samen te denken? Die woorden gebruikte Pap bijna altijd als hij het over mijn moeder had. Na de *battement frappés* en *demi-pliés*, de Technicolor-droomjurk, doken die woorden regelmatig op als ongewenste, armoedige gasten op een galabal, misplaatst en zielig, alsof Pap praatte over haar glazen oog of ontbrekende arm. In Hyacinth Terrace had Hannah Schneider tegenover mij dezelfde woorden gebruikt, haar donkere ogen als twee verstopte afvoerputjes, haar mond donkerrood gekleurd. Met een priemende blik had ze gezegd: '*Sommige mensen zijn zo breekbaar als... als vlinders.*'

Ze hadden dezelfde woorden gebruikt om een en dezelfde persoon te omschrijven.

Pap had vaker een in zijn ogen passende slogan voor iemand bedacht waar hij gretig op terugviel wanneer die persoon ter sprake kwam (decaan Roy van de Universiteit van Arkansas in Wilsonville kon zich verblijden in het niet bijzonder geïnspireerde 'die lieverd').

Waarschijnlijk had Hannah het hem een keer horen zeggen toen hij mijn moeder omschreef. En net zoals ze zonder blikken of blozen bij het avondeten Paps lievelingscitaat had gebruikt (Geluk, hond, zon) en zijn favoriete buitenlandse film (*L'Avventura*) in haar videorecorder had geduwd (Hannah was intussen met de poederkwast bewerkt en onder een ultraviolette lamp gezet: ze was overdekt met Paps vingerafdrukken), had ze me die zinsnede als lokaas toegeworpen, waarbij ze stukjes van het duistere geheim dat ze koesterde door haar vingers liet glijden zodat ik het kon zien, het kon volgen als een vaag zandspoortje. Maar zelfs toen ik alleen met haar in het bos was had ze niet de durf (*Mut* in het Duits) om het van zich af te gooien, zodat het op ons neer zou dwarrelen en in ons haar en onze mond terecht zou komen.

De waarheid die ze verborgen hielden (Pap met de felheid van de Vijfde Symfonie, Hannah nogal warrig), dat ze elkaar kenden (sinds 1992, had ik berekend) in de filmaffichebetekenis van het woord (en ik zou nooit weten of ze *Il Caso Thomas Crown* of *Colazione da Tiffany* waren, of dat ze driehonderd keer naast elkaar hun tanden hadden staan flossen), deed me niet eens met mijn ogen knipperen of naar adem snakken.

Ik ging op mijn knieën naast de verhuisdoos zitten en liet mijn vingers door de fluwelen fragmenten gaan, de voelsprieten, voorvleugels en borstkasjes, het verscheurde papier en de spelden, in de hoop dat Natasha een bericht voor me had achtergelaten, een zelfmoordbriefje dat verwees naar haar verraderlijke echtgenoot zoals ze het deel van de *Delias pasithoe* aangaf waarmee ze die vogels op een afstand hield: een verklaring, een lastig maar oplosbaar raadsel, een teken uit het dodenrijk, een verklarende illustratie. (Er was niets.)

Tegen die tijd vulden mijn aantekeningen een complete blocnote, en ik herinnerde me de foto die Nigel me in de slaapkamer van Hannah had laten zien (die ze voor het kampeeruitje moest hebben vernietigd, want daarna zat hij niet meer in de Evan Picone-schoenendoos), die van een jonge Hannah met een ander blond meisje dat van de camera wegkeek en op de achterkant in blauwe inkt het jaartal 1973. Ik was met de Volvo naar Cyberroast, het internetcafé aan Orlando, gereden en ik had het gouden insigne met de leeuw dat ik me herinnerde van het schooluniform van Hannah vergeleken met het wapen van een particuliere school op East 81st Street, de school waar Natasha in 1973 naartoe was gegaan toen ze van haar ouders van het Larson Ballet Conservatory (zie www.theivyschool.edu) af moest. (Hun ergerlijke motto was *Salva veritate*.) En nadat ik uren naar die andere foto van Hannah had zitten staren, de foto met popster Hannah met het brandweerrode haar die ik uit de garage had gepikt, besefte ik waarom ik toen ik haar in januari met dat waanzinnige kapsel had gezien een aanhoudend déjà vu-gevoel had gehad.

De vrouw die me na de dood van mijn moeder uit de kleuterschool ophaalde, die knappe vrouw met de korte, rode stekeltjes van wie Pap vertelde dat het de buurvrouw was... was Hannah geweest.

Ik vergaarde stukjes bewijsmateriaal uit elk gesprek dat ik me kon herinneren en paste ze in elkaar, verbijsterd, maar ook ziek van de resulterende collage (zie 'Uitgestrekt Naakt Patchwork XI', *De niet-geautoriseerde biografie van Indonesia Sotto*, Greyden, 1989, blz. 211). 'Ze had als kind een hartsvriendin gehad,' had Hannah me verteld terwijl de rook van haar sigaret pirouettes boven haar vingers maakte, 'een beeldschoon meisje, breekbaar; ze waren net twee zusjes. Ze kon haar in vertrouwen nemen, haar alles vertellen wat ze op haar hart had – ik weet bij god niet meer hoe ze heette.' 'Wat een stumper ben ik, hè?' had ze in het bos tegen me gezegd. 'Toen ze in de twintig was, was er iets vreselijks gebeurd, iets met een man,' had Eva Brewster gezegd. 'Ze was er niet verder op doorgegaan, maar ze voelde zich nog elke dag schuldig over wat ze had gedaan – wat het ook was.'

Was Hannah de reden waarom Servo en Pap (ondanks hun actieve samenwerking) met elkaar overhooplagen – hadden ze allebei van dezelfde vrouw gehouden? (Of misschien was het niet zo grootschalig geweest, was het gewoon een geval van een los contactje.) Was Hannah de reden waarom we naar Stockton waren verhuisd: verdriet over haar dode hartsvriendin die vanwege liefdesverdriet zelfmoord had gepleegd – was dat de reden waarom ze me overlaadde met complimenten en me tegen haar magere schouder drukte? Hoe kon het dat onderzoekers de rand van het zichtbare heelal konden bepalen ('Ons heelal is 13,7 miljard lichtjaar lang,' schreef dr. Harry Mills Cornblow met verrassende stelligheid in Het ABC van de kosmos (2003)), maar dat eenvoudige mensen zo vaag bleven, zo niet in berekeningen te vatten?

Mijn antwoorden luidden Ja, Misschien, Waarschijnlijk en God Mag Het Weten. Twee weken na Paps verdwijning (twee dagen nadat ik van William Baumgartner van de Bank of New York een vriendelijk briefje had gekregen met mijn rekeningnummers; het bleek dat Pap in 1993, het jaar dat we weggingen uit Mississippi, een spaarrekening op mijn naam had geopend) zat ik in de rommelkamer tegenover Paps voormalige werkkamer de planken vol overtollige spullen af te zoeken; het meeste was van de eigenaar van Armor Street 24, maar een deel bestond uit troep die Pap en ik in de loop der jaren hadden verzameld: bij elkaar passende mintgroene lampen, een marmeren presse-papier in de vorm van een obelisk (een cadeautje van een erkentelijke leerling), een paar verbleekte, onbeduidende fotoboeken (Reisgids voor Zuid-Afrika (1968) door J.C. Bulrich). Ik schoof een kleine, platte doos met het opschrift BESTEK opzij en ernaast lag in een hoekje achter een verkreukelde, vergeelde krant (met de lugubere naam Rwandan Standard Times) Paps Brighella-kostuum, de op elkaar gepropte zwarte mantel, het bronzen masker met de bladderende verf en de haakneus honend te lachen.

Zonder na te denken pakte ik de mantel, schudde hem uit en drukte mijn gezicht erin, een beetje gênant en onnozel, maar ik rook meteen een vaag bekende geur, de geur van Howard, de Wal-Mart en Hannahs slaapkamer: die vertrouwde zurige Tahiti-sappen, een geur die een kamer binnenviel en urenlang bleef hangen.

Maar het was een gezicht tussen duizenden andere gezichten. Je zag een kaak, ogen of zo'n fascinerende kin die eruitzag als een kluwen wol waarbij een losse draad strak door het holle midden was getrokken. Je wilde het ontzettend graag terugvinden maar dat lukte niet, hoe hard je je ook een weg tussen de ellebogen, handtassen en hoge hakken door baande. Op het moment dat ik het luchtje herkende en de naam door mijn hoofd panterde, was die weer spoorloos verdwenen, voorgoed.

Metamorphoses

Ik wist dat er op de dag van de diploma-uitreiking iets mafs en romantisch zou gebeuren, want de ochtendhemel bleef maar blozen en de lucht voelde verlegen toen ik mijn slaapkamerraam opendeed. Zelfs de meisjesachtige dennenbomen die in kleine groepjes in de tuin stonden trilden verwachtingsvol. Ik ging aan de keukentafel zitten met Paps *Wall Street Journal* (hij dook elke ochtend weer op als een kerel die steeds weer naar dezelfde straathoek terugkeert omdat zijn lievelingshoertje daar een keer met haar handel had gepronkt), zette de tv aan op WQOX News 13, *Het ontbijtprogramma met Cherry*, en Cherry Jeffries was er niet.

Norvel Owen zat op haar plaats, in een strak marineblauw sportjasje. Hij haakte zijn vlezige vingers in elkaar en met een glimmend gezicht en knipperend alsof iemand met een zaklamp in zijn ogen scheen begon hij het nieuws te lezen, zonder één woord van uitleg, terloopse opmerking of persoonlijk tussendoortje over de reden van de afwezigheid van Cherry Jeffries. Er kon zelfs geen oppervlakkig en niet gemeend 'We wensen Cherry veel succes', of 'We wensen Cherry een spoedig herstel toe', van af. Nog veel verrassender was de nieuwe naam van het programma, die in beeld verscheen bij de onderbreking voor de reclame: *Het ontbijtprogramma met Norvel*. De programmamakers van WQOX News 13 hadden het complete bestaan van Cherry met hetzelfde gemak gewist als waarmee ze in de montageruimte de aarzelingen en versprekingen van een ooggetuige in een reportage wegmoffelden.

Met een grijns in de vorm van een halve ananasschijf kondigde Norvel het weerbericht met Ashleigh Goldwell aan. Ze vertelde dat Stockton rekening moest houden 'met een hoge vochtigheidsgraad en een regenkans van tachtig procent'.

Nadat ik een laatste paar karweitjes had gedaan (de makelaar, het Leger des Heils), arriveerde ik op school waar Eva Brewster ondanks de matige weersvooruitzichten via de intercom aankondigde dat de trotse ouders om *precies* elf uur op de hen aangewezen metalen vouwstoeltjes op het grasveld tegenover de sporthal aanwezig moesten zijn. (Per leerling waren vijf plaatsen beschikbaar; de rest diende gebruik te maken van de tribune.) De ceremonie zou *nog steeds* om halftwaalf van start gaan. In tegenstelling tot de circulerende geruchten zouden alle onderdelen en sprekers volgens schema beginnen, inclusief het Hors-d'Oeuvre-Uurtje (muziek en amusement verzorgd door de Jelly Roll Jazz Band en de St. Gallway Fosse Dancers die niet in het laatste jaar zaten), waar ouders, personeelsleden en leerlingen als nachtvlinders tussen het gefluister van Wie Waar was Toegelaten en de aronskelken en glaasjes cider door konden dwarrelen.

'Ik heb een paar radiostations gebeld en het schijnt dat het pas later in de middag gaat regenen,' zei Eva Brewster. 'Als iedereen op tijd klaarstaat is er niets aan de hand. Succes en gefeliciteerd.'

Ik had wat langer werk dan ik had gedacht bij juffrouw Simpson (suffe juf Simpson: 'Het was een eer om je in mijn klas te mogen hebben. Een leerling die blijk geeft van een dergelijk diep inzicht in de materie...'), en meneer Moats wilde me ook niet laten gaan toen ik mijn tekenmap kwam inleveren. Hoewel ik mijn uiterste best had gedaan om er net zo uit te zien en me net zo te gedragen als voor mijn abrupte afwezigheid van school, in totaal zestien dagen – hetzelfde kapsel, dezelfde kleding, dezelfde manier van lopen (dat waren de aanwijzingen waar de mensen op gespitst waren als ze Huiselijke Rampspoed of een Verslechterde Geestestoestand vermoedden) –, leek het alsof Paps desertie me toch op de een of andere manier had veranderd, een klein beetje maar, een woordje hier, een stukje uitleg daar. Het voelde ook alsof alle ogen op me waren gericht, maar niet op de jaloerse manier zoals tijdens mijn Blueblood-hoogtijdagen. Nee, het waren nu de volwassenen die naar me keken, steeds met een korte, verbijsterde blik, alsof ik iets ouds uitstraalde, alsof ze zichzelf herkenden.

'Blij dat het nu weer goed gaat,' zei meneer Moats.

'Dank u,' zei ik.

'We maakten ons al zorgen. We wisten niet wat er met je was gebeurd.'

'Ik weet het. Het was een beetje hectisch.'

'Het was een hele opluchting toen je Eva liet weten wat er was gebeurd. Het zit je niet mee. Hoe is het nu met je vader?'

'De prognose is niet goed,' zei ik. Het was het voorbereide zinnetje dat ik met groot plezier had willen bezigen bij mevrouw Thermopolis (die reageerde door te zeggen dat kanker 'tegenwoordig heel goed te behandelen was', alsof het om een mislukt kapsel ging) en bij mevrouw Gershon (die haastig van gespreksonderwerp veranderde en begon over mijn laatste werkstuk over de snaartheorie), en zelfs bij meneer Archer (die naar de reproductie van Titiaan aan de muur staarde, kennelijk sprakeloos door de ruches in de jurk), maar het bezorgde me een naar gevoel bij meneer Moats, die zichtbaar aangedaan en verdrietig was. Hij knikte naar de grond. 'Mijn vader is aan keelkanker overleden,' zei hij zachtjes. 'Het kan slopend zijn. Je stem verliezen, niet meer kunnen communiceren – dat is voor niemand makkelijk. Ik kan me er geen van voorstelling maken hoe zoiets voor een hoogleraar moet zijn. Modigliani werd ook door kwalen geteisterd. Degas. Toulouse ook. Veel groten uit de geschiedenis.' Moats zuchtte. 'En komend jaar naar Harvard?'

Ik knikte.

'Het zal niet meevallen, maar je moet je concentreren op je studie. Dat zou je vader ook willen. En blijf tekenen, Blue,' voegde hij eraan toe, iets waar hij meer troost uit leek te putten dan ik. Hij zuchtte en streek langs de kraag van zijn getextureerde magenta overhemd. 'En dat zeg ik niet tegen iedereen, weet je. Er zijn genoeg mensen die zich verre moeten houden van het blanco vel. Maar jij... Een tekening, de zorgvuldig overwogen weergave van een mens, een dier of een levenloos voorwerp is niet zomaar een afbeelding, het is een blauwdruk van de ziel. Fotografie? Voor luiaards. Tekenen? Het medium van de denker, de dromer.'

'Dank u,' zei ik.

Een paar minuten later haastte ik me over het grasveld in mijn lange witte jurk en op mijn platte witte schoenen. De hemel was loodgrijs geworden en ouders in pasteltinten slenterden in de richting van Bartleby. Sommigen lachten, omklemden hun handtas of de hand van een klein kind; anderen frunnikten aan hun haar alsof ze een donzen kussen in vorm klopten.

Juffrouw Eugenia Sturds had verordonneerd dat we ons moesten 'groeperen' (we waren stieren die losgelaten zouden worden in een arena) in de Nathan Bly '68 Trofeeënkamer om uiterlijk kwart voor elf, en toen ik de deur openduwde en de volle ruimte binnenliep leek het erop dat ik de laatste was.

'Geen onregelmatigheden tijdens de ceremonie,' zei meneer Butters. 'Geen gelach. Geen gedraai...'

'Niet klappen totdat alle namen zijn opgenoemd...' riep juffrouw Sturds.

'Niet heen en weer lopen naar het toilet...'

'Als jullie nog moeten plassen, meisjes, ga dan nu.'

Ik zag meteen Jade en de anderen in een hoek staan. Jade droeg een marshmallowkleurig pakje en haar haar zat in een *Mais oui*-draai; ze bestudeerde haar uiterlijk in een zakspiegeltje, veegde lippenstift van haar tanden en drukte haar lippen op elkaar. Lu stond stilletjes met haar handen gevouwen naar de grond te kijken en deinde zachtjes van voren naar achteren. Charles, Milton en Nigel praatten over bier. 'Budweiser smaakt naar uilenzeik,' hoorde ik Milton op luide toon verklaren toen ik naar de andere kant van de kamer liep. (Ik had me meerdere malen afgevraagd waarover ze het hadden nu Hannah er niet meer was en ik was min of meer opgelucht om te horen dat het over koetjes en kalfjes ging en dat het niets te maken had met het Eeuwige Waarom; ik miste niet veel.) Ik baande me een weg langs Point Richardson, Donnamara Chase snifte wanhopig terwijl ze met een natte zakdoek een blauwe balpenstreep van de voorkant van haar bloes probeerde te vegen, Trucker droeg een groene stropdas met paardenhoofdjes erop en Dee maakte met een veiligheidsspeld de rode behabandjes aan de jurk van Dum vast zodat ze niet te zien waren.

'Ik snap niet waarom je tegen mama hebt gezegd dat het om kwart voor twaalf was,' zei Dee geprikkeld.

'Wat maakt dat nou uit?'

'Vanwege de ceremonie.'

'Hoezo?'

'Nu kan ze geen foto's maken. Door jouw *mal à la tête* mist mama nu de laatste dag van onze jeugd alsof het de bus naar huis is.'

'Ze zei dat ze er bijtijds zou zijn.'

'Ik heb haar in elk geval nog niet gezien, en ze draagt dat uiterst zichtbare paarse pakje dat ze zo ongeveer bij élke gelegenheid draagt.'

'Je hebt toch tegen haar gezegd dat ze in geen geval dat uiterst zichtbare...'

'Het begint!' riep Neusje vanaf de radiator bij het raam. 'We moeten gaan! *Nu!*'

'Pak het diploma met je rechterhand en geef een hand met je linker, of was het hand geven met rechts en pakken met links?' vroeg Tim Waters.

'Zach, heb jij onze ouders gezien?' vroeg Lonny Felix.

'Ik moet naar de wc,' zei Krista Jibsen.

'Het is zover,' zei Sal Mineo plechtig achter me. 'Het einde.'

En hoewel de Jelly Roll Jazz Band was losgebarsten in 'Pomp and Circumstance', deelde juffrouw Sturds ons op zakelijke toon mee dat niemand zijn diploma zou krijgen tot iedereen rustig was en op alfabetische volgorde klaarstond. We vormden een rij, precies zoals de hele week was geoefend. Mevrouw Butters gaf het teken met een zwierig *American Bandstand*-gebaar en juffrouw Sturds liep alsof ze een rij stevig gebouwde nieuwe muilezels aanvoerde voor ons uit het grasveld op, met haar armen omhoog en haar bloemetjesjurk wapperend rond haar enkels.

De hemel was één reusachtige 'blauwe plek'; kennelijk had iemand hem een dreun op zijn gezicht verkocht. Er was ook een onaangename wind opgestoken. Hij bleef de blauwe St. Gallway-vlaggen aan weerszijden van het podium treiteren en toen hij daar genoeg van had vestigde hij zijn aandacht op de muziek. Ondanks de aansporingen van meneer Johnson aan het adres van de Jelly Roll Jazz Band om harder te spelen (ik dacht heel even dat hij 'Harde jongens!' riep, maar dat was niet zo), onderschepte de wind de klanken, sprintte ermee naar de andere kant van het veld en schopte ze tussen de doelpalen door, zodat er alleen wat zwak getoeter en geroffel hoorbaar was.

We liepen achter elkaar naar het podium. Ouders dromden opgewonden lachend en applaudisserend om ons heen, oma's in slowmotion probeerden *fotoows* te maken met camera's die ze als kostbare sieraden hanteerden. Een pezige fotograaf uit Ellis Hills probeerde er als een hagedis tussendoor te schieten, repte zich voor de stoet uit, hurkte en tuurde door zijn zoeker. Hij maakte een paar snelle foto's, waarbij zijn tong tevoorschijn kwam, en vervolgens haastte hij zich weer verder.

De andere eindexamenleerlingen liepen naar de klapstoelen vooraan en Radley Clifton en ik liepen de vijf treden van het podium op. We gingen op de stoelen rechts van Havermeyer en zijn vrouw Gloria zitten (die eindelijk verlost was van de last die ze had meegetorst, maar nu had ze een minstens zo verontrustende plexiglasbleke gelaatskleur).

Naast haar zat Eva Brewster, die me een bemoedigend lachje toewierp dat ze meteen weer terugnam, alsof ze me een zakdoekje leende maar niet wilde dat het vies werd.

Havermeyer liep langzaam naar de microfoon, waar hij een lang verhaal hield over onze ongeëvenaarde prestaties, ons grote talent en onze stralende toekomst, en daarna hield Radley Clifton zijn welkomstwoord. Hij was net begonnen te filosoferen – 'Een leger marcheert op zijn maag,' zei hij – toen de wind, kennelijk uit minachting jegens alle leerlingen, waarheidszoekers en denkers (iedereen die zich bezighield met het Eeuwige Waarom) ik-zie-ik-zie-wat-jij-niet-ziet begon te spelen met Radley, zijn rode das liet wapperen en zijn keurig gekamde, kartonkleurige haar in de war blies, en net toen iedereen dacht dat het daarbij zou blijven, begon hij aan de keurig geordende velletjes met Radleys toespraak te rukken, waardoor die van zijn plek af moest, dingen herhaalde en begon te stotteren, zodat het Eindexamencredo van Radley er haperend, inconsequent en warrig uitkwam – een verrassend resonerende levensbeschouwing.

Havermeyer keerde terug naar het podium. Zandkleurige slierten haar speelden haasje-over op zijn voorhoofd. 'Ik wil nu het woord geven aan een buitengewoon getalenteerde jongedame die oorspronkelijk uit Ohio komt en ons dit jaar heeft vereerd met haar aanwezigheid op St. Gallway. Juffrouw Blue Van Meer.'

Hij sprak 'Meer' uit als *mère*, maar dat zette ik van me af terwijl ik opstond, mijn jurk gladstreek en onder een beschaafd applausje over de rubber mat op het podium liep (een paar jaar eerder was er klaarblijkelijk een akelige valpartij geweest: Martine Filobeque, geniepige dennenappel, jarretels). Ik was blij met het applaus, blij dat de mensen grootmoedig genoeg waren om te klappen voor een kind dat niet hun eigen kind was, een kind dat in elk geval in academisch opzicht hun eigen kind de baas was (een acceptabel excuus voor een vader om spottend te zeggen:'Dus dit bedoelen ze met "uitmuntend"'). Ik legde mijn papieren neer, zette de microfoon lager en maakte de fout om naar de tweehonderd gezichten te kijken die me als een akker met volgroeide witte kool aangaapten. Mijn hart probeerde nieuwe bewegingen (de Robot en iets wat de Bolbliksem heette) en een paar vreselijke seconden was ik bang dat ik niet de moed had om iets te zeggen. Ergens in de menigte streek Jade haar gouden haar glad met de verzuchting:'O nee, daar heb je de duif weer', en Milton dacht aan tonijn tataki en *salade niçoise* – maar ik bande die gedachten zo goed mogelijk uit. De randen van mijn papieren leken ook in paniek en beefden in de wind.

'In een van de eerste examentoespraken die zijn vastgelegd,' begon ik met een stem die ietwat onzeker over alle keurig gekapte hoofden vloog, waarschijnlijk tot aan de lange man in het blauwe kostuum achteraan, van wie ik heel even dacht dat het Pap was (het was niet zo, tenzij Pap als een plant die te weinig licht heeft gekregen in mijn afwezigheid een fikse bos haar had verloren), 'in 1801 op de Doverfield Academy in Massachusetts uitgesproken door de zeventienjarige Michael Finpost, zei hij tegen zijn lotgenoten: "Als we terugkijken op deze gouden tijd, zullen we beseffen dat dit de beste jaren van ons leven waren." Nou, ik hoop voor alle aanwezigen dat dat niet het geval zal zijn.'

Een blond meisje met een kort rokje op de eerste rij van het vak met ouders sloeg beurtelings haar benen over elkaar en maakte er rusteloze bewegingen mee, alsof ze ze wilde uitrekken, bewegingen waarmee ze op luchthavens vliegtuigen naar hun plek loodsten.

'En ik ben niet van plan om hier "Blijf aan uzelven trouw" te gaan zeggen, want het grootste deel van jullie doet dat toch niet. Statistieken van justitie tonen aan dat er in Amerika een sterke stijging is van het aantal gevallen van diefstal en fraude, niet alleen in de steden, maar ook op het platteland. Ook om die reden betwijfel ik of wij ons in vier jaar middelbare school een positie hebben verschaft waardoor we dat streven hoog kunnen houden. Misschien hebben we ontdekt in welke buurt we het moeten zoeken, maar beschikken we niet over de precieze coördinaten. Ik ben ook niet van plan' – in een vreselijk moment viel mijn concentratiezwerver uit de trein, net toen die begon te versnellen, maar tot mijn grote opluchting slaagde hij erin om weer overeind te krabbelen, een sprintje te trekken en zich weer aan boord te hijsen – 'ik ben ook niet van plan om te zeggen dat jullie zonnebrandcrème moeten gebruiken. Het grootste deel van jullie doet dat toch niet. Volgens de *New England Journal of Medicine* van juni 2002 loopt het aantal gevallen van huidkanker in de leeftijdsgroep tot dertig jaar steeds verder op en in de westerse wereld vinden drieënveertig op de vijftig mensen zelfs onopvallende mensen twintig keer aantrekkelijker wanneer ze een kleurtje hebben.' Ik zweeg even. Ik kon het niet geloven; ik zei 'kleurtje' en er ging een lichte aardbeving van gelach door de menigte. 'Nee, ik wil jullie iets anders meegeven. Iets van praktische aard. Voor als er iets gebeurt waardoor je denkt dat je er nooit meer bovenop komt. Als je helemaal in de put zit en het niet meer ziet zitten.'

Ik zag Dum en Dee, op de voorste rij, vierde van links. Ze staarden me met identieke lege gezichten aan, een halve glimlach, gevangen tussen hun tanden als de zoom van een rok in een panty.

'Ik wil jullie vragen om eens goed na te denken hoe jullie je leven vorm willen geven,' zei ik, 'niet als de Dalai Lama of Jezus – hoewel ze vast behulpzaam kunnen zijn –, maar op een wat directere manier, met de *Carassius auratus auratus*, beter bekend als de gewone goudvis.'

Er klonk wat fopartikelengelach, alsof er hier en daar een aardigheidje was verstopt, maar ik ging verder.

'We maken grapjes over de goudvis. We slikken ze zonder enige aarzeling door. Jonas Ornata III, in '42 afgestudeerd aan Princeton, staat in het *Guinness Book of World Records* voor het doorslikken van de meeste goudvissen in een tijdsbestek van vijftien minuten, het wrede aantal van negenendertig stuks. Maar ter verdediging kunnen we aanvoeren dat Jonas geen weet had van de grootsheid van de goudvis, van het feit dat ze ons zoveel prachtige lessen kunnen leren.'

Ik keek op, recht in het gezicht van Milton, die op de eerste rij zat. Hij zat op de achterpoten van zijn stoel met iemand achter hem te praten, Jade.

'Als je leeft als een goudvis,' ging ik verder, 'kun je de zwaarste, onmogelijkste omstandigheden overleven. Je kunt ontberingen doorstaan waarbij je lotgenoten – de guppy, de neon-tetra – meteen het loodje zouden leggen. In het tijdschrift van de Vereniging van Goudvishouders van Amerika staat een bloedstollend voorval beschreven: een sadistisch meisje van vijf gooide haar goudvis op de grond en ging erop staan, niet een, maar twee keer – gelukkig lag er hoogpolig tapijt, waardoor haar hak niet met zijn volle gewicht op de vis terechtkwam. Na dertig vreselijke seconden gooide ze de vis terug in zijn kom. Het diertje heeft daarna nog zevenenveertig jaar geleefd.' Ik schraapte mijn keel. 'Ze overleven het in vijvers die in hartje winter met een dikke laag ijs zijn bedekt. In viskommen die hooguit eens per jaar een sopje zien. En ze kunnen heel goed tegen verwaarlozing. Als ze aan hun lot worden overgelaten houden ze het nog drie tot vier maanden vol.'

Een paar ongedurige mensen drentelden heen en weer over het gangpad in de hoop dat ze aan mijn aandacht konden ontsnappen, een man met grijs haar die zijn benen wilde strekken en een vrouw die een baby wiegde en geheimpjes in zijn haar fluisterde.

'Als je leeft als een goudvis pas je je aan, niet na verloop van honderdduizenden jaren, zoals de meeste soorten, die alle procedures van de natuurlijke selectie moeten doorlopen, maar binnen een paar maanden of zelfs weken. Geef je ze een klein aquarium? Zij geven je een klein lichaam. Groot aquarium? Groot lichaam. Binnen. Buiten. Aquariums, viskommen. Troebel water, schoon water. In gezelschap of alleen.'

De wind teisterde de hoeken van mijn papieren.

'Maar het opvallendst aan de goudvis is zijn geheugen. Iedereen beklaagt ze omdat ze zich alleen hun laatste drie seconden kunnen herinneren, maar het is een geschenk om zo aan het heden vastgeketend te zijn. Ze zijn vrij. Geen geknies over blunders, foutjes, faux pas of een moeilijke jeugd. Geen spookbeelden. Ze hoeven niet veel bagage mee te slepen en hebben geen lijken in de kast. En wat is mooier dan de wereld steeds weer opnieuw te ontdekken, in al zijn schoonheid, bijna dertigduizend keer per dag? In de zalige wetenschap dat je mooiste moment niet veertig jaar geleden was toen je nog al je haar had, maar slechts *drie seconden* geleden, en dat het heel goed mogelijk is dat dat moment nog steeds voortduurt?' Ik zei in gedachten drie keer 'Mississippi', maar misschien deed ik het in mijn zenuwen iets te snel. 'En dit moment ook.' Weer drie seconden. 'En dit moment.' Nog een keer. 'En dit moment.'

Pap praatte nooit over de keren dat hij tijdens een lezing niets kon losmaken bij de mensen. Hij praatte nooit over die rare menselijke eigenschap om iets te willen overbrengen, wat dan ook, om een brug te slaan en de mensen eroverheen te helpen, of over wat je moest doen als de mensen ongedurig zaten te draaien als een paard dat vliegen op zijn rug heeft. Het niet-aflatende gesnuf, het geschraap van kelen, ogen van vaders die skateboardend van de ene rij naar de andere gingen, een ollie maakt om mama, zesde van rechts – hij zei er geen *woord* over. Langs de rand van het footballveld keken de dennenbomen waakzaam toe. De wind streek langs de mouwen van honderd bloezen. Ik vroeg me af of die knul aan het uiteinde van de derde rij, rood shirt (hij knauwde op zijn vuist en keek me fronsend met een James Dean-achtige intensiteit aan) in de gaten had dat ik een bedrieger was, dat ik stiekem het mooiste stuk van de waarheid eruit had gelicht en de rest had weggegooid. Want in het echt hadden goudvissen net zo'n beroerd leven als de meesten van ons; ze gaven doorlopend de geest door te grote temperatuurswisselingen, en als ze een glimp van een reiger opvingen waren ze genoodzaakt om zich tussen de rotsen te verstoppen. Maar misschien maakte het niet zoveel uit wat ik zei of niet zei, wie ik een kus op de wang gaf of mijn rug toekeerde. (O jee, Rood Shirt zat nu met zijn handen bij zijn mond nagels te bijten, hij zat zo ver naar voren gebogen dat zijn hoofd bijna een bloempot op de vensterbank van Sal Mineo's schouder was. Ik wist niet wie hij was. Ik had hem nooit eerder gezien.) Lezingen en Theorieën, elk Non-fictie-boek, misschien verdienden ze dezelfde zachte aanpak als een kunstwerk; misschien waren het menselijke scheppingen die probeerden om wat angst en vreugde van de wereld te dragen, die op een zekere plek waren gemaakt, op een zeker moment, om bespiegeld te worden, fronsend te worden bekeken, te worden bewonderd of afgewezen, waarna je er in de souvenirwinkel een ansichtkaart van kocht die je in een schoenendoos hoog op een plank opborg.

Het slot van mijn toespraak was een ramp, een ramp in de zin dat er niets gebeurde. Ik had natuurlijk gehoopt – net als iedereen die weleens oog in oog met een publiek heeft gestaan en wat van zichzelf heeft blootgegeven – op een zekere culminatie, verlichting, dat er een stukje hemel zou losraken en op al die stijve kapsels zou kletteren, als dat brok pleisterwerk waar Michelangelo zich in de Sixtijnse kapel had toegelegd op de wijsvinger van God, tot het zich in 1789 onverwacht had losgemaakt van het plafond en op het hoofd van pater Cantinolli terecht was gekomen, waardoor een gezelschap bezoekende nonnen zich een rolberoerte was geschrokken; toen ze weer bij zinnen waren was het voornaamste excuus voor al hun daden, van gewijd tot groezelig, dat 'God het hun had opgedragen' (zie *Lo spoke del Dio giorno*, Funachese, 1983).

Maar als God al bestond, liet Hij het vandaag, zoals meestal, geheel afweten. Ik moest het doen met wind, gezichten en een lege hemel. Applaus zou net zoiets zijn geweest als gelach tijdens een tv-programma in de heel erg kleine uurtjes (net zo obligaat). Ik liep terug naar mijn stoel. Havermeyer begon de namen van de geslaagde leerlingen op te noemen. Ik luisterde met een half oor tot hij bij de Bluebloods kwam. Voor mijn ogen zag ik hun levensverhaal langsflitsen.

'Milton Black.'

Milton sjokte de trap op met zijn hoofd in die bedrieglijk aandoenlijke hoek van vijfenzeventig graden. (Hij was een te tragische roman over het volwassen worden.)

'Nigel Creech.'

Hij glimlachte – een horloge waar licht op viel. (Hij was een niet-sentimentele komedie in vijf bedrijven, doortrokken van spitsvondigheden, wellust en pijn. De laatste scène eindigde een beetje wrang, maar de schrijver weigerde hem aan te passen.)

'Charles Loren.'

Charles hobbelde op zijn krukken de trap op. (Hij was een liefdesverhaal.)

'Gefeliciteerd, knul.'

De hemel liet een van zijn beste trucjes zien en had een gele kleur gekregen, de lucht was betrokken en de mensen moesten toch hun ogen dichtknijpen.

'Leulah Maloney.'

Ze huppelde de trap op. Ze had haar haar afgeknipt, niet zo heftig als Hannah, maar het resultaat was net zo hopeloos; de korte plukjes sloegen tegen haar kaak. (Ze was een twaalfregelig gedicht vol herhalingen en rijm.)

Regendruppels ter grootte van een wesp zoemden van de schouderstukken van de marineblazer van Havermeyer af, en van een moeder met een roze zonnehoed die hoog boven haar hoofd oprees. Op hetzelfde moment kwamen talloze paraplu's tot bloei – een zee van zwart, rood, geel en gestreept – en de leden van de Jelly Roll Jazz Band pakten hun instrumenten en vluchtten naar de gymzaal.

'Dat ziet er niet best uit, hè?' constateerde Havermeyer met een zucht. 'Laten we maar een beetje voortmaken.' Hij glimlachte. 'Diploma-uitreiking in de regen. Als er mensen zijn die dit als een slecht voorteken zien, we hebben nog een paar plaatsen in de examenklas van volgend jaar, voor het geval jullie een wat veelbelovender afscheid willen.' Niemand lachte en Havermeyer maakte haast met het voorlezen van de namen, waarbij zijn hoofd als een jaknikker op- en neerging: microfoon, naam, microfoon; God spoelde hem snel vooruit. Het viel niet mee om te verstaan wie er werd afgeroepen, omdat de wind de microfoon had ontdekt en spookachtige attractieparkgeluiden over het hoofd van de mensen joeg. Gloria Havermeyer ging naast haar man staan en hield een paraplu boven zijn hoofd.

'Jade Churchill Whitestone.'

Ze stond op, liep met haar oranje paraplu in Vrijheidsbeeld-stijl naar voren en nam haar diploma van Havermeyer aan alsof ze hem een dienst bewees, alsof hij haar zijn cv overhandigde. Ze schreed terug naar haar stoel. (Ze was een adembenemend, zwaarmoedig boek. Regelmatig nam ze niet de moeite voor een 'hij zei' of 'ze zei', dat moest de lezer zelf maar uitzoeken. En af en toe waren er zinnen die zo prachtig waren dat je adem ervan stokte.)

Al snel was Radley aan de beurt en daarna ik. Ik had mijn paraplu in het lokaal van meneer Moats laten liggen en Radley hield de zijne boven zijn eigen hoofd en een stuk van het feestpodium aan zijn andere kant, zodat ik langzaam doorweekt raakte. De regen had vreemd genoeg een aangename temperatuur, precies goed, als het bordje pap van Goudhaartje. Ik stond op en Eva Brewster met haar kleine roze paraplu mopperde: 'Jezus', en duwde hem in mijn handen. Ik nam hem aan, maar ik voelde me schuldig omdat de regen nu op haar haar en voorhoofd roffelde. Ik schudde snel de koude, gesnoeide hand van Havermeyer, liep terug naar mijn stoel en gaf de paraplu weer aan Eva.

Havermeyer raffelde zijn verhaal af – iets over geluk –, de mensen applaudisseerden en dropen af. Het scenario van een verregende picknick die naar binnen verhuisde trad in werking: hebben we alles, waar is Kimmie gebleven, hoe zit mijn haar, als een bos zeewier, *godver*. Vaders met gekwelde gezichten probeerden peuters uit hun stoel los te wurmen. Moeders in doorweekte witte jurken toonden de wereld onbewust een blik op hun ondergoed.

Ik wachtte nog even en deed mijn 'ik sta op het punt om'-act. Je ziet er niet verdacht eenzaam en verlaten uit als je overtuigend de indruk wekt dat je op het punt staat om iets te gaan doen, dus stond ik op, haalde met veel omhaal het denkbeeldige steentje uit mijn schoen, krabde het fictieve jeukende plekje op mijn hand en daarna dat in mijn nek (het waren net vlooien) en deed alsof ik iets kwijt was – oké, daarvoor hoefde ik niet te doen alsof. Even later was ik alleen met de stoelen en het podium. Ik stapte het trapje af en liep het veld over.

De weken ervoor had ik me zo voorgesteld dat dit het moment was waarop Pap voor het laatst groots acte de présence zou geven (een eenmalig optreden). Dat hij daar opeens in de verte zou staan, een zwart figuurtje op een lege heuvel. Of dat hij in de top van een van die imposante eiken was geklommen, om gekleed in een camouflagepak met tijgerstrepen ongezien mijn doen en laten bij de diploma-uitreiking te bespieden. Of hij zou in een geblindeerde limousine zitten die net op het moment dat ik besefte dat hij het was Horatio Way af kwam razen en me bijna van de sokken reed, de bocht om gierde en langs het kapelletje en het houten Welkom op St. Gallway-bord in de verte verdween, als een walvis in een fjord.

Maar ik zag geen zwarte gestalte en geen limousine, of ook maar één malloot in een boom. Voor me lagen Hanover Hall, Elton en Barrow als een stel stokoude honden die hun kop zelfs niet oprichtten als je een tennisbal naar ze gooide.

'Blue,' riep iemand achter me.

Ik reageerde niet en liep verder de heuvel op, maar hij riep nog een keer, dit keer dichterbij, dus bleef ik staan en draaide ik me om. Rood Shirt liep gehaast in mijn richting. Ik herkende hem onmiddellijk. Laat ik het anders zeggen: ik was me er onmiddellijk van bewust dat ik onbedoeld had gedaan wat je nooit zou verwachten: mijn eigen advies – dat met die goudvissen – opvolgen. Want het was inderdaad Zach Soderberg, en tegelijk had ik hem nooit eerder gezien. Hij zag er volkomen anders uit, ergens tussen onze laatste natuurkundeles en de diploma-uitreiking had hij besloten om zijn hoofd kaal te scheren. En het was niet zo'n hoofd met akelige butsen en bulten (als om de mensen erop te wijzen dat de eronder gelegen hersenen week waren), maar een aangenaam krachtig hoofd. Ook zijn oren waren niets waarvoor je je hoefde te schamen. Hij zag er gloednieuw uit, op een manier die pijn deed aan je ogen en je een ongemakkelijk gevoel gaf, en daarom zei ik niet: 'Sayonara', en trok ik geen sprintje naar de Volvo die volgepakt stond te wachten op het parkeerterrein. (Ik had een mooi plekje vlak bij de trap gevonden.) Ik had tot kijk gezegd tegen Armor Street 24, doei tegen het Citizen Kane-bureau, de drie bosjes huissleutels in een dichtgeplakte envelop afgegeven bij Makelaardij Sherwig, met een bedankbriefje voor Dianne Seasons met een paar extra !!! om haar een plezier te doen. Ik had de wegenkaarten klaargelegd in het handschoenenvakje. Ik had de staten tussen North Carolina en New York netjes onderverdeeld (alsof het gelijke stukken van een verjaardagstaart waren) over cassettebandjes van de Bookworm Library op Elm Street (grotendeels pulpthrillers die Pap waardeloos zou vinden). Ik had een rijbewijs met een waardeloze foto en ik was van plan om er een mooie rit van te maken.

Zach zag mijn verbazing over zijn nieuwe kapsel en streek over zijn schedel. Vermoedelijk voelde het als het fluweel van een tot op de draad versleten bankstel.

'Tja,' zei hij schaapachtig. 'Ik heb gisteravond besloten dat ik met een schone lei wilde beginnen.' Hij fronste. 'Waar ga je heen?' Hij stond dicht bij me en hij hield zijn zwarte paraplu boven mijn hoofd, zodat zijn arm op een droogstang voor natte handdoeken leek.

'Naar huis,' zei ik.

Dat verraste hem. 'Maar het wordt nu pas leuk. Havermeyer danst met Sturds. Er zijn miniquiches.' Zijn rode shirt deed het boterbloemexperiment met zijn kin – als je er daar eentje hield en hij begon te glanzen hield die persoon van boter. Ik vroeg me af wat het betekende als er een rode gloed verscheen.

'Ik moet weg,' zei ik, en het ergerde me hoe stijf het klonk. Als hij bij de politie had gezeten en ik schuldig was geweest, had hij me meteen doorzien.

Hij keek me vorsend aan en schudde zijn hoofd, alsof iemand een onbegrijpelijke vergelijking op mijn gezicht had geschreven. 'Jeetje, weet je, ik was weg van je toespraak... Ik bedoel... *jemig*.'

Door de manier waarop hij het zei voelde ik even de aandrang om te gaan lachen, maar het bleef bij de aandrang; de lach bleef ergens bij mijn sleutelbeen steken.

'Dank je,' zei ik.

'Dat stuk waarin je – wat was het ook weer... toen je het had over kunst... en wie je als mens bent... en *kunst*... Dat was te gek.'

Ik had geen flauw benul waar hij het over had. In mijn toespraak had ik het nergens gehad over kunst of wie ik als mens was. Het waren zelfs geen bijkomende thema's geweest. Maar toen ik naar hem keek, die lange gestalte – gek, die minuscule lijntjes in zijn ooghoeken waren me nooit eerder opgevallen; zijn gezicht was bedrieglijk, alsof het aanwijzingen weggaf over de man die hij was geworden –, realiseerde ik me dat het misschien daar wel om draaide: als we naar iemand wilden luisteren, hoorden we datgene waardoor we wat dichterbij konden komen. En het maakte niet uit dat je iets over kunst hoorde, of wie iemand was als mens, of iets over een goudvis; iedereen kon zijn eigen materiaal kiezen voor zijn gammele bootje. Er was ook iets met de manier waarop hij *zo* ver naar voren boog, zo graag dichterbij wilde komen (daar kon een zwanenhalslamp nog een puntje aan zuigen), zijn behoefte om elk woord op te vangen voordat het op de grond viel. Het was een constatering die me wel aanstond; ik herhaalde hem een paar keer zodat ik hem niet zou vergeten, zodat ik er onderweg op de snelweg over na kon denken, de beste plek om dingen te overdenken.

Zach schraapte zijn keel. Hij keek opzij en tuurde naar Horatio Way, het stuk waar de weg zich langs de narcissen en het vogelbadje wurmde, of misschien hoger, naar de nok van Elton, waar het windvaantje naar iets buiten beeld wees.

'Dus als ik vraag of je vader en jij vanavond zin hebben om naar de barbecue van de club te komen, zeg je toch nee.' Hij keek me aan met de trieste blik van iemand die uit een raam naar de verte staart, met de handen op de vensterbank. En in een flits, alsof meneer Archer doorklikte naar de volgende dia, herinnerde ik me opeens dat schilderijtje in het huis van Zach. Ik vroeg me af of het nog dapper aan het eind van de gang hing. Hij had gezegd dat het hem aan mij deed denken.

Hij trok een wenkbrauw op, nog een kunstje dat me nooit eerder was opgevallen. 'Kan ik je echt niet overhalen? Ze hebben heerlijke kwarktaart.'

'Ik moet echt weg,' zei ik.

Hij aanvaardde het met een knikje. 'Dus als ik vraag of ik je van de zomer nog een keertje zie – en ik hoef je niet helemáál te zien trouwens, het kan ook... een *teen* zijn, dan zeg je dat dat er helaas niet in zit. Je zit tot je vijfenzeventigste vol. Er zit trouwens een pluk gras aan je schoen.'

Ik boog voorover en veegde het gras van mijn sandalen, die een paar uur geleden nog wit waren geweest maar die nu vlekkerig en verweerd waren als de handen van een oud vrouwtje.

'Ik ben van de zomer niet hier,' zei ik.

'Waar ga je heen?'

'Naar mijn grootouders. En misschien ook nog ergens anders heen.' ('Chippawaa, New Mexico, Het Betoverde Land, Het Thuisland van de Roadrunner, Muskietengras, De Cutthroat-Forel, Industrie, mijnbouw, zilver, kalimijnen...')

'Met je vader of in je eentje?' vroeg hij.

Hij had de akelige gewoonte om je op elke vraag vast te pinnen, keer op keer.

Pap was de eerste geweest om het Geen Foute Vragen-beleid dat ooit is ingesteld om sufferds niet voor schut te zetten overboord te gooien; *ja*, of je het leuk vond of niet, er was een handjevol goede vragen en miljarden verkeerde, en uit ál die vragen had Zach net die ene gepikt waardoor ik het gevoel kreeg of er een leiding was gesprongen in mijn keel, die ene waardoor ik bang was dat ik in huilen zou uitbarsten of in elkaar zou zakken, die ene die ook een aanval van doe-alsof-jeuk op mijn armen en in mijn nek veroorzaakte. Pap zou hem waarschijnlijk wel hebben gemogen – dat was het gekke. Hij zou vast onder de indruk zijn geweest van dit schot in de roos.

'In mijn eentje,' zei ik.

En toen liep ik weg – zonder dat het echt tot me doordrong. Ik liep de natte heuvel op, de weg over. Ik huilde niet, ik was niet van streek of zo – nee, ik voelde me opmerkelijk goed. Hoewel, niet *goed* ('Goed is een woord voor grijze muizen'), maar iets anders, iets waar ik geen geschikt woord voor had. Er ging een schok door me heen toen ik de leegte van de bleekgrijze hemel zag, een leegte waarop je kon tekenen wat je wilde, kunst of goudvissen, zo klein of zo groot als je maar wilde.

Ik volgde de stoep langs Hanover en het grasveld voor de kantine dat bezaaid was met takken, langs de Scratch, de regen veranderde alles in één grote brij. En Zach bleef zonder: 'Wacht', of: 'Waar ga je…?' gewoon naast me lopen, aan mijn rechterkant, zonder de behoefte om erover te praten. We liepen zonder formule, hypothese of uitgewerkte conclusie. Zijn schoenen bewogen net als de mijne stoïcijns door de regen, kringen in een vijver waarbij de vissen die ze veroorzaakten een mysterie bleven. Hij hield de paraplu op steeds dezelfde afstand boven mijn hoofd. Ik probeerde het uit – Van Meers moeten altijd alles uitproberen: ik schoof een klein beetje buiten de beschutting, een fractie naar rechts; ik versnelde, vertraagde, stopte om nog meer gras van mijn schoen te vegen, nieuwsgierig of ik een klein stukje van mijn knie of elleboog nat kon laten regenen, of wat dan ook, maar hij bleef de paraplu consequent op dezelfde plek boven mijn hoofd houden. Toen we boven aan de trap bij de Volvo waren, bij de bomen die langs de weg stonden, zachtjes deinend – het waren tenslotte slechts figuranten die de aandacht niet van de hoofdrolspelers mochten afleiden – had geen enkele druppel me geraakt.

Afsluitend tentamen

I nstructies. Bij dit allesomvattende eindexamen wordt onderzocht hoe ver je kennis van reusachtige concepten reikt. Het bestaat uit drie onderdelen die je naar beste kunnen moet voltooien (aandeel voor eindcijfer staat tussen haakjes vermeld): Veertien Juist of Onjuist-vragen (30 procent), Zeven Meerkeuzevragen (20 procent) en één stelopdracht (50 procent)[1]: Je mag een klembord gebruiken om op te schrijven, maar geen aanvullende schoolboeken, encyclopedie, blocnote of ander extern materiaal. Zorg dat er zich één lege stoel tussen jou en je omringende kandidaten bevindt.

Bedankt en veel succes.

DEEL I: JUIST/ONJUIST?

1 Blue Van Meer heeft te veel boeken gelezen. J/O?

2 Gareth Van Meer was een knappe, charismatische man met grootse (en vaak wijdlopige) ideeën, ideeën die, wanneer ze onverkort in praktijk worden gebracht, onaangename gevolgen kunnen hebben. J/O?

3 Blue Van Meer was blind, en toch kan dat haar niet worden aangerekend, want een mens is vaak blind wanneer het hemzelf of directe verwanten betreft; je kunt net zo goed proberen om met het blote oog naar de zon te kijken om in die verblindende bol zonnevlekken, zonnevlammen en gaswolken te onderscheiden. J/O?

---

1 Je kunt het beste een potlood nr. 2 gebruiken voor het onwaarschijnlijke geval dat je op je eerste ingeving terugkomt en je, vooropgesteld dat je nog tijd over hebt, je antwoord wilt veranderen.

4 Meikevers zijn onverbeterlijke romantici die zelfs bij zeer formele gelegenheden verschijnen met lippenstift op hun tanden en verfomfaaid als
een zakenman die lang in een file heeft gestaan. J/O?

5 Andreo Verduga was een tuinman die zware luchtjes op deed, niets meer,
niets minder. J/O?

6 Smoke Harvey knuppelde zeehondjes dood. J/O?

7 Het feit dat Gareth Van Meer en Hannah Schneider dezelfde zin hadden
onderstreept – 'Als Manson naar je luisterde was het alsof hij je gezicht ver-
zwolg', op blz. 481 van hun respectieve exemplaren van *Merel zingt in het
holst van de nacht: het leven van Charles Milles Manson* (Ivys, 1985) – zegt niet
zoveel als Blue graag zou denken. Het belangrijkste dat we hieruit kunnen
afleiden is dat ze beiden gefascineerd waren door het gedrag van geestelijk
gestoorden. J/O?

8 De Nachtwakers bestaan nog steeds, in elk geval volgens liefhebbers van
complottheorieën, neomarxisten, webloggers met bloeddoorlopen ogen
en aanhangers van Che, en ook mensen van willekeurige huidskleur of ge-
zindte die genoegen scheppen in het idee dat er een fractie, niet per se *gerechtigheid* is (Blue heeft gemerkt dat gerechtigheid onder de mens geneigd is stand te houden als chabaziet in zoutzuur: het desintegreert
langzaam en laat vaak een slijmerig residu achter) als wel het eenvoudig-
weg gelijkwaardiger maken van een klein stukje van het aardse speelveld
(momenteel zonder scheidsrechter). J/O?

9 Op de politiefoto van George Gracey staat onbetwistbaar Baba au Rhum;
Blue kan dit eenvoudig afleiden uit de duidelijk herkenbare ogen van de
man, die lijken op twee olijven die diep in een bord hummus zijn geduwd –
het doet er niet toe dat de rest van het hoofd op de korrelige foto schuilgaat
achter gezichtsbeharing met een grotere dichtheid dan een neutron (1018
kg/m³). J/O?

10 Elk van de films die Hannah onverwachts bij haar lessen vertoonde – films
die, zoals Dee haar zusje vertelde, *nooit* op de oorspronkelijke syllabus
hadden gestaan – bevatte een element van subversiviteit, een bewijs van
haar excentrieke flower power-ideeën. J/O?

11 Hannah Schneider vermoordde met hulp van andere Nachtwakers (nogal
slordig) een man, tot groot ongenoegen van Gareth Van Meer; terwijl hij
genoegen schiep in zijn rol van Socrates (een rol die hem paste als een
maatpak van Saville Row) – reizend door het land, rekruten onderrichtend
in Determinatie en andere aansprekende ideeën die hij omschreef in talloze artikelen voor *Federal Forum*, waaronder 'Viva las violencia: transgressie

van het rijk van Elvis' – was Gareth liever een man van het woord, niet van het geweld, meer een Trotski dan een Stalin; bedenk dat hij elke contactsport verafschuwde. J/O?

12 Naar alle waarschijnlijkheid (hoewel het hier om een vermoeden gaat van iemand die zich baseerde op de herinnering aan een foto) pleegde Natasha Van Meer zelfmoord nadat ze had ontdekt dat haar beste vriendin, met wie ze de Ivy School had bezocht, een gepassioneerde relatie met haar man had, een man die dol was op het geluid van zijn eigen stem. J/O?

13 Je kunt het je nauwelijks voorstellen, maar verwarrend genoeg is het leven zowel triest als grappig. J/O?

14 Het lezen van een obscene hoeveelheid naslagwerken is zeer bevorderlijk voor de geestelijke gezondheid. J/O?

DEEL II: MEERKEUZE

1 Hannah Schneider was:

A Een weeskind dat opgroeide in het Horizon House in New Jersey (waar de kinderen verplicht in uniform liepen; het logo van het weeshuis was een op de borstzak van het jasje genaaide gouden pegasus die ook voor een leeuw kon doorgaan als je je ogen tot spleetjes kneep). Als kind was ze niet bijzonder aantrekkelijk. Na het lezen van *De vrouw bevrijd* (1962) van Arielle Soiffe, waarin uitgebreid aandacht werd geschonken aan Catherine Baker, wilde ze ook zoiets stoutmoedigs met haar leven doen, en in een moment van sombere rusteloosheid liet ze tegenover Blue doorschemeren dat zij in werkelijkheid die revolutionair zonder vrees was, die 'handgranaat van een vrouw' (blz. 313). Ondanks deze pogingen om haar leven wat meer grandeur te geven bleef ze doodsbang dat ze zou veranderen in wat ze het meest vreesde, een van de Verdwenenen, wat bewaarheid zou zijn geworden als Blue niet over haar had geschreven. Haar huis staat momenteel op de tweeëntwintigste plaats op de 'Hitlijst' van Makelaardij Sherwig.

B Catherine Baker, gelijke delen wegloper, misdadiger, mythe, mot.

C Een vrouw als een verdwenen beschaving, slecht verlicht maar met een fantastische architectuur; veel ruimtes, waaronder een complete eetzaal, zullen nooit worden teruggevonden.

D Stukjes en beetjes van al het bovenstaande.

2 De dood van juffrouw Schneider was in werkelijkheid:

A Zelfmoord; op een slordig moment (en daar had ze er veel van) had ze te lang met haar wijnglas gedanst en was ze met Charles naar bed gegaan, een beoordelingsfout die inwendig aan haar begon te vreten en haar ertoe aanzette om bizarre verhalen te verzinnen, haar haar af te knippen en een eind aan haar leven te maken.

B Een geval van moord door een van de leden van de Nachtwakers (*Nunca Dormindo* in het Portugees); zoals Gareth 'Socrates' en Servo 'Nero' Gracey tijdens hun spoedberaad in Parijs bespraken was Hannah nu een risicofactor. Ada Harvey kwam te veel aan de weet en was nog maar weken verwijderd van het inschakelen van de FBI, waardoor Graceys vrijheid en hun hele anti-hebzuchtorganisatie gevaar liepen; ze moest uit de weg worden geruimd – een moeilijke beslissing waarbij Gracey uiteindelijk de knoop doorhakte. De man in het bos waarvan Blue zeker was dat ze hem hoorde, net zo zeker als ze weet dat de hommelvleermuis het kleinste zoogdier op aarde is (3,3 cm.), was hun meest bedreven moordenaar, Andreo Verduga, uitgerust met ShifTbush™-Camouflage-artikelen, Herstmix, 'de verwezenlijking van elke jagersdroom'.

C Een geval van moord door 'Sloddervos Ed', het lid van de Duivelse Drie dat nog steeds voortvluchtig is.

D Een van die onduidelijke gebeurtenissen in het leven waar we nooit zekerheid over zullen krijgen (zie hoofdstuk 2, 'De Zwarte Dahlia', *Afgeslacht*, Winn, 1988).

3 Jade Churchill Whitestone is:

A Een bedriegster.

B Verleidelijk.

C Irritant als een hamerteen.

D Een gewone tiener die door de hemel de lucht niet ziet.

4 Vrijen met Milton Black was als:

A Een inktvis zoenen.

B Bestegen worden door een *Octopus vulgaris*.

C Springen in een bak gelatinepudding.

D Dobberen op een bed van voorhoofdskwabben.

5 Zach Soderberg is:

A Een boterham zonder korstjes met pindakaas.

B Schuldig aan het bedrijven van leeuwenseks in kamer 222 van het Dynasty Motel.

C Ondanks een overvloed van verklaringen en illustraties die hem door Blue Van Meer een zomer lang tijdens hun reis door het land in een blauwe Volvo stationcar zijn aangereikt, nog steeds niet in staat om de meest elementaire beginselen achter de relativiteitstheorie van Einstein te doorgronden. Hij leert momenteel de numerieke waarde van pi tot 65 cijfers achter de komma uit zijn hoofd.

D Een Orakel van Delphi.

6 Gareth Van Meer liet zijn dochter in de steek omdat:

A Hij zijn buik vol had van zijn paranoïde en hysterische dochter.

B Hij, om Jessie Rose Rubiman te citeren, 'een vuile smeerlap' was.

C Hij eindelijk voldoende lef bij elkaar had geschraapt om zijn gooi naar onsterfelijkheid te doen en zijn grote droom om voor Che te spelen in de Democratische Republiek Congo te verwezenlijken. Daarmee waren hij en zijn nephoogleraren uit het hele land stiekem bezig geweest; dat was ook de reden waarom direct na zijn vertrek in het huis talloze Afrikaanse kranten werden aangetroffen, waaronder *Angola vanbinnen bezien*.

D Hij geen gezichtsverlies bij Blue, zijn dochter, wilde lijden; Blue die altijd hemelhoog tegen hem opkeek, Blue, die zelfs nadat ze had ontdekt dat hij op intellectueel gebied net zo achterhaald was als de Grote Socialistische Oktoberrevolutie van 1917, een dromer die rampspoed over zich afriep, een theatrale theoreticus (en dan ook nog eens een heel onbelangrijke), een rokkenjager wiens affaires leidden tot de zelfmoord van haar moeder, een man die als hij niet uitkijkt zal eindigen als Trotski (ijspriem, hoofd), *nog steeds* hemelhoog tegen hem opkijkt; Blue, die als ze te laat is voor haar college 'Amerikaanse Staatsinrichting: Een Nieuw Perspectief', of als ze langs een park loopt waar de bomen boven haar fluisteren alsof ze haar een geheim willen vertellen, nog steeds hoopt dat hij ergens op een bankje op haar zit te wachten.

7 Blues uitgebreide theorie over liefde, seks, schuldgevoel en moord op vijftig blocnotepagina's is:

A Voor de volle honderd procent de waarheid, net zoals iets honderd procent katoen kan zijn.

B Absurd, een hersenschim.

C Een teer spinnenweb, niet gesponnen in een praktisch hoekje op de veranda, maar in een grote, lege ruimte, een ruimte die zo uitgestrekt is dat er makkelijk twee verlengde Cadillac DeVille Limousines achter elkaar in passen.

D Opgebouwd uit het materiaal dat Blue voor de boot gebruikte waarmee ze veilig een verraderlijke zee-engte wilde passeren (zie hoofdstuk 9, 'Scylla en Charybdis', *De Odyssee*, Homerus, Hellenistische Periode).

DEEL III: STELOPDRACHT

In veel klassieke films en academische publicaties wordt een poging gedaan om een klein beetje licht te werpen op de toestand waarin de Amerikaanse cultuur zich bevindt, het verborgen verdriet van de mensen, de strijd om individualiteit, de algemene chaos van het bestaan. Schrijf met een levendig gebruik van specifieke voorbeelden uit dergelijke teksten een overtuigende argumentering rond de stelling dat dergelijke werken verhelderend, vermakelijk en troostrijk kunnen zijn – zeker wanneer men zich in een nieuw situatie bevindt en afleiding zoekt –, maar dat ze nooit de plaats kunnen innemen van eigen ervaringen. Want, om de buitengewoon heftige autobiografie uit 1977 van Danny Yeargood, *Het boven- en onderwijs in Italië* te citeren: het leven is 'de ene klap na de andere, waarbij je zelfs als je op de grond ligt niets ziet omdat ze je op dat stuk van je hoofd hebben geslagen waar je gezichtsvermogen zit, en niet kunt ademhalen omdat ze je in je maag hebben geschopt, en je neus een bloederige puinhoop is omdat ze je tegen de grond hebben gehouden en je in je gezicht hebben geslagen. Desondanks krabbel je overeind en voel je je prima. Geweldig zelfs. Omdat je leeft.'

Neem alle tijd die je nodig hebt.

Dankbetuiging

Ik ben enorm veel dank verschuldigd aan Susan Golomb en Carole Desanti voor hun nimmer aflatende enthousiasme, opmerkingen en goede raad. Ik wil ook Kate Barker bedanken en Jon Mozes voor zijn adviezen bij de eerste versies (waarbij hij met de brutale suggestie kwam om 'hoge hakken' te vervangen door 'naaldhakken'). Ik wil ook Carolyn Horst bedanken voor het nauwgezet de puntjes op de i zetten en het doorstrepen van t's. Adam Weber bedankt, je bent de meest grootmoedige vriend die er is. Ik bedank mijn familie, Elke, Vov en Toni en mijn fantastische echtgenoot Nic, mijn Clyde, die minzaam toekijkt en geen vragen stelt wanneer zijn vrouw elke dag tien tot twaalf uur lang in een donker kamertje verdwijnt met haar computer. Maar mijn grootste dank gaat uit naar mijn moeder, Anne. Zonder haar inspiratie en buitengewone ruimhartigheid zou dit boek nooit tot stand zijn gekomen.